afgeschreven

Openbare Bibliotheek
Staatsliedenbuurt
van Hallstraat 615
1051 HE Amsterdam
Te.: 020 - 6823986

Het lot van de jager

Wilbur Smith bij De Boekerij:

De 'Ballantyne'-serie:

De klauw van de valk
De furie van de valk
De vloek van de hyena
Een luipaard jaagt 's nachts

De 'Courtney'-serie

De roofvogels
Moesson
Blauwe horizon

De Courtney-trilogie
Het goud van Natal
Vlammend veld, heftig hart
Jakhalzen van het paradijs

De tweede Courtney-trilogie
De wet van de jungle
De kracht van het zwaard
De band van het bloed

De macht van het kwaad
De greep van de angst

Titels zonder serieverband:

Geheim project Atlas
Als een adelaar in de lucht
Het oog van de tijger
Diamantjagers
Duel in de Delta
Het heetst van de strijd
De zonnevogel
Aasgieren van de golven
De laatste trein
Goudmijn
De strijd om de tand
De elfde plaag

*

Vallei der koningen
Het koningsgraf
Magiër
Triomf van de zon

Wilbur Smith

Het lot van de jager

Openbare Bibliotheek
Staatsliedenbuurt
Van Hallstraat 615
1051 HE Amsterdam
Tel.: 020 - 682.39.86

2009 – De Boekerij – Amsterdam

Oorspronkelijke titel: Assegai (Macmillan)
Vertaling: Hans Kooijman
Omslagontwerp: HildenDesign, München
Omslagbeeld: HildenDesign, using images from Shutterstock

ISBN 978-90-225-5215-5

© 2009 by Wilbur Smith
© 2009 voor de Nederlandse taal: De Boekerij bv, Amsterdam

Niets uit deze uitgave mag worden openbaar gemaakt door middel van druk, fotokopie, microfilm of op welke andere wijze ook, zonder voorafgaande schriftelijke toestemming van de uitgever.

Voor zover het maken van kopieën uit deze uitgave is toegestaan op grond van artikelen 16h t/m 16m Auteurswet, dient men de daarvoor wettelijk verschuldigde vergoeding te voldoen aan de Stichting Reprorecht te Hoofddorp (Postbus 3060, 2130 KB) of contact op te nemen met de uitgever voor het treffen van een rechtstreekse regeling.

Dit boek is voor mijn vrouw
MOKHINISO
Ze is het beste wat me ooit is overkomen.

1

9 augustus 1906 was de vierde verjaardag van de kroning van Edward VII, koning van het Verenigd Koninkrijk en de Britse domininions en keizer van India. Toevallig was het ook de verjaardag van een van Zijne Majesteits trouwe onderdanen, tweede luitenant Leon Courtney van de C Compagnie, 3de bataljon, 1ste regiment van de *King's African Rifles* of de KAR zoals ze meestal werden genoemd. Leon bracht zijn verjaardag door met het jacht maken op Nandi-rebellen op de helling van de Great Rift Valley, diep in het binnenland van het kroonjuweel van het imperium, Brits Oost-Afrika.

De Nandi's waren een krijgshaftig volk dat sterk geneigd was om tegen het gezag in opstand te komen. Ze hadden de afgelopen tien jaar af en toe gerebelleerd nadat hun grootste medicijnman en waarzegger had voorspeld dat een grote, zwarte slang zich, vuur en rook spuwend, door hun stamgebieden zou gaan kronkelen en dood en verderf onder de Nandi's zou zaaien. Toen het Britse koloniale bestuur begon met de aanleg van de spoorlijn die, volgens de plannen, van de havenstad Mombassa aan de Indische Oceaan naar de kust van het Victoriameer zou lopen, zagen de Nandi's dat de gevreesde voorspelling bewaarheid werd en de smeulende kolen van de rebellie flakkerden weer op. Ze begonnen feller te branden toen de kop van de spoorlijn Nairobi bereikte en vervolgens in westelijke richting door de Rift Valley en de stamgebieden van de Nandi's naar het Victoriameer werd doorgetrokken.

Toen kolonel Penrod Ballantyne, de commandant van het regiment, het bericht van de gouverneur van de kolonie ontving waarin stond dat de stam weer in opstand was gekomen en afgelegen voorposten van het gouvernement langs de geplande route van de spoorlijn aanviel, had hij geërgerd het hoofd geschud. 'Nou, dan zullen we ze maar weer eens een flink pak op hun donder moeten geven.' Vervolgens gaf hij zijn 3de bataljon bevel om de kazerne in Nairobi te verlaten om dit voornemen ten uitvoer te brengen.

Als hij de keus had gehad, zou Leon Courtney zich die dag met andere dingen beziggehouden hebben. Hij kende een jongedame wier echtgenoot onlangs door een leeuw was gedood op hun koffie-*shamba* die een paar kilometer buiten de nog jonge hoofdstad van de kolonie, Nairobi, in de Ngongheuvels lag. Omdat hij een onbevreesde ruiter was en een buitengewoon goede slag had, was Leon uitgenodigd om als eerste man in het poloteam van haar man te spelen. Als jong, subaltern officier kon hij het zich natuurlijk niet permitteren om er een stal pony's op na te houden, maar enkele van de rijkere clubleden wilden hem graag financieel steunen. Als lid van het team van haar overleden echtgenoot genoot Leon bepaalde privileges, daar had hij zichzelf althans van overtuigd. Nadat hij een fatsoenlijke periode voorbij had laten gaan waarin de weduwe het ergste verdriet om haar verlies had kunnen verwerken, reed hij naar de *shamba* om haar te condoleren. Het verheugde hem om te zien dat ze haar verlies opmerkelijk snel te boven was gekomen. Zelfs in haar weduwendracht vond Leon haar de aantrekkelijkste vrouw die hij kende.

Toen Verity O'Hearne, want zo heette de dame, opkeek naar de potige jongeman die zijn beste uniform, een slappe hoed met het insigne met de leeuw en de olifantstand op de zijkant ervan en glanzend gepoetste laarzen droeg, zag ze in zijn knappe gezicht en eerlijke blik een onschuld en gretigheid die bij haar een diep vrouwelijk gevoel wekten dat ze aanvankelijk voor haar moederinstinct aanzag. Op de brede, overschaduwde veranda van de hofstede serveerde ze hem thee en sandwiches besmeerd met *The Gentleman's Relish*. In het begin was Leon onbeholpen en verlegen in haar aanwezigheid, maar ze was charmant en wist hem handig op zijn gemak te stellen. Ze sprak met een licht Iers accent dat hem in verrukking bracht. Het uur ging verrassend snel voorbij. Toen hij opstond om weg te gaan, liep ze met hem mee naar de verandatrap en stak haar hand naar hem uit om afscheid te nemen. 'Komt u alstublieft nog eens langs als u in de buurt bent, luitenant Courtney. De eenzaamheid is soms een zware last voor me.' Haar stem was zacht en zoetgevooisd en haar kleine hand was zijdezacht.

Als jongste officier van het bataljon had Leon altijd veel te doen, dus het duurde bijna twee weken voordat hij aan haar uitnodiging gevolg kon geven. Toen ze de thee en de sandwiches eenmaal op hadden, leidde ze hem het huis in om hem de jachtgeweren van haar echtgenoot te laten zien die ze wilde verkopen. 'Mijn echtgenoot heeft me financieel onverzorgd achtergelaten, dus ben ik helaas gedwongen er een koper voor te zoeken. Ik hoopte dat u, als militair, me er enig idee van zou kunnen geven hoeveel ze waard zijn.'

'Het zal me een genoegen zijn u te helpen, mevrouw O'Hearne.'

'Dat is heel aardig van u. Ik heb het gevoel dat u mijn vriend bent en dat ik u volledig kan vertrouwen.'

Hij wist niet wat hij daarop moest antwoorden en hij staarde schaamteloos in haar grote, blauwe ogen, want inmiddels was hij volledig in haar ban geraakt.

'Mag ik je Leon noemen?' vroeg ze en voordat hij kon antwoorden, barstte ze in snikken uit. 'O Leon! Ik ben zo ongelukkig en eenzaam,' flapte ze eruit en ze viel in zijn armen.

Hij drukte haar tegen zijn borst. Het leek de enige manier om haar te troosten. Ze was zo licht als een pop en ze legde haar mooie hoofdje op zijn schouder. Ze beantwoordde zijn omhelzing enthousiast. Later had hij geprobeerd te reconstrueren wat er daarna precies was gebeurd, maar het was allemaal een extatisch waas. Hij kon zich niet herinneren hoe ze in haar kamer waren gekomen. Ze had een groot bed met een koperen frame en toen ze samen op het veren matras lagen, had de jonge weduwe hem een glimp van het paradijs laten zien waardoor Leons bestaan voorgoed was veranderd.

Terwijl hij nu, vele maanden later, met zijn detachement van zeven *askari's*, de plaatselijk bij de stammen gerekruteerde manschappen, in de verschroeiende hitte van de Rift Valley verspreid en met opgezette bajonet optrok door de weelderige bananenplantage die de gebouwen van het hoofdkwartier van de districtsresident in Niombi omringde, was Leon in gedachten niet zozeer bij zijn opdracht als wel bij Verity O'Hearnes boezem.

Op zijn linkerflank klakte sergeant Manjoro plotseling met zijn tong en Leon verstijfde door de zachte waarschuwing. Hij rukte zich los uit Verity's boudoir en keerde terug naar het heden. Zijn gedachten waren afgedwaald en hij had zijn plicht verzuimd. Elke pees van zijn lichaam verstrakte als een vislijn waaraan door een zware marlijn diep in het blauwe water van het Pembakanaal wordt getrokken. Hij gaf bevel om halt te houden door zijn rechterhand op te heffen en de rij *askari's* aan weerskanten van hem stopte. Hij keek uit zijn ooghoek naar zijn sergeant.

Manjoro was een *morani* van de Masai. Als een typisch lid van die stam was hij ruim een meter negentig lang, maar toch was hij zo slank en gracieus als een stierenvechter. In zijn kaki-uniform en met zijn met kwastjes versierde fez met pluimbos was hij op en top de Afrikaanse militair. Toen hij voelde dat Leon naar hem keek, bracht hij zijn kin omhoog.

Leon volgde het gebaar met zijn blik en hij zag de aasgieren. Er waren er maar twee en ze cirkelden hoog boven de daken van de *boma*, de districtsbestuurspost in Niombi, vleugel aan vleugel rond.

'Godallemachtig,' fluisterde Leon. Hij had geen problemen verwacht: het centrum van de opstand zou, naar verluidt, een kilometer of vijf verder in het westen liggen. De voorpost van het bestuur lag buiten de traditionele grenzen van de stamgebieden van de Nandi's. Dit was het territorium van de Masai. Leon had alleen orders om de bestuurs-*boma* met zijn weinige mannen te versterken voor het geval dat de opstand de stamgrenzen zou overschrijden. Nu leek het erop dat dat al gebeurd was.

De districtsresident in Niombi was Hugh Turvey. Leon had hem en zijn vrouw vorig jaar op kerstavond leren kennen bij een bal in de Kolonisten Club. Hugh was maar vier of vijf jaar ouder dan Leon, maar hij had in zijn eentje de verantwoordelijkheid voor een gebied ter grootte van Schotland. Hij had ook de reputatie verdiend dat hij een man was op wie je kon bouwen, niet iemand die zijn *boma* zou laten verrassen door een stelletje opstandige wilden. Maar de rondcirkelende vogels waren een sinister teken. Ze waren de voorbodes van de dood.

Leon beduidde zijn *askari's* met een handgebaar dat ze hun geweer moesten laden en de grendels klikten toen de .303-kogels in de kamers van de Lee-Enfields met hun lange loop werden geschoven. Hij maakte nog een handgebaar en ze bewogen zich in tirailleurslinie naar voren.

Maar twee vogels, dacht Leon. Het zouden afgedwaalde dieren kunnen zijn. Het zouden er meer moeten zijn, als… Recht voor zich uit hoorde hij het luide geklapper van zware vleugels en een andere aasgier vloog van achter de beschutting van de bananenplanten op. Er liep een huivering van angst over Leons rug. Als de beesten neerstreken, moest daar vlees liggen, dood vlees.

Weer gebaarde hij zijn mannen dat ze halt moesten houden. Hij prikte met een vinger naar Manjoro en bewoog zich toen alleen naar voren. Manjoro gaf hem rugdekking. Hoewel hij omzichtig en geruisloos naderde, schrikte hij nog meer van de grote aaseters op. In hun eentje of in groepjes vlogen ze met klapperende vleugels in de blauwe lucht omhoog om zich bij de rondcirkelende wolk van hun soortgenoten te voegen.

Leon stapte langs de laatste bananenplant en bleef aan de rand van het open exercitieterrein staan. Voor hem uit glinsterden de gepleisterde muren van de *boma* in het zonlicht. De voordeur van het hoofdgebouw stond wijd open. De veranda en het exercitieterrein waren bezaaid met kapotgeslagen meubilair en officiële bestuursdocumenten. De *boma* was geplunderd.

Hugh Turvey en zijn vrouw Helen lagen languit op de grond. Ze waren naakt en het lijkje van hun vijfjarige dochtertje lag vlak achter hen. Ze was één keer met de breedbladige assegaai van de Nandi's in de borst gestoken. Het bloed was door de enorme wond uit haar kleine lichaam weggevloeid zodat haar huid wit als zout glinsterde in het heldere zonlicht. Haar ouders waren allebei gekruisigd. Puntig geslepen houten staken waren door hun handen en voeten heen in de kleibodem van het exercitieterrein gedreven.

Dus de Nandi's hebben eindelijk iets van de missionarissen geleerd, dacht Leon bitter. Hij speurde zorgvuldig de rand van het exercitieterrein af om naar tekenen te zoeken die erop wezen dat de aanvallers nog in de buurt waren. Toen hij zich ervan verzekerd had dat ze weg waren, ging hij weer naar voren waarbij hij voorzichtig tussen de rommel door liep. Toen hij dichter bij de lijken kwam, zag hij dat Hugh ruw ontmand was en dat Helens borsten waren afgesneden. De aasgieren hadden de wonden groter gemaakt. De kaken van de beide lijken waren met houten wiggen wijd opengewrikt. Toen hij bij hen was, bleef Leon staan en hij keek op hen neer. 'Waarom is hun mond opengewrikt?' vroeg hij in het Swahili toen zijn sergeant achter hem kwam staan.

'Ze hebben hen verdronken,' antwoordde Manjoro zacht in dezelfde taal. Leon zag toen dat de klei onder hun hoofd bevlekt was doordat er een vloeistof was opgedroogd. Daarna zag hij dat hun neusgaten met balletjes klei waren dichtgestopt; ze moesten gedwongen zijn geweest om vlak voor hun dood door hun mond te ademen.

'Verdronken?' Leon schudde niet-begrijpend zijn hoofd. Toen rook hij plotseling de scherpe ammoniakstank van urine. 'Nee!'

'Ja,' zei Manjoro. 'Dat is een van de dingen die de Nandi's hun vijanden aandoen. Ze pissen in hun open mond tot ze verdrinken. De Nandi's zijn geen mensen, het zijn bavianen.' Het was duidelijk aan hem te zien hoezeer hij de andere stam minachtte en haatte.

'Ik zou degenen die dit gedaan hebben graag vinden,' mompelde Leon wiens walging plaatsmaakte voor woede.

'Ik vind ze wel. Ze zijn nog niet ver weg.'

Leon wendde zijn blik van de weerzinwekkende slachtpartij af en hij keek omhoog naar de driehonderd meter hoge helling van de vallei. Hij zette zijn hoed af en veegde het zweet van zijn voorhoofd met de rug van de hand waarin hij zijn Webley-dienstrevolver had. Met zichtbare inspanning wist hij zijn emoties te beheersen en hij keek weer naar beneden.

'We moeten deze mensen eerst begraven,' zei hij tegen Manjoro. 'We kunnen hen niet aan de aasgieren overlaten.'

Ze doorzochten behoedzaam de gebouwen die verlaten bleken te zijn. Er waren aanwijzingen dat het personeel bij het eerste teken van gevaar was gevlucht. Daarna stuurde Leon Manjoro en drie *askari's* eropuit om de bananenplantage grondig te doorzoeken en de buitengrens van de *boma* veilig te stellen.

Terwijl ze daarmee bezig waren, ging hij terug naar de woning van de Turveys, een klein huisje achter het kantoorgebouw. Het was ook geplunderd, maar hij vond een stapel lakens in een kast die door de plunderaars over het hoofd was gezien. Hij pakte er een armvol van op en nam ze mee naar buiten. Hij trok de staken los waarmee de Turveys aan de grond waren gespiest en haalde de wig uit hun mond. Enkele van hun tanden waren afgebroken en hun lippen waren geplet. Leon maakte zijn halsdoek met water uit zijn veldfles nat en veegde het bloed en de urine van hun gezicht. Hij probeerde hun armen langs hun lichaam te leggen, maar de rigor mortis was al ingetreden. Hij wikkelde de lichamen in de lakens.

De aarde in de bananenplantage was zacht en vochtig door de recente regen. Terwijl hij en een paar *askari's* met het oog op een eventuele nieuwe aanval de wacht hielden, groeven vier andere één groot graf voor de familie.

2

Hoog op de helling, vlak onder de top en aan het oog onttrokken door een klein bosje struiken, leunden drie mannen op hun speren terwijl ze moeiteloos op één been balanceerden in de ooievaarachtige rusthouding. Voor hen lag de bodem van de Rift Valley, een uitgestrekte vlakte die bedekt was met bruin gras met hier en daar bosjes doornstruiken, struikgewas en acaciabomen. Hoewel het gras er uitgedroogd uitzag, was het zoet en de bodem was uitstekende weidegrond. De Masai lieten er hun vee met de lange hoorns en bultige ruggen graag grazen, maar sinds de recente opstand van de Nandi's hadden ze hun kuddes naar een veiliger gebied veel verder in het zuiden gedreven. De Nandi's waren beruchte veedieven.

Dit deel van de vallei was overgelaten aan wilde dieren die zover het oog reikte in enorme aantallen over de vlakte zwermden. Vanuit de verte waren de zebra's even grijs als de stofwolken die ze opwierpen als ze nerveus weggaloppeerden wanneer ze gevaar meenden te bespeuren. De kongoni, de gnoes en de buffels vormden donkerdere plekken in het goudkleurige landschap. De lange nekken van de giraffes staken als telegraafpalen uit boven de platte toppen van de acaciabomen terwijl de antilopen onwerkelijke, roomkleurige stippen vormden die in de hitte dansten en glansden. Hier en daar bewogen enorme beesten die eruitzagen als zwart, vulkanisch rotsgesteente zich log tussen de kleinere dieren door, als oceaanschepen die tussen scholen sardines door voeren. Dit waren de grote dikhuiden: neushoorns en olifanten.

Het tafereel was tegelijkertijd oeroud en ontzagwekkend in zijn uitgestrektheid en overvloed, maar voor de drie mannen die vanuit de hoogte toekeken, was het alledaags. Hun interesse ging uit naar het kleine groepje gebouwen recht onder hen. Een bron die aan de voet van de helling ontsprong, voedde het stukje groen rondom de gebouwen van de bestuurs-*boma.*

De oudste van de drie mannen droeg een kilt van luipaardstaarten en een muts van de huid van hetzelfde zwart-wit gespikkelde dier. Dit waren de regalia van de oppermedicijnman van de Nandi-stam. Hij heette Arap Samoei en hij leidde al tien jaar de opstand tegen de blanke indringers en hun helse machines die de heilige stamgebieden van zijn volk dreigden te ontwijden. De gezichten en lichamen van de mannen die hij bij zich had, waren met oorlogskleuren beschilderd: hun ogen waren omcirkeld met rode oker en in dezelfde kleur was op hun neus een streep geschilderd en waren op hun wangen een paar halen aangebracht. Hun blote borst was met ongebluste kalk bespikkeld in het patroon van de pluimage van de gierparelhoen. Hun kilts waren gemaakt van gazellehuid en hun hoofdtooi van de huid van genetkatten en apen.

'De *mzoengoe* en zijn Masai-bastaardhonden zitten diep in de val,' zei Arap Samoei. 'Ik had op meer mannen gehoopt, maar zeven Masai en één *mzoengoe* zijn de moeite van het doden waard.'

'Wat doen ze?' vroeg de Nandi-kapitein die naast hem stond. Hij hield zijn hand boven zijn ogen om ze tegen de scherpe zon te beschermen toen hij over de steile helling naar beneden tuurde.

'Ze graven een kuil om het blanke slangengebroed te begraven dat we voor hen hebben achtergelaten,' zei Samoei.

'Is het al tijd om met de speren op hen af te gaan?' vroeg de derde krijger.

'Het is tijd,' antwoordde de oppermedicijnman. 'Maar bewaar de *mzoengoe* voor mij. Ik wil zijn ballen met mijn eigen mes afsnijden en daarna maak ik er een krachtig medicijn van.' Hij raakte het handvat van de *panga* aan zijn riem van luipaardhuid aan. Het was een mes met een kort, zwaar lemmet, het favoriete wapen van de Nandi's voor lijf-aan-lijfgevechten. 'Ik wil hem horen gillen als een wrattenzwijn in de klauwen van een luipaard wanneer ik zijn mannelijkheid afsnijd. Hoe harder hij schreeuwt, hoe krachtiger het medicijn zal worden.' Hij draaide zich om, liep terug naar de top van de ruwe rotswand en keek neer op de aardplooi erachter. Zijn krijgers zaten rij na rij geduldig in het korte gras neergehurkt. Samoei hief zijn gebalde vuist en de wachtende *impi* sprongen overeind zonder een geluid te maken dat hun prooi zou kunnen horen.

'Het fruit is rijp!' riep Samoei.

'Het is klaar voor het mes!' beaamden zijn krijgers in koor.

'Laten we naar beneden gaan om het te oogsten!'

3

Het graf was klaar en wachtte tot de lijken begraven zouden worden. Leon knikte naar Manjoro die zijn mannen zacht een bevel gaf. Twee van hen sprongen in de kuil en de anderen reikten hun de in lakens gewikkelde lijken aan. Ze legden de twee grotere, onhandig gevormde bundels naast elkaar op de bodem van het graf en schoven de kleine bundel ertussenin. Het was een meelijwekkend groepje dat nu voor altijd in de dood verenigd was.

Leon zette zijn hoed af en liet zich aan de rand van het graf op één knie zakken. Manjoro beval het kleine detachement om met geschouderd geweer achter hem te gaan staan. Leon begon het onzevader te bidden. De *askari's* verstonden de woorden niet, maar ze kenden de betekenis ervan, want ze hadden ze al bij vele andere graven horen uitspreken.

'Want van U is het Koninkrijk en de kracht en de heerlijkheid, tot in eeuwigheid, amen!' besloot Leon. Hij wilde overeind komen, maar voordat hij rechtop stond, werd de drukkende stilte van de hete Afrikaanse middag verscheurd door een oorverdovend gebrul en geschreeuw. Hij liet zijn hand zakken naar de kolf van de Webley-revolver in de holster aan zijn Sam Browne-riem en keek snel om zich heen.

Uit het dichte gebladerte van de bananenplanten zwermde een massa van het zweet glanzende lichamen. Ze kwamen van alle kanten, bokkensprongen makend en huppelend, terwijl ze met hun wapens zwaaiden. Het zonlicht glinsterde op de bladen van hun speren en *panga's*. Ze trommelden met hun knopkiries op hun schilden van ongelooide huid en sprongen hoog in de lucht toen ze op het kleine groepje soldaten af renden.

'Rondom mij!' brulde Leon. 'Formeer jullie rondom mij! Laden! Laden! Laden!'

De *askari's* reageerden met getrainde precisie en vormden onmiddellijk een strakke cirkel om hem heen met hun geweren schietklaar en met de bajonetten naar voren gericht. Toen Leon hun situatie snel taxeerde, zag hij dat zijn detachement volledig omsingeld was, behalve aan de kant vlak bij het hoofdgebouw van de *boma*. De Nandi-formatie moest zich gesplitst hebben toen ze eromheen optrok, waardoor er een smalle opening in hun linie was ontstaan.

'Vuur!' schreeuwde Leon en het geknal van de zeven geweren werd bijna overstemd door het geschreeuw en het getrommel op de schilden.

Hij zag maar één Nandi neervallen, een hoofdman die een kilt en een hoofdtooi van de pels van colobusapen droeg. Zijn hoofd klapte achterover door de zware loden kogel en bloedig weefsel barstte in een wolk uit zijn achterhoofd. Leon wist wie het schot had afgevuurd. Manjoro was een scherpschutter en Leon had gezien dat hij zijn slachtoffer uitkoos en daarna weloverwogen richtte.

De aanval haperde toen de hoofdman neerviel, maar nadat een in een mantel van luipaardhuid geklede medicijnman in de achterhoede een kreet van woede had geslaakt, herstelden de aanvallers zich en zetten de aanval voort. Leon besefte dat de medicijnman waarschijnlijk Arap Samoei was, de beruchte leider van de opstand. Hij vuurde snel twee schoten op hem af, maar de afstand was ruim boven de vijftig passen en de Webley was met zijn korte loop een wapen voor dichtbij. Geen van de kogels trof doel.

'Volg me!' schreeuwde Leon. 'Blijf dicht bij elkaar! Volg me!' Hij leidde hen rennend recht de smalle opening in de linie van de Nandi's in en ging recht op het hoofdgebouw af. De kleine groep van in kaki geklede figuren was bijna door de opening heen toen de Nandi's weer naar voren stroomden en hen de pas afsneden. De partijen raakten onmiddellijk in een gevecht van man tot man verwikkeld.

'Gebruik de bajonet!' brulde Leon en hij vuurde de Webley af in het grijnzende gezicht voor hem. Toen de man neerviel, verscheen er direct een andere man achter hem. Manjoro stak zijn lange, zilverkleurige bajonet helemaal in zijn borst. Daarna sprong hij over hem heen en trok tegelijkertijd de bajonet uit zijn lichaam. Leon volgde hem op de hielen en samen doodden ze nog drie man met de kogel en de bajonet voordat ze zich uit het strijdgewoel los wisten te maken en de verandatrap bereikten. Inmiddels waren ze de enige leden van het detachement die nog op hun benen stonden. Alle anderen waren aan de speren van de Nandi's geregen.

Leon rende met drie treden tegelijk de trap op en stormde door de open deur naar binnen. Manjoro sloeg de deur achter hen dicht. Ze renden allebei naar een raam en schoten in hoog tempo op de Nandi's die achter hen aankwamen. Hun vuur was zo dodelijk zuiver dat de trap binnen een paar seconden bezaaid lag met lichamen. De rest trok zich terug, ging er vervolgens vandoor en verspreidde zich in de plantage. Leon keek hen na terwijl hij bij het raam zijn revolver stond te herladen. 'Hoeveel munitie heb je nog, sergeant?' riep hij naar Manjoro die nog bij het andere raam stond.

De mouw van Manjoro's tuniek was door een *panga* van de Nandi's opengereten, maar hij bloedde maar een beetje en negeerde de wond. Hij had de grendel van zijn geweer geopend en schoof kogels in het magazijn. 'Dit zijn mijn laatste twee magazijnen, bwana,' antwoordde hij, 'maar buiten liggen er nog veel meer.' Hij gebaarde door het raam naar de patroongordels van de gesneuvelde *askari's* die op het exercitieterrein lagen, omringd door de halfnaakte Nandi's die ze met zich meegenomen hadden.

'We gaan ze ophalen voordat de Nandi's zich kunnen hergroeperen,' zei Leon.

Manjoro vergrendelde zijn geweer en zette het tegen de vensterbank.

Leon stopte zijn revolver terug in de holster en voegde zich bij de deur bij hem. Ze gingen naast elkaar staan en bereidden zich voor op hun actie. Manjoro keek naar zijn gezicht en Leon grijnsde naar hem. Het was goed om de lange Masai aan zijn zijde te hebben. Ze waren al samen sinds Leon uit Engeland was gekomen om zich bij het regiment te voegen. Dat was pas iets langer dan een jaar geleden, maar ze hadden al een sterke band ontwikkeld. 'Ben je gereed, sergeant?' vroeg hij.

'Ja, bwana.'

'Leve de Rifles!' Leon riep de strijdkreet van het regiment en gooide de deur open. Ze stormden samen door de deuropening naar buiten. De traptreden waren glad van het bloed en bezaaid met lijken, dus sprong Leon over de lage steunmuur en landde al rennend op zijn voeten. Hij spurtte naar de dichtstbijzijnde dode *askari* en liet zich op zijn knieën zakken. Hij gespte snel de webbing van de man los en zwaaide de zware patroongordels over zijn schouder. Daarna sprong hij overeind en rende naar de volgende man. Voordat hij hem had bereikt, steeg er aan de rand van de plantage een luid, woedend geroezemoes op. Leon negeerde het en liet zich naast het lijk op zijn knieën zakken. Hij keek pas weer op toen hij nog een webbing over zijn schouder had gezwaaid. Hij sprong overeind toen de Nandi's het exercitieterrein weer op zwermden.

'Ga terug en snel!' schreeuwde hij naar Manjoro die ook behangen was met patroongordels. Leon bleef net lang genoeg staan om het geweer van een dode *askari* van de grond te grissen voordat hij terugrende naar de verandamuur. Daar bleef hij weer staan en keek over zijn schouder. Manjoro liep een paar meter achter hem terwijl de voorste Nandi-krijgers nog maar vijftig passen van hem verwijderd waren en snel naderden.

'Dat wordt wel erg krap,' bromde Leon. Toen zag hij dat een van de achtervolgers de zware boog van zijn schouder zwaaide. Leon herkende de boog als het wapen waarmee de Nandi's op olifanten jaagden. Er liep een rilling van schrik over zijn nek. De Nandi's waren zeer bedreven boogschutters. 'Rennen, verdomme, rennen!' schreeuwde hij naar Manjoro toen hij zag dat de Nandi een lange pijl opzette, de boog omhoogbracht en de bevedering naar zijn lippen trok. Toen liet hij de pijl los die eerst omhoogvloog en daarna in een stille boog daalde. 'Kijk uit!' schreeuwde Leon, maar de waarschuwing was zinloos, want de pijl was te snel. Machteloos moest hij toezien hoe hij naar Manjoro's onbeschermde rug dook.

'God!' zei Leon zacht. 'Alstublieft, God!' Een ogenblik dacht hij dat de pijl zijn doelwit niet zou halen, want hij daalde snel, maar toen besefte hij dat hij zich vergiste. Hij deed een stap terug naar Manjoro, bleef toen staan en keek hulpeloos toe.

De inslag van de pijl was voor hem verborgen door Manjoro's lichaam, maar hij hoorde de klap waarmee de ijzeren pijlpunt zich in het vlees boorde. Manjoro draaide zich om. De pijlpunt had zich hoog en diep achter in zijn bovenbeen begraven. Manjoro probeerde nog een stap te doen, maar het gewonde been hield hem als een anker op zijn plaats. Leon trok de patroongordels van zijn nek en gooide ze samen met het geweer over de steunmuur heen door de deuropening naar binnen. Toen ging hij terug. Manjoro hopte op zijn niet gewonde been naar hem toe. Het andere been hing erbij en de pijlschacht flapperde. Een tweede pijl werd op hen afgeschoten en Leon vertrok zijn gezicht toen deze een handbreedte langs zijn oor suisde en daarna tegen de verandamuur klapte.

Toen hij Manjoro bereikte, sloeg hij zijn rechterarm onder de oksel om diens borst. Hij tilde hem op en rende met hem naar de muur. Het verbaasde Leon dat de Masai, ondanks zijn lengte, zo licht was. Leon was tien kilo aan stevige spieren zwaarder. Op dat moment was elk ons van zijn gespierde lichaam vervuld van de kracht van angst en wanhoop. Hij bereikte de muur, zwaaide Manjoro eroverheen en liet hem in een hoopje aan de andere kant ervan neervallen. Daarna sprong hij in één keer over de muur. Nog meer pijlen zoefden om hen heen en kletterden op de veranda, maar Leon negeerde ze. Hij tilde Manjoro van de grond alsof deze een kind was en rende door de open deur naar binnen toen de eerste achtervolger de muur achter hen bereikte.

Hij liet Manjoro op de vloer vallen en pakte het geweer van de dode *askari* op dat hij had opgehaald. Toen hij zich naar de open deur omdraaide, schoof hij een nieuwe patroon in de kam en schoot een Nandi dood die net over de muur klauterde. Hij haalde snel de grendel over en schoot opnieuw. Toen het magazijn leeg was, legde hij het geweer neer en sloeg de deur dicht. De deur was gemaakt van zware mahoniehouten planken en de lijst was diep in de dikke muren verzonken. Hij trilde toen de Nandi's aan de andere kant ervan zich ertegenaan wierpen. Leon trok zijn revolver en vuurde twee keer door de planken heen. Er klonk een kreet van pijn aan de andere kant en daarna werd het stil. Leon wachtte tot ze terug zouden komen. Hij hoorde gefluister en geschuifel van voeten. Plotseling verscheen er een beschilderd gezicht voor een van de zijramen. Leon richtte erop, maar voordat hij de trekker kon overhalen, klonk er een schot achter hem. Het hoofd verdween.

Leon draaide zich om en zag dat Manjoro zich over de vloer naar het geweer had gesleept dat hij naast het andere raam had achtergelaten. Door de vensterbank als houvast te gebruiken, had hij zich op zijn goede been opgehesen. Hij vuurde weer door het raam en Leon hoorde de solide plof van een kogel die vlees raakte en daarna het geluid van een tweede lichaam dat op de veranda viel.

'*Morani*! Krijger!' zei hij hijgend en Manjoro grijnsde om het compliment.

'Laat mij niet al het werk doen, bwana. Neem het andere raam!'

Leon stak de revolver in de holster, griste het lege geweer van de grond en rende ermee naar het open raam terwijl hij patroonhouders in het magazijn schoof: twee patroonhouders, tien kogels. De Lee-Enfield was een geweldig wapen. Het voelde goed aan in zijn handen.

Hij kwam bij het raam en vuurde snel een salvo af. Samen bestreken ze het exercitieterrein met een spervuur waardoor de Nandi's wegrenden en dekking in de plantage zochten. Manjoro zakte langzaam langs de muur naar de grond en leunde ertegenaan, met zijn benen voor zich. Het gewonde been hield hij gebogen boven het andere zodat de pijlschacht de vloer niet zou raken.

Na een laatste blik over het exercitieterrein om zich ervan te vergewissen dat de vijand niet terug probeerde te komen, liep Leon van het raam vandaan naar zijn sergeant. Hij hurkte voor hem neer en pakte voorzichtig de pijl vast. Manjoro vertrok zijn gezicht. Leon oefende wat meer druk uit, maar de van weerhaken voorziene ijzeren pijlpunt was onwrikbaar. Hoewel Manjoro geen kik gaf, stroomde het zweet van zijn gezicht en het druppelde op de voorkant van zijn tuniek.

'Ik kan de pijl er niet uit krijgen, dus ik ga hem afbreken en de wond verbinden,' zei Leon.

Manjoro keek hem secondelang uitdrukkingsloos aan en glimlachte toen waarbij hij zijn grote, regelmatige, witte tanden ontblootte. Zijn oorlellen waren in zijn jeugd doorboord en de gaatjes waren uitgerekt zodat er ivoren schijven in pasten die zijn gezicht iets ondeugends en plagerigs gaven.

'Leve de Rifles!' zei Manjoro. Zijn lispelende imitatie van Leons favoriete uitdrukking was zo verrassend onder de omstandigheden dat Leon er luid om lachte terwijl hij tegelijkertijd de rieten schacht van de pijl vlak boven de bloedende wond afbrak. Manjoro sloot zijn ogen, maar hij gaf geen kik.

Leon vond een noodverband in de zak van de webbing die hij bij een van de dode *askari's* had weggehaald en hij verbond de stomp van de pijl om te verhinderen dat deze zou bewegen. Daarna leunde hij op zijn hielen naar achteren om zijn handwerk te bestuderen. Hij haakte de waterfles van zijn webbing los, schroefde de dop eraf, nam een grote slok en overhandigde de fles toen aan Manjoro. De Masai aarzelde: een *askari* dronk niet uit de fles van een officier. Met een boze blik duwde Leon de fles in zijn handen. 'Drink, verdomme!' zei hij. 'Dat is een bevel!'

Manjoro liet zijn hoofd schuin achteroverzakken en hield de fles hoog boven zijn mond. Hij schonk het water direct in zijn mond zonder de hals van de fles met zijn lippen aan te raken. Zijn adamsappel ging op en neer terwijl hij drie keer slikte. Toen schroefde hij de dop er strak op en gaf de fles terug aan Leon.

'Zoet als honing,' zei hij.

'We vertrekken hier zodra het donker is,' zei Leon.

Manjoro dacht even over zijn woorden na. 'Welke kant wilt u opgaan?'

'We nemen dezelfde weg die we gekomen zijn.' Leon benadrukte het meervoudige persoonlijke voornaamwoord. 'We moeten terug naar de spoorlijn.'

Manjoro grinnikte.

'Waar lach je om, Morani?' vroeg Leon.

'Het is een tocht van bijna twee dagen naar de spoorlijn,' bracht Manjoro hem in herinnering. Hij schudde geamuseerd zijn hoofd en raakte veelbetekenend zijn verbonden been aan. 'Als u gaat, bwana, gaat u alleen.'

'Overweeg je om te deserteren, Manjoro? Je weet dat dat een misdrijf is waarvoor je doodgeschoten kunt worden...' Hij zweeg toen hij een beweging achter het raam opving. Hij greep zijn geweer en vuurde snel drie schoten over het exercitieterrein af. Een kogel moest levend vlees getroffen hebben, want er volgde een kreet van pijn en woede. 'Bavianen en zonen van bavianen,' grauwde Leon. In het Swahili had de belediging een bevredigende klank. Hij legde zijn geweer dwars over zijn schoot om het te herladen. Zonder op te kijken, zei hij: 'Ik draag je.'

Manjoro glimlachte spottend en vroeg beleefd: 'Twee dagen, bwana? U draagt me twee dagen terwijl de halve Nandi-stam achter ons aan zit? Heb ik u dat horen zeggen?'

'Misschien heeft de wijze, geestige sergeant een beter plan,' zei Leon uitdagend.

'Twee dagen!' zei Manjoro verbaasd. 'Misschien moet ik u "Paard" noemen.'

Ze zwegen een poosje en toen zei Leon: 'Spreek, o wijze man. Geef me raad.'

Manjoro wachtte even en zei toen: 'Dit is niet het land van de Nandi's. Dit zijn de weidegronden van mijn volk. Deze verraderlijke honden betreden wederrechtelijk het land van de Masai.'

Leon knikte. Op zijn kaart waren dergelijke grenzen niet aangegeven: zijn orders hadden dergelijke landverdelingen niet duidelijk gemaakt. Zijn superieuren kenden de nuances van de territoriale demarcatielijnen van de stammen waarschijnlijk niet, maar Leon had, voor de meest recente opstand, met Manjoro door deze gebieden lange patrouilles te voet uitgevoerd. 'Dat weet ik, want je hebt het me uitgelegd. Vertel me nu wat je betere plan is, Manjoro.'

'Als u naar de spoorlijn gaat...'

Leon onderbrak hem. 'Je bedoelt als *wij* daarnaartoe gaan.'

Manjoro boog berustend zijn hoofd. 'Als we naar de spoorlijn gaan, gaan we het Nandi-gebied weer binnen. Ze zullen brutaal worden en ons achtervolgen als een troep hyena's. Maar als we de vallei in trekken...' Manjoro gebaarde met zijn kin naar het zuiden '... komen we in het territorium van de Masai. Als ze ons achtervolgen, zullen ze bij elke stap die ze doen vervuld zijn van angst. Ze zullen ons niet ver volgen.'

Leon dacht erover na en schudde weifelend zijn hoofd. 'Er is in het zuiden niets dan wildernis en ik moet je bij een dokter brengen voordat het been gaat zweren en afgezet moet worden.'

'Op een afstand van nog geen dag reizen naar het zuiden ligt de *manjatta* van mijn moeder,' zei Manjoro.

Leon knipperde verbaasd met zijn ogen. Op de een of andere manier had hij Manjoro nooit gezien als iemand die een moeder had. Toen kreeg hij zich weer onder controle. 'Je luistert niet naar me. Je hebt een dokter nodig, iemand die die pijl uit je been kan halen voordat je eraan sterft.'

'Mijn moeder is de beroemdste dokter van het hele land. Ze heeft vanaf de oceaan tot aan de grote meren een grote reputatie als medicijnvrouw. Ze heeft honderden van onze *morani's* gered die door een speer of een pijl waren geveld of door een leeuw waren aangevallen. Ze heeft medicijnen waarvan uw blanke dokters in Nairobi alleen maar kunnen dromen.' Manjoro liet zich tegen de muur achteroverzakken. Zijn huid had nu een grauwe glans en zijn zweet rook ranzig. Ze staarden elkaar even aan en toen knikte Leon.

'Goed dan. We gaan naar het zuiden door de Rift. We vertrekken in het donker voordat de maan opgaat.'

Maar Manjoro ging weer rechtop zitten en snoof de warme lucht op als een jachthond die een verre geur opvangt. 'Nee, bwana, als we gaan, moeten we direct vertrekken. Ruikt u het niet?'

'Rook!' fluisterde Leon. 'De zwijnen proberen ons met vuur naar buiten te krijgen.' Hij keek weer door het raam. Het exercitieterrein was leeg, maar hij wist dat ze niet meer uit die richting zouden komen: er waren geen ramen in de achtermuur van het gebouw. Van die kant zouden ze komen. Hij bestudeerde de bladeren van de dichtstbijzijnde bananenplanten. Een lichte bries deed ze trillen. 'Wind uit het oosten,' mompelde hij. 'Dat komt ons goed uit.' Hij keek Manjoro aan. 'We kunnen maar weinig meenemen. Elk extra ons zal tellen. Laat de geweren en de patroongordels hier. We nemen ieder een bajonet en een waterfles mee. Dat is alles.' Al pratend strekte hij zijn hand uit naar de berg webbings die ze hadden verzameld. Hij gespte drie van de riemen aan elkaar zodat ze één lus vormden en liet die over zijn hoofd glijden en over zijn rechterschouder hangen. De lus kwam tot net onder zijn linkerheup. Hij hield de waterfles bij zijn oor en schudde ermee. 'Minder dan de helft.' Hij vulde eerst zijn eigen fles bij met water uit de flessen die ze verzameld hadden en daarna die van Manjoro. 'Wat we niet kunnen meenemen, drinken we hier op.' Samen dronken ze de restjes in de flessen op.

'Kom op, sergeant, sta op.' Leon legde een hand onder Manjoro's oksel en hees hem overeind. De sergeant balanceerde op zijn goede been terwijl hij zijn waterfles en zijn bajonet om zijn middel bond. Op dat moment viel er iets zwaars op het rieten dak boven hun hoofd.

'Fakkels!' snauwde Leon. Ze zijn naar de achterkant van het gebouw geslopen en gooien stukken brandend hout op het dak.' Er klonk weer een luide dreun boven hen en de brandlucht in de kamer werd sterker.

'Het is tijd om te gaan,' mompelde Leon toen een sliert donkere rook langs het raam dreef en daarna op de bries dwars over het open exercitieterrein naar de rij bomen werd gevoerd. Ze hoorden in de verte het gezang en het opgewonden geschreeuw van de Nandi's toen het rookgordijn heel even optrok en vervolgens zo dicht werd dat ze niet meer dan een armlengte voor zich uit konden zien. Het geknetter van vlammen was een dof geloei geworden dat zelfs het geschreeuw van de Nandi's overstemde en de rook was heet en verstikkend. Leon scheurde een stuk van het achterpand van zijn overhemd en gaf dat aan Manjoro. 'Bedek je gezicht!' beval hij en hij knoopte zijn halsdoek over zijn eigen neus en mond. Toen hees hij Manjoro over de vensterbank en sprong achter hem aan naar buiten.

Manjoro leunde op zijn schouder en hopte naast hem toen ze de veranda overstaken naar de steunmuur. Leon gebruikte die om zich te oriënteren terwijl ze zich naar de hoek van de veranda bewogen. Ze lieten zich eroverheen zakken en bleven staan om in de dichte rook hun positie te bepalen. Vonken van het dak dwarrelden om hen heen en prikten in de blote huid van hun armen en benen. Ze liepen zo snel als Manjoro zich op zijn ene been kon bewegen weer naar voren. Leon hield de lichte bries achter hen. Ze hadden het allebei benauwd in de rook. Hun ogen brandden en de tranen stroomden eruit. Ze vochten tegen de aandrang om te hoesten en smoorden het geluid met de doek die hun mond bedekte. Toen stonden ze plotseling tussen de eerste bomen van de plantage.

De rook was nog steeds dicht en ze liepen op de tast verder met hun bajonet in gereedheid omdat ze verwachtten dat ze elk moment op de vijand konden stuiten. Leon was zich ervan bewust dat Manjoro al begon te verslappen. Sinds ze uit de *boma* waren vertrokken, had hij een flink tempo aangehouden dat Manjoro op zijn ene been niet kon volhouden. Hij leunde bijna met zijn hele gewicht op Leons schouder.

'We kunnen niet stoppen voor we ruim uit de buurt zijn,' fluisterde Leon.

'Op één been loop ik even ver en snel als u op twee benen,' zei Manjoro naar lucht happend.

'Wil Manjoro, de grote opschepper, daar honderd shilling onder verwedden?' Maar voordat de sergeant kon antwoorden, greep Leon bij wijze van waarschuwing zonder iets te zeggen zijn arm vast. Ze stopten en tuurden voor zich uit in de rook. Ze luisterden tot ze het geluid weer hoorden: niet ver voor hen uit hoestte iemand schor. Leon trok Manjoro's hand van zijn schouder en mimede: 'Wacht hier.'

Hij liep diep voorovergebogen naar voren, met de bajonet in zijn rechterhand. Hij had nog nooit iemand met de bajonet gedood, maar op de training had de instructeur hen de bewegingen laten oefenen. Een menselijke gedaante doemde recht voor hem op.

Leon sprong naar voren en gebruikte het gevest van de bajonet als boksbeugel. Hij sloeg er met zo'n kracht mee tegen de zijkant van de schedel van de man dat deze op zijn knieën viel. Hij klemde zijn arm om de nek van de Nandi zodat elk geluid verstikt zou worden voordat het de lippen van de man bereikte. Maar de Nandi had zijn hele lichaam met palmolie ingesmeerd. Hij was zo glad als een aal en verzette zich hevig. Het lukte hem bijna om zich uit Leons greep te bevrijden, maar Leon bracht de hand waarin hij de bajonet hield om het kronkelende lichaam van de man heen en dreef de punt onder zijn ribben omhoog. Het verbaasde hem hoe gemakkelijk het staal naar binnen gleed.

De Nandi verdubbelde zijn inspanningen en hij probeerde te schreeuwen, maar Leon bleef zijn keel omklemmen en de geluiden die de man maakte, werden gesmoord. Door het hevige verzet van de man draaide de bajonet in zijn borstholte rond terwijl Leon het wapen heen en weer bewoog en er zagende bewegingen mee maakte. Plotseling verkrampte de Nandi en donkerrood bloed spoot uit zijn mond. Het bespatte Leons arm en bloeddruppels werden door de bries in zijn gezicht geblazen. De Nandi kokhalsde één keer en verslapte toen in Leons greep.

Leon hield hem nog een paar seconden langer vast om er zeker van te zijn dat hij dood was. Toen liet hij het lichaam los, duwde het weg en strompelde terug naar de plek waar hij Manjoro had achtergelaten. 'Kom mee,' zei hij schor en ze liepen weer naar voren. Manjoro klemde zich wankelend en slingerend aan hem vast.

Plotseling leek de grond onder hun voeten weg te zakken en ze rolden van een steile modderoever af een ondiepe stroom in. Daar was de rook ijler. Met een gevoel van opluchting besefte Leon dat ze de juiste richting hadden genomen: ze hadden de stroom uit de bron bereikt die naar de zuidkant van de *boma* liep.

Hij knielde in het water neer en schepte handenvol water in zijn gezicht om zijn brandende ogen te wassen en het bloed van de Nandi van zijn gezicht te boenen. Daarna dronk hij gretig. Manjoro deed hetzelfde. Leons keel was ruw en rauw van de rook en hij gorgelde en spuwde de laatste mondvol uit.

Hij liet Manjoro achter en klauterde naar de top van de helling om in de rook te turen. Hij hoorde stemmen, maar ze kwamen van ver en klonken vaag. Hij wachtte een paar minuten om op krachten te komen en zich ervan te verzekeren dat de Nandi's hen niet op de hielen zaten. Daarna liet hij zich van de oever glijden naar de plek waar Manjoro in het ondiepe water neerhurkte.

'Laat me eens naar je been kijken.' Hij ging naast de sergeant zitten en legde het over zijn schoot. Het noodverband was doorweekt en modderig. Hij wikkelde het los en zag onmiddellijk dat de intense inspanning van de vlucht schade had aangericht. Manjoro's dij was enorm gezwollen en het vlees rondom de wond was gescheurd en gekneusd op de plaats waar de schacht van de pijl heen en weer gewrikt was. Het bloed sijpelde er rondom uit. 'Wat een mooi gezicht,' mompelde hij en hij voelde voorzichtig achter de knie. Manjoro protesteerde niet, maar zijn pupillen verwijdden zich van pijn toen Leon iets aanraakte wat in zijn vlees begraven was.

Toen floot Leon zacht. 'Wat hebben we hier?' In de dunne spieren van Manjoro's dij zat vlak boven de knie, net onder de huid, een lichaamsvreemd voorwerp. Hij verkende het met een wijsvinger en Manjoro kromp ineen.

'Het is de punt van de pijl,' riep hij in het Engels en daarna schakelde hij over op Swahili. 'Hij heeft zich helemaal van voor naar achter door je been gewrikt.' Het was moeilijk voorstelbaar hoeveel pijn Manjoro moest verduren en Leon had het gevoel dat hij tekortschoot omdat hij niet in staat was het leed te verzachten. De dichte rook werd door de avondbries verspreid en hij kon de westelijke top van de helling van de vallei onderscheiden die nu door de vurige stralen van de ondergaande zon aangeraakt werden.

'Ik denk dat we ze voorlopig afgeschud hebben en het zal snel donker zijn,' zei hij zonder Manjoro aan te kijken. 'Je kunt tot dan uitrusten. Je zult je krachten nodig hebben voor de nacht die voor ons ligt.' Leons ogen brandden nog door de rook. Hij sloot ze en kneep ze stijf dicht, maar een paar minuten later opende hij ze weer. Hij had stemmen gehoord die uit de richting van de *boma* kwamen.

'Ze volgen ons spoor!' fluisterde Manjoro en ze lieten zich dieper onder de oever van de stroom zakken. In de bananenplantage riepen de

Nandi's zachtjes naar elkaar als spoorzoekers die bloed volgen en Leon besefte dat zijn eerdere optimisme ongefundeerd was geweest. De Nandi's volgden de afdrukken van zijn laarzen: onder hun gezamenlijke gewicht moesten ze een duidelijk spoor in de zachte aarde achtergelaten hebben. Manjoro en hij konden zich in de bedding van de stroom nergens verbergen, dus trok Leon de bajonet van zijn riem en kroop tegen de helling op tot hij net onder de rand ervan lag. Als de spoorzoekers naar beneden de stroom in keken en hen ontdekten, zou hij dichtbij genoeg zijn om hen te bespringen. Als ze niet met te veel waren, zou hij hen misschien tot zwijgen kunnen brengen voordat ze groot alarm konden slaan en de rest van de meute achter hen aan zou komen. De stemmen kwamen dichterbij tot het leek of de mannen op de rand van de oever stonden. Leon bereidde zich voor om aan te vallen, maar op dat moment klonk er in de verte geschreeuw uit de richting van de *boma*. De mannen boven slaakten opgewonden kreten en hij hoorde dat ze terugrenden in de richting waaruit ze gekomen waren.

Hij liet zich over de oever terugglijden naar Manjoro. 'Het was bijna afgelopen geweest,' zei hij toen hij het been opnieuw verbond.

'Waarom zijn ze teruggegaan?'

'Ik denk dat ze het lichaam hebben gevonden van de man die ik gedood heb, maar het zal hen niet lang ophouden. Ze komen zeker terug.'

Hij hees Manjoro overeind, legde diens rechterarm om zijn schouder en wist hem naar de top van de oever te krijgen door hem half te dragen en half te slepen.

De rustperiode in de stroom had Manjoro's toestand niet verbeterd. Door de inactiviteit waren de wond en de gescheurde spieren eromheen stijf geworden. Toen Manjoro probeerde gewicht op het been te zetten, zakte hij erdoorheen en hij zou in elkaar gezakt zijn als Leon hem niet had opgevangen.

'Van nu af aan kun je me inderdaad Paard noemen.' Hij keerde zijn rug naar Manjoro toe, boog zich voorover en trok hem op zijn rug. Manjoro kreunde van pijn toen zijn bij de knie gebogen been vrij heen en weer zwaaide, maar hij beheerste zich en maakte verder geen geluid. Leon verbond de webbingriemen op een andere manier met elkaar zodat Manjoro erop kon zitten en richtte zich toen, met Manjoro hoog op zijn rug, op terwijl diens benen uitstaken als die van een aap in een paal. Om te voorkomen dat ze onnodig zouden bewegen, pakte Leon ze vast als de hendels van een kruiwagen en zette toen koers naar de voet van de helling van de vallei. Toen ze uit de geïrrigeerde plantage het oerwoud in liepen werd het rookgordijn dat hen tot dusver had verborgen in lichtgrijze slierten weggeblazen. De laagstaande zon balanceerde nu echter als een vuurbal op de top van de helling en het werd om hen heen donkerder.

'Vijftien minuten,' fluisterde hij schor. 'Dat is alles wat we nodig hebben.' Hij was inmiddels in het oerwoud langs de voet van de helling. De struiken waren dicht genoeg om hen enige dekking te bieden en het terrein had inzinkingen en glooiingen die van ver niet duidelijk te zien waren. Met de instincten en de ogen van een jager en een soldaat pikte Leon ze eruit en gebruikte ze om hun moeizame voortgang af te schermen. Toen het duister hen troostend omhulde en hun directe omgeving erdoor opgeslokt werd, raakte hij optimistischer gestemd. Het leek of ze de achtervolgers afgeschud hadden, maar het was nog te vroeg om er zeker van te zijn. Hij liet zich op zijn knieën op de grond zakken en rolde zich toen langzaam op zijn zij om Manjoro tegen schokken te beschermen. Ze zwegen allebei een poosje en bewogen zich niet. Daarna ging Leon rechtop zitten en gespte de riemen los zodat Manjoro zijn gewonde been zou kunnen strekken. Hij schroefde de dop van de waterfles en overhandigde hem aan Manjoro. Toen ze allebei gedronken hadden, strekte hij zich helemaal uit. Alle spieren en pezen in zijn rug en benen leken om rust te smeken. 'Dit is het begin nog maar,' waarschuwde hij zichzelf grimmig. 'Morgenochtend zullen we ons pas echt amuseren.'

Hij sloot zijn ogen, maar opende ze weer toen zijn kuitspier pijnlijk verkrampte. Hij ging rechtop zitten en masseerde zijn been krachtig.

Manjoro raakte zijn arm aan. 'Ik prijs u, bwana. U bent een man van ijzer, maar u bent niet dom en het zou een grote stommiteit zijn als we hier allebei stierven. Laat uw revolver bij me achter en ga verder. Ik blijf hier en dood iedere Nandi die probeert u te volgen.'

'Hou op met dat gejammer!' snauwde Leon. 'Je lijkt wel een vrouw. We zijn nog niet eens begonnen en jij wilt het al opgeven. Ga weer op mijn rug zitten voor ik op je spuw.' Hij wist dat zijn woede buitenproportioneel was, maar hij was bang en had pijn.

Deze keer duurde het langer om Manjoro in de lus van de riemen te krijgen. De eerste honderd passen dacht Leon dat zijn benen hem helemaal in de steek zouden laten. Stilzwijgend richtte hij de belediging van Manjoro tegen zichzelf. Wie is nu degene die jammert, Courtney? Met al zijn wilskracht wist hij de pijn te verdrijven en hij voelde de kracht geleidelijk in zijn benen terugvloeien. *Eén stap tegelijk*. Hij spoorde zijn benen aan om in beweging te blijven. *Nog één stap. Goed zo. Nu nog een. En nog een.*

Hij wist dat hij niet meer verder zou gaan als hij zou stoppen om uit te rusten en hij liep door tot hij de halvemaan boven het hoge gebied aan de oostkant van de Rift Valley zag verschijnen. Hij zag hoe het hemellichaam zijn schitterende baan langs de hemel beschreef die het voorbijgaan van de uren voor hem even duidelijk markeerde als het gelui van een klok. Op zijn rug was Manjoro even stil als een dode, maar Leon wist dat hij nog leefde omdat hij de koortshitte van zijn lichaam op zijn eigen van zweet doordrenkte huid voelde.

Toen de maan naar de hoge, zwarte wand van de westelijke helling begon te dalen, wierp hij vreemde schaduwen onder de bomen. Leons geest begon hem parten te spelen. Eén keer kwam eem leeuw met zwarte manen uit het gras recht op zijn pad omhoog. Hij trok onhandig de Webley uit de holster en richtte op het beest, maar voordat hij hem over de korte loop goed in het vizier had, was de leeuw in een termietenheuvel veranderd. Hij lachte onzeker. 'Stomme zak! Straks zie je nog elfen en kabouters,' zei hij hardop.

Hij ploeterde verder met de revolver in zijn rechterhand terwijl fantomen voor hem verschenen en weer oplosten. Nu de maan halverwege de hemel hing, vloeide zijn laatste beetje kracht uit hem weg, als water uit een lekke emmer. Hij wankelde en viel bijna neer. Met enorme inspanning wist hij zich schrap te zetten en zijn evenwicht te herwinnen. Hij bleef met zijn benen wijd uit elkaar en met hangend hoofd staan. Hij was aan het eind van zijn Latijn en dat wist hij.

Hij voelde dat Manjoro op zijn rug bewoog en tot Leons stomme verbazing begon de Masai daarna te zingen. Eerst herkende Leon de woorden niet, want Manjoro's stem klonk fluisterend en zo zacht als het ochtendbriesje in het savannegras. Toen echode zijn door vermoeidheid verdoofde geest de woorden van het Leeuwenlied. Leons beheersing van het Maa, de taal van de Masai, was gebrekkig: de weinige woorden die hij kende, had hij van Manjoro geleerd. Het was een moeilijke taal, subtiel en gecompliceerd, en hij leek op geen enkele andere taal. Manjoro was echter geduldig geweest en Leon had een talenknobbel.

Het Leeuwenlied werd de jonge Masai-*morani's* geleerd in hun besnijdenisjaar. De jongemannen voerden er met stijve benen een dans bij uit waarbij ze, moeiteloos als een zwerm opvliegende vogels, hoog in de lucht sprongen en hun rode, toga-achtige *sjoeka's* zich als vleugels uitspreidden.

Wij zijn de jonge leeuwen
Wanneer we brullen trilt de aarde.
Onze speren zijn onze tanden.
Onze speren zijn onze klauwen.
Vrees ons, o jullie beesten.
Vrees ons, o jullie vreemdelingen.

Wend jullie blik van onze gezichten af, jullie vrouwen.
Waag het niet de schoonheid van onze gezichten te aanschouwen.
Wij zijn de broeders van de leeuwentroep.
Wij zijn de jonge leeuwen.
Wij zijn de Masai.

Het was het lied dat de Masai zongen wanneer ze vee en vrouwen van zwakkere stammen gingen stelen. Het was het lied dat ze zongen wanneer ze hun moed gingen bewijzen door, met alleen de assegaai als wapen, op leeuwen te jagen. Het was het lied dat hun strijdlust schonk. Het was het strijdlied van de Masai. Manjoro begon weer met het refrein. Deze keer viel Leon in en hij neuriede zacht als hij zich de woorden niet kon herinneren. Manjoro kneep in zijn schouder en fluisterde in zijn oor: 'Zing! U bent een van ons. U hebt de moed en de kracht van de grote mannetjesleeuw. U hebt de moed en het hart van een Masai. Zing!'

Ze strompelden verder naar het zuiden. Leons benen bleven bewegen, want het refrein van het lied was hypnotiserend. Zijn geest sprong wild heen en weer tussen fantasie en werkelijkheid. Hij voelde dat Manjoro op zijn rug in een coma wegzonk. Hij strompelde verder, maar hij was nu niet meer alleen. Geliefde en overbekende gezichten verschenen vanuit het duister. Zijn vader en vier broers waren er en ze moedigden hem aan vol te houden, maar wanneer hij dichter bij hen kwam, trokken ze zich terug en vervaagden hun stemmen. Elke langzame, zware pas weergalmde door zijn schedel en soms was dat het enige geluid. Andere keren hoorde hij talloze schreeuwende en jodelende stemmen en muziek van trommels en violen. Hij probeerde de kakofonie te negeren, want hij werd erdoor tot aan de rand van de waanzin gedreven.

Hij schreeuwde om de fantomen te verjagen. 'Laat me met rust. Laat me erdoor!' Ze vervaagden en hij liep door tot de rand van de opgaande zon boven de helling uitkwam. Plotseling begaven zijn benen het en hij zakte in elkaar alsof hij door het hoofd geschoten was.

Hij werd wakker van de hitte van de zon op de achterkant van zijn overhemd, maar toen hij probeerde zijn hoofd op te heffen, werd hij duizelig en hij kon zich niet herinneren waar hij was en hoe hij hier was gekomen. Zijn reuk en zijn gehoor leverden hem nu streken: hij dacht dat hij de geur van vee rook en dat hij het geluid van hun hoeven op de harde grond en hun klaaglijk geloei hoorde. Toen hoorde hij stemmen – van kinderen – die schril naar elkaar riepen. Toen hij er een hoorde lachen, was het geluid te echt om een hallucinatie te kunnen zijn. Hij rolde zich van Manjoro vandaan en wist met enorme inspanning op één elleboog omhoog te komen. Hij keek met een wazige blik om zich heen en kneep zijn ogen half dicht tegen het felle licht en het stof.

Hij zag een grote kudde bultrunderen in diverse tinten met hun wijd uitstaande hoorns. Ze liepen langs de plek waar hij en Manjoro lagen. De kinderen waren ook echt: drie naakte jongens die alleen de stokken bij zich hadden waarmee ze het vee naar de waterpoel dreven. Hij zag dat ze besneden waren, dus ze waren ouder dat ze eruitzagen, waarschijnlijk tussen de dertien en vijftien. Ze riepen naar elkaar in het Maa, maar hij verstond niet wat ze zeiden. Weer met enorme inspanning dwong Leon zijn pijnlijke lichaam om rechtop te gaan zitten. De langste jongen zag die beweging en hij bleef abrupt staan. Hij staarde Leon in verwarring aan. Hij stond duidelijk op het punt om te vluchten, maar hij beheerste zijn angst zoals het een Masai die bijna een *morani* was betaamde.

'Wie bent u?' Hij zwaaide dreigend met zijn stok, maar zijn stem trilde en sloeg over.

Leon begreep de simpele woorden. 'Ik ben geen vijand,' riep hij schor terug. 'Ik ben een vriend die je hulp nodig heeft.'

De andere twee jongens hoorden de vreemde stem en ze bleven ook staan en staarden naar de verschijning die uit de grond voor hen uit leek te zijn verrezen. Het oudste en dapperste kind deed een paar stappen naar Leon toe. Toen bleef hij staan en keek hem ernstig aan. Hij stelde nog een vraag in het Maa, maar Leon begreep hem niet. Bij wijze van antwoord strekte hij zijn arm uit en hielp hij Manjoro om naast hem rechtop te gaan zitten. 'Broeder!' zei hij. 'Deze man is jullie broeder.'

De jongen deed een paar snelle stappen naar hen toe en tuurde naar Manjoro. Daarna draaide hij zich naar zijn vrienden om en gaf hun snel een reeks door brede gebaren vergezelde instructies waarna ze over de savanne wegrenden. Het enige woord dat Leon had verstaan, was 'Manjoro!'

De jongere jongens holden naar een groepje hutten dat achthonderd meter verderop stond. Ze hadden volgens de Masai-traditie een rieten dak en waren omringd door een omheining van doornstruiken. Het was een Masai-*manjatta*, een dorp. Het met een palissade omringde terrein buiten het dorp was de kraal waarin de kostbare kuddes 's nachts opgesloten werden. Het oudste kind kwam nu naar Leon toe en hurkte voor hem neer. Hij wees naar Manjoro en zei met ontzag en verbazing: 'Manjoro!'

'Ja, Manjoro,' beaamde Leon. Zijn hoofd leek te tollen.

Het kind slaakte een kreet van blijdschap en begon Leon opgewonden toe te spreken. Leon herkende het woord voor 'oom'. maar de rest kon hij niet volgen. Hij sloot zijn ogen en ging met zijn arm eroverheen tegen het felle zonlicht achteroverliggen. 'Moe,' zei hij. 'Erg moe.'

Hij zakte weg en toen hij wakker werd, zag hij dat hij omringd was door een drom dorpelingen. Het waren Masai, daar was geen twijfel aan. De mannen waren lang. In de uitgerekte gaatjes in hun oorlellen droegen ze grote ivoren sierschijven of uit hoorn gesneden snuifdozen. Ze waren naakt onder hun lange rode mantels en hun imposante geslachtsdelen waren duidelijk zichtbaar. De vrouwen waren lang voor hun sekse. Hun schedels waren kaalgeschoren tot ze zo glad waren als eieren en ze droegen lagen van kralenkettingen met ingewikkelde patronen die over hun blote borsten hingen. Hun minuscule kralenschortjes bedekten hun pudenda nauwelijks.

Leon kwam moeizaam overeind en ze keken geïnteresseerd naar hem. De jongere vrouwen giechelden en stootten elkaar aan van verbazing omdat er zo'n vreemd wezen onder hen was. Waarschijnlijk had niemand van hen ooit een blanke man gezien. Om hun aandacht te krijgen verhief hij zijn stem tot hij schreeuwde. 'Manjoro!' Hij wees naar zijn metgezel. 'Mama? Manjoro, mama?' vroeg hij. Ze staarden hem verbaasd aan.

Toen begreep een van de jongste en knapste meisjes wat hij hun probeerde te zeggen. 'Loesima!' riep ze en ze wees naar het oosten, naar de verre blauwe contouren van de helling aan de andere kant van de vallei. De anderen schreeuwden verheugd met haar mee. 'Loesima Mama!'

Het was duidelijk de naam van Manjoro's moeder. Ze waren allemaal blij dat ze de situatie begrepen. Leon mimede dat hij Manjoro optilde en droeg en daarna wees hij naar het oosten. 'Breng Manjoro naar Loesima.' Dit zette een domper op hun zelfgenoegzaamheid en ze staarden elkaar verbijsterd aan.

Weer raadde het knappe meisje wat hij bedoelde. Ze stampte op de grond en sprak de mannen heftig toe. Toen ze aarzelden, viel ze de woeste en gevreesde krijgers met haar blote handen aan. Ze sloeg en stompte hen en trok zelfs aan het ingewikkeld gevlochten kapsel van een van hen tot ze met een beschaamd gezicht en luid lachend deden wat ze zei. Twee van hen renden terug naar het dorp en keerden terug met een lange, stevige tak waaraan ze een hangmat bevestigden die was gemaakt van hun leren mantels die ze bij de hoeken aan elkaar hadden geknoopt. Dit was een *moesjila*, een brancard. Het duurde niet lang voordat ze de bewusteloze Manjoro erop legden. Vier mannen pakten de brancard op en het hele gezelschap vertrok op een draf naar het oosten. Ze lieten Leon op de stoffige vlakte liggen.

Leon sloot zijn ogen en probeerde voldoende kracht te verzamelen om overeind te komen en hen te volgen. Toen hij zijn ogen weer opende, zag hij dat hij niet alleen was. De drie naakte herdersjongens die hem hadden ontdekt, stonden in een rij ernstig naar hem te kijken. De oudste zei iets en maakte een gebiedend gebaar. Gehoorzaam rolde Leon zich op zijn knieën en ging vervolgens slingerend op zijn benen staan. Het kind kwam naast hem staan, pakte zijn hand vast en trok er bezitterig aan. 'Loesima,' zei hij.

Zijn vriend pakte Leons andere hand vast. Hij trok eraan en zei: 'Loesima.' Leon zwichtte.

'Goed dan. Er lijkt geen andere keus te zijn. We gaan naar Loesima.' Hij tikte het oudste kind met een vinger op de borst. 'Naam? Wat is je naam?' vroeg hij in het Maa. Het was een van de zinnen die Manjoro hem geleerd had.

'Loikot!' antwoordde de jongen trots.

'We gaan naar Loesima Mama, Loikot. Wijs me de weg.'

Terwijl Leon tussen hen in strompelde, sleepten ze hem naar de blauwe heuvels, achter de mannen die de brancard droegen aan.

4

Toen ze door de vallei trokken, zag Leon een geïsoleerde berg die abrupt uit de brede vlakte verrees. Eerst leek hij slechts een uitsteeksel van de oostelijke helling en onbeduidend in de immens grote vallei, maar toen ze dichterbij kwamen, zag Leon dat de berg losstond en geen deel uitmaakte van de wand van de vallei. Hij begon een grandeur te krijgen die vanuit de verte niet zichtbaar was geweest. Hij was hoger en steiler dan de wand van de Rift Valley erachter. De lagere hellingen ervan waren bedekt met bosjes statige parapluacacia's, maar op grotere hoogte maakten deze plaats voor een dichter bergbos wat erop wees dat de top boven de wolken uitstak en omringd was door een steile muur van rotssteen die leek op een door mensenhanden gemaakte glacis van een fort.

Toen ze dit enorme natuurlijke bastion naderden, zag Leon dat de top van de berg bedekt was door een reusachtig bos. De groei ervan was duidelijk gestimuleerd door het vocht uit de ronddraaiende wolken. Zelfs op deze afstand kon hij zien dat de uitgestrekte bovenste takken van de bomen getooid waren met bosrank en bloeiende boomorchideeën. Het dichte gebladerte van de hoogste bomen was bespikkeld met bloemen die zo kleurig waren als die van een bruidsboeket. Adelaars en andere roofvogels hadden hun nesten gebouwd in de wand van de klip onder de top en ze zweefden op brede vleugels door de blauwe leegte van de lucht.

Het was halverwege de middag toen Leon en zijn drie metgezellen de voet van de berg bereikten. Ze waren erg achteropgeraakt op Manjoro en de mannen die zijn draagbaar droegen. Zij waren al halverwege het voetpad dat zigzaggend over de steile helling omhoogliep. Leon wist de beklimming maar zestig meter vol te houden. Daarna liet hij zich in de schaduw van een acaciaboom naast het pad op de grond zakken. Zijn voeten konden hem geen stap meer over het rotsachtige pad dragen. Hij legde één voet in zijn schoot en maakte onhandig de schoenveter los. Toen hij de schoen uittrok, kreunde hij van pijn. Zijn wollen sok was stijf van het opgedroogde, zwarte bloed. Hij trok hem voorzichtig uit en staarde vol ontzetting naar zijn voet. Dikke plakken huid waren met de sok meegekomen en zijn hiel was rauw. Gebarsten blaren hingen in flarden aan zijn voetzool en het leek alsof jakhalzen op zijn tenen hadden gekauwd. De drie Masai-jongens hurkten in een halve cirkel neer, bestudeerden zijn wonden en bespraken ze met morbide interesse.

Toen nam Loikot weer de leiding en hij blafte gebiedend een reeks bevelen waarop de andere twee het struikgewas in renden waar een kleine kudde van het langhoornige Masai-vee aan het eten was van de grijsgroene struiken die onder de acacia's groeiden. Binnen een paar minuten kwamen ze terug met handenvol natte mest. Toen Leon erachter kwam dat het de bedoeling was om de mest als een kompres voor zijn open blaren te gebruiken, maakte hij duidelijk dat hij zich Loikots bazigheid niet nog een keer zou laten welgevallen. Maar de jongens waren volhardend en ze bleven aandringen terwijl hij de mouwen van zijn overhemd aan repen scheurde en zijn bloedende voeten erin wikkelde.

Daarna knoopte hij zijn schoenveters aan elkaar en hing de schoenen om zijn nek. Loikot bood Leon zijn herdersstok aan. Leon accepteerde hem en hobbelde het pad op. Het werd met elke stap steiler en hij begon weer te wankelen. Loikot richtte zich tot zijn kameraden en gaf weer een serie strenge bevelen waarna ze op hun dunne benen het pad op renden.

Leon en Loikot volgden hen steeds langzamer naar boven en het bloed uit Leons voeten kleurde de stenen van het pad. Uiteindelijk zakte hij weer op een rotsblok ineen en staarde omhoog maar de top die duidelijk buiten zijn bereik lag. Loikot kwam naast hem zitten en begon hem een lang, ingewikkeld verhaal te vertellen. Leon verstond een paar woorden, maar Loikot bleek een bekwaam acteur te zijn: hij sprong overeind en mimede een strijdtafereel waarvan Leon vermoedde dat het een verslag was van de manier waarop de jongen zijn vaders kudde had verdedigd tegen rovende leeuwen. De jongen brulde vaak bloedstollend, sprong in het rond en stak met zijn stok in de lucht. Na de beproevingen van de afgelopen dagen, was het een welkome afleiding. Leon vergat bijna zijn gewonde voeten en hij lachte om de capriolen van de innemende jongen. Het was bijna donker toen ze boven hen op het pad stemmen hoorden. Loikot schreeuwde naar hen dat ze zich bekend moesten maken en hij kreeg antwoord van een gezelschap van zes in mantels geklede *morani's* die op een draf naar hen toe kwamen. Ze hadden de *moesjila* waarop ze Manjoro hadden gedragen bij zich. Op hun verzoek klom Leon erop en zodra hij goed lag, tilden vier mannen de tak op en legden hem op hun schouders. Daarna liepen ze in looppas het steile bergpad weer op.

Toen ze over de rand van de wand van de klip de tafelvormige top van de berg opliepen, zag Leon niet ver voor hen uit de gloed van vuren onder de gigantische bomen. De *moesjila*-dragers droegen hem er snel naartoe en daarna een *zareba* van palen en doorntakken in naar een grote, open veekraal. In een cirkel op de open grond stonden meer dan twintig grote hutten met een rieten dak rondom een hoge vijgenboom met wijd uitgespreide takken. Ze waren gebouwd met een vakmanschap dat superieur was aan alles wat Leon op dit gebied tijdens zijn patrouilles door Masai-land had gezien. Het vee in de kraal was groot en in prima conditie: hun huid glansde in het licht van de vlammen en hun hoorns waren enorm.

Een aantal mannen en vrouwen drong zich vanaf de vuren naar voren om naar de vreemdeling te kijken. De *sjoeka's* van de mannen waren van uitstekende kwaliteit en de overdadige sieraden en versieringen van de vrouwen waren prachtig gemaakt van de duurste kralen en ivoor. Er was geen twijfel aan dat dit een rijke gemeenschap was. Lachend en vragen naar Leon schreeuwend verzamelden ze zich rondom zijn *moesjila* en vele jonge vrouwen raakten vrijpostig zijn gezicht aan of trokken aan zijn gescheurde uniform. Masai-vrouwen deden zelden moeite om hun interesse in de andere sekse te verbergen.

Plotseling daalde er een stilte neer over de luidruchtige groep. Een koninklijke vrouwengestalte kwam vanaf de hutten naar hen toe. De dorpelingen gingen opzij om de weg voor haar vrij te maken toen ze naar de *moesjila* liep. Twee dienstmeisjes volgden haar met brandende fakkels die een gouden licht wierpen op de lange, matroneachtige gestalte die naar Leon toe gleed. De dorpelingen bogen als gras in de wind voor haar en ze maakten zachte, zoemende geluiden van respect en eerbied toen ze tussen hun gelederen door liep.

'Loesima!' fluisterden ze en ze klapten zachtjes in hun handen terwijl ze hun blik van haar verblindende schoonheid afwendden. Leon kwam moeizaam uit de *moesjila* omhoog en ging staan om haar te begroeten. Ze bleef voor hem staan en staarde met een donkere, hypnotische blik in zijn gezicht.

'Ik zie u, Loesima,' zei hij, maar secondelang gaf ze er geen blijk van dat ze hem gehoord had. Ze was bijna even lang als hij. Haar glanzende huid had de kleur van gerookte honing en was rimpelloos in het licht van de fakkels. Als ze inderdaad de moeder van Manjoro was, moest ze veel ouder dan vijftig zijn, maar ze zag er minstens twintig jaar jonger uit. Haar blote borsten waren stevig en rond. Haar getatoeëerde buik vertoonde geen tekenen van ouderdom en er was niet aan te zien dat ze kinderen had gebaard. Haar fijn gebeeldhouwde nilotische gezicht was prachtig en haar donkere ogen waren zo doordringend dat ze de geheime plaatsen van zijn geest gemakkelijk leken te kunnen bereiken.

Ndio.' Ze knikte. 'Ja, ik ben Loesima. Ik heb jullie komst verwacht. Ik heb jou en Manjoro in het oog gehouden tijdens jullie nachtelijke tocht uit Niombi.' Tot Leons opluchting sprak ze Swahili in plaats van Maa, wat de communicatie tussen hen zou vergemakkelijken. Maar haar woorden begreep hij niet. Hoe kon ze weten dat ze uit Niombi kwamen. Dat kon alleen als Manjoro bij bewustzijn was gekomen en het haar had verteld.

'Manjoro heeft niet gesproken sinds hij bij me is gekomen. Hij is nog diep in het land van de schaduwen,' verzekerde Loesima hem.

Hij schrok. Ze had zijn onuitgesproken vraag beantwoord alsof ze de woorden had gehoord.

'Ik was bij jullie om over jullie te waken,' herhaalde ze en zijns ondanks geloofde hij haar. 'Ik heb gezien hoe je mijn zoon van een zekere dood hebt gered en hem naar me toe hebt gebracht. Door deze daad ben je ook een zoon van me geworden.' Ze pakte zijn hand vast. Haar greep was koel en hard als bot. 'Kom mee, ik moet je voeten verzorgen.'

'Waar is Manjoro?' vroeg Leon. 'U zegt dat hij in leven is, maar zal hij blijven leven?'

'Hij is ernstig ziek en de duivels zitten in zijn bloed. Het zal een zware strijd worden en de uitkomst is onzeker.'

'Ik moet naar hem toe,' drong Leon aan.

'Ik breng je wel bij hem, maar nu slaapt hij. Hij moet zijn krachten verzamelen voor de beproeving die voor hem ligt. Ik kan de pijl pas verwijderen als ik bij daglicht kan werken. Dan zal ik een sterke man nodig hebben om me te helpen. Maar jij moet ook slapen, want je hebt zelfs van jouw grote krachten het uiterste gevergd. We zullen die later nodig hebben.'

Ze leidde hem naar een van de hutten en hij ging gebukt door de lage ingang de halfdonkere, rokerige ruimte binnen. Loesima wees naar een stapel dekens van apenhuiden die tegen de andere wand lagen. Hij ging ernaartoe en liet zich voorzichtig op het zachte bont van een ervan zakken. Ze knielde voor hem neer en pelde de lappen stof van zijn voeten. Terwijl ze dit deed, bereidden haar dienstmeisjes een kruidenbrouwsel in een driepotige, zwarte ijzeren pot die op het kookvuur in het midden van de hut stond. Leon wist dat ze waarschijnlijk weggehaald waren bij een onderdanige stam en behalve in naam slavinnen waren: de Masai namen gewoon het vee en de vrouwen die ze wilden hebben mee en geen enkele andere stam durfde zich tegen hen te verzetten.

Toen het kruidenbrouwsel klaar was, brachten de meisjes het in een kalebas bij Leon. Loesima controleerde de temperatuur en ze voegde er een koude, maar even vies ruikende vloeistof uit een andere kalebas aan toe. Daarna pakte ze zijn voeten een voor een vast en dompelde ze in het mengsel onder.

Hij moest al zijn zelfbeheersing aanwenden om het niet uit te schreeuwen, want het brouwsel voelde aan alsof het net van de kook af was en de sappen van de kruiden waren scherp en bijtend. De drie vrouwen sloegen zijn reactie aandachtig gade en ze wisselden goedkeurende blikken toen het hem lukte een onbewogen uitdrukking op zijn gezicht te houden en een stoïcijns stilzwijgen te bewaren. Loesima tilde zijn voeten een voor een uit de vloeistof en wikkelde ze in stroken stof. 'Nu moet je eten en slapen,' zei ze. Ze knikte naar een van de meisjes die hem een kalebas bracht en eerbiedig knielde toen ze hem het voedsel met beide handen aanbood. Leon ving een vleugje van de geur van de inhoud van de kalebas op. Het was het basisvoedsel van de Masai en hij durfde het niet te weigeren omdat hij daarmee zijn gastvrouw zou beledigen. Hij vermande zich en bracht de kom naar zijn mond.

'Het is vers gemaakt,' verzekerde Loesima hem 'Ik heb het eigenhandig gemengd. Het zal je kracht herstellen en helpen om je gewonde voeten snel te genezen.'

Toen hij een slok nam, kwam zijn maag in opstand. Het voedsel was warm, maar het met melk vermengde, verse ossenbloed was een gladde geleiachtige substantie geworden die aan zijn keel bleef plakken. Hij bleef slikken tot de kalebas leeg was. Daarna liet hij hem zakken en boerde luid. De slavinnetjes kraaiden verrukt en zelfs Loesima glimlachte.

'De duivels vliegen uit je buik,' zei ze goedkeurend. 'Nu moet je gaan slapen.' Ze duwde hem neer op de dekens en spreidde een andere deken over hem uit. Zijn oogleden werden zwaar en hij viel direct in een diepe slaap.

5

Toen hij zijn ogen weer opende, scheen de ochtendzon fel door de ingang van de hut. Loikot wachtte, neergehurkt bij de deur op hem, maar hij sprong op zodra Leon zich bewoog. Hij kwam onmiddellijk naar hem toe en stelde, op Leons voeten wijzend, een vraag.

'Het is nog te vroeg om er iets over te zeggen,' antwoordde Leon. Hoewel elke spier van zijn lichaam pijn deed, was zijn hoofd helder. Hij ging rechtop zitten en wikkelde het verband los. Tot zijn verbazing waren de zwelling en de ontsteking grotendeels verdwenen.

'Dokter Loesima's slangenolie.' Hij grijnsde. Hij was in een goed humeur tot hij aan Manjoro dacht.

Hij verbond snel zijn voeten weer en hobbelde naar de grote waterpot van aardewerk die voor de deur stond. Hij trok het restant van zijn overhemd uit en waste het stof en het opgedroogde zweet van zijn gezicht en haar. Toen hij zich oprichtte, zag hij dat de helft van de vrouwen van het dorp, jong en oud, in een kring om hem heen zat en al zijn bewegingen met grote aandacht volgde.

'Dames!' zei hij. 'Ik sta op het punt om te gaan pissen. Jullie zijn niet uitgenodigd om de procedure bij te wonen.' Leunend op Loikots schouder liep hij naar de ingang van de veekraal.

Toen hij terugkwam, wachtte Loesima op hem. 'Kom mee,' beval ze. 'Het is tijd om te beginnen.' Ze leidde hem naar de hut die naast de zijne stond. Het was binnen donker door het contrast met het scherpe zonlicht buiten en het duurde even voor zijn ogen eraan gewend waren. De lucht rook sterk naar de rook van het houtvuur en er hing ook nog een subtielere geur, de zoete, misselijkmakende stank van rottend vlees. Manjoro lag op zijn buik op een leren deken naast het vuur. Leon liep snel naar hem toe en hij raakte direct somber gestemd. Manjoro lag erbij als een dode en zijn huid had zijn glans verloren en was zo dof als het roet dat aan de bodem van de kookpot vastkoekte. De ranke spieren van zijn rug leken weggekwijnd te zijn. Zijn hoofd was opzij gedraaid en zijn ogen hadden zich in hun kassen teruggetrokken. Ze waren halfopen en zo glansloos als kwartsstenen uit de rivierbedding. Zijn been was boven de knie enorm gezwollen en de stank van de gele pus die rondom de afgebroken pijl uitgescheiden werd, vulde de hut.

Loesima klapte in haar handen en vier mannen dromden naar binnen. Ze pakten de hoeken van de draagbaar waarop Manjoro lag vast en droegen hem naar buiten. Vervolgens liepen ze over de open grond van de veekraal naar de hoge *moekoejoe*-boom die in het midden ervan stond. Ze legden hem in de schaduw terwijl Loesima haar mantel uitdeed en zich met blote borst over hem heen boog. Ze praatte zachtjes tegen Leon: 'De pijlpunt kan er niet uit via de weg waarlangs hij binnengekomen is. Ik moet hem er aan de andere kant uittrekken. De wond is rijp. Dat kun je ruiken. Toch zal hij de pijl niet gemakkelijk prijsgeven.' Een van de slavinnnetjes overhandigde haar een klein mes met een handvat van rinoceroshoorn en het andere meisje bracht haar een aardewerken vuurpot die ze aan een hengsel van touw om haar hoofd rondzwaaide om de kolen brandende te houden. Toen ze gloeiden, zette ze de pot voor haar meesteres neer. Loesima hield het lemmet in de vlammen en draaide het langzaam rond tot het metaal begon te gloeien. Daarna liet ze het afkoelen in een andere pot met een vloeistof die rook als het brouwsel waarmee ze Leons voeten had behandeld. De vloeistof borrelde en gaf stoom af terwijl het lemmet afkoelde.

Met het mes in haar hand hurkte Loesima naast haar zoon neer. De vier *morani's* die hem uit de hut gedragen hadden, knielden naast haar neer, twee naast Manjoro's hoofd en twee naast zijn voeten. Ze keek Leon aan en zei kalm: 'Jij moet het volgende doen,' en daarna vertelde ze hem gedetailleerd wat ze van hem verwachtte. 'Hoewel je de sterkste van ons bent, zul je al je kracht nodig hebben. De weerhaken hebben een sterke greep op zijn vlees.' Ze staarde in zijn gezicht. 'Begrijp je het, mijn zoon.'

'Ik begrijp het, Mama.' Ze opende de leren tas die aan haar middel hing en haalde er een streng dun, wit draad uit. 'Dit is het touw dat je moet gebruiken.' Ze overhandigde het hem. 'Ik heb het gemaakt van de darmen van een luipaard. Het is sterk. Er bestaat geen sterker draad.' Ze stak haar hand weer in de tas en haalde er een dikke reep olifantshuid uit. Voorzichtig opende ze Manjoro's mond. Ze stopte het stuk huid tussen zijn kaken en bond het vast met een kort stuk impaladarm zodat Manjoro het niet zou kunnen uitspuwen.

'Dat zal verhinderen dat hij zijn tanden breekt als de pijn het ergst is,' verklaarde ze.

Leon knikte, maar hij wist dat de belangrijkste reden voor het inbrengen van de klem was dat ze wilde verhinderen dat haar zoon het zou uitschreeuwen en haar te schande zou maken.

'Draai hem op zijn rug,' beval Loesima de vier *morani's*, 'maar doe het voorzichtig.' Toen ze Manjoro omrolden, beschutte zij de stomp van de pijl zodat die niet in de deken zou blijven haken. Daarna zette ze aan weerskanten ervan een blok hout om de stomp vrij van de grond te houden en het been een stevige ondergrond te geven. 'Hou hem vast,' beval ze de *morani's*.

Ze boog zich over het gewonde been heen en legde haar beide handen erop. Ze betastte voorzichtig de voorkant van Manjoro's bovenbeen om onder het warme, gezwollen vlees de punt van de pijl te zoeken. Manjoro bewoog zich onrustig toen haar onderzoekende vingers de vorm van de in het vlees begraven pijlpunt volgden. Ze bracht het lemmet van het mes met het hoornen handvat precies naar die plek toe en begon in het Maa een bezwering te zingen. Na een poosje leek Manjoro zich over te geven aan het monotone refrein. Zijn verschrompelde lichaam ontspande zich en hij snurkte zachtjes, ondanks de leren klem.

Zonder haar gezang te onderbreken, drukte Loesima plotseling de punt van het lemmet naar beneden. Bijna alsof het geen weerstand ontmoette, zonk het weg in de donkere huid. Manjoro verstijfde en al zijn rugspieren spanden zich. Het lemmet knarste op metaal en er welde pus op uit de wond die het mes had gemaakt. Loesima legde het mes neer en drukte op de andere kant van de snee. De scherpe punt van de pijl werd door de vergrote wond naar buiten geduwd en de eerste rij weerhaken werd zichtbaar.

Leon had tijdens de veldslag een aantal buit gemaakte wapens van de Nandi's kunnen onderzoeken, dus het verbaasde hem niet dat de pijlpunt op een onconventionele manier was gemaakt. Hij was gesmeed uit een ijzeren poot van een pot die zo dik was als Leons pink. Het was de bedoeling dat hij diep in het enorme lichaam van een olifant zou doordringen, dus had hij niet één grote weerhaak, zoals de pijlpunt die middeleeuwse Engelse boogschutters hadden gebruikt tegen de zwaar geharnaste Franse ridders. In plaats daarvan waren er rij na rij kleine uitsteeksels op aangebracht die niet groter waren dan de schubben van een vis en die met weinig weerstand door vlees zouden glijden. Door hun grote aantal en hun achterwaartse hoek, zou het onmogelijk zijn om de pijlpunt eruit te trekken via de weg waarlangs hij binnengedrongen was.

'Snel!' fluisterde Loesima. 'Bind hem vast!'

Hij had de schuifknoop van impaladarm gereed en liet hem over de pijlpunt glijden, vlak achter de eerste rij uitsteeksels. 'Hij zit goed,' zei hij toen hij de lus strak trok.

'Hou hem nu goed vast. Zorg dat hij niet beweegt en de draad loswringt,' zei Leon tegen de *morani's*. Ze wierpen hun gecombineerde gewicht op Manjoro's liggende lichaam.

'Trek met al je kracht, mijn zoon,' spoorde Loesima hem aan. 'Trek dit kwaad uit hem.'

Leon draaide de impaladarm driemaal om zijn pols en bracht hem krachtig omhoog. Loesima begon weer te zingen toen hij uit alle macht met zijn rechterarm aan de dunne daad trok. Hij lette erop dat hij niet aan de draad rukte of hem om de messcherpe uitsteeksels draaide. Langzaam liet hij de druk op de lus toenemen. Hij voelde dat de draad licht uitgerekt werd, maar de pijlpunt bleef vastzitten. Hij draaide de draad nog een keer om zijn andere pols en verplaatste zich tot zijn schouders precies in het verlengde lagen van de hoek waarin de pijl het been was binnengedrongen. Hij trok weer, nu met beide armen, en negeerde de scherpe pijn van de draad die in zijn vlees sneed. Zijn schouderspieren zwollen onder het gescheurde overhemd op. De pezen in zijn hals puilden uit en zijn gezicht was rood van inspanning.

'Trekken,' fluisterde Loesima, 'en moge Mkoeba Mkoe, de grootste van de grote goden, je armen kracht geven.'

Inmiddels verzette Manjoro zich zo wanhopig dat de vier mannen hem niet meer stil konden houden. Hij maakte een klaaglijk geluid achter de klem en zijn ogen waren opengesperd en leken, bloeddoorlopen en wild, uit hun kassen te komen. De opgesloten pijlpunt trok zijn opengereten en gezwollen vlees in een piek omhoog, maar de weerhaken bleven nog steeds stevig zitten.

'Trekken!' spoorde Loesima Leon aan. 'Je bent sterker dan de leeuw. Je hebt de kracht van M'bogo, de grote buffelstier.'

Toen kwam er beweging in de pijlpunt. Met een zacht scheurend geluid verscheen een tweede rij weerhaken achter de eerste en toen een derde. Ten slotte stak er vijf centimeter donker gevlekt metaal uit de wond. Leon rustte even uit voordat hij zich gereedmaakte voor de laatste poging. Toen klemde hij zijn tanden op elkaar tot zijn kaakspieren uitpuilden en hij trok opnieuw. Weer werden een paar centimeter metaal onwillig zichtbaar. Daarna volgde een golf van half gestold zwart bloed en paarse pus. De stank deed zelfs Loesima naar lucht happen, maar de vloeistoffen leken de pijlschacht te smeren en hij glibberde nu uit de wond, als een boosaardige foetus in het verschrikkelijke moment van zijn geboorte.

Leon week hijgend terug en staarde vol afgrijzen naar de schade die hij had aangericht. De wond gaapte als een open, donkere mond, terwijl bloed en smurrie uit het opengereten vlees stroomden. In zijn pijn had Manjoro door de olifantshuid heen in zijn lippen gebeten. Vers bloed druppelde van zijn kin. Hij verzette zich nog steeds hevig, terwijl de vier *morani's* al hun kracht en hun gezamenlijk gewicht gebruikten om hem neergedrukt te houden.

'Houd het been stil, M'bogo,' riep Loesima. Een van haar meisjes overhandigde haar de lange, dunne hoorn van een klipspringerantilope waaruit een primitieve trechter was gesneden. Ze stak het scherpe uiteinde diep in de wond en Manjoro verdubbelde zijn inspanningen. Het meisje hield een kalebas bij Loesima's lippen en deze vulde haar mond met de vloeistof die erin zat. Een paar druppels liepen over haar kin en Leon ving de scherpe geur ervan op. Loesima sloot haar lippen als een trompettiste om het wijde uiteinde van de hoorn en blies de vloeistof naar beneden en door het puntige uiteinde de wond in. Toen ze een tweede mondvol vloeistof door de trechter blies, borrelde de vloeistof uit de open wond en spoelde rottend bloed en andere stoffen weg.

'Draai hem om,' beval ze de *morani's*. Hoewel Manjoro zich nog steeds verzette, wisten ze hem op zijn buik te rollen. Leon ging schrijlings op zijn rug zitten en gebruikte zijn volle gewicht om hem vast te pinnen. Loesima wrikte de punt van de hoorn in de ingangswond aan de achterkant van het been en blies opnieuw het infuus diep in het etterende vlees.

'Genoeg,' zei ze ten slotte. 'Ik heb het gif eruit gespoeld.' Ze legde de hoorn neer, drukte bosjes gedroogde kruiden op de wonden en bond ze met lange repen stof op hun plaats. Manjoro's verzet nam geleidelijk af tot hij ten slotte wegzonk in een coma en erbij lag als een dode.

'Het is klaar. Ik kan verder niets meer doen,' zei ze. 'Het is nu een strijd tussen de goden van zijn voorouders en de duistere duivels. Binnen drie dagen zullen we weten wat het resultaat is. Breng hem naar zijn hut.' Ze keek op naar Leon. 'Jij en ik, M'bogo, gaan om de beurt aan zijn zij zitten om hem kracht te geven voor het gevecht.'

6

De volgende dagen hing Manjoro's leven aan een zijden draadje. Soms lag hij zo diep in coma dat Leon zijn oor op zijn borst legde om te luisteren of hij nog ademde. Andere keren hapte hij naar lucht en lag hij schreeuwend en kronkelend op zijn slaapmat terwijl hij zweette en met zijn tanden knarste van de koorts. Loesima en Leon zaten aan weerskanten van hem en hielden hem in bedwang wanneer hij zichzelf met zijn wilde stuiptrekkingen dreigde te verwonden. De nachten waren lang en ze sliepen geen van beiden. Ze praatten urenlang zachtjes met elkaar.

'Ik voel dat je niet, zoals de meeste van je landgenoten, bent geboren op een ver overzees eiland, maar hier in Afrika,' zei Loesima. Haar bijna griezelige waarnemingsvermogen verbaasde Leon niet meer. Toen hij niet direct antwoordde, vervolgde ze: 'Je bent ver in het noorden op de oever van een grote rivier geboren.'

'Ja,' zei hij. 'U hebt gelijk. De stad heet Caïro en de rivier is de Nijl.'

'Je behoort dit land toe en je zult het nooit verlaten.'

'Dat heb ik ook nooit gedacht,' antwoordde hij. Ze pakte zijn hand vast, sloot haar ogen en zweeg een poosje. 'Ik zie je moeder,' zei ze. 'Ze is een vrouw met veel begrip. Jullie zijn verwante geesten. Ze wilde niet dat je zou weggaan.'

Leons blik werd donker van spijt.

'Ik zie je vader ook. Vanwege hem ben je vertrokken.'

'Hij behandelde me als een kind. Hij probeerde me dingen te laten doen die ik niet wilde. Ik weigerde. We ruzieden en maakten mijn moeder ongelukkig.'

'Wat wilde hij dat je deed?' vroeg ze met de houding van iemand die het antwoord al kent.

'Mijn vader is altijd bezig met geld verdienen. Hij interesseert zich nergens anders voor, zelfs niet voor zijn vrouw en kinderen. Het is een harde man en we mogen elkaar niet. Ik denk wel dat ik hem respecteer, maar ik bewonder hem niet. Hij wilde dat ik bij hem kwam werken en dezelfde dingen zou doen als hij. Het was een deprimerend vooruitzicht.'

'Dus ben je weggelopen?'

'Ik ben niet weggelopen. Ik ben weggegaan.'

'Waar was je naar op zoek?' vroeg ze.

Hij keek nadenkend. 'Dat weet ik eigenlijk niet, Loesima Mama.'

'Heb je het niet gevonden?' vroeg ze.

Hij schudde onzeker zijn hoofd. Toen dacht hij aan Verity O'Hearne. 'Misschien,' zei hij. 'Misschien heb ik iemand gevonden.'

'Nee. Niet de vrouw aan wie je denkt. Ze is maar een van de vele vrouwen.'

Hij had de vraag al gesteld voordat hij zich kon inhouden. 'Hoe weet u van haar?' Toen beantwoordde hij de vraag zelf. 'Natuurlijk. U was daar. En u weet veel dingen.'

Ze grinnikte en ze zwegen lange tijd. Het was een troostende stilte. Hij voelde een vreemde band met haar, een geestverwantschap alsof ze echt zijn moeder was.

'Wat ik nu met mijn leven doe, bevalt me niet,' zei hij ten slotte.

Hij had er hiervoor niet over nagedacht, maar toen hij het zei, wist hij dat het de waarheid was.

'Omdat je een soldaat bent, kun je niet doen wat je hart je ingeeft,' beaamde ze. 'Je moet bevelen van de oude mannen opvolgen.'

'U begrijpt het,' zei hij. 'Ik heb er een hekel aan om mensen die ik niet eens ken op te sporen en te doden.'

'Wil je dat ik je de weg wijs, M'bogo?'

'Ik ben u gaan vertrouwen. Ik heb uw leiding nodig.'

Ze zweeg weer en deze keer zo lang dat hij op het punt stond de stilte te verbreken. Toen zag hij dat haar ogen wijd open waren, maar ze waren naar achteren gerold zodat in het licht van het vuur alleen het oogwit te zien was. Ze wiegde ritmisch op haar hurken heen en weer en na een tijdje begon ze te spreken, maar haar stem klonk nu zacht, raspend en monotoon. 'Er zijn twee mannen. Ze zijn geen van beiden je vader, maar ze zullen allebei meer dan je vader zijn,' zei ze. 'Er is een andere weg. Je moet de weg volgen van de grote, grijze mannen die geen mannen zijn.' Ze haalde diep, piepend en astmatisch adem. 'Als je de geheimen van de wilde dieren leert, zullen andere mannen je voor die kennis en dat inzicht eren. Je zult met machtige mannen omgaan en ze zullen je als hun gelijke beschouwen. Er zullen vele vrouwen zijn, maar slechts één vrouw die vele vrouwen zal zijn. Ze zal uit de wolken naar je toe komen. Net als de wolken zal ze je vele gezichten laten zien.' Ze zweeg en maakte een stikkend geluid achter in haar keel. Met een bovennatuurlijk besef wist hij dat dit veroorzaakt werd door de inspanning van haar waarzeggerij. Ten slotte schudde ze zichzelf hevig en ze knipperde met haar ogen. Haar ogen rolden naar voren zodat hij in de donkere pupillen keek toen ze haar blik op zijn gezicht concentreerde.

'Laat tot je doordringen wat ik je verteld heb, mijn zoon,' zei ze zacht. 'De tijd om te kiezen, zal spoedig komen.'

'Ik begrijp niet wat u me zonet verteld hebt.'

'Na verloop van tijd zal alles je duidelijk worden,' verzekerde ze hem. 'Wanneer je me nodig hebt, zal ik er altijd zijn. Ik ben niet je moeder, maar ik ben meer dan je moeder geworden.'

'U spreekt in raadselen, Mama,' zei hij en ze glimlachte ondoorgrondelijk, maar vol genegenheid naar hem.

7

De volgende ochtend kwam Manjoro bij bewustzijn, maar hij was erg zwak en verward. Hij probeerde rechtop te gaan zitten, maar hij had er de kracht niet voor. Hij keek hen met een wazige blik aan. 'Wat is er gebeurd? Waar ben ik?' Toen herkende hij zijn moeder. 'Mama, u bent het echt! Ik dacht dat het een droom was. Ik heb gedroomd.'

'Je bent veilig in mijn *manjatta* op de Lonsonjo,' zei ze. 'We hebben de Nandi-pijl uit je been gehaald.'

'De pijl. Ja, ik herinner me... De Nandi's?'

De slavinnetjes brachten hem een kom ossenbloed met melk. Hij dronk er gretig van en morste wat op zijn borst. Daarna ging hij naar adem happend op zijn rug liggen. Toen zag hij voor het eerst Leon die in de halfdonkere hut neergehurkt zat. 'Bwana!' Deze keer lukte het hem wel om rechtop te gaan zitten. 'Bent u nog steeds bij me?'

'Ja.' Leon liep rustig naar hem toe.

'Hoe lang zijn we hier? Hoeveel dagen is het geleden sinds we uit Niombi vertrokken zijn?'

'Zeven.'

'Het hoofdkwartier in Nairobi zal denken dat u niet meer leeft of gedeserteerd bent.' Hij greep Leons overhemd vast en schudde er opgewonden aan. 'U moet u bij het hoofdkwartier melden, bwana. U moet uw plicht niet voor mij verzuimen.'

'We gaan terug naar Nairobi zodra jij kunt reizen.'

'Nee, bwana, nee. U moet direct vertrekken. U weet dat de majoor uw vriend niet is. Hij zal het u moeilijk maken. U moet onmiddellijk vertrekken en ik kom achter u aan zodra ik kan.'

'Manjoro heeft gelijk,' kwam Loesima tussenbeide. 'Je kunt hier niets meer doen. Je moet naar je baas in Nairobi gaan.' Leon was zijn tijdsbesef kwijtgeraakt, maar nu besefte hij met een schuldig gevoel dat het meer dan drie weken geleden was sinds hij contact met het hoofdkwartier van zijn bataljon had gehad. 'Loikot zal je naar de spoorlijn brengen. Hij kent dat deel van het land goed. Ga met hem mee,' drong Loesima aan.

'Dat zal ik doen.' Leon stond op. Hij hoefde geen voorbereidingen voor de reis te treffen. Hij had geen wapens en bagage en bijna geen andere kleding dan zijn gescheurde kaki-uniform.

Loesima gaf hem een Masai-*sjoeka*. 'Het is de beste bescherming die ik je kan geven. Hij zal je tegen de zon en de kou beschermen. De Nandi's vrezen de rode *sjoeka*: zelfs de leeuwen slaan ervoor op de vlucht.'

'Leeuwen ook?' Leon onderdrukte een glimlach.

'Dat zul je wel zien.' Loesima beantwoordde zijn glimlach.

Hij en Loikot vertrokken binnen een uur nadat hij het besluit om te vertrekken had genomen. Tijdens de regens van het vorige seizoen had de jongen het vee van zijn vader helemaal tot de spoorlijn in het noorden gehoed en hij kende het gebied goed. Leons voeten waren net voldoende genezen om zijn schoenen te kunnen dragen. Voorzichtig volgde hij Loikot de berg af naar de grote vlakte beneden. Aan de voet van de berg bleef hij staan om zijn veters opnieuw te rijgen. Toen hij zich weer oprichtte en omhoogkeek, zag hij het onmiskenbare silhouet van Loesima die op de rand van de klip stond. Hij bracht bij wijze van afscheidsgroet een arm omhoog, maar ze reageerde niet op het gebaar. Ze draaide zich om en verdween uit het zicht.

8

Toen zijn voeten genazen en harder werden, kon hij zijn snelheid verhogen en zich achter Loikot aan haasten. De jongen liep met de lange, vloeiende pas die kenmerkend was voor zijn volk. Onderweg leverde hij doorlopend commentaar op alles wat zijn aandacht trok. Hij miste niets met zijn heldere, jonge ogen waarmee hij vanaf een afstand van driehonderd meter de etherische, grijze vorm van een koedoestier die diep in een bosje doornstruiken stond, kon onderscheiden.

De vlakte waarover ze reisden, wemelde van de dieren. Loikot negeerde de kuddes kleinere antilopen die om hen heen renden, maar hij had over alle grotere dieren wat op te merken. Door zijn scherpe oor voor talen had Leon inmiddels genoeg Maa opgepikt om het gebabbel van de jongen zonder veel moeite te kunnen volgen.

Ze hadden van de Lonsonjo geen voedsel meegenomen en Leon had zich afgevraagd hoe ze aan eten moesten komen, maar hij had zich geen zorgen hoeven te maken: Loikot zorgde voor een vreemde verscheidenheid aan voedsel, waaronder kleine vogels en hun eieren, sprinkhanen en andere insecten, fruit en wortels, een spoorvogel die hij met zijn stok uit de lucht sloeg toen het dier met klapperende vleugels onder zijn voeten vandaan vloog en een grote varaan die hij achthonderd meter over het veld achtervolgd had voordat hij hem doodsloeg. Het vlees van de varaan smaakte naar kip en er was zo veel dat ze er drie dagen van konden eten, hoewel het kadaver tegen die tijd gekoloniseerd was door zwermen iriserend blauwe vliegen en hun vette witte maden.

Leon en Loikot sliepen elke nacht naast een klein vuur en bedekten zich met hun *sjoeka* tegen de kou. Ze trokken verder wanneer de Morgenster nog hoog en helder aan de hemel stond. Op de derde ochtend stond de zon nog onder de horizon toen Loikot in het zwakke licht abrupt stilstond en in de richting wees van een acacia die maar vijftig meter verderop stond. 'Hé, veemoordenaar, ik groet je,' riep hij.

'Tegen wie heb je het?' vroeg Leon.

'Ziet u hem niet? Open uw ogen, M'bogo.' Loikot wees met zijn stok. Pas toen zag Leon twee kleine bosjes zwart haar in het bruine gras tussen hen en de boom. Toen een ervan bewoog, kreeg hij pas het hele plaatje in beeld. Leon staarde naar een enorme mannetjesleeuw die plat in het gras lag en hen met zijn onverzoenlijke, gele ogen gadesloeg. De bosjes haar die hem hadden verraden, waren de punten van zijn ronde oren.

'Goeie god!' Leon deed een stap naar achteren.

Loikot lachte. 'Hij weet dat ik een Masai ben. Hij zal vluchten als ik hem uitdaag.' Hij zwaaide met zijn stok. 'Hé, ouwe, de dag waarop ik word beproefd, zal spoedig komen. Dan zal ik je ontmoeten en zullen we zien wie de beste van ons is.' Hij verwees naar het ritueel waarbij zijn moed getest zou worden. Voordat hij als man beschouwd kon worden en het recht zou krijgen om zijn speer te planten voor de deur van iedere vrouw die bij hem in de smaak viel, moest de jonge *morani* de confrontatie met een leeuw aangaan en hem met zijn breedbladige assegaai doden.

'Vrees me, veedief. Vrees me, want ik zal je dood worden!' Loikot bracht zijn stok omhoog, hield hem vast als een speer en liep met een soepele, dansende tred in de richting van de leeuw. Tot Leons verbazing sprong de leeuw overeind, trok zijn bovenlip met een dreigend gegrom op en sloop toen door het gras weg.

'Zag u dat, M'bogo?' kraaide Loikot. 'Zag u hoe Sima me vreest? Zag u hoe hij voor me wegliep? Hij weet dat ik een *morani* ben. Hij weet dat ik een Masai ben.'

'Stomme idioot die je bent!' Leon ontspande zijn gebalde vuisten. 'Straks worden we door jouw schuld nog allebei opgegeten.' Hij lachte opgelucht. Hij herinnerde zich Loesima's woorden en hij bedacht dat de Masai honderden jaren, generatie na generatie, meedogenloos op leeuwen hadden gejaagd. Deze vervolging moest een diepe herinnering in het geheugen van de beesten hebben achtergelaten. Ze waren een lange, in een rode mantel gehulde gestalte als een dodelijke dreiging gaan herkennen.

Loikot sprong in de lucht, draaide triomfantelijk een pirouette en leidde hem verder naar het noorden. Onderweg bleef Loikot hem onderrichten. Zonder zijn tempo te laten verslappen, wees hij op het spoor van groot wild wanneer hij dat tegenkwam en hij beschreef het dier dat het had achtergelaten. Leon was gefascineerd door zijn kennis van de natuur en de dieren die erin leefden. Natuurlijk was het niet moeilijk te begrijpen waar het kind al die kennis vandaan had: bijna sinds hij zijn eerste stap had gezet, had hij de kuddes van zijn stam gehoed. Manjoro had hem verteld dat zelfs de jongste herdersjongens een verdwaald dier dagenlang over het moeilijkste terrein volgden. Maar hij was gefascineerd toen Loikot bleef staan en met de punt van zijn stok de vage contour volgde van een enorme, ronde afdruk van een zoolkussen. De grond was hard geworden door de felle zon en lag bezaaid met stukjes schalie en vuursteen. Leon zou het spoor van een mannetjesolifant zonder de hulp van de jongen nooit ontdekt hebben, maar Loikot kon elk detail ervan lezen.

'Ik ken deze olifant. Ik heb hem vaak gezien. Zijn slagtanden zijn zo groot...' Hij trok met zijn stok een streepje in het zand, deed toen drie zo groot mogelijke passen en trok weer een streepje in het zand. 'Hij is een groot, grijs opperhoofd van zijn stam.'

Loesima had dezelfde beschrijving gebruikt. 'Volg de grote, grijze mannen die geen mannen zijn.' Op dat moment had Leon het niet begrepen, maar nu besefte hij dat ze het over olifanten had gehad. Hij overdacht het advies terwijl ze verder naar het noorden trokken. Hij was altijd gefascineerd geweest door de jacht. Hij had alle boeken van de grote jagers in de bibliotheek van zijn vader gelezen. Hij had de avonturen gevolgd van Baker, Selous, Gordon-Cumming, Cornwallis Harris en de rest. De aantrekkingskracht van de jacht was een van de voornaamste redenen geweest dat hij dienst had genomen bij de KAR in plaats van in het bedrijf van zijn vader te gaan werken. Zijn vader noemde elke activiteit die niet specifiek gericht was op het vergaren van geld 'leegloperij'. Maar Leon had gehoord dat de legertop jonge officieren aanmoedigde om zulke mannelijke activiteiten als de jacht op groot wild te beoefenen. Kapitein Cornwallis Harris had van zijn regiment in India een heel jaar verlof gekregen om in Zuid-Afrika in de onverkende wildernis te gaan jagen. Leon verlangde ernaar om met zijn helden te wedijveren, maar tot nu toe was hij teleurgesteld.

Sinds hij dienst had genomen bij de KAR, had hij verscheidene keren een paar dagen verlof aangevraagd om voor het eerst op groot wild te gaan jagen. Majoor Snell, zijn bevelvoerend officier, had zijn verzoeken zonder meer afgewezen. 'Als je denkt dat je getekend hebt voor een veredelde safari, dan vergis je je deerlijk, Courtney,' zei hij. 'Ga maar weer aan het werk. Ik wil niets meer over deze onzin horen.' Tot dusver had hij alleen gejaagd op een paar kleine antilopen, Grant- en Thompsongazellen – bij iedereen bekend als Tommies - die hij had geschoten om zijn *askari's* te eten te geven wanneer ze op patrouille waren. Maar zijn hart begon sneller te kloppen toen hij naar de schitterende dieren keek die overal om hem heen gedijden. Hij verlangde naar een kans om achter ze aan te gaan.

Hij vroeg zich af of Loesima met haar raad om 'de grote grijze mannen te volgen', had bedoeld dat hij ivoorjager moest worden. Het was een intrigerend vooruitzicht. Hij liep opgewekter achter Loikot aan. Het leven was mooi en vol belofte. Hij had zich eervol gedragen tijdens zijn eerste militaire actie. Manjoro leefde nog. Een nieuwe carrière lag voor hem. Maar het beste van alles was nog dat Verity O'Hearne in Nairobi op hem wachtte. Ja, het leven was mooi, erg mooi.

Vijf dagen nadat ze van de Lonsonjo waren vertrokken, draaide Loikot zich naar het oosten. Hij leidde hem de helling van de Great Rift Valley op en vervolgens de met bos begroeide heuvels van het hoogland in. Toen ze de top van de heuvels bereikten, keken ze naar beneden in de ondiepe vallei aan de andere kant ervan. In de verte glinsterde iets in het zonlicht van de late middag. Leon beschermde zijn ogen met een hand tegen de zon. 'Ja, M'bogo,' zei Loikot. 'Daar is uw ijzeren slang.'

Hij zag de rook van de locomotief in regelmatige wolkjes boven de toppen van de bomen uitkomen en hij hoorde het treurige geluid van een stoomfluit.

'Ik laat u nu achter. Zelfs u kunt hiervandaan niet verdwalen,' zei Loikot hooghartig. 'Ik moet terug om het vee te hoeden.'

Leon zag hem met spijt gaan. Hij had genoten van het levendige gezelschap van de jongen. Toen zette hij het uit zijn hoofd en liep de heuvel af.

9

Majoor Frederick Snell, de officier die het bevel voerde over het 3de bataljon, 1ste regiment van de *King's African Rifles*, keek niet op van het document dat hij aan het bestuderen was toen luitenant Leon Courtney onder gewapend geleide zijn kantoor in het hoofdkwartier van het bataljon binnengevoerd werd.

Snell was oud voor zijn commando. Hij had zonder zich bijzonder te onderscheiden in Soedan tegen de Mahdi gevochten en daarna in Zuid-Afrika tegen de sluwe Boeren. Hij zat dicht tegen de pensioengerechtigde leeftijd aan en vreesde de dag dat hij het leger zou moeten verlaten. Van zijn pensioen zou hij zich alleen een armzalige woning in een stad als Brighton of Bournemouth kunnen veroorloven. Daar zou hij dan, samen met zijn vrouw met wie hij veertig jaar getrouwd was, de rest van zijn dagen moeten slijten. Maggie Snell had haar leven doorgebracht in legerverblijven in een tropisch klimaat waardoor haar huid geel, haar karakter zuur en haar tong scherp was geworden.

Snell was een kleine man. Zijn eens felrode haar was verkleurd en uitgevallen tot er nog maar een grijze rand rondom een sproetige kale schedel van over was. Zijn mond was breed, maar zijn lippen waren dun. Zijn ronde, lichtblauwe ogen puilden uit, wat hem de bijnaam 'Freddie de Kikker' had bezorgd.

Hij stopte zijn pijp weer tussen zijn lippen en zoog eraan waardoor hij een luid gorgelend geluid produceerde. Hij fronste zijn voorhoofd toen hij klaar was met het lezen van het stapeltje met de hand geschreven vellen papier. Hij keek nog steeds niet op, maar haalde de pijp uit zijn mond en tikte ermee tegen de muur van het kantoor waardoor een paar gele nicotinedruppels over de witkalk dropen. Hij stopte hem weer in zijn mond en keerde terug naar de eerste bladzijde van het document.

Hij las het vel weer weloverwogen door, legde het toen keurig voor zich neer en hief eindelijk zijn hoofd op.

'Gevangene! Geef acht!' blafte sergeant-majoor M'fefe die het bevel had over het bewakingsdetachement. Leon stampte met zijn haveloze schoenen op de betonnen vloer en ging rechtop staan.

Snell nam hem vol afkeer op. Leon was drie dagen geleden gearresteerd toen hij zich bij de poort van het hoofdkwartier van het bataljon had gemeld. Sindsdien was hij op bevel van majoor Snell vastgehouden in de gevangenisbarak. Hij had zich niet kunnen scheren en geen ander uniform kunnen aantrekken. De stoppelbaard op zijn kaken was donker en dicht. Wat er van zijn tuniek over was, was vuil en gescheurd. De mouwen waren er afgescheurd en zijn blote armen en benen waren bezaaid met doornschrammen. Maar ondanks zijn huidige omstandigheden, gaf hij Snell een gevoel van inferioriteit. Zelfs in zijn lompen was Leon Courtney groot en krachtig gebouwd en hij straalde een naïef zelfvertrouwen uit. Snells vrouw die zelden haar goedkeuring over iemand of iets uitsprak, had eens verlangend opgemerkt dat die Courtney buitengewoon knap was. 'Hij heeft hier heel wat harten sneller laten kloppen, dat kan ik je wel vertellen,' had ze tegen haar echtgenoot gezegd.

Dat zal een tijdje niet meer gebeuren, dacht Snell nu bitter. Daar zorg ik wel voor. Eindelijk zei hij: 'Nou, Courtney, deze keer heb je jezelf overtroffen.' Hij tikte op het stapeltje papieren dat voor hem lag. 'Ik heb je rapport met verbazing gelezen.'

'Majoor!' zei Leon om te kennen te geven dat hij het had begrepen.

'Het is volkomen ongeloofwaardig.' Snell schudde zijn hoofd. 'Zelfs voor jou vormen de gebeurtenissen die je beschrijft een dieptepunt.' Hij zuchtte, maar zijn afkeurende uitdrukking verborg dat hij opgetogen was. Eindelijk was deze verwaande snotaap te ver gegaan. Hij wilde van het moment genieten. Hij had er bijna een jaar op gewacht. 'Ik vraag me af wat je oom van dit opmerkelijke verhaal zal vinden wanneer hij het leest.'

Leons oom was kolonel Penrod Ballantyne, de regimentscommandant. Hij was vele jaren jonger dan Snell, maar had een veel hogere rang. Snell wist dat Ballantyne waarschijnlijk tot generaal bevorderd zou worden en het bevel zou krijgen over een volledige divisie in een aangenaam deel van het Britse imperium, voordat hijzelf gedwongen zou worden met pensioen te gaan. Daarna zou hij als vanzelfsprekend tot ridder geslagen worden.

Generaal Sir Penrod Ballantyne! dacht Snell. Hij haatte de man en hij haatte zijn vervloekte neef die nu voor hem stond. Zijn hele leven was hij voor allerlei promoties gepasseerd terwijl mannen als Ballantyne hem moeiteloos voorbijstreefden. Maar goed, aan die oude hond kan ik niet veel meer doen, maar deze puppy is een heel andere zaak.

Hij krabde met de steel van de pijp op zijn hoofd. 'Je moet me eens wat vertellen, Courtney. Begrijp je waarom ik je heb laten opsluiten sinds je in de kazerne bent teruggekeerd?'

'Majoor!' Leon staarde naar de muur boven Snells hoofd.

'Voor het geval dat "nee, majoor" mocht betekenen, wil ik graag de gang van zaken die je in het rapport beschrijft met je doornemen en je wijzen op de gebeurtenissen die me reden tot zorg hebben gegeven. Heb je daar bezwaar tegen?'

'Nee, majoor.'

'Dank je, luitenant. Op 16 juli heb je orders gekregen om een detachement van zeven man onder je bevel te nemen en onmiddellijk naar het hoofdkwartier van de districtsresident in Niombi te vertrekken om de post te beschermen tegen eventuele plundering door Nandi-rebellen. Dat klopt toch, hè?'

'Ja, majoor!'

'Volgens je orders vertrok je uit deze kazerne op de zestiende, maar jij en je detachement bereikten Niombi pas twaalf dagen later, hoewel jullie helemaal tot het rangeerterrein bij Masji per trein hebben gereisd. Je had toen nog een reis van honderdtachtig kilometer naar Niombi voor de boeg. Dus het lijkt erop dat jullie die afstand in een tempo van nog geen vijftien kilometer per dag hebben afgelegd. Dat kun je nauwelijks een geforceerde mars noemen. Ben je het daarmee eens?'

'Ik heb de reden daarvoor in mijn rapport toegelicht, majoor.' Leon stond nog steeds in de houding en staarde naar de met nicotine bevlekte muur boven Snells hoofd.

'O ja! Jullie kruisten de sporen van een grote groep Nandi-rebellen en je besloot in je oneindige wijsheid je orders om naar Niombi te reizen in de wind te slaan en in plaats daarvan de rebellen te volgen en de strijd met hen aan te binden. Ik hoop dat ik je verklaring goed gelezen heb.'

'Ja, majoor.'

'Vertel me dan eens, luitenant, hoe je wist dat deze sporen die van een groep strijders waren en niet die van gewone jagers van een andere stam dan de Nandi's of mensen die uit het gebied van de opstand vluchtten.'

'Mijn sergeant vertelde me dat het sporen van de Nandi-rebellen waren.'

'En je hebt zijn beoordeling geaccepteerd?'

'Ja, majoor. Sergeant Manjoro is een uitstekende spoorzoeker.'

'Dus je hebt zes dagen besteed aan het volgen van deze mythische opstandelingen?'

'Ze trokken rechtstreeks naar de missiepost in Nakoeroe, majoor. Het leek erop dat ze van plan waren de nederzetting aan te vallen en te vernietigen. Ik beschouwde het als mijn plicht om dat te voorkomen.'

'Het was je plicht om je orders op te volgen. Maar afgezien daarvan is het een feit dat het je niet is gelukt om hen in te halen.'

'De Nandi's merkten dat we hen volgden, majoor. Ze splitsten zich op in kleinere groepen en verspreidden zich in de wildernis. Ik keerde om en reisde verder naar Niombi.'

'Zoals je bevolen was.'

'Ja, majoor.'

'Natuurlijk is sergeant Manjoro niet in een positie om jouw versie van de gebeurtenissen te bevestigen. Ik heb alleen jouw woord ervoor,' vervolgde Snell.

'Majoor!'

Snell keek in het rapport. 'Laten we verdergaan. Je hebt de achtervolging gestaakt en zette eindelijk koers naar Niombi.'

'Majoor!'

'Toen je de *boma* bereikte, ontdekte je dat de districtsresident en zijn gezin afgeslacht waren, terwijl jij door het gebied rondzwierf. Direct na deze ontdekking besefte je dat je zo slecht had opgelet dat je je detachement in een hinderlaag van de Nandi's had laten lopen. Je ging ervandoor en liet je mannen het verder maar uitzoeken.'

'Dat is niet wat er is gebeurd, majoor!' Leon was niet in staat zijn verontwaardiging te verbergen.

'En die uitbarsting was insubordinatie, luitenant.' Snell genoot van het woord en hij rolde het in zijn mond rond alsof hij een voortreffelijke rode wijn proefde.

'Mijn verontschuldigingen, majoor. Zo was het niet bedoeld.'

'Ik verzeker je dat het zo wel is opgevat, Courtney. Je bent het dus niet eens met mijn beoordeling van de gebeurtenissen in Niombi. Heb je getuigen om jouw lezing te ondersteunen?'

'Sergeant Manjoro, majoor.'

'Natuurlijk. Ik was vergeten dat je de sergeant, toen je uit Niombi vertrok, op je rug hebt genomen en hem naar het zuiden het land van de Masai in hebt gedragen waarbij je een rebellenleger te snel af was,' sneerde Snell genietend. 'Ik wil hierbij opmerken dat je met hem de tegenovergestelde richting van Nairobi uit bent gegaan en hem daarna bij zijn moeder hebt achtergelaten. Zijn moeder, voorwaar!' Snell grinnikte. 'Wat ontroerend.' Hij stak zijn pijp aan en trok eraan. 'De hulptroepen die de *boma* in Niombi vele dagen na de slachting bereikten, constateerden dat de lijken van al je mannen door de rebellen zo zwaar verminkt waren dat ze onmogelijk met enige zekerheid geïdentificeerd konden worden, vooral omdat degenen die niet onthoofd waren grotendeels door aasgieren en hyena's waren verslonden. Ik denk dat je je sergeant tussen die lijken hebt achtergelaten in plaats van bij zijn moeder, zoals je zweert. Ik geloof dat je je, nadat je het slagveld als deserteur hebt verlaten, in de wildernis hebt schuilgehouden tot je voldoende moed had verzameld om met dit kletsverhaal naar Nairobi terug te keren.'

'Nee, majoor.' Leon beefde van woede en hij had zijn vuisten die langs zijn zij hingen zo stijf gebald dat de knokkels spierwit waren.

'Sinds je bij het bataljon bent gekomen, heb je een grote minachting voor militaire discipline aan de dag gelegd. Je hebt een veel grotere belangstelling getoond voor frivole activiteiten als polo en de jacht op groot wild dan voor de plichten van een jonge subalterne officier. Het is duidelijk dat je die plichten beneden je waardigheid acht. En dat niet alleen, maar je hebt ook lak gehad aan de fatsoensnormen van de gemeenschap. Je hebt de rol aangenomen van een wellustige Lothario en de woede gewekt van de fatsoenlijke mensen van de kolonie.'

'Ik zie niet in hoe u die beschuldigingen hard kunt maken, majoor.'

'Hard maken? Goed, dat zal ik dan doen. Je weet waarschijnlijk niet dat de gouverneur het, tijdens je lange afwezigheid in Masai-land, passend heeft gevonden om een jonge weduwe naar Groot-Brittannië te repatriëren om haar te beschermen tegen je verregaande opdringerigheid. De hele gemeenschap van Nairobi is verontwaardigd over je gedrag. Je bent een grote schurk die voor niets en niemand respect heeft.'

'Gerepatrieerd!' Leon werd lijkwit onder zijn met vuil bedekte bruine huid. 'Hebben ze Verity naar Ierland teruggestuurd?'

'Ah, je geeft dus toe dat je de arme vrouw kent. Ja, mevrouw O'Hearne is teruggegaan naar Ierland. Ze is een week geleden vertrokken.' Snell zweeg even om zijn woorden op Leon te laten inwerken. Hij genoot van de wetenschap dat hijzelf degene was geweest die de onverkwikkelijke kwestie onder de aandacht van de gouverneur had gebracht. Hij had Verity O'Hearne altijd buitengewoon aantrekkelijk gevonden. Na de dood van haar echtgenoot had hij vaak gefantaseerd dat hij haar in haar verlies troostte en beschermde. Vanaf een afstand had hij verlangend naar haar gekeken wanneer ze op het gazon van de Kolonistenclub thee zat te drinken met zijn vrouw en andere leden van het Vrouweninstituut. Ze was zo jong, mooi en vrolijk en Maggie Snell die naast haar zat, was zo oud, lelijk en chagrijnig. Toen hij had horen fluisteren dat ze iets had met een van zijn subalterne officieren, was hij er kapot van geweest en daarna was hij razend geworden. Verity O'Hearnes deugdzaamheid en reputatie waren in gevaar en het was zijn plicht haar te beschermen. Hij was naar de gouverneur gegaan.

'Goed, Courtney, ik ben niet van plan mijn beschuldigingen verder hard te maken. Over alles zal beslist worden wanneer je voor de krijgsraad komt. Je dossier is overhandigd aan kapitein Roberts van het 2de bataljon. Hij heeft erin toegestemd om als aanklager op te treden.' Eddy Roberts was een van Snells lievelingen. 'Je wordt beschuldigd van desertie, lafheid, plichtsverzuim en het niet opvolgen van de orders van een superieur. Tweede luitenant Sampson van hetzelfde bataljon heeft erin toegestemd je te verdedigen. Ik weet dat jullie bevriend zijn, dus ik verwacht niet dat je bezwaar tegen mijn keus zult maken. Er is een probleem geweest met het vinden van drie officieren om de krijgsraad te vormen. Natuurlijk kan ik er zelf geen zitting in nemen omdat ik tijdens het proces zal moeten getuigen en de meeste officieren zijn in het veld om tegen de laatste rebellen te vechten. Gelukkig ligt er in het weekend een lijnschip van P&O in de haven van Mombassa dat een groep verlofgangers uit India naar Southampton zal brengen. Ik heb geregeld dat een kolonel en twee kapiteins per trein uit Mombassa naar Nairobi zullen komen zodat we over het volledige aantal rechters kunnen beschikken. Ze moeten vanavond om zes uur arriveren. Ze zullen vrijdag naar Mombassa moeten terugkeren om hun reis voort te zetten, dus het proces moet morgenochtend beginnen. Ik zal luitenant Sampson onmiddellijk naar je verblijf sturen om met je te overleggen en je verdediging voor te bereiden. Je ziet er smerig uit, Courtney, en ik kan je hiervandaan ruiken. Ga je opknappen en zorg ervoor dat je morgenochtend vroeg gereed bent om voor de krijgsraad te verschijnen om aangeklaagd te worden. Tot dan blijf je opgesloten.'

'Ik verzoek om een gesprek met kolonel Ballantyne, majoor. Ik heb meer tijd nodig om mijn verdediging voor te bereiden.'

'Helaas is kolonel Ballantyne op dit moment niet in Nairobi. Hij is met het 1ste bataljon in de stamgebieden van de Nandi's om represailles te nemen voor de slachting in Niombi en het laatste verzet van de rebellen te onderdrukken. Het is onwaarschijnlijk dat hij binnen een paar weken in Nairobi terug zal zijn. Ik weet zeker dat hij van je verzoek kennis zal nemen wanneer hij terugkomt.' Snell glimlachte koud. 'Dat is alles. Gevangene, ingerukt!'

'Bewakingsdetachement, geef acht!' blafte sergeant-majoor M'fefe. 'Rechtsomkeert! Voorwaarts mars! Links, rechts, links...' Leon werd naar buiten gebracht en in het heldere zonlicht van het exercitieterrein in looppas naar de offficiersverblijven gevoerd. Alles ging zo snel dat hij geen tijd had om zijn gedachten op een rijtje te zetten.

Leons verblijf was een *rondavel*, een hut met één kamer, een lemen muur en een rieten dak. Hij stond in het midden van een rij identieke hutten. Ze werden allemaal bewoond door een ongetrouwde officier. Bij de deur van Leons hut salueerde sergeant-majoor M'fefe keurig voor hem en hij zei zacht, maar onbeholpen in het Swahili: 'Het spijt me dat dit gebeurd is, luitenant. Ik weet dat u geen lafaard bent.' M'fefe had in de vijfentwintig jaar dat hij militair was nog nooit een van zijn eigen officieren hoeven te arresteren en onder gewapend geleide hoeven te stellen. Hij schaamde zich en voelde zich vernederd.

Hoewel de meeste mannen van Leons compagnie op kwamen draven om hem toe te juichen als hij een cricket- of polowedstrijd speelde en ze altijd een stralende Afrikaanse glimlach op hun gezicht hadden wanneer ze voor hem salueerden, was hij zich maar oppervlakkig bewust van zijn populariteit onder de andere rangen, dus hij was geroerd door de woorden van de sergeant-majoor.

M'fefe praatte haastig door om zijn gêne te verbergen: 'Nadat u op patrouille ging, is er een dame bij de poort geweest die een foedraal voor u achtergelaten heeft, bwana. Ze heeft me gevraagd ervoor te zorgen dat u het kreeg. Ik heb het in uw kamer naast het bed gezet.'

'Dank u, sergeant-majoor.' Leon geneerde zich even erg als hij. Hij wendde zich af en ging de schaars gemeubileerde hut binnen. Het meubilair bestond uit een ijzeren ledikant met een muskietennet dat er aan een balk overheen hing, één plank en een klerenkast die van een oude pakkist was gemaakt. Het was er kraakhelder en netjes. De muur was onlangs gewit en de vloer glansde door de laag bijenwas waarmee hij ingewreven was. Zijn schaarse bezittingen waren met geometrische precisie op de plank boven zijn bed neergezet. Tijdens zijn afwezigheid had Ishmael, zijn bediende, zijn werk even overdreven nauwgezet gedaan als altijd. Het enige voorwerp dat uit de toon viel, was het lange leren foedraal dat tegen de muur stond.

Leon liep naar het bed en ging erop zitten. Hij was de wanhoop nabij. Hij was door zo veel rampen tegelijk getroffen. Bijna zonder dat hij zich ervan bewust was, pakte hij het leren foedraal op dat M'fefe voor hem had achtergelaten en legde het op zijn schoot. Het was gemaakt van duur leer dat door het vele reizen hier en daar beschadigd was en het was bedekt met labels van stoomschepen. Er zaten drie stevige, koperen sloten op waarvan de sleutels aan een riempje aan het handvat hingen. Hij opende het foedraal, tilde het deksel op en staarde vol verbazing naar de inhoud. Genesteld in de op maat gemaakte en met groen laken beklede uitsparingen lagen de onderdelen van een zwaar geweer en in hun eigen, eveneens op maat gemaakte gleuven lagen de laadstok, het olieblikje en andere accessoires. Aan de onderkant van het deksel zat een groot label waarop de naam van de geweermaker in sierschrift was gedrukt:

HOLLAND & HOLLAND
Fabrikanten van
Kanonnen, Geweren en Pistolen
en alle soorten achterladende vuurwapens.
New Bond Street 98. West-Londen.

Met een gevoel van eerbied zette Leon het geweer in elkaar. Hij schoof de lopen in het mechanisme en klemde ze op hun plaats met het voorste deel van de lade. Hij streelde de met olie geverniste kolf en het glanzend opgepoetste hout was zijdezacht onder zijn vingers. Hij bracht het geweer omhoog en richtte op een kleine gekko die ondersteboven aan de andere kant van de hut aan de muur hing. De kolf paste perfect tegen zijn schouder en de lopen lagen op één lijn onder zijn oog. Hij hield de korrel aan het einde van de loop in de brede V van het Express-vizier aan de achterzijde roerloos op de kop van de hagedis gericht.

'Pang, pang, je bent dood,' zei hij en hij lachte voor het eerst sinds hij naar de kazerne was teruggekeerd. Hij liet het wapen zakken en las de gegraveerde inscriptie op de lopen. *H & H Royal, .470 Nitro Express.* Toen viel zijn oog op het zuiver gouden, ovale inlegsel in het notenhout van de kolf. De initialen van de oorspronkelijke eigenaar waren erin gegraveerd: PO'H.

'Patrick O'Hearne,' mompelde hij. Het schitterende wapen was van Verity's overleden echtgenoot geweest. Een envelop was, naast het label van de maker, op het groene laken van het deksel geprikt. Hij legde het wapen zorgvuldig op het kussen aan het hoofdeinde van zijn bed en strekte zijn hand ernaar uit. Hij opende het zegel met de nagel van zijn duim en haalde er twee opgevouwen vellen papier uit. Het eerste was een kwitantie die op 29 augustus 1906 gedateerd was.

Aan wie dit leest: Ik heb vandaag het H&H .470-geweer met serienummer 1863 verkocht aan luitenant Leon Courtney en heb van hem de som van vijfentwintig gienjes ten volle ontvangen. Getekend: Verity Abigail O'Hearne.

Met dit document had Verity het geweer wettig aan hem overgedragen zodat niemand kon aanvechten dat hij de eigenaar was. Hij vouwde de kwitantie op en stopte hem terug in de envelop. Daarna vouwde hij het tweede vel papier open. Het was ongedateerd en het handschrift was, in tegenstelling tot dat op de kwitantie, slordig en ongelijkmatig.

Lieve, lieve Leon,

Tegen de tijd dat je dit leest, zal ik op weg naar Ierland zijn. Ik wilde niet gaan, maar ik had weinig keus. Diep in mijn hart weet ik dat degene die me wegstuurt gelijk heeft en dat het voor mijn eigen bestwil is. Volgend jaar word ik dertig en jij bent net negentien en een heel jonge subalterne officier. Ik weet zeker dat je eens een beroemde generaal met een borst vol medailles zult worden, maar tegen die tijd zal ik een oude vrijster zijn. Het geschenk dat ik voor je achterlaat is een symbool van mijn genegenheid voor je. Vergeet me. Vind ergens anders geluk. Ik zal je altijd in herinnering houden zoals ik je eens in mijn armen heb gehouden.

De brief was ondertekend met 'V'. Zijn ogen werden vochtig en zijn ademhaling was onregelmatig toen hij de brief herlas.

Voordat hij bij de laatste regel was gekomen, werd er beleefd op de deur van zijn *rondavel* geklopt. 'Wie is daar?' riep hij.

'Ik ben het, *effendi*.'

'Een ogenblikje, Ishmael.'

Hij veegde snel zijn ogen af met de rug van zijn onderarm, legde de brief onder zijn kussen, stopte het geweer terug in het foedraal, schoof het onder het bed en riep: 'Kom binnen, Dierbare van de Profeet.'

Ishmael die een vrome Swahili uit de kuststreek was, kwam binnen met een zinken badkuip die hij op zijn hoofd balanceerde. 'Welkom terug, *effendi*. U laat de zon weer in mijn hart schijnen.' Hij zette de badkuip in het midden van de vloer en vulde hem daarna met emmers dampend water uit de open haard achter de hut. Terwijl het water tot een draaglijke temperatuur afkoelde, sloeg Ishmael een laken om Leons schouders, ging daarna met schaar en kam achter hem staan en begon Leons door het zweet en het stof aan elkaar plakkende haar te knippen. Hij werkte met geoefende vingers en toen hij klaar was, stapte hij achteruit, knikte tevreden en pakte toen de scheerkom en de scheerkwast. Hij smeerde een romige scheerzeep op Leons stoppelbaard, zette toen het lange lemmet van het scheermes aan en overhandigde dat zijn meester. Hij hield de kleine handspiegel op terwijl Leon zijn kaken glad schraapte en veegde toen de laatste zeepresten weg.

'Hoe zie ik eruit?' vroeg Leon.

'Uw schoonheid zou de hoeri's in het paradijs verblinden, *effendi*,' zei

Ishmael ernstig en hij testte het badwater met een vinger. 'Het is goed zo.'

Leon trok zijn stinkende lompen uit, gooide ze tegen de muur, liep toen naar het dampende bad en liet zich er met een zucht van welbehagen in zakken. Hij paste maar net in het bad en hij moest zijn knieën tot onder zijn kin optrekken. Ishmael pakte Leons vuile kleren op, hield ze demonstratief op armlengte en liep ermee naar buiten. Hij liet de deur achter zich openstaan. Zonder te kloppen kwam Bobby Sampson binnen.

'Iets moois blijft je altijd vreugde schenken,' zei hij met een verlegen glimlach. Bobby was maar een jaar ouder dan Leon. Hij was een grote, onhandige, maar innemende jongeman en als de twee jongste officieren in het regiment hadden hij en Leon uit overlevingsinstinct vriendschap gesloten. Ze hadden hun vriendschap bezegeld door samen van een Hindoe een gehavende, intensief gebruikte Vauxhall te kopen voor het bedrag van drie pond en tien shilling, bijna hun gezamenlijke spaargeld. Door hele nachten door te werken hadden ze hem zo mooi opgeknapt dat hij bijna zijn oude glorie terug had.

Bobby liep naar het bed en liet zich erop ploffen. Hij legde zijn handen achter zijn hoofd, sloeg zijn enkels over elkaar en keek aandachtig naar de gekko die nu in de dakbalken was geklommen en ondersteboven boven hem hing. 'Zo, ouwe jongen, je lijkt jezelf een beetje in de nesten gewerkt te hebben, wat? Je zult inmiddels wel weten dat Freddie de Kikker je van allerlei lelijke streken en kattenkwaad beschuldigt. Heel toevallig heb ik een kopie van de lijst met aanklachten bij me.' Hij haalde een verfrommelde prop papieren uit de grote zijzak van zijn uniform. Hij streek ze op zijn borst glad en zwaaide ermee naar Leon. 'Het is allemaal nogal kleurrijk. Ik ben onder de indruk van je ondeugendheid. Het probleem is dat ik bevel heb gekregen je te verdedigen, wat?'

'In godsnaam, Bobby, zeg toch niet de hele tijd "wat". Je weet dat ik er gek van word.'

Bobby liet zijn gezicht een berouwvolle uitdrukking aannemen. 'Sorry, ouwe jongen. Om je de waarheid te zeggen, heb ik geen idee van wat ik moet doen.'

'Je bent een idioot, Bobby.'

'Ik kan er niets aan doen, schoonheid. Mijn moeder heeft me vast op mijn hoofd laten vallen, denk je ook niet? Maar goed, terug naar het hoofdpunt op de agenda. Heb jij enig idee van wat ik verondersteld word te doen?'

'Je wordt verondersteld de rechters met je gevatheid en eruditie te imponeren.' Leon begon zich vrolijker te voelen. Hij genoot van de manier waarop Bobby zijn scherpe geest achter een façade van onnozelheid verborg.

'De afdeling gevatheid en eruditie is op het ogenblik een beetje leeg,' bekende Bobby. 'Wat nog meer?'

Leon stond uit het bad op en spatte zeepwater over de vloer. Bobby maakte een prop van de handdoek die Ishmael op het voeteneinde van het bed had achtergelaten en gooide hem naar Leons hoofd.

'Laten we om te beginnen samen de aanklachten maar eens doornemen,' opperde Leon terwijl hij zich afdroogde.

Bobby fleurde op. 'Geweldig idee. Ik heb altijd al vermoed dat je een genie was.'

Leon trok een kakibroek aan. 'Er zijn hier een beetje te weinig zitplaatsen,' zei hij. 'Schuif eens een beetje op met je dikke reet.'

Bobby was nu serieus en ging rechtop zitten. Hij maakte ruimte voor zijn vriend op het bed en Leon installeerde zich naast hem. Samen bogen ze zich over de lijst met aanklachten.

Toen het in de hut donker begon te worden, bracht Ishmael een lantaarn en hing die aan zijn haak op. Ze werkten bij het zwakke, gele licht ervan door tot Bobby in zijn ogen wreef en geeuwde. Daarna haalde hij zijn savonethorloge tevoorschijn en wond het krachtig op. 'Het is ruim na middernacht en we moeten morgenochtend om negen uur in de rechtszaal zijn. We moeten ermee ophouden. Wil je trouwens weten hoe groot volgens mij je kans is dat je wordt vrijgesproken?'

'Niet echt,' antwoordde Leon.

'Als je me een kans van duizend tegen een bood, zou ik er nog geen stuiver op durven te zetten,' zei Bobby. 'Konden we die sergeant van je maar vinden, dan zou het verhaal waarschijnlijk een ander einde hebben.'

'Geen schijn van kans dat dat voor morgenochtend negen uur gebeurt. Manjoro zit op een bergtop in Masai-land, honderden kilometers hiervandaan.'

10

De inrichting van de officiersmess was aangepast zodat de ruimte als rechtszaal dienst kon doen. De drie rechters zaten aan de hoge tafel op het podium. Voor hen stonden twee tafels, een voor de verdediging en een voor de aanklager. Het was warm in de kleine ruimte. Buiten op de veranda trok een waaierbediende regelmatig aan een touw dat boven hem in een opening in het plafond verdween en daarvandaan over een serie katrollen naar de ventilator liep die boven de tafel van de rechters hing. De bladen ervan zoemdem monotoon en brachten de lucht in beweging zodat er een illusie van koelte ontstond.

Leon zat naast Bobby Sampson aan de tafel van de verdediging en hij bestudeerde de gezichten van de rechters. Lafheid, desertie, plichtsverzuim en het niet opvolgen van orders van een superieur: op alle misdrijven waarvan hij werd beschuldigd stond de maximumstraf: executie door een vuurpeloton.

De huid van zijn onderarmen prikte. Deze mannen hadden de macht om hem ter dood te veroordelen of te laten leven.

'Kijk hen aan en spreek duidelijk,' fluisterde Bobby die zijn blocnote omhooghield om zijn lippen te verbergen. 'Dat vertelde mijn oude vader me altijd.'

Niet al zijn rechters zagen er humaan en meelevend uit. De president van de rechtbank was de kolonel in het Indiaas Leger die per trein uit Mombassa was gekomen. De reis leek hem niet goed te zijn bekomen. Zijn uitdrukking was zuur en chagrijnig. Hij droeg het flamboyante uniform van het 11de regiment van de Bengaalse Lansiers. Hij droeg twee rijen onderscheidingslinten op zijn borst, zijn rijlaarzen glommen en de staart van zijn veelkleurige zijden tulband had hij over zijn ene schouder gegooid. Zijn gezicht was rood van de zon en de whisky, zijn blik was zo fel als die van een luipaard en de uiteinden van zijn snor waren met behulp van was in scherpe punten gedraaid.

'Hij ziet eruit als een echte menseneter,' fluisterde Bobby. Hij had Leons blik gevolgd. 'Geloof me, hij is degene die we moeten overtuigen en dat zal niet gemakkelijk worden.'

'Zijn we klaar om te beginnen, heren?' bulderde de oudste rechter en hij keek Eddy Roberts, de aanklager, met zijn koude, enigszins bloeddoorlopen ogen aan.

'Ja, kolonel.' Roberts stond eerbiedig op om te antwoorden. Hij was Kikker Snells lievelingetje en daarom was hij ook uitgekozen.

De president keek naar de tafel van de verdediging. 'En u?' vroeg hij en Bobby sprong zo enthousiast overeind dat hij zijn zorgvuldig klaargelegde stapel papieren van de tafel stootte.

'O, hemeltjelief,' stamelde hij en hij liet zich op zijn knieën zakken om ze op te rapen. 'Neem me niet kwalijk, kolonel.'

'Bent u klaar?' De stem van kolonel Wallace klonk in de kleine ruimte zo luid als een misthoorn.

'Ja, kolonel, ik ben klaar.' Bobby keek vanaf de vloer naar hem op met de papieren tegen zijn borst geklemd. Hij bloosde hevig.

'We hebben niet de hele week de tijd. Laten we opschieten, jongeman.'

De adjudant, die als klerk en griffier dienstdeed, las de lijst met aanklachten voor. Daarna stond Eddy Roberts op om zijn zaak te presenteren. Hij was ontspannen en hij sprak duidelijk en overtuigend. De rechters volgden zijn uiteenzetting aandachtig.

'Niet om het een of het ander, maar Eddy doet het behoorlijk goed, wat?' zei Bobby zorgelijk.

Na zijn presentatie riep Eddy majoor Snell, zijn eerste getuige, naar het getuigenbankje. Hij leidde hem door de lijst met aanklachten en liet hem de details bevestigen die in het document beschreven werden. Daarna ondervroeg hij hem over Leons staat van dienst en de manier waarop deze zijn plichten had vervuld tot het moment dat hij naar Niombi was gestuurd om daar de *boma* te beschermen. Snell was wel zo sluw om zijn getuigenis niet eenzijdig en bevooroordeeld jegens Leon te laten klinken. Het lukte hem echter om zijn gematigde en lauwe beoordelingen op vernietigende oordelen te laten lijken.

'Ik zou op die vraag willen antwoorden dat luitenant Courtney een uitstekend polospeler is. Hij koestert ook een passie voor de jacht op groot wild. Deze activiteiten kosten hem veel tijd die hij beter aan andere dingen zou kunnen besteden.'

'En hoe zit het met zijn andere gedrag? Bent u zich ervan bewust dat zijn naam in een schandaal wordt genoemd.'

Bobby sprong overeind. 'Ik maak bezwaar, president!' riep hij. 'Dat is gebaseerd op speculatie en informatie uit de tweede hand. Het gedrag van mijn cliënt wanneer hij buiten dienst is, heeft niets te maken met de aanklachten die tegen hem zijn ingediend.'

'Wat hebt u daarop te zeggen?' Kolonel Wallace richtte zijn onderzoekende blik op Eddy Roberts.

'Ik geloof dat de integriteit en het morele niveau van de beklaagde wel degelijk een rol in deze zaak spelen, edelachtbare.'

'Het bezwaar wordt verworpen en de getuige mag de vraag beantwoorden.'

'De vraag was...' Eddy deed of hij zijn aantekeningen raadpleegde... 'bent u zich ervan bewust dat de naam van de beklaagde in een schandaal wordt genoemd?'

Hierop had Snell gewacht. 'Er heeft onlangs inderdaad een ongelukkig incident plaatsgevonden. De beklaagde kreeg een verhouding met een dame, een weduwe. Zijn gedrag was zo schaamteloos schandalig dat de eer van het regiment in het geding kwam en de woede van de lokale gemeenschap werd gewekt. De gouverneur van de kolonie, sir Charles Eliot, had geen andere keus dan de dame in kwestie te laten repatriëren.'

De drie rechters draaiden hun hoofd opzij naar Leon en de uitdrukking op hun gezicht was grimmig. Het was pas een paar jaar geleden dat de oude koningin was overleden en ondanks de reputatie van haar zoon, de regerende koning, waren de oudere generaties nog steeds beïnvloed door Victoria's strenge zedelijke normen.

Bobby krabbelde wat in zijn blocnote en draaide het zó dat Leon kon lezen wat hij opgeschreven had. 'Ik ga over dit punt geen kruisverhoor afnemen. Mee eens?'

Leon knikte ongelukkig.

Nadat hij een lange stilte had laten vallen om het belang van deze getuigenis op de rechters te laten inwerken, pakte Eddy Roberts een dik boek van de tafel voor hem en hield het omhoog. 'Herkent u dit boek, majoor Snell?'

'Natuurlijk. Het is het boek met orders voor het bataljon.'

Eddy opende het op een gemarkeerde bladzijde en las het uittreksel met Leons orders om met zijn detachement naar de *boma* in Niombi te gaan hardop voor. Toen hij klaar was, vroeg hij: 'Waren dit uw orders aan de beklaagde, majoor Snell?'

'Ja.'

Eddy citeerde nogmaals van de open bladzijde van het boek: '*U hebt orders om met de grootst mogelijke snelheid te reizen...*' Hij keek op naar Snell. 'Met de grootst mogelijke snelheid...' herhaalde hij. 'Waren dit uw exacte instructies?'

'Ja.'

'Als het de beklaagde acht dagen zou kosten om de reis te maken, zou u dan zeggen dat hij "met de grootst mogelijke snelheid" had gereisd?'

'Nee, zeer zeker niet.'

'De beklaagde heeft als reden voor deze vertraging opgegeven dat hij onderweg naar Nairobi de sporen kruiste van een strijdgroep van de rebellen en dat hij het als zijn plicht beschouwde om deze te volgen. Bent u het met hem eens dat dat zijn plicht was?'

'Beslist niet! Het was zijn plicht om naar Niombi te gaan en daar de bewoners te beschermen, zoals hem was bevolen.'

'Denkt u dat de beklaagde in staat was om met enige zekerheid vast te stellen dat de sporen die hij volgde door Nandi-rebellen waren achtergelaten?'

'Nee. Ik ben sterk geneigd te twijfelen aan de bewering dat de sporen door mensen waren achtergelaten. Gezien de voorliefde van luitenant Courtney voor *sjikari*, jagen, was het waarschijnlijker dat de sporen van een of ander dier, zoals een mannetjesolifant, zijn aandacht hadden getrokken.'

'Ik maak bezwaar, edelachtbare!' jammerde Bobby. 'Dat is pure speculatie van de getuige.'

Voordat de oudste rechter hierover een uitspraak kon doen, kwam Eddy gladjes tussenbeide: 'Ik trek de vraag terug, edelachtbare.' Hij was ervan overtuigd dat hij de gedachte in het hoofd van de drie rechters had geplant. Hij leidde hen snel verder door Leons rapport. 'De beklaagde beweert dat hij zich, nadat de meeste van zijn mannen waren gedood en zijn sergeant zwaargewond was geraakt, dapper tegen een overmacht heeft verdedigd en pas uit de *boma* in Niombi werd verdreven toen de rebellen het gebouw in brand staken.' Hij tikte op de bewuste bladzijde van het document. 'Toen dat gebeurde, nam hij de gewonde man op zijn rug en droeg hem onder dekking van de rook het gebouw uit. Is dat geloofwaardig?'

Snell glimlachte veelbetekenend. 'Sergeant Manjoro was een grote kerel. Hij was ruim een meter negentig.'

'Ik heb hier een kopie van zijn medisch dossier. De man was een meter tweeënnegentig op zijn blote voeten. Een heel grote man. Bent u dat met me eens?'

'Zonder meer.' Snell knikte. 'En de beklaagde beweert dat hij hem zo'n vijfenveertig kilometer heeft gedragen zonder dat hij door de rebellen ingehaald werd.' Hij schudde zijn hoofd. 'Ik betwijfel dat zelfs een man die zo sterk is als luitenant Courtney tot zo'n huzarenstukje in staat is.'

'Wat denkt u dan dat er met de sergeant is gebeurd?'

'Ik denk dat de beklaagde hem met de rest van het detachement in Niombi achtergelaten heeft en dat hij in zijn eentje is gevlucht.'

'Ik maak bezwaar.' Bobby sprong overeind 'Speculatie.'

'Bezwaar aanvaard. De griffier zal de vraag en het antwoord van de getuige uit het verslag schrappen,' zei de kolonel met de tulband, maar hij keek afkeurend naar Leon.

Eddy Roberts raadpleegde zijn aantekeningen. 'We hebben getuigenissen gehoord waaruit blijkt dat de hulpcolonne het lichaam van de sergeant niet heeft kunnen vinden. Hoe verklaart u dat?'

'Daarin moet ik u corrigeren, kapitein Roberts. Uit de getuigenverklaringen blijkt dat ze het lichaam van de sergeant niet tussen de doden hebben kunnen vinden. Dat is een andere zaak. Ze hebben in het uitgebrande gebouw lijken gevonden, maar die waren zo verkoold dat ze onherkenbaar waren. De andere lichamen waren door de rebellen onthoofd of zo erg aangevreten door aasgieren en hyena's dat ze ook onherkenbaar waren. Sergeant Manjoro had een van hen kunnen zijn.'

Bobby nam zijn gezicht in zijn handen en zei vermoeid: 'Ik maak bezwaar. Veronderstelling.'

'Aanvaard. Houdt u zich alstublieft aan de feiten, majoor.' Snell en Roberts wisselden een zelfvoldane blik.

Eddy vervolgde op zakelijke toon: 'Als sergeant Manjoro met hulp van de beklaagde uit Niombi is ontvlucht, hebt u er dan enig idee van waar hij nu is?'

'Nee.'

'In de *manjatta* van zijn familie misschien? Is hij op bezoek bij zijn moeder, zoals de beklaagde in zijn rapport beweert?'

'Naar mijn mening is dat hoogstonwaarschijnlijk,' zei Snell. 'Ik betwijfel of we de sergeant ooit terug zullen zien.' De rechters schortten de zitting op voor een lunch van geroosterde parelhoen en champagne op de brede veranda van de officiersmess en toen de zitting hervat werd, ging Eddy Roberts tot halverwege de middag door met zijn ondervraging van Snell. Daarna wendde hij zich tot de oudste rechter en zei: 'Ik heb geen vragen meer, edelachtbare. Ik ben klaar met deze getuige.' Hij was zeer tevreden en deed geen moeite om dat te verbergen.

'Wilt u de getuige een kruisverhoor afnemen, luitenant?' vroeg de oudste rechter, terwijl hij op zijn zakhorloge keek. 'Ik zou de zaak graag morgenavond op zijn laatst willen afronden. We moeten vrijdagavond in Mombassa een schip halen.' Hij wekte de indruk dat het vonnis al was geveld.

Bobby deed zijn best om Snells zelfverzekerde houding aan het wankelen te brengen, maar hij had zo weinig feiten tot zijn beschikking dat de man zijn vragen op een toegeeflijke en neerbuigende toon kon beantwoorden, alsof hij tegen een kind sprak. Een paar keer wierp hij de drie rechters een samenzweerderige blik toe.

Ten slotte haalde de kolonel zijn gouden horloge weer tevoorschijn en verklaarde: 'Zo is het wel genoeg voor vandaag, heren. We komen morgenochtend om negen uur weer bijeen.' Hij stond op en leidde de andere rechters naar de bar achter in de mess.

'Ik vrees dat ik het niet erg goed heb gedaan,' bekende Bobby toen hij en Leon de veranda op liepen. 'Het zal van jou afhangen wanneer je morgen je getuigenis aflegt.'

11

Ishmael bracht hun het avondeten en twee flessen bier uit zijn aangebouwde keuken aan de achterkant van Leons *rondavel*. Er waren geen stoelen in de hut, dus gingen de beide mannen languit op de lemen vloer liggen. Ze aten met weinig smaak en namen vertwijfeld hun strategie voor de volgende dag door.

'Ik vraag me af of de dames in Nairobi je nog zo elegant en knap zullen vinden wanneer je met een blinddoek voor tegen een bakstenen muur staat,' zei Bobby.

'Hoepel nou maar op, ellendige kerel,' zei Leon. 'Ik wil nog een beetje slapen.' Maar de slaap wilde niet komen en hij lag tot de vroege ochtend zwetend te woelen en te draaien. Ten slotte ging hij rechtop zitten en stak de lantaarn aan. Daarna ging hij, met alleen zijn onderbroek aan, naar buiten, naar de gemeenschappelijke latrine aan het eind van de rij hutten. Toen hij zijn veranda op stapte, struikelde hij bijna over een groepje mannen dat voor de deur neerhurkte. Leon deinsde geschrokken terug en hij hield de lantaarn omhoog. 'Wie zijn jullie, verdomme?' vroeg hij op luide toon. Toen zag hij dat ze met zijn vijven waren en dat ze allemaal de okerrode *sjoeka* van de Masai droegen.

Een van hen stond op. 'Ik zie u, M'bogo,' zei hij en zijn ivoren oorringen glinsterden in het lamplicht bijna even helder als zijn tanden.

'Manjoro! Wat doe jij hier in vredesnaam?' Leon schreeuwde bijna van blijdschap en opluchting.

'Loesima Mama heeft me gestuurd. Ze zei dat u me nodig had.'

'Waarom heeft het verdomme zo lang geduurd voor je hier was.' Leon kon hem wel zoenen.

'Ik ben zo snel mogelijk gekomen met de hulp van mijn broeders hier.' Hij gebaarde naar de mannen die naast hem op de grond zaten. 'We hebben de afstand van de Lonsonjo naar het rangeerterrein van Naro Moroe in twee dagen afgelegd. We mochten van de conducteur van de trein op het dak zitten en hij heeft ons met grote snelheid hiernaartoe gebracht.'

'Mama had gelijk. Ik heb je hulp heel hard nodig, mijn broeder.'

'Loesima Mama heeft altijd gelijk,' zei Manjoro op effen toon. 'In wat voor problemen zit u? Moeten we weer ten strijde trekken?'

'Ja,' antwoordde Leon. 'En het wordt een zware strijd.' De vijf Masai grijnsden allemaal vol verwachting.

Ishmael was wakker geworden van hun stemmen en hij kwam wankelend van de slaap uit het hutje achter de *rondavel* om te kijken wat er aan de hand was.

'Zorgen deze ongelovige Masai voor moeilijkheden, *effendi*? Moet ik ze wegsturen?' Hij had sergeant Manjoro niet herkend omdat deze zijn stamkledij droeg.

'Nee, Ishmael. Ga zo snel mogelijk naar luitenant Bobby en zeg hem dat hij direct moet komen. Er is iets geweldigs gebeurd. Onze gebeden zijn verhoord.'

'Allah is groot! Zijn goedheid gaat alle verstand te boven,' galmde Ishmael en daarna holde hij op een waardig drafje naar Bobby's hut.

12

'Ik roep sergeant Manjoro op om te getuigen!' zei Bobby Sampson op luide, zelfverzekerde toon.

Er viel een stomverbaasde stilte in de officiersmess. De rechters keken onmiddellijk geïnteresseerd op van hun aantekeningen toen Manjoro, steunend op een ruw gesneden kruk, door de deur naar binnen hinkte. Hij droeg zijn gala-uniform en puttee's die keurig om zijn kuiten gewikkeld waren, maar hij was blootsvoets. Het regimentsinsigne voor op zijn fez en de gesp van zijn riem waren met liefde opgepoetst tot ze glinsterden als de sterren. Sergeant-majoor M'fefe liep achter hem en probeerde zonder succes zijn grijns te onderdrukken. Het tweetal bleef voor de hoge tafel staan en salueerde zwierig voor de rechters.

'Sergeant M'fefe zal als tolk optreden voor degenen van ons die geen Swahili spreken,' verklaarde Bobby. Toen de getuige de eed had afgelegd, keek Bobby de tolk aan. 'Vraag de getuige alstublieft om zijn naam en rang te noemen, sergeant-majoor.'

'Ik ben sergeant Manjoro van de C Compagnie, 3de bataljon, 1ste regiment van de *King's African Rifles*,' verklaarde Manjoro trots.

Het gezicht van majoor Snell betrok en hij staarde Manjoro vol ontzetting aan. Tot dat moment had hij hem niet herkend. Leon had hem aan de bar van de mess, wanneer de man aan zijn derde of vierde whisky bezig was, meer dan eens horen zeggen: 'Die vervloekte zwartjoekels lijken allemaal op elkaar.' Zulke denigrerende opmerkingen waren typerend voor Snells hooghartige, laatdunkende houding. Geen enkele andere officier zou zo'n benaming gebruikt hebben om de mannen aan te duiden die onder zijn bevel stonden.

Kijk maar eens goed naar deze vervloekte zwartjoekel, Kikkertje, dacht Leon opgewekt. Dan zul je zijn gezicht niet snel meer vergeten.

'Edelachtbare...' Bobby richtte zich tot de president... 'mag de getuige zijn getuigenis zittend afleggen? De Nandi's hebben een pijl door zijn rechterbeen geschoten. Zoals u kunt zien, is de wond nog niet helemaal genezen.'

Alle ogen in de mess richtten zich op Manjoro's dijbeen waar de regimentsarts die ochtend nog een schoon verband omheen had gelegd. Vers bloed was door het witte gaas heen gesijpeld en had er een vlek op gevormd.

'Natuurlijk,' zei de president. 'Laat iemand een stoel voor hem pakken.'

Iedereen leunde vol verwachting naar voren. Majoor Snell en Eddy Roberts fluisterden opgewonden tegen elkaar. Eddy bleef zijn hoofd schudden.

'Sergeant, is deze man uw compagniesofficier?' Bobby gebaarde naar Leon die naast hem zat.

'Hij is mijn officier, bwana luitenant.'

'Zijn u en uw detachement met hem naar de *boma* in Niombi gereisd?'

'Ja, bwana luitenant.'

'U hoeft me niet steeds "bwana luitenant" te noemen,' protesteerde Bobby in vloeiend Swahili.

'*Ndio*, bwana luitenant,' stemde Manjoro in.

Bobby schakelde ten behoeve van de rechters over op het Engels. 'Hebt u tijdens de reis verdachte sporen ontdekt?'

'Ja, die hebben we gevonden op de plek waar een strijdgroep van zesentwintig Nandi-krijgers uit de richting van Gelai Loembwa de helling van de Rift Valley was afgedaald.'

'Zesentwintig? Weet u dat zeker?'

'Natuurlijk weet ik dat zeker, bwana luitenant.' Manjoro leek beledigd door de stompzinnigheid van de vraag.

'Hoe wist u zeker dat het een strijdgroep was?'

'Ze hadden geen vrouwen en kinderen bij zich.'

'Hoe wist u dat het Nandi's waren en geen Masai?'

'Hun voeten zijn kleiner dan de onze en ze lopen anders.'

'Anders in welk opzicht?'

'Ze lopen met kortere stappen. Het zijn dwergen. Ze zetten niet eerst hun hiel op de grond om daarna met hun teen af te zetten, zoals een echte krijger doet. Ze zetten hun voeten met een klap plat op de grond, als zwangere bavianen.'

'Dus u was er zeker van dat het Nandi's waren?'

'Alleen een dwaas of een klein kind zou daaraan getwijfeld kunnen hebben.'

'Waar gingen ze naartoe?'

'Naar de missiepost in Nakoeroe.'

'Dacht u dat ze op weg naar Nakoeroe waren om de missiepost te overvallen?'

'Ik dacht niet dat ze een biertje met de priesters gingen drinken,' antwoordde Manjoro hooghartig. Toen de sergeant-majoor dit had vertaald, onderdrukte de president een schaterlach. De andere rechters knikten glimlachend.

Eddy keek mistroostig.

'Hebt u dat allemaal aan uw luitenant verteld? Hebt u het met hem besproken?'

'Natuurlijk.'

'Heeft hij bevel gegeven om de strijdgroep te volgen?'

Manjoro knikte. 'We zijn de Nandi's twee dagen gevolgd tot we zo dichtbij waren dat ze door kregen dat we achter hen aan zaten.'

'Hoe zijn ze tot die conclusie gekomen?'

'De wildernis was open en zelfs de Nandi's hebben ogen in hun hoofd,' verklaarde Manjoro geduldig.

'En daarna heeft uw officier bevel gegeven om de achtervolging te staken en naar Niombi te gaan. Weet u waarom hij niet besloten heeft om de strijd met de vijand aan te binden.'

'Zesentwintig Nandi's gingen er in zesentwintig richtingen vandoor. Mijn luitenant is niet gek. Hij wist dat we er misschien een te pakken zouden kunnen krijgen als we hard liepen en geluk hadden. Hij wist ook dat we hen verjaagd hadden en dat ze niet meer naar Nakoeroe zouden gaan. Mijn bwana had de missiepost van de overval gered en hij wilde geen tijd meer verliezen.'

'Maar u had al bijna vier dagen verloren?'

'*Ndio*, bwana luitenant.'

'Wat trof u aan toen u in Niombi aankwam?'

'Een andere Nandi-strijdgroep had de *boma* overvallen. Ze hadden de districtsresident, zijn vrouw en zijn kind vermoord. Ze hadden de baby aan een speer geregen en de man en de vrouw verdronken door in hun mond te pissen.'

De rechters bogen zich aandachtig naar voren toen Bobby een beschrijving liet geven van de hinderlaag van de Nandi's en het vertwijfelde gevecht dat daarop was gevolgd. Zonder zichtbare emotie vertelde Manjoro hoe de rest van het detachement was gedood en hoe hij en Leon al vechtend de *boma* hadden weten te bereiken en de aanvallers hadden teruggeslagen.

'Heeft uw luitenant zich tijdens het gevecht als een man gedragen?'

'Hij heeft gevochten als een krijger.'

'Hebt u gezien dat hij een of meer vijanden heeft gedood?'

'Ik heb gezien dat hij acht Nandi's heeft gedood, maar het kunnen er meer geweest zijn. Ik was zelf ook bezig.'

'En toen hebt u uw wond opgelopen. Vertel ons daar eens over.'

'Onze munitie was bijna op. We gingen naar buiten om munitie op te halen bij onze dode *askari's* die op het exercitieterrein lagen.'

'Ging luitenant Courtney met u mee?'

'Hij ging me voor.'

'Wat gebeurde er toen?"

'Een van de Nandi-honden schoot een pijl op me af die me hier trof.' Manjoro trok de pijp van zijn korte kakibroek op en liet zijn verbonden been zien.

'Kon u met die wond lopen?'

'Nee.'

'Hoe bent u dan ontkomen?'

'Toen bwana Courtney zag dat ik getroffen was, kwam hij terug om me te halen. Hij heeft me de *boma* binnengedragen.'

'U bent een grote man. Heeft hij u echt gedragen?'

'Ik ben een grote man omdat ik een Masai ben. Maar bwana Courtney is sterk. Zijn Masai-naam is Buffel.'

'Wat gebeurde er daarna?'

'Manjoro beschreef gedetailleerd hoe ze het hadden volgehouden tot de Nandi's het gebouw in brand staken, hoe ze gedwongen waren geweest om het te verlaten en hoe ze onder dekking van de rook van het brandende dak de bananenplantage in waren gevlucht.

'Wat hebben jullie daarna gedaan?'

'Toen we het open terrein achter de plantage bereikten, heb ik mijn bwana gevraagd me met zijn revolver achter te laten en alleen verder te gaan.'

'Was u van plan zelfmoord te plegen omdat u niet kon lopen en u niet wilde dat de Nandi's u te pakken zouden krijgen en u, net als de districtsresident en zijn vrouw, zouden verdrinken.'

'Ik zou liever zelfmoord hebben gepleegd dan me door de Nandi's op hun manier te laten doden, maar niet voordat ik een paar van de jakhalzen met me zou hebben meegenomen,' beaamde Manjoro.

'Uw officier weigerde u in de steek te laten?'

'Hij wilde me terugdragen naar de spoorlijn. Ik heb hem gezegd dat dat een tocht van vier dagen door de stamgebieden van de Nandi's was en dat we al wisten dat het gebied wemelde van hun strijdgroepen. Ik heb hem verteld dat de *manjatta* van mijn moeder maar vijfenveertig kilometer reizen was en diep in het land van de Masai lag waar de Nandi's ons nooit zouden durven volgen. Ik heb hem gezegd dat we die kant uit moesten gaan als hij vastbesloten was me mee te nemen.'

'En hij deed wat u voorstelde?'

'Ja.'

'Vijfenveertig kilometer? Heeft hij u vijfenveertig kilometer op zijn rug gedragen?'

'Misschien iets verder. Hij is een sterke man.'

'Waarom heeft hij u niet achtergelaten en waarom is hij niet direct naar Nairobi teruggekeerd nadat jullie het dorp van uw moeder hadden bereikt?'

'Zijn voeten waren kapot door de tocht vanuit Niombi. Hij kon er niet meer op lopen. Mijn moeder is een beroemde genezeres met grote krachten. Ze heeft zijn voeten met haar medicijnen behandeld. Bwana Courtney is uit de *manjatta* vertrokken zodra hij weer kon lopen.'

Bobby zweeg en keek de drie rechters aan. Toen vroeg hij: 'Sergeant Manjoro, wat zijn uw gevoelens jegens luitenant Courtney?'

Manjoro antwoordde met kalme waardigheid: 'Mijn bwana en ik zijn broeders van het krijgersbloed.'

'Dank u, sergeant. ik heb geen vragen meer voor u.'

Secondelang hing er een eerbiedige stilte in de rechtszaal. Toen nam kolonel Wallace het woord. 'Wilt u deze getuige een kruisverhoor afnemen, luitenant Roberts?'

Eddy overlegde gehaast met majoor Snell en stond toen aarzelend op. 'Nee, edelachtbare, ik heb geen vragen voor hem.'

'Zijn er nog meer getuigen? Wilt u uw cliënt laten getuigen, luitenant Sampson?' vroeg kolonel Wallace. Hij haalde zijn horloge tevoorschijn en keek er nadrukkelijk op.

'Als het hof het mij toestaat, wil ik luitenant Courtney horen. Ik ben echter bijna klaar en zal het hof niet veel langer ophouden.'

'Ik ben blij dat te horen. U kunt uw gang gaan.'

Toen Leon in het getuigenbankje plaatsnam, overhandigde Bobby hem een stapeltje papieren en vroeg: 'Luitenant Courtney, is dit de officiële versie van uw rapport over de expeditie naar Niombi die u aan uw bevelvoerend officier hebt gegeven?'

Leon bladerde het stapeltje snel door. 'Ja, dit is mijn rapport.'

'Staat er iets in dat u wilt terugtrekken of wilt u er nog iets aan toevoegen?'

'Nee.'

'U bevestigt onder ede dat dit rapport tot in elk detail juist is?'

'Ja.'

Bobby pakte de papieren uit zijn handen en legde ze voor de rechters neer. 'Ik wil dat dit rapport als bewijsmateriaal wordt toegelaten.'

'Dat is al gebeurd,' zei kolonel Wallace korzelig. 'We hebben het allemaal gelezen. Stel uw vragen, luitenant, zodat we er een punt achter kunnen zetten.'

'Ik heb verder geen vragen, edelachtbare. De verdediging laat het hierbij.'

'Mooi.' De kolonel was aangenaam verrast. Hij had niet verwacht dat Bobby zo snel klaar zou zijn. Hij keek Eddy Roberts dreigend aan. 'Wilt u nog een kruisverhoor afnemen?'

'Nee, edelachtbare. Ik heb geen vragen voor de beklaagde.'

'Uitstekend.' Wallace glimlachte voor de eerste keer. 'De getuige mag naar zijn plaats teruggaan en de aanklager kan met zijn eindpleidooi beginnen.'

Eddy stond op en probeerde het zelfvertrouwen uit te stralen dat hij duidelijk miste. 'Wil het hof alstublieft zijn aandacht richten op zowel het schriftelijke rapport van de beklaagde waarvan hij onder ede heeft bevestigd dat het tot in elk detail juist is als op de bevestigende getuigenis van sergeant Manjoro. Uit beide verklaringen blijkt dat de beklaagde weloverwogen zijn schriftelijke orders om zo snel mogelijk naar Niombi te reizen in de wind heeft geslagen en in plaats daarvan de Nandi-strijdgroep is gevolgd die, naar hij geloofde, op weg was naar de missiepost in Nakoeroe. Ik wil benadrukken dat de beklaagde heeft toegegeven dat hij schuldig was aan de aanklacht dat hij bewust heeft geweigerd de orders van een superieur op te volgen toen hij met de vijand werd geconfronteerd. Daar kan geen enkele twijfel aan bestaan.'

Eddy zweeg even om zich op zijn volgende woorden voor te bereiden. Hij haalde diep adem alsof hij op het punt stond in ijskoud water te duiken. 'Wat sergeant Manjoro's slaafse steun aan de daden van de beklaagde betreft, zou ik de aandacht van het hof willen vestigen op zijn kinderlijke en emotionele verklaring dat hij en de beklaagde "broeders van het krijgersbloed" zijn.' Kolonel Wallace fronste zijn wenkbrauwen en de andere rechters schoven ongemakkelijk op hun stoel heen en weer.

Het was niet de reactie waarop Eddy had gehoopt en hij vervolgde haastig: 'Ik ben van mening dat de getuige door de verdediging is bewerkt en dat hij volledig in de ban van de beklaagde is. Het lijkt me dat hij alle woorden die hem in de mond zijn gelegd keurig heeft nagepraat.'

'Kapitein Roberts, wilt u beweren dat de getuige zichzelf met een pijl in het been heeft geschoten om de lafheid van zijn pelotonscommandant te verhullen?' vroeg kolonel Wallace.

Eddy ging zitten toen de aanwezigen in lachen uitbarstten.

'Stilte in de rechtszaal! Alstublieft, heren, alstublieft!' protesteerde de adjudant.

'Was dat uw eindpleidooi, kapitein? Bent u klaar?' vroeg Wallace.

'Ja, edelachtbare.'

'Luitenant Sampson, wilt u het eindpleidooi van de aanklager weerleggen?'

Bobby kwam overeind. 'We verwerpen niet alleen de hele inhoud van het eindpleidooi, edelachtbare, maar we nemen er ook aanstoot aan dat de aanklager sergeant Manjoro's eerlijkheid in twijfel trekt. We hebben er het volste vertrouwen in dat het hof de getuigenis zal accepteren van een eerlijke, dappere en trouwe soldaat wiens toewijding aan zijn plicht en respect voor zijn superieuren juist de eigenschappen zijn die het Britse leger maken tot wat het is.' Hij keek de drie rechters om de beurt aan. 'Heren, de verdediging laat het hierbij.'

'Het hof trekt zich terug om over het vonnis te beraadslagen. We komen om twaalf uur weer bijeen om uitspraak te doen.' Wallace stond op en zei met een duidelijk verstaanbare, maar ingehouden stem tegen de andere rechters: 'Zo, mannen, het ziet ernaar uit dat we dat schip toch nog halen.'

Toen ze achter elkaar de rechtszaal uit liepen, fluisterde Leon tegen Bobby: "De eigenschappen die het Britse leger maken tot wat het is," dat was meesterlijk.'

'Ja, hè?'

'Zal ik je op een biertje trakteren?'

'Dat sla ik niet af.'

13

Een uur later nam kolonel Wallace plaats achter de hoge tafel en rommelde met zijn papieren. Toen schraapte hij zijn keel en begon te spreken. 'Voordat ik vonnis wijs, wil ik verklaren dat dit hof onder de indruk was van de houding en de getuigenis van sergeant Manjoro. We vonden hem volkomen geloofwaardig en hij is naar onze mening een eerlijke, trouwe en dappere soldaat.' Bobby straalde toen hij hoorde dat zijn eigen beschrijving letterlijk door Wallace werd herhaald. 'Deze verklaring dient aan sergeant Manjoro's staat van dienst te worden toegevoegd.' Wallace draaide zich in zijn stoel om en keek Leon aan. 'Het vonnis van dit hof is als volgt: Wat betreft de aanklachten van lafheid, desertie en plichtsverzuim bevinden we de beklaagde onschuldig.' Er klonk een opgelucht gefluister aan de tafel van de verdediging. Bobby sloeg onder de tafel op Leons knie. Wallace vervolgde streng: 'Hoewel het hof begrip heeft voor de instinctieve reactie van de beklaagde om, in de traditie van het Britse leger, bij elke gelegenheid het gevecht met de vijand aan te gaan, zijn we van mening dat hij, door in strijd met zijn orders om zo snel mogelijk naar de post in Niombi te reizen, de achtervolging op de vijandelijke strijdgroep inzette, de krijgsartikelen overtrad die strikte gehoorzaamheid aan de bevelen van een superieur eisen. Daarom hebben we geen andere keus dan hem schuldig te verklaren aan het in de wind slaan van de schriftelijke orders van zijn superieur.'

Bobby en Leon staarden hem ontzet aan. Majoor Snell kruiste zijn armen voor zijn borst en leunde met een zelfvoldane grijns om zijn brede mond achterover in zijn stoel.

'Ik zal nu uitspraak doen. Wil de beklaagde opstaan?' Leon kwam overeind, ging stijf in de houding staan en staarde naar de muur achter Wallace' hoofd. 'De beklaagde wordt aan deze laatste aanklacht schuldig verklaard en het vonnis zal in de staat van dienst van de beklaagde worden opgenomen. Hij zal in hechtenis worden gehouden tot dit hof uiteengaat en onmiddellijk daarna zal hij weer aan het werk gaan met de volle verantwoordelijkheid en de volledige privileges van zijn rang. God behoede de koning! Deze rechtszaak is ten einde gekomen.' Wallace stond op, boog voor de mannen voor hem en ging toen de andere rechters voor naar de bar. 'Er is nog wel tijd voor een borrel voor de trein vertrekt. Ik neem een whisky. En jullie, mannen?'

Toen Leon en Bobby op weg waren naar de deur van de rechtszaal, die nu de functie van officiersmess weer had aangenomen, kwamen ze op gelijke hoogte met de tafel waaraan Snell nog steeds zat. Hij stond op en zette zijn pet weer op, waardoor hij hen dwong in de houding te gaan staan en te salueren. Zijn lichtblauwe ogen puilden uit hun kassen en zijn op elkaar geperste lippen deden hem meer op een giftige pad dan op een kikker lijken. Na een weloverwogen stilte salueerde hij terug. 'Ik heb morgenochtend nieuwe orders voor je, Courtney. Zorg dat je precies om acht uur in mijn kantoor bent. Intussen kun je doorgaan met je normale dienst,' snauwde hij.

'Ik denk niet dat je een vriend voor het leven in Kikkertje hebt gevonden,' fluisterde Bobby toen ze het door de zon verlichte exercitieterrein op liepen. 'Hij zal je leven van nu af aan buitengewoon interessant maken. Ik vermoed dat zijn nieuwe orders zullen inhouden dat je te voet op patrouille moet naar het Nattonmeer of een ander afgelegen, godverlaten oord. We zullen je ongeveer een maand niet zien, maar jij zult in elk geval meer van het land te zien krijgen.'

Leons *askari's* dromden om hem heen om hem te feliciteren. '*Jambo*, bwana. Welkom terug.'

'Je hebt in elk geval nog een paar vrienden over,' troostte Bobby hem. 'Mag ik de rammelkast gebruiken terwijl jij diep in de wildernis vertoeft?'

14

Een paar maanden later reden twee ruiters stijgbeugel aan stijgbeugel over de oever van de Athi. De paardenknechten die de reservepaarden meevoerden, volgden hen op een afstand. De ruiters droegen een slappe hoed met brede rand en ze lieten hun lans rusten. Voor hen strekte de brede, groene Athivlakte zich tot aan de horizon uit. Het wemelde op de vlakte van kuddes zebra's, struisvogels, impala's en gnoes. Een paar giraffen keken met grote donkere ogen op hen neer toen ze op een afstand van maar honderd passen langsreden.

'Ik kan er niet meer tegen,' zei Leon tegen zijn lievelingsoom. 'Ik moet een verzoek om overplaatsing naar een ander regiment indienen.'

'Ik betwijfel of er een regiment is dat je wil hebben, jongen. Je hebt een groot, zwart merkteken op je staat van dienst,' zei kolonel Penrod Ballantyne, de bevelhebber van het 1ste regiment van de *King's African Rifles*. 'Wat vind je van India? Ik zou een goed woordje voor je kunnen doen bij een paar vrienden van me die bij me in Zuid-Afrika hebben gediend.' Penrod testte hem.

'Dank u, kolonel, maar ik pieker er niet over om uit Afrika weg te gaan,' antwoordde Leon. 'Als je gespeend bent met Nijlwater kun je de ketenen nooit meer verbreken.'

Penrod knikte. Het was het antwoord dat hij verwacht had. Hij haalde een zilveren sigarettenkoker uit zijn borstzak en tikte er een Player's Gold Leaf uit. Hij stak hem tussen zijn lippen en bood Leon er een aan.

'Dank u, kolonel, maar ik rook niet.' Leon las de inscriptie op de binnenkant van het deksel voordat zijn oom de doos sloot. 'Gefeliciteerd met je vijftigste verjaardag, Twopence. Je liefhebbende vrouw, Saffron.' Tante Saffron had een eigenaardig gevoel voor humor. Haar bijnaam voor Penrod was oorspronkelijk Penny geweest, maar na al die huwelijksjaren had ze waarschijnlijk geconcludeerd dat zijn waarde verdubbeld was.

'Tja, kolonel, als niemand anders me wil hebben, zal er niet veel anders op zitten dan ontslag nemen. Ik heb, dankzij majoor Snell, al bijna drie jaar verspild met in kringetjes ronddraaien in de wildernis zonder er iets mee bereikt te hebben. Ik kan er niet meer tegen.'

Penrod dacht daarover na, maar voordat hij een passend antwoord had gevonden, werd zijn aandacht getrokken door een beweging verder weg op de rivieroever. Een mannnetjeswrattenzwijn draafde het dichte struikgewas langs het water uit. Zijn gebogen, witte slagtanden raakten elkaar bijna aan boven zijn komisch lelijke kop die bedekt was met de zwarte, wratachtige uitsteeksels waaraan hij zijn naam te danken had. Zijn staart met het bosje haar aan het uiteinde stond zo recht als een liniaal omhoog en wees naar de hemel. 'Daar gaan we!' schreeuwde Penrod. 'Hallali!' Hij trapte zijn hielen in de flanken van de merrie en ze schoot weg.

Leon galoppeerde achter hem aan en hij leunde over de nek van zijn polopony terwijl hij zijn lange lans velde. 'Bij god, wat een enorm beest. Moet je die slagtanden zien! Pak hem, oom!'

Penrods merrie liep soepel en ze haalde de prooi snel in, maar Leons voskleurige ruin zat nog maar een halve lengte achter haar wapperende staart. Toen het wrattenzwijn hun dreunende hoeven hoorde, bleef hij staan en keek om. Hij staarde verbaasd naar de aanstormende paarden, draaide zich vervolgens bliksemsnel om en rende weg over de vlakte waarbij hij bij elke slag van zijn kleine scherpe hoeven stofwolkjes deed opstuiven. Hij was echter niet snel genoeg voor de merrie.

Penrod leunde uit het zadel opzij en richtte zijn lans op het kale, grijze plekje huid tussen de bultige schouderbladen van het dier.

'Steek hem, Twopence!' In zijn opwinding riep Leon de naam die voor exclusief gebruik door zijn tante gereserveerd was. Penrod gaf er geen blijk van dat hij hem had gehoord. Hij viel aan en wilde de punt van de lans tussen de schouderbladen van de beer drijven. Maar op het laatste moment veranderde het wrattenzwijn van richting en rende terug langs de voorbenen van de merrie. Hoewel het paard gefokt en getraind was om een stuiterende polobal te volgen, kon het op deze manoeuvre niet reageren en het rende de beer voorbij. De lanspunt schampte van de taaie huid van het wrattenzwijn af zonder het te verwonden en Penrod trok het hoofd van de merrie met een ruk naar de andere kant. Ze steigerde en beet op haar bit met een wilde uitdrukking in haar ogen door de opwinding van de jacht.

'Kom op, schat! Op volle snelheid erachteraan!' spoorde Penrod haar aan en hij raakte haar ribben aan met zijn stomp gemaakte sporen. Ze draaide zich om voor de volgende spurt, maar Leon sneed haar en zijn pony volgde het wrattenzwijn alsof hij met een touw aan de achterhand van het dier vastzat. Paard en ruiter bleven vlak achter het varken, terwijl het wanhopig zigzagde, van richting veranderde en plotseling helemaal de andere kant uit rende. Ze draaiden in een cirkel rond terwijl Penrod hem lachend goede raad naschreeuwde.

'Blijf bij hem, jongen. Kijk uit voor de slagtanden... hij had je daar bijna te pakken!' De beer keerde om in Leons blinde hoek en wist bijna de dekking van het dichte struikgewas te bereiken waaruit hij tevoorschijn was gekomen, maar Leon, die hoog in de stijgbeugels ging staan, bracht zijn lans handig over naar zijn linkerhand en dreef de punt ervan tussen de schouderbladen van het wrattenzwijn. Het dier werd recht in het hart getroffen. Leon liet de schacht naar achteren vallen toen de ruin langs het stervende dier rende en de lanspunt liet los zonder dat zijn pols een schok kreeg. De stalen punt en een halve meter van de schacht glansden van het hartenbloed van de beer. Hij gilde één keer voordat zijn voorpoten het begaven. Hij viel neer, gleed op zijn snuit naar voren, plofte op zijn zij en schopte drie keer met zijn achterpoten. Toen was hij dood.

'Heel goed gedaan, jongen! Je hebt hem perfect gedood!' Penrod toomde naast zijn neef in. Ze lachten allebei hijgend. 'Hoe noemde je me daarnet ook alweer?'

'Neem me niet kwalijk, oom. Door de spanning van het moment ontviel het me gewoon.'

'Laat dat niet meer gebeuren, brutale vlegel. Geen wonder dat Kikkertje Snell de pik op je heeft. Diep in mijn hart begrijp ik hem en ik voel met hem mee.'

'Het is dorstig werk geweest. Zullen we een kop thee gaan drinken?' Leon veranderde gladjes van onderwerp.

Zodra Ishmael had gezien dat ze een prooi hadden gedood, had hij de huifkar in de schaduw gezet en hij stak nu het vuur al aan.

'Dat is wel het minste dat je kunt doen om het goed te maken. Twopence! Wat moet er van de jongere generatie terechtkomen?' bromde Penrod.

Tegen de tijd dat ze afstegen, stond de thee al te trekken. 'Drie schepjes suiker, Ishmael, en een paar van je gemberkoekjes,' zei Penrod toen hij in een van de canvaskampeerstoelen in de schaduw ging zitten.

'Dat zal uw eerzame en geachte vrouw niet bevallen, *effendi*.'

'Mijn eerzame en geachte vrouw is in Caïro. Ze zal er niets van merken,' herinnerde Penrod hem en hij strekte zijn hand naar de koekjes uit zodra Ishmael het bord voor hem neerzette. Hij kauwde er met smaak op, spoelde de kruimels toen weg met een slok thee en veegde zijn snor glad.

'Als je niet naar India wilt, wat wil je dan gaan doen wanneer je ontslag hebt genomen?'

'Ik wil in elk geval in Afrika blijven.' Leon nam een slokje thee en zei toen peinzend: 'Ik dacht eraan om de olifantenjacht eens te proberen.'

'De olifantenjacht?' vroeg Penrod ongelovig. 'Als beroep? Zoals Selous en Bell hebben gedaan?'

'Ja, sinds ik de boeken over hun avonturen heb gelezen, ben ik erdoor gefascineerd.'

'Romantische onzin! Je bent dertig jaar te laat. Die mannen van toen hadden heel Afrika voor zichzelf. Ze konden gaan en staan waar ze wilden en ze deden wat ze wilden. Dit is de moderne tijd. De dingen zijn veranderd. Er zijn nu overal wegen en spoorlijnen. Geen enkel Afrikaans land geeft nog onbeperkte vergunningen uit die de houder toestaan om duizenden van de grote dieren af te slachten. Dat is allemaal voorbij en dat is maar goed ook. Het was trouwens een hard, bitter leven en nog gevaarlijk en eenzaam ook. Ze zwierven jaar in jaar uit alleen door de wildernis zonder dat ze iemand hadden met wie ze in hun eigen taal konden praten. Zet dat idee toch uit je hoofd.'

Leon was ontmoedigd. Hij staarde in zijn beker terwijl Penrod nog een sigaret opstak. 'Tja, dan weet ik ook niet wat ik ga doen,' gaf hij ten slotte toe.

'Kop op, jongen.' Penrods toon was nu vriendelijk. 'Wil je jager worden? Er zijn in elk geval een paar mannen die daar goed hun brood mee verdienen. Ze verhuren zich om op safari te gaan met bezoekers van overzee. Er zijn rijke mannen uit Europa en Amerika, leden van koningshuizen, aristocraten en miljonairs, die bereid zijn een fortuin te betalen voor de kans om een paar olifanten te schieten. Tegenwoordig is de jacht op groot wild in Afrika de mode in de high society.'

'Blanke jagers? Zoals Tarlton en Cunningham?' Er verscheen een opgewekte uitdrukking op Leons gezicht. 'Wat een prachtleven moet dat zijn.' Zijn gezicht betrok weer. 'Maar hoe moet ik beginnen? Ik heb geen geld en ik wil mijn vader niet om hulp vragen. Hij zou me trouwens toch maar uitlachen. En ik ken niemand. Waarom zouden hertogen, prinsen en schatrijke zakenlui helemaal uit Europa willen komen om met mij te gaan jagen?'

'Ik zou je aan iemand kunnen voorstellen. Hij is misschien bereid je te helpen.'

'Wanneer kunnen we naar hem toe?'

'Morgen. Zijn basiskamp is maar een klein stukje rijden vanuit Nairobi.'

'Majoor Snell heeft me orders gegeven om met een patrouille naar het Toerkanameer te gaan. Ik moet een locatie zoeken waar een fort gebouwd kan worden.'

'Het Toerkanameer!' Penrod lachte snuivend. 'Waarom zouden we daar een fort nodig hebben?'

'Dat is zijn manier om zich te amuseren. Wanneer ik de rapporten inlever waar hij om vraagt, stuurt hij ze naar me terug met spottende commentaren in de kantlijn.'

'Ik zal wel met hem praten en hem vragen je korte tijd vrij te geven voor een speciale opdracht.'

'Bedankt, oom. Heel erg bedankt.'

15

Ze reden de kazernepoort uit en de hoofdstraat van Nairobi in. Hoewel het vroeg in de ochtend was, heersten er op de onbestrate weg een grote drukte en bedrijvigheid. Sir Charles, de gouverneur van de kolonie, moedigde kolonisten aan om uit het vaderland over te komen door hun stukken land van duizenden hectares tegen nominale kosten aan te bieden en ze stroomden binnen. De weg was bijna geblokkeerd door hun wagens die volgeladen waren met hun schaarse bezittingen en hun troosteloze gezinnen. Ze waren op weg naar hun lappen grond in de wildernis en ze werden gevolgd door Indiase, Goanese en joodse handelaars en winkeliers. Hun winkels van lemen bakstenen stonden aan weerskanten van de straat en op de met de hand beschreven borden aan de gevels werd van alles aangeboden, van champagne en dynamiet tot pikhouwelen, schoppen en geweerpatronen.

Penrod en Leon manoeuvreerden zich tussen de ossenwagens en spannen muilezels door tot Penrod voor het Norfolk Hotel intoomde om een kleine man te begroeten die een Indiase zonnehoed droeg en als een kabouter achter in een buggy zat die door een paar Burchell-zebra's werd getrokken. 'Goedemorgen, lord.' Penrod salueerde.

De kleine man schoof zijn bril met stalen montuur omhoog die onder op zijn neus stond. 'Ah, kolonel. Leuk u te zien. Waar gaat u naartoe?'

'We gaan Percy Phillips een bezoek brengen.'

'Die goeie, ouwe Percy.' Hij knikte. 'Een grote vriend van me. Ik heb het eerste jaar dat ik hier was met hem gejaagd. We hebben samen zes maanden in de wildernis doorgebracht en we zijn helemaal tot het Northern Frontier-district en Soedan getrokken. Hij heeft me op het spoor van twee enorme olifanten gezet. Een prachtkerel. Heeft me alles geleerd wat ik van de jacht op groot wild weet.'

'En dat is heel veel. Uw huzarenstukjes met dat .577-geweer van u zijn bijna even legendarisch als de zijne.'

'Aardig van u om te zeggen, hoewel ik een beetje overdrijving in dat compliment bespeur.' Hij richtte zijn heldere, nieuwsgierige blik op Leon. 'En wie is die jonge kerel?'

'Mag ik u mijn neef voorstellen? Luitenant Leon Courtney. Leon, dit is lord Delamere.'

'Het is me een eer kennis met u te mogen maken, lord.'

'Ik weet wie je bent.' De ogen van de lord twinkelden geamuseerd.

Kennelijk hield hij er niet dezelfde hoge morele normen op na als de rest van de lokale gemeenschap. Leon vermoedde dat zijn volgende opmerking een verwijzing naar Verity O'Hearne zou zijn, dus zei hij haastig: 'Ik ben erg onder de indruk van uw rijtuigpaarden, lord.'

'Eigenhandig gevangen en afgericht.' Delamere wierp hem nog een laatste doordringende blik toe en wendde zich toen af. Ik kan me voorstellen waarom Verity zo dol op hem was, dacht hij, en waarom al de oude hennen in de ren kakelden van jaloezie en verontwaardiging. Die jonge kerel is de droom van ieder meisje.

Hij raakte de rand van zijn zonnehoed aan met zijn buggyzweep. 'Ik wens u een prettige dag, kolonel. Doe Percy de groeten van me.' Hij spoorde de zebra's met de zweep aan en reed weg.

'Lord Delamere was vroeger een groot *sjikar*, maar nu is hij een vurig beschermer van wilde dieren geworden. Hij heeft een landgoed van meer dan veertigduizend hectare bij Soisamboe aan de westkant van de Rift Valley waarvan hij een wildreservaat aan het maken is en hij neemt zware hypotheken op de familielandgoederen in Engeland om dat te kunnen bekostigen. De beste jagers zijn allemaal zo. Wanneer ze genoeg van de jacht hebben, worden ze de meest toegewijde beschermers van hun voormalige prooien.' Ze verlieten de stad en reden door de Ngong-heuvels tot ze neerkeken op een zich naar alle kanten uitstrekkend kamp in het bos. Tenten, hutten van gras en *rondavels* stonden zonder enige ordening verspreid onder de bomen.

'Dit is Percy's basis, Kamp Tandala. '*Tandala*' was in het Swahili de naam voor de grote koedoe. 'Hij brengt zijn cliënten per trein vanaf de kust naar dit kamp en hiervandaan kan hij te voet, te paard of met de ossenwagen de wildernis in trekken.' Ze reden verder de heuvel af, maar voordat ze het kamp bereikten, kwamen ze bij de villoodsen waar de jachttrofeeën werden geprepareerd en geconserveerd. De bovenste takken van de bomen zaten daar vol roestende aasgieren en vleesetende maraboes. De drogende huiden en koppen verspreidden een smerige, doordringende stank.

Ze toomden de paarden in om naar twee oude Ndorobo's te kijken die met hun bijlen aan de verse schedel van een mannetjesolifant werkten. Ze hakten het bot weg om de wortels van de slagtanden bloot te leggen. Terwijl ze toekeken, trok de ene man een slagtand uit zijn benige kanaal los. Toen ze er met zijn tweeën mee wegliepen, begaven hun dunne benen het bijna onder het gewicht. Ze probeerden vruchteloos de enorme ivoren tand in een canvasdraagband te tillen die aan de haak van een weegschaal hing. Leon liet zich uit het zadel glijden en nam hun last over. Moeiteloos legde hij de tand in de draagband. Onder het gewicht van de slagtand draaide de naald tot halverwege de wijzerplaat.

'Bedankt voor je hulp, jongeman.'

Leon draaide zich om. Een lange man stond achter hem. Hij had de gelaatstrekken van een Romeinse patriciër. Zijn korte, verzorgde baard was zilvergrijs en zijn helderblauwe ogen hadden een vaste blik. Er kon geen twijfel aan bestaan wie hij was. Leon wist dat Percy Phillips' naam in het Swahili bwana Samawati was, 'de man wiens ogen de kleur van de hemel hebben'.

Penrod voegde zich bij hen en steeg af. 'Hallo, Percy,' zei hij.

'Penrod, je ziet er goed uit.' Ze schudden elkaar de hand.

'Jij ook, Percy. Je bent nauwelijks een dag ouder geworden sinds de laatste keer dat we elkaar hebben gezien.'

'Je wilt zeker iets van me. Is dit je neef?' Percy wachtte niet op antwoord. 'Wat vind je van die slagtand, jongeman?'

'Hij is schitterend, meneer. Ik heb nog nooit zoiets gezien.'

'Ruim vijfenveertig kilo.' Percy Phillips las het gewicht op de wijzerplaat af en glimlachte. 'Het mooiste stuk ivoor dat ik sinds vele jaren in handen heb gekregen. Zoals deze tand zijn er niet veel meer.' Hij knikte tevreden. 'Veel te mooi voor de spaghettivreter die de olifant heeft geschoten. De brutaliteit van die kerel! Hij beklaagde zich erover dat hij voor zijn rottige vijfhonderd pond tekortgedaan was. Hij wilde aan het eind van de safari niet betalen. Ik heb hem heel streng moeten toespreken.' Hij blies zachtjes op de ontvelde knokkels van zijn rechtervuist en keek toen Penrod weer aan. 'Ik heb mijn kok gemberkoekjes voor je laten bakken. Ik herinner me dat je daar erg van houdt.' Hij pakte Penrods arm vast en leidde hem, lichtjes mank lopend, naar de grote kantinetent in het midden van het kamp.

'Hoe hebt u uw been verwond, meneer?' vroeg Leon toen hij naast hen ging lopen.

Percy lachte. 'Een grote, oude buffel is erop gesprongen, maar dat was dertig jaar geleden toen ik nog een groentje was. Ik heb toen een lesje geleerd dat ik nooit meer ben vergeten.'

Percy en Penrod gingen op de klapstoelen onder de flap van de kantinetent zitten om nieuwtjes over wederzijdse kennissen uit te wisselen en elkaar bij te praten over de gebeurtenissen in de kolonie. Intussen keek Leon geïnteresseerd in het rond. Ondanks de ogenschijnlijk lukrake indeling van het kamp was het duidelijk handig en comfortabel. De grond was schoongeveegd en de hutten waren allemaal in goede staat. Aan de rand van het kamp, op de helling van de heuvel die erboven verrees, stond een kleine, wit geschilderde bungalow met een rieten dak die kennelijk Percy's huis was. Er was maar één ding in het kamp dat uit de toon viel en dat trok Leons aandacht.

Een Vauxhall van hetzelfde jaar als de auto die hij en Bobby samen hadden, stond achter een hut geparkeerd. Hij was in verschrikkelijk slechte conditie. De voorruit was gebarsten en ondoorzichtig door het vuil, de motorkap was met behulp van een blok hout opengezet en de motor was eruit gehaald en op een primitieve werkbank in de schaduw van een naburige boom gelegd. Iemand was begonnen hem uit elkaar te halen, maar hij had er kennelijk geen zin meer in gehad en was ermee opgehouden. Motoronderdelen lagen er verspreid omheen of waren opgestapeld op de chauffeursplaats. Een zwerm kippen had het chassis ingenomen om als hok te gebruiken en hun witte ontlasting onttrok de oorspronkelijke verf bijna aan het zicht.

'Je oom heeft me verteld dat je jager wilt worden. Klopt dat?'

Leon draaide zich naar Percy Phillips om toen hij besefte dat deze het tegen hem had. 'Ja, meneer.' Percy streelde zijn zilverkleurige baard en bestudeerde hem nadenkend. Leon wendde zijn blik niet af, wat Percy beviel. Beleefd en respectvol, maar zeker van zichzelf, dacht hij. Heb je ooit een olifant geschoten?'

'Nee, meneer.'

'Een leeuw?'

'Nee, meneer.'

'Een neushoorn? Een buffel? Een luipaard?'

'Ik vrees van niet, meneer.'

'Wat heb je dan geschoten?'

'Alleen een paar Tommies en Grantantilopen voor de pot, maar ik kan het leren. Daarom ben ik naar u toe gekomen.'

'Je bent in elk geval eerlijk. Als je nog nooit op gevaarlijk wild hebt gejaagd, wat kun je dan wel? Geef me een goede reden waarom ik je een baan zou aanbieden.'

'Ik kan rijden, meneer.'

'Heb je het over paarden of over vrouwen?'

Leon bloosde hevig. Hij opende zijn mond om te antwoorden, maar sloot hem weer.

'Ja jongeman, nieuws doet nu eenmaal de ronde. Luister naar me. Veel van mijn cliënten brengen hun gezin mee op safari. Vrouwen en dochters. Hoe weet ik dat je niet zult proberen hen bij de eerste gelegenheid te neuken?'

'Wat u gehoord hebt, is niet waar, meneer,' protesteerde Leon. Zo ben ik helemaal niet.'

'Je houdt hier je gulp dicht,' snauwde Percy. 'Wat kun je nog meer behalve paardrijden?'

'Ik zou dat kunnen repareren,' zei Leon en hij wees naar het wrak.

Percy toonde onmiddellijk interesse.

'Ik heb er een van hetzelfde merk en hetzelfde model,' vervolgde Leon. 'Hij was in dezelfde staat als de uwe toen ik hem kreeg. Ik heb hem in elkaar gezet en nu loopt hij als een Zwitsers horloge.'

'O ja? Hoe is het mogelijk? Die vervloekte motoren zijn een compleet raadsel voor me. Goed, dus je kunt paardrijden en je kunt auto's repareren. Dat is een begin. Wat kun je nog meer? Kun je schieten?'

'Ja, meneer.'

'Leon heeft de Gouverneurscup gewonnen bij de regimentswedstrijd geweerschieten die aan het begin van het jaar gehouden wordt,' zei Penrod. 'Hij kan schieten, dat garandeer ik.'

'Papieren doelwitten zijn geen levende dieren. Ze bijten of bespringen je niet als je mist,' bracht Percy naar voren. 'Als je jager wilt worden, heb je een geweer nodig. En dan heb ik het niet over zo'n kleine Enfield die in het leger wordt gebruikt. Aan een proppenschieter heb je niet veel als je ruzie krijgt met een boze buffel. Heb je een echt geweer?'

'Ja, meneer.'

'Wat voor een?'

'Een Holland & Holland .470 Nitro Express.'

Percy's ogen werden groot. 'Heel goed,' zei hij. 'Dat is een echt geweer. Betere geweren zijn er niet. Maar je zult ook een spoorzoeker nodig hebben. Kun je aan een goede komen?'

'Ja, meneer.' Leon dacht aan Manjoro, maar daarna herinnerde hij zich Loikot. 'Ik heb er zelfs twee.'

Percy keek naar de goudkleurig-met-groene zonnevogel die in de takken boven de tent heen en weer vloog. Toen leek hij een besluit te nemen. 'Je boft. Ik heb toevallig net hulp nodig. Begin volgend jaar ga ik een grote safari leiden. De cliënt is een buitengewoon belangrijk iemand.'

'Die cliënt van je, zou dat misschien de president van de Verenigde Staten van Amerika kunnen zijn,' vroeg Penrod onschuldig.

Percy schrok. 'In naam van alles wat heilig is, Penrod, hoe ben je daar in vredesnaam achter gekomen?' vroeg hij. 'Niemand hoort dat te weten.'

'Het ministerie van Buitenlandse Zaken van de Verenigde Staten heeft de opperbevelhebber van het Britse Leger, lord Kitchener, in Londen een telegram gestuurd. Ze wilden meer over je weten voordat de president je zou inhuren. Ik was tijdens de oorlog in Zuid-Afrika lid van Kitcheners staf, dus telegrafeerde hij mij.'

Percy barstte in lachen uit. 'Je bent een sluwe kerel, Ballantyne. En ik dacht nog wel dat het bezoek van Teddy Rooosevelt een staatsgeheim was. Dus je hebt een goed woordje voor me gedaan. Het lijkt erop dat ik nu nog meer bij je in het krijt sta.' Hij richtte zich weer tot Leon. 'Ik ga het volgende met je doen. Ik ga je jezelf laten bewijzen. Ten eerste wil ik dat je die schroothoop in elkaar zet en zorgt dat het ding weer gaat rijden.' Hij knikte naar de mishandelde auto. 'Ik wil dat je je bluf waarmaakt. Begrijp je dat?'

'Ja, meneer.'

'Als je dat gedaan hebt, neem je je beroemde geweer en je twee nog beroemdere spoorzoekers mee en trek je de wildernis in om een olifant te schieten. Ik kan geen jager in dienst nemen die nog nooit gejaagd heeft. Wanneer je dat hebt gedaan, neem je de slagtanden mee als bewijs.'

'Ja, meneer,' zei Leon grijnzend.

'Heb je genoeg geld om een jachtvergunning te kopen. Je zult er tien pond aan kwijt zijn.'

'Nee, meneer.'

'Dan leen ik je dat wel,' bood Percy aan.

'Als u me het geld leent, mag u een slagtand uitkiezen. Ik hou de andere.'

Percy grinnikte. De jongen wist goed voor zichzelf op te komen. Hij was geen watje. Hij begon zich te amuseren. 'Dat is een eerlijke zaak, jongen.'

'Al u me aanneemt, hoeveel betaalt u me dan?'

'Je betalen? Ik doe je oom een plezier. Jij zou mij moeten betalen.'

'Wat zou u zeggen van vijf shilling per dag?' stelde Leon voor.

'Wat zou jij zeggen van één shilling?' kaatste Percy terug.

'Twee.'

'Je bent een harde onderhandelaar.' Percy schudde treurig zijn hoofd, maar hij stak zijn hand uit.

Leon schudde hem krachtig. 'U zult er geen spijt van krijgen, meneer, dat beloof ik u.'

16

'U hebt mijn leven veranderd. Ik zal altijd bij u in het krijt blijven staan, voor wat u vandaag voor me gedaan hebt.' Leon was opgetogen toen ze door de Ngongheuvels terugreden naar Nairobi.

'Daar zou ik me maar niet al te veel zorgen over maken. Je denkt toch niet dat ik dit doe omdat ik je liefhebbende oom ben.'

'Dan heb ik u verkeerd beoordeeld.'

'Je gaat op de volgende manier je schuld inlossen. Ten eerste zal ik niet accepteren dat je ontslag uit het regiment neemt. Ik ga je overplaatsen naar de reservisten en daarna detacheer ik je bij de militaire inlichtingendienst waar je rechtstreeks onder mijn bevel zult werken.'

De ontzetting stond duidelijk op Leons gezicht te lezen. Vlak hiervoor had hij zich een vrij man gewaand. Nu leek het of hij weer in de verstikkende omarming van het leger gevangen was.

'En?' vroeg hij voorzichtig.

'We gaan gevaarlijke tijden tegemoet. Keizer Wilhelm van Duitsland heeft in de afgelopen tien jaar de kracht van zijn staand leger verdubbeld. Hij is geen staatsman of diplomaat, maar een militair, zowel door zijn opleiding als zijn karakter. Hij heeft zich zijn hele leven voorbereid op oorlog. Al zijn adviseurs zijn militairen. Hij heeft de grenzeloze ambitie om het keizerrijk uit te breiden. Hij heeft enorme kolonies in Afrika, maar dat is hem nog niet genoeg. Ik zeg je dat we problemen met hem zullen krijgen. Duits Oost-Afrika ligt direct tegen onze zuidgrens aan. Dar es Salaam is hun haven. Ze kunnen daar heel snel een oorlogsschip hebben. Ze hebben in Arusha al een volledig regiment *askari's* gestationeerd dat wordt geleid door Duitse beroepsofficieren. Von Lettow Vorbeck, de bevelhebber, is een harde, sluwe militair. In tien dagen zou hij in Nairobi kunnen zijn. Ik heb dit onder de aandacht van het ministerie van Oorlog in Londen gebracht, maar daar hebben ze het druk met andere problemen en ze willen geen geld besteden aan het versterken van een onbelangrijk deel van het imperium.'

'Dit is een schok voor me, oom. Ik heb de situatie nog nooit zo bekeken. De Duitsers daar zijn altijd heel vriendelijk tegen ons geweest. Ze hebben veel gemeen met onze kolonisten in Nairobi. Ze hebben dezelfde problemen.'

'Ja, er zitten goede mensen onder en ik mag Von Lettow Vorbeck, maar zijn orders komen uit Berlijn en van de keizer.'

'De keizer is de kleinzoon van koningin Victoria. Onze huidige koning is zijn oom. De keizer is ereadmiraal van de Royal Navy. Ik kan niet geloven dat we ooit oorlog met hem zullen krijgen,' wierp Leon tegen.

'Vertrouw maar op het instinct van een oude ijzervreter.' Penrod glimlachte veelbetekenend. 'Maar wat er ook gebeurt, ik zal er in elk geval niet door verrast worden. Ik zal onze sympathieke zuiderburen scherp in de gaten houden.'

'En hoe pas ik daarin?'

'In dit stadium staat onze grens met Duits Oost-Afrika wijd open. De mensen kunnen heen en weer de grens over zonder dat ze in hun bewegingsvrijheid worden beperkt. De Masai en andere stammen laten hun vee in het gebied grazen zonder zich ook maar iets aan te trekken van de grenzen die onze landmeters hebben vastgesteld. Ik wil dat jij onder de stamleden die regelmatig Duits Oost-Afrika in en uit gaan een netwerk van informanten opzet. Je zult in het geheim opereren. Zelfs Percy Phillips mag niet weten waar je mee bezig bent. Je dekmantel is overtuigend. Als jager heb je een perfect excuus om je vrijelijk aan weerskanten van de grens door het gebied te bewegen. Je zult rechtstreeks aan mij verslag uitbrengen. Ik wil dat jij langs de grens mijn ogen bent.'

'Als er vragen gesteld worden, kan ik zeggen dat de informanten mijn verkenners zijn, dat ik hen gebruik om een oogje op de bewegingen van de kuddes te houden, vooral op die van de mannetjesolifanten, zodat ik op elk moment zal weten wat hun exacte positie is en ik onze cliënten er direct heen zal kunnen brengen,' opperde Leon. Het klonk nu alsof het spel opwindend en heel erg leuk zou worden.

Penrod knikte instemmend. 'Dat zou Percy en anderen die ernaar vragen tevreden moeten stellen. Laat in elk geval niet blijken dat ik erbij betrokken ben, anders krijgt iedereen in de club het te horen wanneer hij er de volgende keer wat gaat drinken. Percy is nu niet bepaald een toonbeeld van discretie.'

17

Een paar weken later lag Leon vrijwel constant onder Percy's auto en zijn armen waren tot aan de ellebogen bedekt met zwarte smeerolie. Hij had het karwei ernstig onderschat en geen rekening gehouden met de schade die Percy had aangericht bij zijn pogingen om de auto te repareren. Er waren in Nairobi maar weinig onderdelen te krijgen en Leon was gedwongen te overwegen om de auto die hij met Bobby deelde te strippen. Bobby verzette zich hevig tegen het idee, maar uiteindelijk ging hij ermee akkoord om zijn aandeel in de auto aan Leon te verkopen voor vijftien gienjes die in maandelijkse termijnen van één gienje betaald zouden worden. Leon verwijderde onmiddellijk een voorwiel, de carburateur en andere onderdelen en bracht ze naar Kamp Tandala.

Toen hij 's ochtends wakker werd nadat hij tien dagen aan de auto had gewerkt, zag hij dat sergeant Manjoro voor zijn tent neergehurkt zat. Hij droeg niet zijn kakiuniform en fez, maar zijn okerrode *sjoeka* en hij had een leeuwenspeer in zijn hand. 'Ik ben gekomen,' zei hij.

'Dat zie ik.' Leon kon zijn blijdschap maar moeilijk verbergen. 'Maar waarom ben je niet in de kazerne? Straks schieten ze je nog dood wegens desertie.'

'Ik heb een papier.' Manjoro haalde een verkreukelde envelop onder zijn *sjoeka* vandaan. Leon opende hem en las het document snel door. Manjoro was op medische gronden eervol uit de KAR ontslagen. Hoewel zijn beenwond was genezen, was hij mank blijven lopen waardoor hij ongeschikt was geworden voor de militaire dienst.

'Waarom ben je naar me toe gekomen?' vroeg Leon. 'Waarom ben je niet naar je *manjatta* teruggegaan?'

'Ik ben uw man,' zei hij eenvoudigweg.

'Ik kan je niet betalen.'

'Dat heb ik u ook niet gevraagd,' antwoordde Manjoro. 'Wat wilt u dat ik doe?'

'Ten eerste gaan we deze *enchini* repareren.' Ze keken even naar de auto die nog steeds een treurige aanblik bood.

Manjoro had geholpen bij de restauratie van de eerste auto, dus hij wist wat hem te wachten stond. 'En daarna gaan we een olifant doden,' voegde Leon eraan toe.

'Dat zal gemakkelijker zijn dan het repareren van de auto,' zei Manjoro.

Bijna drie weken later nam Leon plaats achter het stuur terwijl Manjoro met een berustende houding voor de auto ging staan. Hij had er alle vertrouwen in verloren dat de handelingen die hij in de afgelopen drie dagen herhaaldelijk had verricht uiteindelijk succes zouden hebben. Op de eerste dag hadden Percy Phillips en al het kamppersoneel, met inbegrip van de kok en de oude vilders, een aandachtig publiek gevormd. Ze hadden geleidelijk hun interesse verloren en waren een voor een vertrokken tot alleen de vilders nog over waren. Ze zaten op hun hurken en volgden elke beweging met intense aandacht.

'Vertraag de vonk!' smeekte Leon de goden van de verbrandingsmotor.

De twee oude vilders bouwden hem na: 'Veltaag de vonk.' Ze herhaalden letterlijk wat Leon zei.

Leon trok de hendel aan de linkerkant van het stuurwiel omhoog. 'Regelklep open.' Dit stelde het articulatievermogen van de vilders tot het uiterste op de proef. Dichter dan 'gekep pen' kwamen ze niet in de buurt.

'Op de handrem!' Leon zette de auto op de handrem.

'Rijk mengsel!' Hij draaide aan de controleknop tot de wijzer recht vooruit wees.

'Choke.' Hij stapte uit, rende naar de voorkant van de auto, trok aan de chokering en ging terug naar de bestuurdersplaats.

'Manjoro, zet de carburateur aan!' Manjoro boog zich naar voren en draaide twee keer aan de slinger. 'Zo is het genoeg!' waarschuwde Leon hem 'Choke uit!' Hij stapte weer uit, rende naar voren, duwde de chokering in en rende terug naar zijn plaats.

'Nog twee keer draaien!' Weer boog Manjoro zich naar voren om aan de slinger te draaien.'Carburateur aan! Stroom aan!' Leon draaide de keuzeschakelaar op het dashboard naar 'accu' en keek naar de hemel. 'Manjoro, nog een keer!' Manjoro spuwde op zijn rechterhandpalm, greep de slinger beet en draaide eraan.

Er klonk een knal alsof er een kanon werd afgeschoten en een stoot blauwe rook schoot uit de uitlaat. De slinger sloeg met kracht terug waardoor Manjoro uit zijn evenwicht werd gebracht. De twee vilders waren totaal verrast. Ze hadden zoiets spectaculairs nooit verwacht. Ze brulden van angst en renden naar de struiken achter het kamp. Er klonk een luide vloek uit Percy's bungalow op de eerste helling van de heuvel aan de rand van het kamp en hij verscheen wankelend op zijn benen op de veranda. Hij had alleen zijn pyjamabroek aan, zijn baard zat in de war en zijn blik was ongericht van de slaap. Hij staarde even in verwarring naar Leon die stralend achter het stuur zat. De motor sputterde, trilde en sloeg terug en kwam toen tot rust in een vast, ronkend ritme.

Percy lachte. 'Laat me even mijn broek aantrekken, dan kun je me daarna naar de club brengen. Je mag van mij net zo veel bier drinken als je op kunt. Daarna kun je die olifant gaan zoeken. Ik wil je niet in het kamp terugzien voordat je hem hebt.'

18

Leon stond voor het vertrouwde massief van de Lonsonjo. Hij schoof zijn hoed op zijn achterhoofd en verplaatste het zware geweer van de ene schouder naar de andere. Hij keek omhoog naar de bergtop. Dankzij zijn scherpe jonge ogen kon hij de eenzame gedaante op de top zien. 'Ze wacht op ons,' riep hij verbaasd uit. 'Hoe wist ze dat we zouden komen?'

'Loesima Mama weet alles,' bracht Manjoro hem in herinnering en hij liep het steile pad naar de top op. Hij droeg de waterflessen, de canvas haverzak, Leons lichte .303 Enfield-geweer en vier patroongordels. Leon volgde hem en Ishmael sloot de rij. De rok van zijn witte *kamza* wapperde om zijn benen en hij balanceerde een enorme bundel op zijn hoofd. Voordat ze uit Kamp Tandala waren vertrokken, had Leon de bundel gewogen. Hij woog ruim achtentwintig kilo en bevatte Ishmaels keukengerei en voorraden, van potten en pannen tot peper en zout en zijn eigen geheime kruidenmengsel. Leon zorgde dagelijks voor malse koteletten en biefstukken van jonge Tommies en dankzij Ishmaels kookkunst hadden ze gegeten als prinsen sinds ze de spoorlijn bij het rangeerterrein van Naroe Moroe hadden verlaten.

Toen ze de top bereikten zat Loesima Mama op hen te wachten in de schaduw van een reusachtige, bloeiende rubberboom. Ze kwam met haar lange gestalte statig als een koningin overeind en begroette hen. 'Ik zie jullie, mijn zoons, en mijn ogen verheugen zich.'

'We zijn gekomen om u onze wapens te laten zegenen en u om uw hulp bij de jacht te vragen, Mama,' zei Manjoro terwijl hij voor haar knielde.

De volgende ochtend verzamelde het hele dorp zich rondom de vijgenboom, de raadboom, in de kraal om getuige te zijn van het zegenen van de wapens. Leon en Manjoro hurkten bij hen neer. Ishmael had geweigerd aan zo'n heidens ritueel mee te doen en hij kletterde demonstratief met zijn pannen boven het kookvuur achter de dichtstbijzijnde hut. Leons beide geweren werden naast elkaar op een gelooide leeuwenhuid gelegd. Ernaast stonden twee met vers koeienbloed en melk gevulde kalebassen en schalen van gebakken klei met zout, snuiftabak en glinsterende, glazen kralen. Ten slotte kwam Loesima door de lage deur van haar hut naar buiten. De gemeente klapte en begon haar lof te zingen.

'Ze is de grote zwarte koe die ons voedt met de melk uit haar uiers. Ze is de wachteres die alles ziet. Ze is de wijze die alles weet. Ze is de moeder van de stam.' Loesima droeg al haar ceremoniële regalia. Op haar voorhoofd hing een ivoren hanger waarin mythische dierenfiguren uitgesneden waren. Haar *sjoeka* was dicht bestikt met glanzende kralen en de schalen van porseleinslakken. Een kralen halsketting hing in dikke wikkels op haar borst. Haar huid was geolied en ingewreven met rode oker die glansde in het zonlicht en ze had een vliegenmepper in haar hand die van de staart van een giraffe was gemaakt. Haar tred was statig toen ze om de uitgestalde geweren en offerandes heen liep.

'Moge de prooi niet ontkomen aan de krijger die deze wapens gebruikt,' galmde ze toen ze er wat snuiftabak overheen strooide. 'Laat het bloed rijkelijk stromen uit de wonden die ze toebrengen.' Ze doopte de vliegenmepper in de kalebassen en spatte bloed en melk op de wapens. Daarna ging ze naar Leon toe en zwiepte het mengsel over zijn hoofd en schouders. 'Geef hem de kracht en de vastberadenheid om de prooi te volgen. Maak de ogen van de jager scherp zodat hij de prooi vanaf grote afstand kan zien. Zorg dat geen dier zijn kracht kan weerstaan. Laat de grootste olifant vallen door de stem van zijn *bandoeki*, zijn geweer.'

De toeschouwers klapten ritmisch in hun handen en zetten haar aansporingen voort: 'Laat hem de koning van de jagers zijn. Schenk hem de kracht van de jager.'

Ze begon in een strakke cirkel te dansen en draaide steeds sneller rond tot het zweet en de rode oker in een straaltje tussen haar blote borsten door liep. Toen ze zich plat op de leeuwenhuid voor Leon neerwierp, rolden haar ogen naar achteren en wit schuim borrelde uit haar mondhoeken. Haar hele lichaam begon te trillen en te schokken en ze trapte krampachtig met haar benen.

Ze knarsetandde en haar adem raspte pijnlijk in haar keel.

'De geest is haar lichaam binnengegaan,' fluisterde Manjoro. 'Ze is gereed om met zijn stem te spreken. Stel haar de vraag.'

'Loesima, lieveling van de Grote Geest, uw zoons zoeken een opperhoofd onder de olifanten. Wanneer zullen we hem vinden? Wijs ons de weg naar de grote stier.'

Loesima's hoofd rolde heen en weer en ze haalde nog moeilijker adem tot ze ten slotte met een schorre, onnatuurlijke stem tussen haar opeengeklemde tanden door begon te spreken: 'Volg de wind en luister naar de stem van de zoetgevooisde zanger. Hij zal jullie de weg wijzen.' Haar adem stokte en ze ging rechtop zitten. Haar blik werd weer helder en gericht en ze keek Leon aan alsof ze hem voor het eerst zag.

'Is dat alles?' vroeg hij.

'Er is niet meer,' antwoordde ze.

'Ik begrijp het niet,' hield Leon aan. 'Wie is de zoetgevooisde zanger?'

'Dit is de hele boodschap,' zei ze. 'Als de goden je jacht goedgezind zijn, dan zal de betekenis je na verloop van tijd duidelijk worden.'

19

Sinds Leon op de berg was aangekomen, was Loikot hem op een discrete afstand gevolgd. Toen Leon met een tiental van de dorpsoudsten bij het kampvuur zat, ging Loikot achter hem in de schaduw zitten. Hij luisterde aandachtig naar het gesprek en draaide zijn hoofd steeds naar het gezicht van de man die op dat moment sprak.

'Ik wil weten welke bewegingen mensen en dieren door heel Masailand en door de hele Rift Valley maken, zelfs in het land voorbij de grote bergen, de Kilimanjaro en de Meroe. Ik wil dat deze informatie wordt verzameld en zo snel mogelijk aan mij wordt doorgegeven.'

De dorpsoudsten luisterden naar zijn verzoek en bespraken het toen geanimeerd onder elkaar waarbij iedereen een andere mening had. Leon beheerste het Maa nog niet goed genoeg om de snelle uitwisseling van argumenten te kunnen volgen. Manjoro vertaalde alles op een fluistertoon: 'Er zijn veel mannen in Masailand. Wil je van hen allemaal weten waar ze naartoe gaan?' vroegen de oude mannen.

'Ik hoef niet te weten waar de mensen van jouw volk, de Masai, naartoe gaan. Ik wil dat alleen van de vreemdelingen weten, de blanke mannen en vooral van de Boela Matari.' Dat waren de Duitsers. De naam betekende 'brekers van steen' want de eerste Duitse kolonisten waren geologen geweest die met hun hamers stukjes van de mineraalformaties aan het oppervlak af sloegen. 'Ik wil weten welke bewegingen de Boela Matari en hun *askari*-soldaten maken. Ik wil weten waar ze muren bouwen en waar ze greppels graven waarin ze hun *bandoeki mkoeba*, hun grote kanonnen, plaatsen.'

De discussie ging tot diep in de nacht door zonder dat er veel werd besloten. Ten slotte sloot de zelfbenoemde woordvoerder van de groep, een oude tandeloze man, de vergadering met de noodlottige woorden: 'We zullen over deze dingen nadenken.' Ze stonden op en liepen achter elkaar naar hun hutten.

Toen ze weg waren, hoorden ze een klein stemmetje in het donker achter Leons rug zeggen: 'Ze zullen praten en daarna nog meer praten. Jullie zullen alleen het geluid van hun stem te horen krijgen. Jullie kunnen nog beter naar de wind in de boomtoppen luisteren.'

'Dat getuigt van gebrek aan respect voor de dorpsoudsten, Loikot,' berispte Manjoro hem.

'Ik ben een *morani* en ik kies degenen voor wie ik respect heb zorgvuldig uit.'

Leon verstond dat en hij moest erom lachen. 'Kom uit het donker, mijn vriend de krijger, en laat me je dappere gezicht zien.' Loikot kwam het licht van het vuur in en ging tussen Leon en Manjoro in zitten.

'Toen we samen naar de spoorlijn reisden, heb je me de sporen van een grote olifant laten zien.'

'Dat weet ik nog,' antwoordde Loikot.

'Heb je de olifant sindsdien nog gezien?'

'Toen de maan vol was, heb ik hem gezien. Hij was aan het grazen tussen de bomen, vlak bij de plek waar ik met mijn broeders een kamp had opgeslagen.'

'Waar was dat?'

'We waren het vee aan het hoeden in de buurt van de rokende berg van de goden, twee of drie dagreizen hiervandaan.'

'Het heeft sindsdien zwaar geregend,' zei Manjoro. 'De sporen zullen inmiddels weggespoeld zijn. Bovendien zijn er veel dagen voorbijgegaan sinds de maan vol was. De stier kan nu wel helemaal bij het Manjarameer zijn.'

'Waar moeten we anders met de jacht beginnen dan op de plek waar Loikot hem het laatst gezien heeft?' vroeg Leon zich hardop af.

'We moeten doen wat Loesima ons gezegd heeft. We moeten de wind volgen,' zei Manjoro.

Toen ze de volgende ochtend het bergpad afdaalden, kwam de bries uit het westen. Hij blies zacht en warm door de Rift Valley en over de savanne. Wolken zweefden hoog boven hen als een vloot van grote galjoenen met glanzend witte zeilen. Toen ze de bodem van de vallei bereikten, veranderden ze van richting en liepen in een gestaag drafje met de wind mee door het open bos. Manjoro en Loikot liepen voorop en bestudeerden de talloze wildsporen waarmee de grond bezaaid was. Ze bleven staan om Leon op sporen te wijzen die speciale aandacht verdienden en liepen dan weer door. Ishmael zakte terug onder zijn zware last tot hij ver achter hen was.

Met de wind in hun rug werd hun geur voor hen uit geblazen en de grazende kuddes gooiden hun kop in de lucht wanneer ze de mensengeur opvingen en staarden naar hen. Daarna openden ze hun gelederen en lieten de mannen op veilige afstand door.

Die ochtend kruisten ze drie keer het spoor van olifanten. De wonden die de dieren de bomen hadden toegebracht toen ze grote takken afrukten, waren wit en het sap droop eruit. Wolken vlinders hingen boven de hopen verse mest. 'Twee heel jonge stieren,' zei Manjoro. 'Van geen belang.'

Ze vervolgden hun weg tot Loikot andere sporen oppikte. 'Eén heel oude koe,' merkte hij op. 'Zo oud dat haar zoolkussens glad afgesleten zijn.'

Een uur later wees Manjoro naar een vers spoor. 'Hier zijn vijf koeien langsgekomen. Drie van hen hebben hun ongespeende kalveren bij zich.'

Vlak voordat de zon zijn hoogste punt bereikte, bleef Loikot, die vooropliep, plotseling staan en wees naar een reusachtige grijze gedaante in een bosje doornbomen ver voor hen. Toen Leon beweging zag, herkende hij het trage geflapper van enorme oren. Zijn hart ging sneller kloppen toen ze van richting veranderden om onder de wind te komen voordat ze het dier zouden naderen. Ze konden aan zijn omvang zien dat het een erg grote stier was. Hij at van een lage struik en zijn rug was naar hen toe gekeerd zodat ze zijn slagtanden niet konden zien. De wind bleef gunstig en ze naderden hem voorzichtig van achteren tot ze zo dichtbij waren dat Leon de dikke haren in zijn versleten staart kon tellen en de kolonies rode teken kon zien die als bossen rijpe druiven om zijn gerimpelde anus hingen. Manjoro gebaarde Leon dat hij zich gereed moest houden. Leon liet het grote dubbelloopsgeweer van zijn schouder glijden en hield het met zijn duim op de veiligheidspal vast terwijl ze wachtten tot de stier zich zou bewegen zodat ze zijn slagtanden zouden kunnen zien.

Leon was nog nooit zo dicht bij een olifant geweest en hij was vol ontzag voor de omvang van het dier. Hij leek de halve hemel aan het gezicht te onttrekken en Leon had het gevoel dat hij voor een klip van grijs rotssteen stond. Plotseling draaide de stier zich om en zette zijn oren breed uit. Hij staarde recht naar Leon vanaf een afstand van een pas of tien. Dichte wimpers omringden de kleine, vochtige ogen en tranen hadden donkere strepen op zijn wangen achtergelaten. Hij was zo dichtbij dat Leon het licht in zijn irissen zag reflecteren alsof ze twee grote kralen van gepolijst barnsteen waren. Langzaam bracht hij het geweer naar zijn schouder omhoog, maar Manjoro kneep in zijn schouder om hem te waarschuwen dat hij niet moest schieten.

De ene slagtand van de stier was bij de rand afgebroken en de andere was gebarsten en tot een stomp versleten. Leon besefte dat Percy Phillips hem met hoon zou overladen als hij ze mee terugbracht naar Kamp Tandala. Toch leek de stier op het punt te staan om aan te vallen en hij zou misschien gedwongen worden om te schieten. In de afgelopen paar weken had Percy avond na avond in het lamplicht bij hem gezeten om hem te onderhouden over de vaardigheden die nodig waren om een van deze gigantische dieren met één schot te doden. Ze hadden zich samen gebogen over zijn autobiografie die hij *Moessonwolken boven Afri-*

ka had genoemd. Hij had een heel hoofdstuk aan het plaatsen van een schot gewijd en het geïllustreerd met zijn eigen levensechte tekeningen van wilde Afrikaanse dieren.

'De olifant is bijzonder moeilijk aan te pakken. Onthoud dat de hersenen een klein doelwit vormen. Je moet vanuit elke gezichtshoek precies weten waar ze zitten. Als hij wegdraait of zijn kop optilt, verandert het punt waarop je moet richten. Als hij recht, dwars of weggedraaid tegenover je staat, krijg je telkens een ander plaatje. Je moet achter het grijze gordijn van zijn huid kunnen kijken om de vitale organen te zien die diep in zijn enorme kop en lichaam verborgen zijn.'

Nu besefte Leon met ontzetting dat hij geen illustratie in een boek tegenover zich had, maar een dier dat hem met één klap van zijn slurf tot moes kon slaan en elk bot in zijn lichaam kon verbrijzelen. En het had maar twee lange passen nodig om bij hem te komen. Als de stier hem aanviel, zou hij moeten proberen hem te doden. Percy's stem echode in zijn hoofd. 'Als hij recht tegenover je staat, kijk je naar de lijn tussen zijn ogen en beweeg je je geweer naar beneden tot je op de bovenste rimpel in zijn slurf richt. Als hij zijn kop optilt of als hij heel dichtbij is, moet je nog lager richten. De fout die een groentje het leven kan kosten, is dat hij te hoog schiet en dat zijn kogel over de bovenkant van de hersenen heen vliegt.'

Leon staarde ingespannen naar de basis van de slurf. De laterale rimpels waren diep in de dikke grijze huid tussen de amberkleurige ogen gegrift, maar hij kon zich niet voor de geest halen wat erachter lag. Was de stier te dichtbij? Moest hij op de tweede of derde rimpel schieten in plaats van op de eerste? Hij was onzeker.

Plotseling schudde de stier zo hevig zijn kop dat zijn oren luid tegen zijn schouders klapperden en een wolk stof deden opstuiven van de droge modder die zijn lichaam bedekte. Leon zwaaide het geweer naar zijn schouder, maar het dier draaide zich om en verdween met een sukkelgangetje tussen de doornbomen.

Leons benen voelden slap aan en zijn handen, waarin hij het geweer had, trilden. Het besef dat hij nog veel moest leren, drong zich hardhandig aan hem op. Hij wist nu dat Percy hem erop uitgestuurd had om de vuurdoop te ondergaan. Dit was geen vaardigheid die je uit een boek of door uitgebreide instructie kon leren. Je moest dit proberen met het geweer in je handen en één fout kon je fataal worden. Manjoro kwam naar hem terug en hield hem een van de waterflessen voor. Pas toen merkte hij dat zijn mond en keel kurkdroog waren en dat zijn tong gezwollen aanvoelde van de dorst. Hij had drie grote slokken genomen toen hij zag dat de beide Masai zijn gezicht bestudeerden. Hij liet de waterfles zakken en glimlachte naar Manjaro zonder veel overtuigingskracht.

'Zelfs de dapperste man is de eerste keer bang,' zei Manjoro. 'Maar u bent niet gevlucht.'

20

Ze hielden halt in de brandend hete middagzon en gingen in de schaduw van de uitgespreide takken van een giraffedoornboom zitten. Daar wachtten ze tot Ishmael hen ingehaald zou hebben, zodat hij het middagmaal kon klaarmaken. Hij was nog achthonderd meter achter hen op de vlakte en zijn gedaante trilde in de hittespiegeling. Loikot hurkte voor Leon neer en fronste zijn wenkbrauwen, wat betekende dat hij iets belangrijks te vertellen had en dat dit een gesprek van mannen onder elkaar was.

'M'bogo, wat ik u ga vertellen, is echt de waarheid,' begon hij.

'Ik luister naar je, Loikot. Spreek en ik zal je horen,' verzekerde Leon hem en hij trok een ernstig gezicht om hem aan te moedigen.

'Het heeft geen zin om met die oude mannen te praten, zoals u twee avonden geleden hebt gedaan. Hun hersenen zijn een soort pap geworden door al het bier drinken. Ze zijn vergeten hoe ze het spoor van een dier moeten volgen. Ze horen niets anders dan het gebabbel van hun vrouwen. Ze kijken niet verder dan de muren van hun *manjatta*. Ze kunnen niets anders dan hun vee tellen en hun maag vullen.'

'Zo zijn oude mannen nu eenmaal.' Leon was zich er scherp van bewust dat hijzelf in de ogen van Loikot waarschijnlijk al bijna kinds was.

'Als u wilt weten wat er in de wereld gebeurt, moet u het ons vragen.'

'Vertel me eens wie je met "ons" bedoelt, Loikot.'

'Wij zijn de hoeders van het vee, de *choengaji*. Terwijl de oude mannen in de zon bier zitten te drinken en over hun heldendaden van lang geleden praten, trekken wij, *choengaji*, met het vee door het land. We zien alles en we horen alles.'

'Maar vertel me dan eens hoe je weet wat de andere *choengaji* zien en horen, terwijl ze vele dagreizen van je verwijderd zijn, Loikot.'

'Het zijn mijn broeders van het mes. Velen van ons zijn van hetzelfde besnijdenisjaar. We hebben samen de inwijdingsceremonie meegemaakt.'

'Hoe kun je nu weten wat de *choengaji* die hun vee op de vlakte voorbij de Kilimanjaro hoeden, gisteren gezien hebben. Ze zijn tien dagreizen van je vandaan.'

'Dat kan,' antwoordde Loikot. 'We spreken met elkaar.'

Leon betwijfelde dat.

'Vanavond bij zonsondergang spreek ik met mijn broeders en u zult het horen,' zei Loikot, maar voordat Leon hem verder kon ondervragen, hoorden ze een doodsbang geschreeuw op de vlakte. Leon en Manjoro grepen hun geweer en sprongen overeind. Ze staarden naar de gedaante van Ishmael in de verte. Hij rende zo hard hij kon naar hen toe terwijl hij de bundel op zijn hoofd met beide handen vasthield. Een gigantische mannetjesstruisvogel zat achter hem aan en met zijn lange, roze poten haalde hij hem snel in. Zelfs vanaf deze afstand zag Leon aan zijn gevederte dat hij in de paartijd was. Zijn lichaam was diep onyxzwart en de donzige veren van zijn staart en vleugeltoppen waren helderwit. Hij had al zijn veren nu van woede opgezet. Zijn poten en snavel waren vuurrood van seksuele opwinding. Hij was vastbesloten om te doden om zijn paargebied tegen de indringer in het witte gewaad te beschermen.

Leon snelde hem met de twee Masai te hulp. Ze schreeuwden en zwaaiden wild met hun armen om de vogel af te leiden, maar hij negeerde hen en stormde meedogenloos op Ishmael af. Toen hij binnen aanvalsafstand kwam, strekte hij zijn lange nek uit en pikte zo hard in de bundel met keukenspullen dat Ishmael zijn evenwicht verloor. Hij viel languit in een wolk stof op de grond. Zijn bundel barstte open en zijn kookpotten en serviesgoed kletterden op de grond en stuiterden om hem heen. De struisvogel sprong boven op hem en trapte en klauwde met beide poten naar hem. Hij liet zijn kop zakken om hem in zijn armen en benen te pikken en Ishmael schreeuwde toen het bloed uit de wonden stroomde die de vogel hem toebracht.

Loikot was zo lichtvoetig als een haas en had al snel een voorsprong op de twee oudere mannen. Hij schreeuwde een uitdaging tegen de struisvogel toen hij vlak bij hem was, De vogel sprong van Ishmael af en kwam dreigend op Loikot af. Zijn stompe vleugels waren gespreid en hij begon aan zijn dreigdans. Hij tilde zijn poten met hoge stappen op, bewoog zijn kop dreigend op en neer en kraste woedend en uitdagend.

Loikot stopte en spreidde de panden van zijn mantel, alsof ze vleugels waren. Daarna voerde hij een perfecte imitatie van de dans van de struisvogel uit, met dezelfde hoge stappen en dezelfde rituele hoofdbewegingen. Hij probeerde het dier uit te dagen om aan te vallen. De jongen en de vogel draaiden om elkaar heen.

De struisvogel werd in zijn eigen paargebied uitgedaagd en zijn woede en verontwaardiging waren zo groot dat zelfs zijn overlevingsinstinct er ten slotte door verdrongen werd. Hij rende op Loikot af en viel hem aan, met zijn kop zo ver naar voren gestoken als zijn lange nek toeliet. Hij pikte naar Loikots gezicht, maar deze wist precies hoe hij moest reageren en Leon besefte dat hij dit al heel vaak had gedaan. Onbevreesd sprong de jongen op de enorme vogel af en sloeg zijn beide handen vlak achter de kop om de nek van het dier. Daarna sprong hij met beide voeten van de grond en ging met zijn volle gewicht aan de nek van de struisvogel hangen die daardoor met zijn kop naar de grond gedrukt werd. De struisvogel was hulpeloos vastgepind. Hij kon zijn kop niet optillen en liep onhandig in een kringetje rond in een poging op de been te blijven. Leon rende naar hen toe, bracht zijn geweer omhoog en liep in een cirkel om de vogel en de jongen heen om een zuiver schot te kunnen afvuren.

'Nee! Nee, *effendi*, niet schieten!' schreeuwde Ishmael. 'Laat deze zoon van de grote *shaitan* aan mij over.' Hij lag nu op handen en voeten en rommelde tussen het verspreide keukengerei. Ten slotte kwam hij overeind met een glanzend vleesmes in zijn rechterhand en hij rende, met zijn mes in de aanslag, op het worstelende tweetal af.

'Draai zijn kop om!' schreeuwde hij tegen Loikot. De keel van de vogel was nu onbeschermd en met de vaardigheid van een meesterslager haalde Ishmael de rand van het vlijmscherpe mes eroverheen waardoor de keel in één keer tot op de wervels werd doorgesneden.

'Laat hem gaan!' beval Ishmael. Loikot liet de vogel los en ze sprongen achteruit om de wild slaande poten met de scherpe klauwen te ontwijken. De struisvogel liep met grote sprongen weg, maar een lange pluim van zijn bloed spoot uit de open slagaders in zijn keel hoog de lucht in. Hij verloor zijn richtingsgevoel en wankelde in een kringetje rond. Zijn lange, schubbige, roze poten verloren hun kracht en zijn nek zakte naar beneden als de steel van een verwelkende bloem. Hij zakte in elkaar en bleef zwakjes spartelend proberen om overeind te komen, maar zijn helderrode slagaderlijke bloed spoot in regelmatige stralen uit zijn keel op de door de zon geblakerde aarde.

'Allah is groot!' juichte Ishmael en hij wierp zich op het nog levende dier. 'Er is geen andere God dan God!' Hij haalde handig de buik van de vogel open en sneed de lever eruit. 'Dit dier is gedood door mijn mes en ik heb zijn dood in naam van God geheiligd. Ik heb zijn bloed laten vloeien. Ik verklaar dit vlees halal.' Hij hield de lever omhoog. 'Aanschouw het beste vlees van de schepping. De lever van een struisvogel die uit het levende dier is gesneden.'

Ze aten kebab van struisvogellever en buikvet die waren gegrild boven de kolen van de takken van een kameeldoornacacia. Met een volle buik sliepen ze een uur in de schaduw. Toen ze wakker werden, was de bries, die tegen de middag was gaan liggen, weer opgestoken en hij blies nu gestaag over de uitgestrekte steppe. Ze hingen hun geweren en rugzakken over hun schouders en trokken met de wind mee verder tot de zon nog maar een handbreedte boven de horizon stond.

'We moeten naar die heuveltop toe,' zei Loikot tegen Leon en hij wees naar een heuveltje van vulkanisch gesteente dat recht in hun pad stond en door de roodachtige gloed van de ondergaande zon werd uitgelicht. De jongen klauterde voor hen uit naar de top en keek naar beneden, het dal in. Blauw getint door de afstand verrezen drie enorme bastions van rotsgesteente in de zuidelijke hemel. 'Loolmassin, de berg van de goden.' Loikot wees naar de meest westelijke top toen Leon naast hem kwam staan. Toen wendde hij zich naar de twee grotere toppen in het oosten. 'De Meroe en de Kilimanjaro, het huis van de wolken. Deze bergen liggen in het land dat de Boela Matari het hunne noemen, maar dat al sinds het begin van de tijd aan mijn volk toebehoort.' De bergen stonden meer dan honderdvijftig kilometer over de grens, diep in Duits Oost-Afrika.

Stil van ontzag keek Leon naar de sneeuwvelden op de ronde top van de Kilimanjaro waarop het zonlicht glinsterde en daarna keek hij naar de lange rookslier die uit de vulkanische top van de Loolmassin zweefde. Hij vroeg zich af of er op de hele wereld een mooier schouwspel bestond.

'Nu ga ik met mijn broeders van de *choengaji* praten. Luister!' kondigde Loikot aan. Hij zoog zijn longen vol lucht, vormde met zijn handen een toeter om zijn mond en stootte een hoog, monotoon gejammer uit waar Leon van schrok. Het luide, hoge geluid was zo doordringend dat hij instinctief zijn oren bedekte. Loikot riep drie keer, ging toen naast Leon zitten en sloeg zijn *sjoeka* om zijn schouders. 'Er is een *manjatta* achter de rivier. Hij wees naar de donkerdere rij bomen die de rivierbedding markeerde.

Leon berekende dat het een kilometer of vijf van hen vandaan moest zijn. 'Kunnen ze je vanaf zo'n afstand horen?'

'Dat zult u wel zien,' zei Loikot. 'De wind is gaan liggen en de lucht is stil en koel. Wanneer ik met mijn speciale stem roep, draagt het geluid tot daar en zelfs nog verder.' Ze wachtten. Onder hen trok een kleine kudde koedoes door het doornstruikgewas. Drie gracieuze, grijze koeien escorteerden de stier met zijn door plukjes haar omrande halskwab en zijn uitstaande kurkentrekkervormige hoorns. Hun gedaanten waren etherisch als rookwolkjes toen ze geruisloos in het struikgewas verdwenen.

'Denk je nog steeds dat ze je gehoord hebben?' vroeg Leon.

De jongen verwaardigde zich niet om direct te antwoorden, maar kauwde een poosje op een wortel van de tingastruik die de Masai gebruikten om hun tanden wit te maken. Toen spuwde hij de uitgekauwde wortel uit en ontblootte zijn tanden in een stralende glimlach. 'Ze hebben me gehoord,' zei hij, 'maar ze klimmen naar een hoge plek om me te antwoorden.' Ze verzonken weer in stilzwijgen.

Ishmael had aan de voet van het heuveltje een klein vuur aangelegd en hij zette thee in een kleine, door de rook zwartgeblakerde ketel. Leon keek dorstig naar hem.

'Luister!' zei Loikot en hij gooide zijn mantel naar achteren toen hij opsprong.

Toen hoorde Leon het. Het geluid kwam uit de richting van de rivier en het klonk als een zwakke echo van Loikots oorspronkelijke roep.

Loikot hield zijn hoofd schuin om het goed te horen, zette toen zijn handen voor zijn mond en stootte een hoge, monotone kreet uit die over de vlakte weergalmde. Hij luisterde weer naar het antwoord en de uitwisseling van kreten ging door tot het bijna donker was.

'Ik ben klaar. We hebben gesproken,' verklaarde hij ten slotte en hij ging Leon voor de heuvel af naar de plek waar Ishmael een kamp voor de nacht had opgeslagen. Ishmael overhandigde Leon een grote emaillen beker thee toen deze zich bij het vuur installeerde. Toen ze hun avondmaal van struisvogelbiefstukken en stijve koeken van gele maïsmeelpap aten, vertelde Loikot Leon welke roddels hij had gehoord tijdens zijn lange gesprek met de *choengaji* achter de rivier.

'Twee nachten geleden heeft een leeuw een van hun runderen gedood, een mooie, zwarte stier met goede hoorns. Vanochtend zijn de *morani's* de leeuw met hun speren gevolgd en hebben ze hem omsingeld. Toen hij aanviel, koos hij Singi als slachtoffer uit. Singi doodde hem met één steek van zijn speer, waarmee hij veel eer heeft behaald. Nu kan hij zijn speer voor de deur van elke vrouw in Masailand neerzetten.' Loikot dacht daar even over na. 'Eens zal ik dat ook doen en dan zullen de meisjes me niet langer uitlachen en me een kind noemen,' zei hij verlangend.

'Moge Gods zegen op je geile dromen rusten,' zei Leon in het Engels en vervolgens schakelde hij op het Maa over. 'Wat heb je nog meer gehoord?' Loikot begon aan een opsomming die verscheidene minuten duurde, een waslijst van geboorten, huwelijken, verdwaald vee en nog meer van dat soort zaken. 'Heb je gevraagd of er op dit moment blanke mannen door Masailand reizen? Boela Matari-soldaten met *askari's*?'

'De Duitse resident van Arusha is met zes *askari's* op rondreis. Ze trekken door de vallei naar Mondoeli. Verder zijn er geen soldaten in de vallei.'

'Nog andere blanke mannen?'

'Twee Duitse jagers kamperen met hun vrouwen en wagens in de Metoheuvels. Ze hebben veel buffels gedood en hun vlees gedroogd.'

De Metoheuvels waren minstens honderdtwintig kilometer hiervandaan en het verbaasde Leon hoeveel informatie de jongen over zo'n groot gebied had verzameld. Hij had de verhalen van de oude jagers over de geheime uitwisseling van informatie van de Masai gelezen, maar er niet veel geloof aan gehecht. Dit netwerk moest het hele gebied van de Masai bestrijken. Hij glimlachte in zijn beker: oom Penrod had nu zijn ogen langs de grens. 'En hoe zat het met olifanten? Heb je je broeders nog gevraagd of ze grote stieren in dit gebied hebben gezien?'

'Er zijn veel olifanten, maar grotendeels koeien en kalveren. In dit seizoen zijn de stieren in de bergen of over de helling van de vallei in de kraters van de Ngorongoro en de Empakaai. Maar dat is algemeen bekend.'

'Zijn er in de vallei helemaal geen stieren?'

'De *choengaji* hebben er een vlak bij Namanga gezien, een heel grote stier, maar dat was vele dagen geleden en niemand heeft hem sindsdien nog gezien. Ze denken dat hij misschien de Nyeriwoestijn in is gegaan, maar daar is geen weidegrond voor het vee, dus daar is niemand van mijn volk.'

'We moeten de wind volgen,' zei Manjoro.

'Of je moet leren om mooi voor ons te zingen,' opperde Leon.

21

Leon werd voor zonsopgang wakker en om alleen te zijn, ging hij achter de stam van een grote boom zitten, ver uit de buurt van de plek waar de anderen sliepen. Hij liet zijn broek zakken, hurkte neer en liet een wind. De enige wind op deze ochtend, dacht hij. Het was stil in de wildernis om hem heen. De bladeren van de takken boven hem hingen slap en roerloos in de bleke belofte van de zonsopgang. Toen hij naar het kamp terugkeerde, zag hij dat Ishmael de ketel al op het vuur had staan en dat de twee Masai in beweging kwamen. Hij hurkte dicht bij de vlammen neer om hun warmte te voelen. Er zat kilte in de lucht van de vroege ochtend. 'Er staat geen wind,' zei hij tegen Manjoro.

'Misschien dat hij opsteekt als de zon opgaat.'

'Moeten we verder trekken zonder wind?'

'Welke kant uit? Dat weten we niet,' bracht Manjoro naar voren. 'We zijn zover gekomen met de wind van mijn moeder. We moeten wachten tot hij weer opsteekt om ons verder te leiden.'

Leon was ongeduldig en ontevreden. Hij had zich lang genoeg door Loesima's gezwets laten meeslepen. Hij had een doffe pijn achter zijn ogen. Hij was een groot deel van de nacht wakker gehouden door de kou en toen hij wel had geslapen, was hij geplaagd door nachtmerries over het gekruisigde echtpaar Turvey. Ishmael overhandigde hem een beker koffie, maar zelfs die had niet zijn gebruikelijke therapeutische effect. In het struikgewas achter het kampvuur begon een roodborstje aan zijn melodieuze begroeting van de zon en in de verte klonk het gebrul van een leeuw dat werd beantwoord door een andere leeuw die nog verder weg was. Daarna daalde de stilte weer neer.

Toen Leon een tweede beker koffie had gedronken, voelde hij eindelijk de heilzame werking ervan. Hij wilde net iets tegen Manjoro zeggen toen hij afgeleid werd door een luide, ratelende roep die klonk alsof er een doos met kiezelstenen hard heen en weer geschud werd. Ze keken allemaal geïnteresseerd op. Iedereen wist welke vogel het geluid had gemaakt. Een honingwijzer nodigde hen uit om hem te volgen naar een bijenkorf. Wanneer de mannen de korf leeghaalden, werd van hen verwacht dat ze de buit met de vogel deelden. De mannen zouden de honing nemen en de bijenwas en de larven voor de honingwijzer achterlaten. Het was een stilzwijgende afspraak die in hun beider belang was en waaraan de mens en de vogel zich in de loop van de eeuwen trouw hadden gehouden. Er werd gezegd dat de vogel iemand die hem niet gaf waar hij recht op had de volgende keer naar een giftige slang of een mensenetende leeuw zou leiden. Alleen een inhalige dwaas zou proberen om de honingwijzer te bedriegen.

Toen Leon opstond, vloog de grijsbruin-met-gele vogel uit de bovenste takken van de boom en begon met zijn voorstelling. Zijn vleugels zoemden en resoneerden terwijl hij naar beneden dook, omhoogvloog en weer naar beneden dook.

'Honing!' zei Manjoro begerig. Geen enkele Afrikaan kon die uitnodiging weerstaan.

'Honing, zoete honing!' schreeuwde Loikot.

Leons laatste beetje hoofdpijn verdween als bij toverslag en hij greep zijn geweer. 'Snel! Kom mee!' De honingwijzer zag dat ze hem volgden en schoot opgewonden zoemend en ratelend weg.

Het volgende uur draafde Leon gestaag achter de vogel aan. Hij had er niets over tegen de anderen gezegd, maar hij kon het idee dat de vogel Loesima's zoetgevooisde zanger was maar niet uit zijn hoofd zetten. Zijn twijfels waren echter sterker dan zijn geloof en hij bereidde zich voor op een teleurstelling. Manjoro zong aanmoedigend voor de vogel en Loikot die naast Leon meehuppelde, viel met het refrein in:

'Leid ons naar de korf van de kleine stekers,
En we zullen je trakteren op de goudkleurige was,
Kun je de zoete, vette larven al proeven?
Vlieg, kleine vriend! Vlieg snel en we zullen je volgen.'

De kleine vogel fladderde door het bos en schoot van boom naar boom. Hij tjilpte en danste in de bovenste takken tot ze hem ingehaald hadden en vloog daarna weer verder. Even voor de middag bereikten ze een droge rivierbedding. Het bos op de beide oevers was dichter en de bomen waren hoger doordat ze door onderaards water werden gevoed. Voordat ze de eigenlijke waterbedding bereikten, vloog de honingwijzer naar de top van de hoogste boom en wachtte daar op hen. Toen ze er aankwamen, slaakte Manjoro een verrukte kreet en wees naar de boomstam. 'Daar is de bijenkorf!'

Leon zag de bijen die naar de korf vlogen en in het zonlicht op snelle, goudkleurige stofdeeltjes leken. Op driekwart van de hoogte van de boom splitste de stam zich in twee zware takken en op de plek van de vertakking zat een smalle verticale spleet. Een dun stroompje sap van de boom liep uit de opening en stolde in doorzichtige bolletjes gomhars op de bast eromheen. De terugkerende bijen vlogen deze opening binnen terwijl de bijen die de korf verlieten op de randen van de opening kropen en vervolgens zoemend wegvlogen. Het beeld deed Leon met een scherpe, wellustige nostalgie aan Verity O'Hearne denken. Het was de eerste keer in een paar dagen dat hij aan haar dacht.

De anderen legden hun last neer om zich op de oogst van de honing voor te bereiden. Manjoro sneed een vierkant stuk bast van een andere boom en rolde dat op tot een buis die hij in model hield door er een dunne reep bast omheen te binden. Daarna maakte hij een handvat van een andere reep bast. Ishmael had een vuurtje aangelegd en gooide er droge twijgen op. Loikot bond de zoom van zijn *sjoeka* om zijn middel waardoor zijn benen en onderlichaam bloot waren. Daarna liep hij naar de voet van de boom, testte de structuur van de bast en mat de omvang van de stam met zijn armen. Vervolgens keek hij omhoog naar de korf en bereidde zich geestelijk op de klim voor.

Ishmael gooide stukjes groen hout op het vuur en blies erop tot ze gloeiden en dichte wolken scherp ruikende witte rook afgaven. Met het brede blad van zijn *panga* schepte Manjoro de kolen in de buis van bast en bracht hem naar Loikot die hem aan het handvat over zijn schouder zwaaide. Daarna stopte Loikot zijn eigen *panga* in zijn *sjoeka*, spuwde in zijn handen en grijnsde naar Leon. 'Let op, M'bogo. Niemand kan zo goed klimmen als ik.'

'Het verbaast me niet om te horen dat je een broeder van de bavianen bent,' zei Leon en Loikot lachte voordat hij de boomstam met zijn armen en benen omklemde. Hij zette zich afwisselend met zijn handen en voetzolen af en klom met verbazingwekkende lenigheid tegen de stam omhoog tot hij, zonder één keer te zijn gestopt, de hoge vertakking in de boom bereikte. Hij klom in de vork en ging rechtop staan terwijl een zwerm boze bijen om zijn hoofd zoemde. Hij haalde de buis van bast van zijn schouder en blies in het ene uiteinde ervan als een trompettist. Een golf rook kwam er aan de andere kant uit. De bijen verspreidden zich toen ze door de rook omhuld werden.

Loikot stopte even om een paar angels uit zijn armen en benen te trekken. Toen bracht hij de *panga* omhoog en terwijl hij moeiteloos zijn evenwicht bewaarde en de duizelingwekkende diepte onder hem negeerde, boog hij zich voorover en hakte met het zware lemmet in op de spleet tussen zijn voeten. Witte houtsplinters vlogen in het rond toen hij met een tiental echoënde houwen de opening vergrootte. Hij tuurde erin en schreeuwde naar de opgeheven gezichten onder hem: 'Ik kan de zoete honing ruiken.' Hij stak zijn hand in de korf en haalde er een grote, dikke honingraat uit. Hij hield hem omhoog zodat ze hem konden zien. 'Dankzij de talenten van Loikot zullen jullie vandaag je buik rond kunnen eten, vrienden.' Ze lachten.

'Goed gedaan, kleine baviaan,' schreeuwde Leon.

Loikot haalde er nog vijf honingraten uit waarvan elke zeshoekige cel tot de rand was gevuld met de donkerbruine honing en was afgesloten door een deksel van was. Hij stopte ze voorzichtig in zijn *sjoeka*.

'Pak ze niet allemaal,' waarschuwde Manjoro hem. 'Laat de helft voor onze gevleugelde vriendjes achter, anders sterven ze.' Loikot had dat al geleerd toen hij nog een kind was en hij antwoordde niet. Hij was nu een *morani* die zich de traditionele kennis van de wildernis eigen had gemaakt. Hij liet de rookbuis en de *panga* voor de boom op de grond vallen en gleed langs de stam naar beneden. Hij sprong de laatste twee meter en landde soepel op zijn voeten.

Ze gingen in een kring zitten en verdeelden de honingraten. In de takken boven hen wipte de honingwijzer tjilpend op en neer om hen aan zijn aanwezigheid en de verplichting die ze aan hem hadden te herinneren. Manjoro brak voorzichtig de randen van de honingraten af waarin de cellen zaten die waren gevuld met witte bijenlarven en hij legde de stukken op een groot groen blad. Hij keek op naar de wachtende vogel. 'Kom, kleine broeder, je hebt je beloning verdiend.' Hij liep een eindje weg met de met larven gevulde stukken honingraat en legde ze voorzichtig op een open plekje tussen het struikgewas. Zodra hij zich afwendde, vloog de vogel brutaal naar beneden om aan het feestmaal deel te nemen.

Nu die traditie nageleefd was, mochten de mannen de buit proeven. Ze braken stukken van de goudkleurige honingraten af en staken ze in hun mond. Ze kreunden zachtjes van genot toen ze de honing uit de cellen kauwden, de was uitspuwden en hun kleverige vingers aflikten.

Leon had nog nooit honing geproefd zoals deze donkere, rokerige soort die verzameld was uit de nectar van acaciabloemen. Ze bleef zo intens zoet aan zijn tong en keel plakken dat zijn adem stokte van schrik en zijn ogen vol tranen schoten. Hij deed ze stijf dicht. De rijke, wilde geur vulde zijn hoofd en overweldigde hem bijna. Zijn tong tintelde. Toen hij inademde, voelde hij dat de smaak diep zijn keel binnengezogen werd. Hij slikte en ademde scherp uit, alsof hij een glas Schotse whisky achterover had geslagen.

Een halve raat was genoeg voor hem. Hij voelde zich verzadigd door de zoetheid. Hij liet zich op zijn hielen naar achteren zakken en keek een poosje naar de anderen. Ten slotte stond hij op en liet hen verder smullen. Ze besteedden geen aandacht aan zijn vertrek. Hij pakte zijn geweer op en slenterde het bos in, op weg naar de plek waar de rivierbedding volgens hem zou moeten zijn. De vegetatie werd dichter toen hij dieper in het bos kwam tot hij zich door de laatste haag van takken drong en op de oever stond. Deze was door het water uitgesleten tot een steile wand van bijna twee meter hoog die naar een bedding met fijn wit zand liep die honderd passen breed was. De bedding was vertrapt door de poten en hoeven van dieren die haar als weg hadden gebruikt. Op de andere oever waren de enorme wortels van een vijgenboom door de afkalving bloot komen te liggen. Ze kronkelden als parende slangen en de takken die zich over de rivierbedding uitstrekten, hingen vol bosjes kleine, gele vijgen. Een zwerm groene duiven had zich aan de vruchten te goed gedaan en vloog geschrokken op door Leons plotselinge verschijning. Hun vleugels klapperden in de stilte toen ze over de bedding weg-vlogen.

Onder de uitgespreide takken van de vijgenboom was het witte zand tot grote bergen opgeworpen en er lagen verscheidene piramides van olifantsmest omheen verspreid die Leons aandacht trokken. Hij hield het geweer op armlengte voor zich en sprong van de top van de oever. Het zachte zand brak zijn landing en hij zakte er tot zijn enkels in weg, maar hij herwon snel zijn evenwicht en stak de bedding over. Toen hij bij de mest kwam, besefte hij dat de olifanten naar water hadden gegraven. Met hun voorpoten hadden ze het droge zand weggeschopt tot ze een stevigere, vochtige laag hadden bereikt. Daarna hadden ze met hun slurf doorgewroet tot ze bij het onderaardse water waren gekomen. Op die plaatsen waren de afdrukken van hun zoolkussens duidelijk zichtbaar. Ze hadden het water met hun slurf opgezogen tot in de sponsachtige holtes in hun enorme schedel en wanneer deze vol waren, hadden ze hun kop opgetild, het uiteinde van hun slurf achter in hun keel gestoken en het water in hun buik gespoten.

Er waren acht plaatsen waar ze het water hadden opgezogen. Hij liep ze een voor een af om de sporen te onderzoeken die de dorstige dieren hadden achtergelaten. Doordat hij geïnstrueerd was door drie grootmeesters in de kunst – Percy Phillips, Manjoro en Loikot – had hij genoeg kennis opgedaan om ze accuraat te kunnen lezen. Uit de vorm en de grootte van de afdrukken die de olifanten bij de eerste vier plaatsen hadden achtergelaten, leidde hij af dat het koeien waren geweest.

Bij de vijfde plaats zag hij maar één stel afdrukken. Ze waren zo groot dat hij abrupt stilstond toen hij er een eerste blik op wierp. Hij zoog zijn adem scherp naar binnen van opwinding, liep toen haastig naar voren en liet zich op zijn knieën zakken naast de afdrukken van de voorpoten die diep waren weggezakt op de plek waar het dier urenlang gestaan moest hebben om het water uit het gat op te zuigen.

Leon staarde er ongelovig naar. Ze waren enorm. Het dier dat ze achtergelaten had, moest een reusachtige oude stier zijn: de zoolkussens van zijn poten waren van ouderdom glad afgesleten. Aan één kant van de afdruk die hij bestudeerde, gleed een stroompje zacht zand weg, wat betekende dat de stier de rivierbedding pas kort geleden had verlaten: de verstoorde bodem had nog geen tijd gehad om tot rust te komen. Misschien was het dier weggejaagd door het geluid dat Loikot had gemaakt toen hij de ingang van de bijenkorf openhakte.

Leon legde de lopen van zijn geweer over de pootafdruk om de grootte ervan te schatten en hij floot zacht. Zijn lopen waren zestig centimeter lang en de doorsnee van de pootafdruk was maar vijf centimeter kleiner. Door de formule toe te passen die Percy Phillips hem had geleerd, berekende hij dat de stier een schouderhoogte van ruim drieëneenhalve meter moest hebben, een reus onder een ras van reuzen.

Leon sprong op en rende terug door de rivierbedding. Hij klauterde tegen de afgekalfde oever op en baande zich een weg dor het struikgewas naar de plek waar zijn drie metgezellen over de laatste restjes van de honingraten gebogen zaten. 'Loesima Mama en haar zoetgevooisde zanger hebben ons de weg gewezen,' zei hij. 'Ik heb het spoor van een grote mannetjesolifant in de rivierbedding gevonden.' De spoorzoekers pakten snel hun spullen op en renden achter hem aan, maar Ishmael schepte de resten van de honingraten in een van zijn pannen voordat hij zijn bundel op zijn hoofd hees en hen volgde.

'Dit is echt de stier die ik u, de eerste keer dat we samen reisden, heb laten zien, M'bogo,' riep Loikot uit zodra hij het spoor zag en hij begon te dansen van opwinding. 'Ik herken hem. Dit is een opperhoofd van alle olifanten.'

Manjoro schudde zijn hoofd. 'Hij is zo oud dat hij bijna doodgaat. Zijn tanden zijn vast afgebroken en versleten.'

'Nee! Nee!' Loikot ontkende het hevig. 'Ik heb zijn slagtanden met eigen ogen gezien. Ze zijn zo lang als jij, Manjoro, en hun omtrek is groter dan die van je hoofd!' Hij vormde een cirkel met zijn armen.

Manjoro lachte. 'Arme, kleine Loikot. Je bent gestoken door de vleesvliegen en ze hebben je hoofd gevuld met maden. Ik zal mijn moeder vragen een drank voor je te bereiden die je darmen losmaakt en die dromen uit je hoofd verdrijft.'

Loikot was gepikeerd en keek hem boos aan. 'Misschien ben jij oud en seniel geworden in plaats van de olifant. We hadden je op de Lonsonjo moeten achterlaten om bier te drinken met je afgetakelde vrienden.'

'Terwijl jullie complimenten uitwisselen, loopt de stier van ons vandaan,' kwam Leon tussenbeide. 'Pik het spoor op, dan kunnen we deze discussie beslechten door naar zijn tanden te kijken en niet alleen naar zijn pootafdrukken.'

22

Zodra ze het spoor de rivierbedding uit en de open savanne op waren gevolgd, werd duidelijk dat de stier flink geschrokken was van hun stemmen en het geluid van het gehak met het mes toen ze de bijenkorf hadden geplunderd.

'Hij is gevlucht zo snel hij kon.' Manjoro wees op de lengte van de passen van de stier. Hij loopt constant met de lange, veerkrachtige pas waarmee hij zich even snel voortbeweegt als een man kan rennen. Ze wisten allemaal dat hij dat tempo van zonsopgang tot zonsondergang kon volhouden zonder te rusten.

'Hij gaat naar het oosten. Het lijkt me dat hij op weg is naar de Nyeriwoestijn, dat droge land waar geen mensen zijn en waar alleen hij weet waar hij naar water moet graven,' merkte Manjoro na het eerste uur op. 'Als hij dit tempo aanhoudt, zal hij morgen bij zonsopgang de helling van de vallei over zijn en diep de woestijn in zijn getrokken.'

'Luister niet naar hem, M'bogo,' zei Loikot. 'Oude mannen zijn nu eenmaal altijd somber. Ze ruiken nog stront in de geur van de kigeliabloem.' Na nog een uur stopten ze om een slok uit de waterflessen te nemen.

'De stier heeft het pad dat hij gekozen heeft niet verlaten,' merkte Manjoro op. 'Hij is niet één keer gestopt om te eten en hij heeft zelfs zijn tempo niet verlaagd. Hij heeft al een voorsprong van vele uren op ons.'

'Niet alleen ruikt deze man stront in de geur van de kigeliabloem, maar zelfs in de geur van de bloem tussen de dijen van de mooiste jonge maagd.' Loikot grijnsde brutaal naar Leon. 'Besteed geen aandacht aan hem, M'bogo. Als u mij volgt, zal ik u slagtanden laten zien die u in uw stoutste dromen nog niet hebt gezien en die uw hart met vreugde zullen vervullen.'

Maar het spoor liep recht en standvastig door. Na nog een uur begon zelfs Loikots enthousiasme te tanen. Toen ze een paar minuten stopten om te drinken en zich even in de schaduw uit te strekken, waren ze allemaal stil en ingetogen. Hoewel ze veel van zichzelf hadden gevergd sinds ze de droge rivierbedding hadden verlaten, wisten ze allemaal hoe ver ze op de olifant achterop waren geraakt. Leon draaide de stop terug op de waterfles en stond op. Zonder een woord te zeggen kwamen de anderen ook overeind en ze vervolgden hun weg.

Halverwege de middag stopten ze opnieuw om te rusten. 'Als moeder bij ons was, zou ze een toverformule uitspreken waardoor de olifant zijn pad zou verlaten om te eten,' zei Manjoro, 'maar jammer genoeg is ze niet bij ons.'

'Misschien waakt ze over ons, want ze is een grote tovenares,' zei Loikot opgewekt. 'Misschien kan ze me horen en kan ik haar oproepen.' Hij sprong overeind en begon aan een springende lofdans waarbij hij op zijn lange dunne benen hoog in de lucht sprong. 'Hoor mij aan, Grote Zwarte Koe, hoor mijn oproep aan u.' Leon lachte en zelfs Manjoro grijnsde en hij begon in het ritme van de dans mee te klappen.

'Hoor hem aan, Mama! Hoor onze kleine baviaan aan!'

'Hoor mij aan, Moeder van de Stam! U hebt ons de afdrukken van zijn poten laten zien. Laat hem nu niet aan ons ontkomen. Vertraag de snelheid van zijn grote poten. Vul zijn buik met honger. Laat hem stoppen om te eten.'

'Dat is genoeg tovenarij voor één dag. De stier kan nu vast niet meer aan ons ontkomen,' kwam Leon tussenbeide. 'Opstaan, Manjoro. Laten we verdergaan.'

Het spoor liep door. De stier bewoog zich zo snel dat hij, wanneer hij gebieden met losse aarde doorkruiste, met elke lange pas wolkjes stof naar voren schopte. Toen Leon opkeek naar de zon, zonk hem de moed in de schoenen. Ze zouden nog maar een uur daglicht hebben en er was geen mogelijkheid om de olifant in te halen voordat de duisternis het spoor aan het oog zou onttrekken en hen zou dwingen om de achtervolging te staken tot de zonsopgang van de volgende dag. Dan zou de stier een voorsprong van vijfenzeventig kilometer hebben.

Hij keek nog naar de hemel, waardoor hij opbotste tegen Manjoro die abrupt was blijven staan. Beide Masai bogen zich over de aarde. Ze keken allebei op naar Leon en maanden hem met handgebaren tot stilte. Ze grijnsden allebei en hun ogen glansden. Ze hadden nieuwe krachten opgedaan en vertoonden geen spoor van vermoeidheid meer. Manjoro gebaarde met een veelzeggend, gracieus gebaar naar het veranderde spoor.

Leon begreep dat er een klein wonder was gebeurd. De stier had zijn tempo verlaagd, zijn pas was korter geworden en hij was afgeweken van zijn vastberaden vlucht naar de oostelijke helling van de vallei. Manjoro wees naar een bosje ngongnotenbomen dat twaalfhonderd meter rechts van hen stond. De boomtoppen hadden allemaal een ronde vorm en ze waren hoger en groener dan de andere bomen die eromheen stonden. Hij boog zich naar Leon toe en bracht zijn lippen vlak bij diens oor. 'In dit seizoen zijn de bomen vruchtdragend. Hij heeft de rijpe noten geroken en kon ze niet weerstaan. We zullen hem in dat bosje vinden.' Hij pakte een handvol zand op en liet het tussen zijn vingers door lopen. 'Er staat nog steeds geen wind. We kunnen regelrecht naar hem toe gaan.'

Hij keek om naar Ishmael en gebaarde hem te blijven waar hij was. Ishmael legde zijn bundel voor zijn voeten en liet zich dankbaar ernaast op de grond zakken.

Met de twee Masai nog steeds voorop, slopen ze naar voren, terwijl ze zich van dekking naar dekking verplaatsten en daar bleven staan om het bos voor hen af te speuren voordat ze verder liepen. Ze kwamen bij de dichtstbijzijnde ngongboom. De grond eronder was bezaaid met gevallen noten, maar de takken erboven hingen nog vol met bossen half rijpe vruchten. De stier had lang onder deze boom gestaan en de harde noten met de vinger aan het uiteinde van zijn slurf opgepakt en ze in zijn bek gestopt. Daarna was hij verder getrokken. Ze volgden zijn enorme pootafdrukken naar de volgende boom waar hij ook had gegeten. Daarna was hij weer doorgelopen. Deze keer was hij naar een ondiepe holte gegaan waar alleen de toppen van de notenbomen boven uitstaken. Ze slopen naar voren tot ze erin konden kijken.

Op hetzelfde moment zagen ze alle drie de enorme zwarte massa van de mannetjesolifant. Hij was driehonderd passen van hen verwijderd en stond in de schaduw van een van de grootse notenbomen, half van hen vandaan gedraaid. Hij wiegde zachtjes van de ene voorpoot op de andere, zijn oren wapperden traag en zijn slurf hing nonchalant over de welving van de enige zichtbare slagtand. De andere was aan het gezicht onttrokken door zijn enorme lijf. Leon staarde naar de tand die zo lang en dik was dat hij het nauwelijks kon geloven. In zijn ogen leek hij zo groot als een marmeren zuil uit een Griekse tempel.

'De wind!' fluisterde hij tegen Manjoro. 'Hoe is het met de wind?' Manjoro schepte weer een handvol zand op en liet de korrels tussen zijn vingers door glijden. Toen veegde hij zijn hand aan zijn been af en maakte een gebaar dat even duidelijk was als welke woorden ook. 'Geen wind. Niets.'

Leon klapte de lopen van zijn geweer open en haalde de dikke koperen patronen tevoorschijn. Hij onderzocht ze allebei op vlekken en poetste ze met zijn overhemd op voordat hij ze terugstopte. Hij klapte de lopen dicht en stak de kolf van het geladen geweer onder zijn rechteroksel. Daarna knikte hij naar Manjoro en ze liepen naar voren. Leon ging voorop. Hij liep schuin op de stier af tot de boomstam hem afschermde. Daarna liep hij recht op hem af.

De kop van de stier ging schuil achter de boom, maar zijn lichaam was aan weerskanten ervan duidelijk zichtbaar en de welving van de dichtstbijzijnde tand stak voor de andere uit. Een bundel zonlicht doorboorde het bladerdak boven zijn kop en viel op de slagtanden als de straal van een schijnwerper. Toen Leon nog dichterbij kwam, hoorde hij de maag van het dier rommelen als een ver onweer. Hij naderde hem gestaag en zette zijn voet bij elke stap overdreven zorgvuldig neer. Hij hield het zware geweer dwars voor zijn borst gereed om te schieten.

De Holland was in wezen een korteafstandswapen. Hij had verscheidene schoten op een doelwit afgevuurd voordat hij uit Kamp Tandala vertrok en ontdekt dat de beide lopen zo waren afgesteld dat ze op een afstand van precies dertig meter het doelwit op hetzelfde punt raakten. Vanaf een grotere afstand verspreidden de kogels zich onvoorspelbaar. Hij wist dat hij binnen een afstand van dertig meter van het dier moest zien te komen om volkomen zeker van zijn schot te zijn. Hij wilde de stam van de notenboom bereiken en die als dekking gebruiken om erachter vandaan te schieten. Hij was nu zo dichtbij dat hij de ossenpikkers op de gerimpelde grijze huid van de olifant kon zien rondscharrelen. Er waren vijf of zes van de ranke, gele vogeltjes die zichzelf met hun staart in evenwicht hielden terwijl ze met hun scherpe rode snavels in de huidplooien teken, blinde vliegen en andere bloedzuigende insecten oppikten. Een ervan kroop in een oor en de stier flapperde er luid mee om het vogeltje te waarschuwen dat het uit de buurt moest blijven van de gevoelige delen diep vanbinnen. Andere vogeltjes hingen ondersteboven onder zijn buik of in zijn kruis en pikten lustig naar de uitzakkende grijze huidplooien. Toen werden ze zich er plotseling bewust van dat Leon naderde en ze renden de flanken van de stier op. Daar bleven ze in een rij op zijn ruggengraat staan en staarden met glinsterende ogen naar de indringer.

Manjoro probeerde Leon te waarschuwen voor wat er ging gebeuren, maar hij durfde niet te spreken en Leon was zo geconcentreerd op het besluipen van de olifant dat hij de wanhopige handgebaren achter hem niet zag. Hij was nog maar twaalf passen van de stam van de ngongboom verwijderd toen de rij ossenpikkers op de rug van de stier plotseling met klapperende vleugels wegvloog terwijl ze hun kwetterende waarschuwingsroep lieten horen. Het was een waarschuwing die de olifant goed begreep, want de vogels waren niet alleen zijn verzorgers, maar ook zijn schildwachten.

Vanuit zijn comfortabele slaperigheid stormde hij naar voren en bereikte binnen een stuk of zes passen zijn topsnelheid. Hij had geen idee waar het gevaar vandaan kwam, maar hij vertrouwde de vogels en rende simpelweg in de richting waarin hij keek. Hij vluchtte in een hoek van dertig graden van Leon vandaan. Heel even was Leon verbijsterd door de snelheid en lenigheid van het reusachtige dier. Toen spurtte hij naar voren met de bedoeling om voor de stier te komen voordat deze hem het nakijken zou geven. Hij won terrein en naderde het dier tot net onder de kritieke grens van dertig meter. Hij richtte zijn blik op de kop van de stier. De brede zeilen van de oren lagen naar achteren, zodat Leon de lange, verticale spleet van de ooropening zag. Maar de kop deinde hevig op en neer en rolde bij elke pas heen en weer. De ossenpikkers krijsten schril en achter Leon schreeuwden de beide Masai onverstaanbaar. Overal om hem heen klonk lawaai en heerste wilde verwarring en de afstand tussen hem en de stier werd snel groter. Binnen een paar passen zou hij buiten schootsafstand zijn.

Leon kwam met een ruk tot stilstand. Zijn blik en zijn aandacht waren volledig geconcentreerd op de lange spleet van de ooropening in het midden van de heen en weer zwaaiende en op en neer deinende kop. Hij bracht het geweer omhoog naar zijn schouder en keek over de lopen heen die hij door zijn intense concentratie nauwelijks zag. Tijd en beweging leken te vertragen en werden droomachtig en onwerkelijk. Zijn zicht was zo scherp als een diamantboor. Hij kon door de bewegende muur van grijze huid en uitgespreide oren heen kijken. Hij zag de hersenen. Het was een buitengewone gewaarwording: Percy Phillips had van het jagersoog gesproken. Met het jagersoog kon hij door huid en bot heen kijken en de exacte positie van de hersenen bespeuren. Ze waren zo groot als een voetbal en lagen laag achter de lijn van de ooropening.

Het geweer knalde en zelfs in het zonlicht zag hij de vlam uit de mond omhoogschieten. Hij schrok. Hij was zich er niet van bewust geweest dat hij de trekker had aangeraakt. Hij voelde nauwelijks de terugslag van bijna tweeënhalfduizend kilo energie tegen zijn schouder. Zijn gezichtsvermogen werd er niet door beïnvloed: hij zag dat de kogel vijf centimeter achter de ooropening ingeslagen was, precies waar hij hoorde in te slaan. Hij zag dat het dichtstbijzijnde oog van de olifant knipperend dichtging en hij hoorde hoe de zware kogel bot raakte met het geluid van de bijl van een houthakker die tegen een hardhouten boom slaat. Met behulp van zijn nieuwe gave van het jagersoog kon hij zich voorstellen hoe de kogel door bot en weefsel ploegde en de hersenen binnendrong.

De stier gooide zijn kop achterover en zijn lange slagtanden wezen een ogenblik naar de hemel. Toen begaven zijn voorpoten het en hij zakte tot een knielende houding in elkaar. De kracht van de impact deed een stofwolk opstuiven en de grond onder Leons voeten trilde. De olifant lag op zijn dubbelgevouwen voorpoten alsof hij door een kornak bestegen wilde worden. De kop werd ondersteund door de welvingen van de slagtanden en zijn nietsziende ogen waren wijd open. Hij sloeg één keer met zijn staart en toen werd alles stil. De echo's van zijn schot weergalmden in Leons hoofd, maar overal om hem heen heerste een diepe stilte.

'Het is de dode olifant die je doodt.' Hij hoorde in gedachten Percy's waarschuwing. 'Geef hem altijd het genadeschot.' Leon bracht het geweer weer omhoog en richtte op de huidplooi in de oksel van de stier. Weer knalde het geweer. Het dier trilde zelfs niet toen de tweede kogel zijn hart doorboorde.

Leon liep langzaam naar voren en strekte een hand uit om het starende amberkleurige oog met een vingertop aan te raken. Het knipperde niet. Zijn benen voelden zo slap en zacht aan als gekookte spaghetti. Hij zeeg neer, leunde met zijn schouder tegen de rug van de olifant en sloot zijn ogen. Hij voelde niets. Hij was leeg vanbinnen. Hij voelde geen triomf en hij was niet opgetogen, hij voelde geen berouw of verdriet om de dood van zo'n schitterend dier. Dat zou allemaal later komen. Nu was er alleen de pijnlijke leegte, alsof hij net de liefde had bedreven met een mooie vrouw.

23

Leon stuurde Manjoro en Loikot naar een paar verre dorpen buiten de grenzen van Masailand. Ze hadden opdracht om dragers te rekruteren die de slagtanden naar de spoorlijn zouden dragen. Ze moesten van een andere stam zijn dan de Masai omdat de *morani's* zich niet tot dat soort slavenwerk wilden verlagen. Leon en Ishmael kampeerden de volgende vijf dagen onder de wind op een veilige afstand van het rottende kadaver waarvan de buik opzwol door het gas. Ze bewaakten de slagtanden terwijl ze wachtten tot deze los zouden gaan zitten doordat hun wortelkanalen gingen rotten.

De nachten waren lawaaiig omdat de aaseters zich dan verzamelden. Jakhalzen huilden en troepen hyena's lachten, krijsten en ruzieden onder elkaar. De derde nacht arriveerden de leeuwen die hun majesteitelijke gebrul aan de algehele kakofonie toevoegden. Ishmael bracht de donkere uren in de bovenste takken van een van de ngongbomen door. Hij zei verzen uit de koran op in het Swahili en riep Allah aan om hem te beschermen tegen deze demonen.

Op de zesde dag keerden Manjoro en Loikot terug, gevolgd door een groep potige Luo-dragers die Manjoro voor tien shilling had ingehuurd.

'Tien shilling per dag per man?' Leon was ontzet door een dergelijke verspilling. Tien shilling was bijna het bedrag dat hij op deze wereld bezat.

'Nee, bwana, tien shilling voor hen allemaal.'

'Tien shilling per dag voor hen alle zes?' Leon was maar lichtelijk milder gestemd.

'Nee, bwana. Dat is het totale bedrag dat de zes mannen krijgen om de tanden naar de spoorlijn te dragen. Hoeveel dagen het ook duurt.'

'Je moeder kan trots op je zijn, Manjoro,' zei Leon opgelucht. 'Ik ben het in elk geval.' Hij leidde de dragers naar de overblijfselen van het kadaver. Alleen de grote botten en de huid waren niet door de aaseters weggesleept en verslonden. De kop werd nog steeds rechtop gehouden door de beide slagtanden. Leon haakte een stuk van bast gemaakt touw achter een van de slagtanden en de Luo-dragers zongen een werklied terwijl ze eraan trokken. Het achtereinde van de tand dat in de schedel begraven had gezeten, gleed met weinig weerstand uit zijn kanaal. Tot nu toe was bijna de helft ervan verborgen geweest en nu werden de ware afmetingen ervan voor het eerst zichtbaar. Toen ze de twee slagtanden naast elkaar op een bed van frisse, groene bladeren legden, was Leon verbaasd door hun lengte en hun prachtige symmetrie. Weer gebruikte hij zijn geweer om ze te meten. De langste van de twee was bijna drieënhalve meter en de andere was drie meter dertig.

Op aanwijzingen van Manjoro sneden de Luo twee palen van acaciahout en ze bonden de slagtanden allebei aan een paal vast. Met een drager aan beide uiteinden tilden ze de palen op en begonnen naar de spoorlijn te lopen. De rest van de groep draafde achter hen aan, gereed om hen af te lossen wanneer ze moe werden.

Leon had geen recht meer op een militaire reispas, dus wachtten ze op het steilste deel van de spoorlijn, waar de trein vanaf de bodem van de Rift Valley tegen de helling op klom, op de nachttrein vanaf het Victoriameer. Hier reed zelfs het dubbele koppel locomotieven in een wandeltempo. Onder dekking van het duister draafden ze naast een van de goederenwagons tot ze de stalen ladder konden vastpakken en op het dak konden klimmen. De Luo-dragers reikten hun de slagtanden en Ishmaels bundel aan. Leon gooide een canvas portemonnee met shillingen naar de hoofdman en de dragers bedankten hen luidkeels en schreeuwden een afscheidsgroet tot ze in het donker achter de conducteurswagon achterbleven. De locomotieven puften dapper naar de top van de helling. De wagon waarop ze zaten, was gevuld met manden gedroogde vis uit het meer, maar toen de trein snelheid kreeg, werd de stank weggeblazen.

Het was nog donker toen ze de slagtanden en hun bagage over de zijkant van de wagon lieten zakken en ze van de schommelende trein sprongen toen hij snelheid minderde voordat hij het station van Nairobi binnenstoomde.

Percy Phillips zat aan zijn ontbijt in de kantinetent toen ze, gebogen onder het gewicht van de slagtanden, Kamp Tandala binnenstrompelden.

'Bij mijn ziel!' stamelde hij in zijn koffie en hij gooide zijn stoel om toen hij overeind sprong. 'Die zijn toch niet van jou, hè?'

'Een ervan wel.' Leon hield zijn gezicht in de plooi. 'De andere is helaas voor u, meneer.'

'Breng ze naar de weegschaal. Laten we eens kijken wat we hier hebben,' beval Percy.

Al het personeel van het kamp liep achter hen aan naar de villoods en verzamelde zich om de weegschaal terwijl Leon de kleinste tand in de lus tilde.

'Achtenvijftig kilo,' zei Percy op neutrale toon. 'Nu de andere.'

Toen Leon de tweede tand in de lus hees, knipperde Percy met zijn ogen. 'Drieënzestigeneenhalve kilo.' Zijn stem sloeg een beetje over. Het was de grootste slagtand die ooit Kamp Tandala binnen was gebracht. Hij kon echter geen goede reden bedenken waarom hij de jongeman dat zou vertellen. Ik wil niet dat hij naast zijn schoenen gaat lopen, dacht hij terwijl hij in zijn baard krabde. Toen zei hij tegen Manjoro: 'Bind allebei de tanden op de auto.' Ten slotte keek hij Leon aan en zijn ogen twinkelden. 'Goed, jongeman, je kunt me naar de club rijden. Ik ga je een drankje aanbieden.'

Toen de auto over het pad hobbelde en rammelde, moest Percy zijn stem verheffen om zich boven het lawaai van de motor uit verstaanbaar te maken. 'Oké! Vertel me erover. Begin bij het begin. Laat niets weg. Hoeveel schoten had je nodig om hem te doden?'

'Dat is het begin niet, meneer,' bracht Leon hem in herinnering.

'Om mee te beginnen is het goed genoeg. Je kunt me daarna vertellen wat eraan voorafgegaan is. Hoeveel schoten?'

'Eén. Een hersenschot. En daarna herinnerde ik me uw goede raad en heb ik hem voor de zekerheid door het hart geschoten.'

Percy knikte goedkeurend. 'Vertel me dan nu de rest maar.' Percy was onder de indruk van Leons relaas van de jacht. Het klonk fascinerend, zelfs voor Percy die het allemaal al honderd keer had meegemaakt. Een van de belangrijkste aspecten van het werk van de blanke jager was dat hij zijn cliënten een geweldige tijd bezorgde. Ze wilden meer dan alleen maar een paar dieren neerknallen: ze betaalden een fortuin om deel te nemen aan een onvergetelijk avontuur. Ze wilden uit hun verwende stadsleven worden gehaald en door iemand die ze vertrouwden en bewonderden, teruggevoerd worden naar hun oerinstincten.

Percy kende een aantal prima kerels die alles wisten van de wildernis en wilde dieren, maar die het aan charme en empathie ontbrak. Ze waren stug en zwijgzaam. Ze begrepen de fascinerende wildernis heel goed, maar konden het niet aan anderen uitleggen. Hun cliënten kwamen nooit terug. Hun naam werd niet rondgebazuind in de paleizen van Europa of de exclusieve clubs van Londen, New York en Berlijn. Niemand probeerde zich van hun diensten te verzekeren.

Deze jongen viel niet in die categorie. Hij was gewillig en gretig. Hij was bescheiden, charmant en tactvol. Hij was welbespraakt. Hij had een eigenaardig, droog gevoel voor humor en hij was innemend. De mensen mochten hem. Percy glimlachte inwendig. Zelfs ik mag hem, verdorie!

Toen ze bij de club aankwamen, liet Percy hem de auto recht voor de ingang parkeren. Hij leidde Leon de lange bar binnen waar een stuk of tien stamgasten van wie de meeste van geld leefden dat ze van hun familie in Engeland kregen, hun plaatsen al hadden ingenomen. 'Heren,' zei Percy in het algemeen, 'ik wil jullie voorstellen aan mijn nieuwe leerling en daarna neem ik jullie mee naar buiten om jullie een paar slagtanden te laten zien. En dan bedoel ik echt een paar slagtanden.'

Toen ze met zijn allen door de deur naar buiten liepen, zagen ze dat het nieuws al als een lopend vuurtje de stad door was gegaan, want er stond een drom mensen om de auto heen.

Tegen de tijd dat Hugh Delamere met zijn manke been waar jaren geleden een leeuw op had gekauwd de bar binnenstrompelde, was het al een lawaaiige bedoening geworden. Dit was een toestand waar de lord van hield. Zoals zoveel Engelse jongens die op een public school hadden gezeten, genoot Delamere van luidruchtige spelletjes die resulteerden in kapot meubilair en andere betrekkelijk onbelangrijke schade. Vanavond werd hij vergezeld door kolonel Penrod Ballantyne. Ze feliciteerden Leon met zijn succes als jager en Delamere schonk een grote Talisker-whisky voor hem in uit zijn privévoorraad die hij onder de bar bewaarde. Daarna daagde hij de oom en de neef uit voor een spelletje Grote Opschepper dat inhield dat de deelnemers zo snel mogelijk de grote ruimte rond moesten zien te komen zonder de vloer aan te raken. Op een bepaald moment bleken de planken achter de bar het gewicht van de lord niet te kunnen dragen en hij viel in een lawine van gebroken flessen op de vloer. Vlak voor middernacht kwam een van de bewoners van de club de bar binnen om over het lawaai te klagen en lord Delamere sloot hem voor de rest van de nacht op in de wijnkelder.

Een paar uur later werd Percy languit naar de biljartkamer gedragen en op het groene laken van de tafel gelegd. Leon wist de voorbank van de auto te bereiken waar hij de rest van de nacht doorbracht.

Hij werd wakker met een afschuwelijke hoofdpijn.

'Goedemorgen, *effendi*.' Ishmael stond naast de truck met een dampende beker zwarte koffie in zijn hand. 'Ik wens u een dag die geurt naar jasmijn.' Door de koffie knapte hij voldoende op om Manjoro te roepen. Samen wisten ze de auto te starten en door de hoofdstraat naar het hoofdkwartier van de Greater Lake Victoria Trading Company te rijden. Onder de naam op het bord was een andere tekst op direct bevel van zijne excellentie de gouverneur onlangs overgeschilderd. De woorden waren echter nog steeds leesbaar onder de enkele laag verf die ze had moeten bedekken. *Hofleverancier van verfijnde, zeldzame en kostbare artikelen*. De ongecensureerde tekst luidde: *Handelaar in goud, diamanten, ivoren beeldhouwwerk, curiosa en allerlei soorten natuurlijke producten. Diverse artikelen te koop. Eigenaar: de heer Goolam Vilabjhi.*

De eigenaar haastte zich naar Leon toe toen deze door de voordeur binnenkwam. Meneer Goolam Vilabjhi was een goed doorvoed mannetje met een stralende glimlach. 'Hemeltje, luitenant Courtney, dit is een grote eer voor mij en mijn nederige handelshuis.'

'Goedemorgen, meneer Vilabjhi, maar ik ben geen luitenant meer,' zei Leon en hij legde de slagtand op de toonbank.

'Maar u bent nog steeds de beste polospeler van Afrika en ik heb gehoord dat u een groot *shikar* bent geworden. Bovendien zie ik dat u het bewijs daarvoor hebt meegebracht.' Hij riep mevrouw Vilabjhi die achter in de winkel stond en vroeg haar om koffie en bonbons te brengen. Daarna leidde hij Leon tussen rijen overvolle planken door zijn knusse kantoortje binnen. Een boekenkast die bijna een hele muur bedekte, stond vol met alle tweeëntwintig delen van de *Complete Oxford English Dictionary*, een volledige *Encyclopaedia Britannica, Burke's Peerage and Gentry* en meer dan twintig historische werken over de Engelse koningen en hun volk. Meneer Vilabjhi was een vurig anglofiel, monarchist en liefhebber van de Engelse taal.

'Gaat u alstublieft zitten, meneer.' Mevrouw Vilabjhi kwam bedrijvig met het koffieblad binnen. Ze was nog molliger dan haar echtgenoot en net zo vriendelijk. Toen ze de glazen had gevuld met de stroperige, zwarte vloeistof gebaarde haar echtgenoot haar dat ze weg moest gaan en daarna richtte hij zich weer tot Leon. 'Zegt u me eens wat ik voor u kan doen, sahib.'

'Ik wil u die slagtand verkopen.'

Meneer Vilabjhi dacht daar zo lang over na dat Leon er rusteloos van werd. Ten slotte zei hij: 'Helaas zal ik de tand niet van u kopen, geëerde sahib.'

Leon keek geschrokken. 'Waarom in vredesnaam niet?' vroeg hij. 'U bent toch handelaar?'

'Heb ik u ooit verteld dat ik vroeger stalknecht of, zoals we in India zeggen, *sice* ben geweest in de stallen van de maharadja van Cooch Behar? Ik ben een groot bewonderaar en kenner van de koninklijke sport polo en de beoefenaars ervan.'

'Wilt u daarom mijn tand niet kopen?' vroeg Leon.

Meneer Vilabjhi lachte. 'Dat is een leuke grap, sahib. Nee! De reden is dat ik de tand, als ik hem koop, naar Engeland zal sturen om er pianotoetsen of mooie gekleurde biljartballen van te laten maken. Dan zult u me haten. Wanneer u een oude man bent, zult u terugdenken aan wat ik met uw trofee heb gedaan en u zult tegen uzelf zeggen: 'Moge er tienduizend vloeken neerdalen op het hoofd van de infame boef en boosaardige schurk, meneer Goolam Vilabjhi.'

'Daar staat tegenover dat ik nu direct honderdduizend vloeken op uw hoofd zal laten neerdalen als u hem niet koopt,' waarschuwde Leon hem. 'Ik heb het geld heel hard nodig, meneer Vilabjhi.'

'Ah! Geld is als het getij van de oceaan. Het komt en gaat. Maar zo'n tand zult u in uw hele leven niet meer te zien krijgen.'

'Op dit moment is mijn getij zo dood als een pier.'

'Dan zullen we een list moeten verzinnen, sahib, of, zoals we in Cooch Behar plachten te zeggen, een strategie om onze uiteenlopende wensen te verzoenen.' Hij bleef nog een ogenblik in een houding zitten alsof hij diep nadacht, bracht toen een vinger omhoog en raakte zijn slaap aan. 'Eureka! Ik heb het. U laat de tand bij me achter als borg en ik leen u het geld dat u nodig hebt. U betaalt me een rente van twintig procent per jaar. Op een dag, wanneer u de beroemdste en vermaardste jager van Afrika bent geworden, zult u bij me terugkomen en tegen me zeggen: "Mijn dierbare en vertrouwde vriend, meneer Goolam Vilabjhi, ik ben hier gekomen om de schuld die ik bij u heb terug te betalen." Dan zal ik u uw schitterend mooie tand teruggeven en we zullen tot onze dood vrienden blijven!'

'Mijn dierbare en vertrouwde vriend, meneer Goolam Vilabjhi, ik zal tienduizend zegeningen op uw hoofd laten neerdalen.' Leon lachte. 'Hoeveel kunt u me lenen?'

'Ik heb horen zeggen dat die tand achtenvijftig kilo weegt.'

'Mijn god! Hoe weet u dat?'

'Iedereen in Nairobi weet het al.' Meneer Vilabjhi hield zijn hoofd schuin. 'Als ik dertig shilling per kilo reken, kan ik u het bedrag van zesennegentig pond sterling in gouden sovereigns voorschieten.' Leon knipperde met zijn ogen. Dat was het grootste geldbedrag dat hij ooit in handen had gehad.

Voordat hij meneer Vilabjhi's winkel verliet, deed hij zijn eerste aankoop. Op een van de planken achter de toonbank had hij een klein stapeltje rood-met-gele kartonnen doosjes zien staan met de kenmerkende leeuwenkop, het handelsmerk van Kynoch, de uitmuntende fabrikant van patronen in Groot-Brittannië. Toen hij de doosjes onderzocht, zag hij tot zijn blijdschap dat erop stond: H&H .470 Royal Nitro Express. 34 gram. Massief. Van de tien patronen die bij het geschenk van Verity O'Hearne hoorden, waren er nog maar drie over. Hij had vijf schoten afgevuurd om de vizieren van het geweer te testen en twee om de grote stier te doden.

'Hoeveel kosten die kogels, meneer Vilabjhi?' vroeg hij nerveus en zijn adem stokte toen hij antwoord kreeg.

'Voor u, sahib, en alleen voor u, vraag ik de laagste en extra speciale prijs.' Meneer Vilabjhi keek naar het plafond alsof hij inspiratie zocht bij Kali, Ganesha en alle andere hindoegoden. Toen zei hij: 'Voor u, sahib, is de prijs vijf shilling per kogel.'

Er stonden tien doosjes met elk vijf kogels. Leon maakte een snelle berekening en hij schrok van de uitkomst. Twaalf pond en tien shilling! Hij raakte de dikke bult in zijn heupzak aan. Dat kan ik niet betalen! hield hij zichzelf voor. Maar aan de andere kant, welke professionele jager gaat er nu op uit met slechts drie kogels in zijn patroongordel? Aarzelend stak hij zijn hand in zijn zak en haalde de canvas geldzak tevoorschijn die hij er net in gestopt had.

Het getij van zijn geld was inderdaad ingekomen, maar het was even snel weer eb geworden zoals meneer Vilabjhi al had voorspeld.

Manjoro en Ishmael wachtten buiten nog steeds op hem. Leon betaalde hun het loon uit dat hij hun schuldig was. 'Wat ga je met al dat geld doen?' vroeg hij aan Manjoro.

'Ik ga drie koeien kopen. Wat anders, bwana?' Manjoro schudde zijn hoofd om zo'n domme vraag. Voor een Masai was vee de enige echte rijkdom.

'En jij, Ishmael?'

'Ik stuur het naar mijn vrouwen in Mombassa, *effendi*.' Ishmael had zes vrouwen, het maximale aantal dat de profeet toestond en ze waren zo vraatzuchtig als een zwerm sprinkhanen.

Leon reed met Manjoro en Ishmael naar de kazerne van de KAR. Hij trof Bobby Sampson aan in de officiersmess waar deze boven een kan bier zat te kniezen. Zijn vriend fleurde op toen hij hem zag en toen Leon hem de vijftien gienjes betaalde die hij hem schuldig was voor de Vauxhall, verbeterde zijn humeur zelfs zo sterk dat hij een kan bier voor hem bestelde.

Vanaf de kazerne reed Leon naar de veemarkt aan de rand van de stad. 'Manjoro, ik wil Loesima Mama een koe sturen om haar te bedanken voor haar hulp in de kwestie van de olifant.'

'Zo'n geschenk is gebruikelijk, bwana,' zei Manjoro.

'Niemand kan vee beter beoordelen dan jij, Manjoro.'

'Dat is waar, bwana.'

'Wanneer je je eigen dieren hebt uitgekozen, wil ik dat je er ook een voor Loesima Mama uitzoekt en een goede prijs bedingt bij de verkoper.' Dat kostte Leon nog eens vijftien pond, want Manjoro zocht de beste koe uit.

Voordat Manjoro naar de Lonsonjo vertrok, gaf Leon hem een canvas zak met zilveren shillingen mee. 'Dit is voor Loikot. Als hij met zijn vrienden blijft praten en het nieuws aan ons doorgeeft, zullen er nog vele zakken met shillingen volgen. Zeg hem dat hij al zijn geld moet sparen zodat hij spoedig zelf een mooie koe kan kopen. Ga nu, Manjoro, en kom snel terug. Bwana Samawati heeft veel werk voor ons.'

Terwijl hij de koeien voor zich uit dreef, nam Manjoro het pad dat naar beneden de Rift Valley in leidde. Bij de eerste bocht draaide hij zich om en schreeuwde naar Leon: 'Wacht op me, mijn broeder, want ik kom over tien dagen terug.'

Leon reed terug naar de club om Percy Phillips op te halen. Percy zat ineengezakt in een van de fauteuils op de brede veranda die uitkeek op de door de zon uitgedroogde gazons. Hij was in een slecht humeur. Zijn ogen waren bloeddoorlopen, zijn baard zat in de war en zijn gezicht was zo gerimpeld als zijn kaki safari-jasje waarin hij had geslapen. 'Waar bleef je nou in vredesnaam?' snauwde hij en zonder op antwoord te wachten, kloste hij de trap af naar de plek waar de auto ronkend en blauwe uitlaatgassen uitstotend geparkeerd stond. Zijn gezicht klaarde een beetje op toen hij de tand zag waar Ishmael op zat. 'Godzijdank dat je die nog hebt. Wat is er met de andere gebeurd?'

'We hebben hem aan de ongelovige, Vilabjhi, verkocht, *effendi*.' Ishmael had de gewoonte aangenomen met de pluralis majestatis naar zijn baas te verwijzen.

'Die schurk! Ik durf erom te wedden dat hij je afgezet heeft,' zei Percy en hij ging voorin zitten. Hij zweeg tot ze over het laatste en slechtste deel van de weg Kamp Tandala binnenhobbelden.

'Ik heb gisteravond je oom Penrod nog even gesproken. Hij heeft een telegram ontvangen van het Amerikaanse ministerie van Buitenlandse

Zaken. De voormalige president van de Verenigde Staten en zijn hele gevolg zullen over twee maanden aan boord van het luxe Duitse stoomschip Admiral in Mombassa aankomen om met de grote safari te beginnen. We moeten dan klaar voor hen zijn.'

Toen ze voor de kantinetent parkeerden, schreeuwde Percy dat er thee gebracht moest worden. Na twee bekers thee voelde hij zich een stuk beter en zijn humeur knapte er ook flink van op. 'Pak je potlood en je blocnote,' beval hij Leon.

'Die heb ik geen van beide.'

'In de toekomst zullen dat je belangrijkste werktuigen zijn. Nog belangrijker dan je geweer en je pot kininepillen. Ik heb er nog een paar in mijn bibliotheek liggen. Je kunt ze vervangen wanneer je de volgende keer naar de stad gaat.' Hij stuurde een van de bedienden naar binnen om ze te halen en al snel hield Leon zijn potlood boven de eerste bladzijde.

'Ik zal nu in grote lijnen schetsen wat de safari inhoudt. Behalve de president komen zijn zoon, een jongeman die ongeveer even oud is als jij, en zijn gasten sir Alfred Pease, lord Cranworth en Frederick Selous.'

'Selous!' riep Leon uit. 'Hij is een Afrikaanse legende. Ik ben met zijn boeken grootgebracht. Maar hij moet stokoud zijn.'

'Helemaal niet,' snauwde Percy. 'Ik betwijfel of hij al vijfenzeventig is.'

Leon wilde hem er net op wijzen dat vijfenzeventig meer dan stokoud was toen hij Percy's dreigende uitdrukking zag. Hij begreep dat leeftijd voor Percy Phillips een gevoelig onderwerp was en hij trok zich terug van het mijnenveld waar hij bijna in gelopen was. 'O, dat is nog heel jong,' zei hij haastig.

Percy knikte en vervolgde: 'De president heeft, behalve mij, nog vijf blanke jagers ingehuurd. Degenen die ik goed ken, zijn Judd, Cunningham en Tarlton, allemaal prima kerels. Ik veronderstel dat ze allemaal leerlingen bij zich hebben. Ik heb van Penrod begrepen dat het Smithsonian Institute, het museum dat de safari gedeeltelijk sponsort, meer dan twintig naturalisten en taxidermisten meestuurt. Ik heb Penrod gevraagd of er nog journalisten en andere leden van de pers meekomen, maar hij heeft me verteld dat de president dat verboden heeft. Na twee volle ambtstermijnen is hij zijn privacy gaan waarderen.'

'Dus er zullen geen journalisten bij zijn?' Leon keek op van de blocnote.

'Maak je daar geen zorgen over. Niemand van enige bekendheid kan ooit aan die kakkerlakken ontsnappen. American Associated Press stuurt een hele horde van die ellendelingen, maar zij zullen aan een andere safari deelnemen die de onze van het begin tot het eind op de voet zal volgen en ze zullen bij elke gelegenheid kopij naar New York opsturen. Wat mij betreft kunnen hun bazen allemaal doodvallen.'

'Dat betekent dat er meer dan dertig mensen aan onze safari deelnemen. We zullen te maken krijgen met een reusachtige hoeveelheid bagage, uitrustingsstukken en voorraden.'

'Dat kun je wel zeggen,' beaamde Percy sarcastisch. 'De schatting van New York is dat ze ongeveer zesennegentig ton vracht zullen verschepen. De rest zal hier gekocht worden. Daar zit vijf ton zout bij om de dieren en de trofeeën te preserveren en voer voor de paarden. De zending uit Amerika zal voor het gezelschap uit gestuurd worden zodat we tijd zullen hebben om alles vanaf de kust hiernaartoe te brengen en in porties van dertig kilo te verdelen voor de dragers.'

'Hoeveel paarden zullen ze nodig hebben?' vroeg Leon geïnteresseerd.

'Ze zijn van plan om grotendeels te paard op jacht te gaan. De president wil er minstens dertig hebben,' antwoordde Percy. 'Dat is een van de terreinen waar jij deskundig op bent, dus je krijgt, naast je andere werk, de verantwoordelijkheid voor de paarden. Je zult een team van betrouwbare paardenknechten moeten rekruteren die voor de dieren kunnen zorgen.' Hij zweeg even. 'En natuurlijk zullen de twee auto's ook jouw verantwoordelijkheid zijn. Ik wil ze gebruiken om nieuwe voorraden van spullen zoals vers voedsel naar de plek te brengen waar de president op dat moment zijn kamp heeft.'

'Twee auto's. U hebt er maar een.'

'Ik vorder het andere voertuig van je op voor de tijd dat de safari duurt. Je kunt er maar beter voor zorgen dat ze allebei goed rijden.' Percy zei niets over een beloning voor het gebruik van Leons auto en ook niets over vergoeding van de reparatiekosten die Leon zou moeten maken om hem weer rijklaar te krijgen.

'Lord Delamere leent ons zijn kok uit het Norfolk Hotel. Er zullen vier of vijf tweede koks zijn. Ik zal jouw bediende Ishmael aannemen om in de kampkeukens te werken. O, tussen haakjes, Cunningham zal ongeveer duizend inlandse dragers rekruteren om de bagage en de voorraden voor de safari te dragen. Ik heb hem gisteravond verteld dat jij vloeiend Swahili spreekt en dat je hem graag met de klus zult helpen.'

'Hebt u hem ook verteld dat ik graag wil helpen bij de eigenlijke jacht?' vroeg Leon onschuldig.

Percy trok een borstelige, grijze wenkbrauw op. 'Is dat zo? Gezien je uitgebreide ervaring weet ik zeker dat de president vereerd zal zijn als hij jou als gids krijgt. Je zult echter heel veel belangrijkere taken hebben om je tijd te vullen, jongeman.' Het begon Leon te irriteren dat Percy hem steeds met jongeman aansprak, maar hij had de conclusie getrokken dat Percy het juist daarom zo vaak deed.

'U hebt volkomen gelijk, daar had ik niet aan gedacht.' Hij schonk Percy zijn warmste glimlach.

Percy had er moeite mee om te voorkomen dat hij terugglimlachte. Het beviel hem steeds meer dat de jongen zonder te jammeren kon incasseren wat hij voor zijn kiezen kreeg. Hij liet zich vermurwen. 'Er zullen meer dan duizend monden te voeden zijn. Onder de jachtwetten van de kolonie worden buffels als ongedierte beschouwd. Er mag onbeperkt op gejaagd worden. Een van je taken zal zijn om de safari van voldoende vlees te voorzien. Je zult naar hartenlust kunnen jagen, dat beloof ik je.'

24

Twee maanden en zes dagen later stoomde het Duitse passagiersschip SS Admiral de Kilindinilagune binnen die als haven voor de kuststad Mombassa dienstdeed. De tuigage van het schip wemelde van de kleurige vlaggen. In de top van de grote mast wapperde de nationale vlag van de Verenigde Staten en in de fokkenmast hing de vlag met de zwarte adelaars van het Duitsland van de keizer. Op het voordek speelde een band schetterend 'The Star Spangled Banner' en 'God Save the Queen'. Het strand stond vol toeschouwers en hoogwaardigheidsbekleders met aan het hoofd de gouverneur van de kolonie en de bevelhebber van de strijdkrachten van Zijne Majesteit in Brits Oost-Afrika, allebei in volledig gala-unifornm, compleet met veren in hun steek en een zwaard op hun heup. In het diepe water lag een vloot van sloepen en lichte boten die wachtten tot ze de passagiers naar het strand konden brengen. De voormalige president, kolonel Teddy Roosevelt, en zijn zoon klommen als eersten in een van de wachtende boten. Terwijl de bezoekers hun plaats op de doften innamen en de roeiers naar de haven roeiden, openden de donkere wolken die laag boven de lagune hingen hun buik en lieten, met een spervuur van donderslagen en vorkvormige bliksemschichten, een verschrikkelijke stortbui op de aanwezigen neerdalen. Roosevelt kwam op het strand aan nadat hij door een gespierde halfnaakte drager door het ondiepe gedeelte was gedragen. Zijn safari-jasje was doorweekt en hij brulde van het lachen. Het was precies het soort avontuur waar hij van genoot.

De gouverneur liep haastig naar voren om hem te begroeten terwijl hij met één hand de pluim van struisvogelveren op zijn steek omklemd hield en met de andere zijn zwaard tussen zijn benen uit probeerde te halen. Hij had zijn privétrein ter beschikking van de president en diens gevolg gesteld. Zodra ze allemaal veilig aan boord waren, zweefden de wolken weg en helder zonlicht schitterde op het woelige water van de lagune. De grote menigte barstte los in het refrein van 'For He's A Jolly Good Fellow'. Teddy Roosevelt stond stralend op het balkon van de voorste wagon en nam de toejuichingen in ontvangst tot de machinist op zijn fluit blies en de trein vertrok om aan de reis naar Nairobi te beginnen.

Honderdvijftig kilometer landinwaarts stopte de trein bij het rangeerterrein van Voi, de meest zuidelijke en meest uitgestrekte van de enorme vlaktes die tussen de Tsavo en de Athi liggen. Boven de koevanger aan de voorkant van de locomotief was een houten bank gebouwd om als uitkijkpost te dienen. De president en Frederick Selous klommen het trapje op en gingen op de bank zitten. Selous was de meest bewonderde jager van Afrika. Hij had vele boeken over reizen en avonturen geschreven en was een naturalist die zijn leven had gewijd aan het bestuderen van de dieren van het grootste continent. Hij was beroemd om zijn kracht en vastberadenheid en er werd van hem gezegd: 'Wanneer alle anderen langs de weg neervallen, houdt Selous het tot het eind van de weg vol'. Hij had een robuuste lichaamsbouw, zijn baard was staalgrijs, zijn blik was vast en intelligent en zijn gelaatsuitdrukking zachtaardig en vroom. Hoewel Selous en Roosevelt uiterlijk sterk verschilden, waren ze verwante geesten door hun liefde voor de wilde natuur. Terwijl de trein over de vlakte van de Tsavo tufte die tot aan de horizon wemelde van kuddes antilopen, waren de twee grote mannen verzonken in hun gesprek over de wonderen die voor hen lagen. Toen het donker viel, trokken ze zich terug in de comfortabele wagon van de gouverneur. Toen de trein de volgende ochtend vroeg het station van Nairobi binnenreed, stond de hele bevolking op het perron om een glimp van de voormalige president op te vangen.

Voor de volgende dagen was er een programma van recepties, bals en sportwedstrijden, waaronder polo en paardenrennen, voor hem georganiseerd. Het duurde een week voordat hij aan zijn sociale verplichtingen had voldaan en het gezelschap kon vertrekken om op safari te gaan.

Weer reisden ze per trein, ditmaal tot aan het afgelegen rangeerspoor in de wildernis van de Kapitivlakte. Toen ze aankwamen, stond iedereen die iets met de safari te maken had hen als een klein leger op te wachten.

Toen de reis de volgende ochtend begon, reed de president, met zijn zoon en Selous aan weerskanten van hem, aan het hoofd van de colonne. Achter hen werd de Amerikaanse vlag, wapperend in de bries, gedragen door een geüniformeerde *askari*. Daarna kwam de fanfare van de KAR die een bij benadering gelijkende versie van 'Dixie' speelde. De rest van de duizend koppen tellende groep liep, over drie kilometer verspreid, achter hen aan over het veld.

Leon Courtney bevond zich niet in deze menigte. De afgelopen zes weken had hij voorraaddepots bij waterpoelen langs de voorgenomen route van de safari aangelegd.

25

Onwillig had Percy Phillips Leon een assistent gegeven. In het begin was Leon ontzet geweest. 'Hennie du Rand?' protesteerde hij. 'Ik ken hem. Hij is een Afrikaner Boer uit Zuid-Afrika. De man heeft in de oorlog tegen ons gevochten. Hij maakte deel uit van het commando van de beruchte Koos de la Rey. Alleen God weet hoeveel Engelsen Hennie du Rand heeft doodgeschoten.'

'De Boerenoorlog is verscheidene jaren geleden geëindigd,' bracht Percy naar voren. 'Hennie mag een harde kerel zijn, maar in zijn hart is het een goeie vent. Zoals de meeste Boeren is hij volkomen vertrouwd met de wildernis en ik ken niemand die zo veel olifanten en buffels geschoten heeft. Hij is ook een goede automonteur. Hij kan je helpen met het onderhoud van de auto's en er een rijden. Je hebt iemand nodig om je te helpen genoeg buffels te schieten om de safari van goed, vers vlees te voorzien en er is niemand beter dan hij. Je kunt verdomd veel van hem leren, als je naar hem luistert. Maar zijn grootste aanbeveling is dat hij werkt voor de kost en een paar shilling per dag.'

'Maar...' zei Leon.

'Geen gemaar meer. Hennie is je assistent en daar kun je maar beter aan wennen, jongeman.'

Al in de eerste paar weken merkte Leon dat Hennie niet alleen een onvermoeibare werker was, maar dat hij ook veel meer van het onderhoud van auto's en van de wildernis wist dan hijzelf en dat hij die kennis graag met hem wilde delen. Zijn relatie met het personeel was uitstekend. Hij had zijn hele leven met Afrikaanse stamleden geleefd en hij begreep hun gebruiken en gewoonten. Hij behandelde hen met humor en respect. Zelfs Manjoro en Ishmael mochten hem. Leon vond hem 's avonds om het kampvuur goed gezelschap en hij was een fascinerende verteller. Hij was over de veertig en mager en pezig. Zijn baard was grijs en zijn armen en benen waren donkerbruin door de zon. Hij sprak met een zwaar Afrikaans accent. *'Ja, my jong Boet,'* zei hij tegen Leon nadat ze te voet een kudde buffels hadden achtervolgd en acht vette jonge vaarskalveren met evenveel schoten hadden gedood. 'Ja, mijn jonge vriend. Het lijkt erop dat we nog een jager van je zullen maken.'

Met hulp van Manjoro en vier andere mannen vilden, ontweiden en vierendeelden ze de kadavers, laadden ze vervolgens in de twee auto's en leverden ze toen af op ongeveer achthonderd meter van het grote, zich naar alle kanten uitstrekkende kamp van de presidentiële safari. Dichterbij mochten de voertuigen van Percy niet komen. Hij wilde niet dat de president en Selous door het geluid van motoren gestoord werden. Een team dragers kwam uit het kamp om de kadavers op te halen.

Toen ze alleen waren parkeerden Hennie en Leon de oudste Vauxhall onder een peulmahonieboom en hingen een blok en touw aan een van de grote takken. Ze hesen de achterkant van de auto op en verwijderden samen het differentieel dat een alarmerend, knarsend geluid was gaan maken. Ze haalden het uit elkaar en legden de onderdelen op een gescheurd stuk zeildoek. Ze keken op toen ze het geluid van naderende hoefslagen hoorden. De ruiter was een jongeman die een rijbroek en een breedgerande hoed droeg. Hij steeg af, bond zijn paard aan een boom, en slenterde toen naar hen toe.

'Hallo daar. Wat zijn jullie aan het doen?' teemde hij met een onmiskenbaar Amerikaans accent.

Voor hij antwoordde, nam Leon hem van top tot teen op. Zijn rijlaarzen waren duur en zijn kakikleding was pas gewassen en gestreken. Zijn gezicht was sympathiek, maar niet opvallend. Toen hij zijn hoed afzette, zag Leon dat zijn haar een vage muisachtige kleur had, maar zijn glimlach was vriendelijk. Het trof Leon dat ze ongeveer dezelfde leeftijd hadden: de ander was hooguit tweeëntwintig.

'We hebben wat problemen met deze oude brik,' zei Leon en de vreemdeling grijnsde.

'We hebben wat problemen met deze oude brik,' herhaalde hij. 'God, ik ben dol op dat Engelse accent. Ik zou er de hele dag naar kunnen luisteren.'

'Wat voor accent?' bootste Leon hem na. 'Ik heb geen accent. Maar jij, jij hebt een raar accent.' Ze barstten in lachen uit.

De vreemdeling stak zijn hand uit. 'Ik heet Kermit,' zei hij. Leon keek naar zijn eigen handpalm die onder het zwarte vet zat. 'Dat maakt niet uit,' verzekerde Kermit hem. 'Ik pruts graag aan auto's. Ik heb in Amerika een Cadillac.'

Leon veegde zijn hand aan zijn broek af en pakte Kermits hand vast. 'Ik ben Leon en deze schooier heet Hennie.'

'Heb je er bezwaar tegen dat ik even ga zitten.'

'Als je zo'n beroemde monteur bent, kun je ons misschien een handje helpen. Pak die heugel en dat tandwiel maar. En een moersleutel.'

Ze werkten zwijgend een paar minuten geconcentreerd door, maar zowel Leon als Hennie keek heimelijk naar de nieuwkomer. Ten slotte gaf Hennie zachtjes zijn mening. '*Hy weet wat hy doen.*' 'Wat voor taal is dat en wat zei Hennie?'

'Het is Afrikaans, een Afrikaanse versie van Nederlands en hij zei dat je weet wat je doet.'

'Jij ook, vriend.'

Ze werkten een tijdje door tot Leon vroeg: 'Hoor je bij het grote Barnum en Bailey-circus?'

Kermit lachte opgetogen. 'Ja, ik denk het wel.'

'Wat doe je voor werk? Ben je van het Smithsonian Institute?'

'In zekere zin, maar het grootste deel van de tijd hang ik maar wat rond en luister ik naar een stelletje oude mannen die allemaal onzin uitkramen die erop neerkomt dat het in hun tijd allemaal beter was,' antwoordde Kermit.

'Dat lijkt me hartstikke leuk.'

'Hebben jullie die lading buffels geschoten die vanochtend het kamp binnen is gebracht?'

'Het is een deel van ons werk om ervoor te zorgen dat er altijd voldoende vlees in het kamp is.'

'Dat lijkt me nu echt hartstikke leuk. Vinden jullie het goed dat ik meega als jullie de volgende keer op jacht gaan?'

Leon en Hennie wisselden een blik. Toen vroeg Leon voorzichtig: 'Wat voor kaliber geweer heb je?'

Kermit liep naar zijn paard en trok een wapen uit zijn foedraal onder de zadelflap. Hij kwam terug en overhandigde het Leon, die controleerde of de kamer leeg was voordat hij het naar zijn schouder bracht. 'Een

.405 Winchester. Ik heb gehoord dat het een goed wapen voor buffels is, maar dat het terugslaat met de kracht van een stoot van Bob Fitzsimmons,' zei hij. 'Kun je er een beetje mee schieten?'

'Ja, hoor.' Kermit pakte het wapen terug. 'Ik noem het Big Medicine.'

'Oké. Laten we dan hier overmorgen om vier uur 's ochtends afspreken.'

'Waarom halen jullie me niet in het kamp op?'

'Verboden,' zei Leon. 'Wij lagere levensvormen mogen de groten der aarde niet storen.'

Toen Leon en Hennie, gevolgd door de vilders en de spoorzoekers met de pakezels, om vier uur in de ochtend naar de ontmoetingsplaats reden, was het nog donker, maar Kermit wachtte al op hen. Leon was onder de indruk. Hij had niet verwacht dat hij zou komen opdagen. De rest van de donkere uren volgden ze een wildpad. Manjoro holde voor hen uit om hen te waarschuwen voor boomstronken en gaten in het pad. Het was koud en Kermit zat in elkaar gedoken onder een stuk zeildoek om zich tegen de wind te beschermen. Toen het pad uitkwam op een droge rivierbedding die een onoverkomelijk obstakel vormde, parkeerden ze de auto onder een boom en stapten uit. Toen ze de geweren uit de auto pakten, keek Kermit aandachtig naar dat van Leon. 'Dat wapen heeft een lang leven gehad.'

'Het heeft het een en ander meegemaakt,' zei Leon. Percy had hem een oude gehavende .404 Jeffreys uit zijn eigen verzameling vuurwapens geleend omdat de munitie ervoor nog geen kwart kostte van die voor de .470 Holland en veel gemakkelijker verkrijgbaar was. Ondanks zijn uiterlijk was het een zuiver en betrouwbaar wapen, maar Leon was er niet trots op.

'Kun je er een beetje mee schieten?' vroeg Kermit met lichte spot.

'Als ik mijn dag heb.'

'Laten we dan hopen dat je vandaag je dag hebt,' zei Kermit plagerig.

'We zullen zien.'

Kermit veranderde van onderwerp. 'Waar gaan we naartoe?'

'Manjoro heeft gisteren laat op de dag een grote kudde gezien die deze kant uit kwam. Hij brengt ons erheen.'

Ze liepen de rivierbedding in en kwamen langs een grote, hoger gelegen groene poel waarin het water van het vorige natte seizoen nog niet opgedroogd was. De randen ervan waren helemaal vertrapt door de vele dieren, waaronder kuddes buffels, die er regelmatig uit dronken. Ze liepen de andere oever op en kwamen in een gebied met bloeiende acacia's en open plekken die waren begroeid met jong, groen gras.

De zon kwam in al zijn pracht op en de lucht was koel en zoet. De bewoners van het bos kwamen tot leven. Toen de mannen een paar minuten stilstonden bij een open plek zagen ze een troep bavianen die zich met insecten en wortels aan het voeden waren. Ze werden geleid door de jonge mannetjes die waakzaam en alert op gevaar waren. Ze werden gevolgd door de geslachtsrijpe vrouwtjes die hun staart hoog in de lucht staken om hun roze achterste en hun pudenda te laten zien en hun volwassenheid en beschikbaarheid te tonen. Sommigen hadden jongen bij zich die als jockeys op hun rug zaten. De oudere jongen dartelden rond en zaten luidruchtig op de open plek achter elkaar aan. De achterhoede werd gevormd door de grote mannetjes die zich met een snoeverige arrogantie bewogen en gereed waren om naar voren te rennen om een dreiging het hoofd te bieden die door de jonge mannetjes in de voorhoede was ontdekt. Een kleine kudde bosbokken, tenger gebouwde antilopen met spiraalvormige hoorns en roomkleurige strepen op hun schouders, hield gelijke tred met de troep. Ze gebruikten de waakzame apen als schildwachten en uitkijken zodat ze gewaarschuwd zouden worden voor luipaarden en andere roofdieren.

Toen de dierenparade voorbij was, vervolgden de mannen hun weg, maar ze stopten weer achter Manjoro toen hij met zijn speer naar de zachte aarde wees aan de overkant van de open plek die door grote hoeven omgewoeld was. 'Dit is de kudde.'

'Hoeveel zijn het er, Manjoro?'

'Tweehonderd, misschien wel driehonderd.'

'Wanneer?'

Manjoro beschreef met zijn hand een korte boog langs de vroegeochtendhemel.

'Dat is minder dan een uur,' zei Leon tegen Kermit. 'Ze grazen langzaam naar de dichtere beschutting onder aan de heuvels waar ze tijdens de hitte van de middag gaan liggen. Onthoud wat ik je gezegd heb. We schieten alleen de drie en vier jaar oude vrouwtjes.'

'Waarom kunnen we de grote stieren niet schieten?' protesteerde Kermit.

'Omdat hun vlees zo taai is als het rubber van een autoband en nog veel slechter smaakt. Zelfs een hongerige Ndorobo raakt het niet aan.' Kermit knikte ontevreden.

Leon keek om naar Manjoro. 'Pik het spoor op.'

Ze waren nog geen anderhalve kilometer verder toen het open bos plotseling dichter werd. Een stukje verder was het zo dicht dat ze nog maar een zicht van een paar meter hadden. Plotseling hief Manjoro zijn hand op en ze stopten om te luisteren. Voor zich uit hoorden ze het gekraak van vele grote lichamen die zich door het kreupelhout bewogen en daarna hoorden ze het klaaglijke geloei van een spenend kalf dat zijn moeder om de uier smeekte.

Leon boog zich naar Kermit toe en fluisterde: 'Oké! Daar gaan we. Schiet niet voordat een van ons dat heeft gedaan. We moeten zo dichtbij komen dat we zeker zijn van een hersenschot. Schiet niet op het lichaam. We willen het vlees niet beschadigen en het is niet goed voor onze gezondheid als we een gewonde buffel door dit dichte struikgewas moeten volgen.' Hij knikte naar Manjoro en ze liepen door.

Ze kwamen in een gebied met secundaire vegetatie waar het vorige seizoen een bosbrand had gewoed. Het struikgewas was zo laag dat er honderden donkere buffelruggen te zien waren, maar hoog genoeg om de rest van hun lichaam te verbergen. De kudde was aan het eten terwijl ze zich voortbewogen, dus ze hadden hun kop naar beneden. Toen hief er een zijn kop op en staarde recht naar hen. De bases van zijn hoorns kwamen boven op zijn kop in een ronde uitstulping bij elkaar en de uiteinden ervan welfden zich aan beide zijden naar beneden, wat het dier een treurig uiterlijk gaf. Ze verstijfden onmiddellijk, maar de buffel leek hen niet als mensen te herkennen. Hij kauwde op het grove gras en na een tijdje snoof hij en liet hij zijn kop zakken om verder te eten.

'Manjoro, het struikgewas is hier te dicht,' fluisterde Leon, 'maar ze zijn van richting veranderd. Het lijkt erop dat ze van plan zijn om pas veel later op de dag te gaan liggen. Ze keren nu terug naar de rivierbedding die we eerder op de ochtend overgestoken zijn. Ik denk dat ze bij de poel gaan drinken.'

'*Ndio*, bwana. Ze hebben ons in een kringetje rondgeleid. De rivierbedding loopt net aan deze kant van dat heuveltje.' Manjoro wees naar een rotsachtig kopje dat niet meer dan anderhalve kilometer voor hen uit lag.

'Zorg dat we voor de kudde komen, dan gaan we boven de poel voor ze op de loer liggen.'

Manjoro leidde hen op een draf om de zich langzaam voortbewegende kudde heen en bleef onder de bries. Toen ze eenmaal voor de kudde waren, begonnen ze te rennen en ze spurtten naar de rivierbedding. Toen ze die bereikten, renden ze door over de brede zandige bedding en namen aan de overkant een positie tussen de bomen in.

Ze hoefden niet lang te wachten voordat de eerste buffels in een groep de oever afkwamen. Snuivend en loeiend van de dorst renden ze de poel in en toen de voorste dieren er tot hun buik in stonden, lieten ze hun kop zakken en dronken gulzig. De geluiden die ze maakten, waren zo luid dat ze Leons gefluister tegen Kermit overstemden.

'Kies een koe uit aan de kant van de kudde die het dichtst bij je is. De schootsafstand is dertig meter. Denk eraan dat je op de kop schiet. Als je mist, doe ik het over.'

'Ik mis niet,' fluisterde Kermit terug en hij bracht de Winchester omhoog. Geschrokken zag Leon dat de Amerikaan beefde. De loop van zijn geweer bewoog grillig heen en weer.

Beginnerszenuwen! Hij had de symptomen herkend van onbeheersbare opwinding die een beginneling kan overweldigen wanneer hij voor het eerst gevaarlijk groot wild tegenover zich heeft. Hij opende zijn mond om Kermit te bevelen om niet te schieten, maar de Winchester bulderde al en de loop sprong hoog de lucht in. Leon zag dat de kogel de bult op de rug schampte van een zeer grote stier die aan de rand van de poel stond. Daarna vloog de kogel verder en raakte een koe die recht achter de stier stond in de romp. Hij besefte dat Kermit door de terugslag van de Winchester uit zijn evenwicht was geraakt en dat hij niet langer door zijn vizier keek. Voordat Kermit zich kon herstellen, vuurde Leon snel twee schoten af waarbij hij soepeltjes de grendel van de Jeffreys overhaalde zonder de kolf van zijn schouder te halen. Zijn eerste kogel trof de gewonde stier net onder de uitstulping van zijn hoorns en het dier viel neer, al dood voordat hij de grond raakte. De tweede raakte de gewonde koe toen ze net terug de oever op wilde rennen. Hij trof de basis van de schedel bij de overgang naar de ruggengraat. Het dier plofte voorover in het witte zand en bleef roerloos liggen.

Aan Leons linkerkant vuurde Hennie met een machineachtige snelheid op de kudde van door elkaar heen rennende, in paniek geraakte dieren. Na elk schot viel er een neer. Kermit herstelde zich van de terugslag van de Winchester en zag dat de stier waarop hij had geschoten dood was, evenals de koe erachter. Hij slaakte een wilde cowboykreet. 'Jie ha! Ik heb er twee met één schot gedood.'

Hij bracht zijn geweer weer omhoog, maar Leon schreeuwde: 'Zo is het genoeg! Niet schieten!' Kermit leek hem niet te horen en hij vuurde weer. Leon draaide zich opzij om te zien waar de kogel terecht zou komen en hij hield zich gereed om een dier dat Kermit zou verwonden alsnog te doden. Deze keer had Kermit echter een perfect hersenschot afgevuurd en een andere buffelstier viel neer.

'Genoeg!' schreeuwde Leon. 'Houd op met schieten!' Hij duwde de loop van Kermits geweer naar beneden toen deze probeerde het weer omhoog te brengen. Beneden hen denderde de kudde de andere oever van de rivierbedding op en vluchtte het struikgewas in. Er waren negen dode buffels rondom de poel achtergebleven.

Kermit beefde nog van opwinding. 'Verdorie!' zei hij hijgend. 'Ik heb me nog nooit zo geamuseerd. Ik heb met twee schoten drie buffels gedood. Dat moet een soort record zijn.'

Leon was geamuseerd door zijn kinderlijke vreugde. Hij kon zich er niet toe brengen om hem te vertellen wat er echt was gebeurd en de pret voor hem te bederven. In plaats daarvan lachte hij met hem mee. 'Goed gedaan, Kermit!' Hij stompte tegen zijn schouder. 'Dat was pas schieten. Ik heb nog nooit zoiets gezien.' Kermit grijnsde extatisch naar hem. Leon besefte totaal niet dat zijn leven door dit leugentje om bestwil voorgoed zou veranderen.

26

Tegen de tijd dat ze de enorme kadavers geslacht hadden, was de duisternis al gevallen. Omdat ze niet het risico wilden nemen om in het donker terug te rijden over de wildpaden die bezaaid waren met oude boomstronken en door aardvarkens gemaakte gaten waardoor de vering van de auto ernstig beschadigd zou kunnen raken, kampeerden ze op de rivieroever. Ishmael maakte voor het avondeten verse buffeltong klaar en na het eten dronken ze koffie bij het vuur en luisterden ze naar de hyena's die op de geur van het bloed en de ingewanden van de buffels waren afgekomen en in het donkere struikgewas rondom hun kamp huilden en krijsten. Hennie rommelde in zijn proviandtas en haalde er een fles uit. Hij trok de kurk eraf en bood Kermit de fles aan. Deze hield hem in het lamplicht omhoog. Hij was minder dan halfvol en er zat een lichtbruine vloeistof in.

'We mogen van de president geen sterkedrank in het kamp hebben. Ik heb al een maand geen echt drankje meer gedronken. Wat is dit voor spul?' vroeg hij voorzichtig.

'Mijn tante in Malmesbury in de Kaap maakt hem van perziken. De drank heet Mampoer. Je krijgt er haar van op je borst en hij geeft je jongeheer kracht.

Kermit nam een grote slok. Hij sperde zijn ogen open toen hij slikte. 'Je kunt het noemen zoals je wilt, maar ik noem het illegaal gestookte drank met honderd procent alcohol.' Hij veegde zijn mond met de rug van zijn hand af en gaf de fles door aan Leon. 'Neem hier maar eens een teug van, vriend!' Hij was nog steeds euforisch en Leon was er nog tevredener mee dat hij hem het doodschieten van de twee buffels had laten opeisen. De fles ging twee keer het vuur rond voordat hij leeg was en ze alle drie in een openhartige stemming waren geraakt.

'Dus je komt uit Zuid-Afrika, Hennie? Was je daar ook tijdens de oorlog?' vroeg Kermit.

Hennie dacht even over zijn antwoord na. 'Ja, ik was daar.'

'We hebben er in de Verenigde Staten veel over gelezen. De kranten schreven dat de strijd op onze eigen oorlog tegen het Zuiden leek. Verdomd hard en bitter.'

'Voor sommigen van ons was het nog erger.'

'Dat klinkt alsof je aan de gevechten hebt meegedaan.'

'Ik hoorde bij het commando van De la Rey.'

'Ik heb over hem gelezen,' zei Kermit. 'Hij was de grootste commandoleider van allemaal. Vertel ons er eens over.'

De Mampoer had de tong van de gewoonlijk zwijgzame Boer losgemaakt. Hij werd bijna welsprekend toen hij de gevechten in het veld beschreef waarbij dertigduizend Boeren de militaire macht van het grootste imperium dat de wereld ooit had gekend bijna tot het uiterste op de proef hadden gesteld.

'Ze zouden ons nooit tot overgave hebben kunnen dwingen als die vervloekte slachter van een Kitchener de vrouwen en kinderen die we op onze boerderijen hadden achtergelaten niet had aangevallen. Hij verbrandde de boerderijen en schoot ons vee dood. Hij dreef alle vrouwen en kinderen zijn concentratiekampen in en stopte vishaken in hun voedsel zodat ze bloed ophoestten voordat ze stierven.' Een traan liep over zijn verweerde, bruine wang. Hij veegde hem weg en verontschuldigde zich met verstikte stem. 'Ach! Het spijt me. Het komt door de Mampoer, maar het zijn slechte herinneringen. Mijn vrouw, Annetje, is in de kampen gestorven.' Hij stond op. 'Ik ga slapen. Goedenacht.' Hij pakte zijn rol dekens op en liep het duister in. Toen hij weg was, bleven Kermit en Leon een poosje zwijgend zitten, nu in een sombere stemming.

Leon zei zacht: 'Het waren geen vishaken. Het was difterie waar ze aan overleden. Hennie kan niet begrijpen dat het van onze kant geen opzet was, maar de vrouwen van de Boeren hadden altijd op het open veld geleefd. Toen ze dicht op elkaar zaten, hadden ze geen idee van hygiëne. Ze wisten niet hoe ze het kamp schoon moesten houden. Het werden smerige broedplaatsen voor ziekten.' Hij zuchtte. 'Sinds de oorlog heeft de Britse regering geprobeerd de Boeren te compenseren. Ze hebben miljoenen ponden in het land gepompt om de boerderijen op te bouwen. Vorig jaar hebben ze vrije verkiezingen toegestaan. Nu wordt het land geleid door twee generaals van de Boeren, Louis Botha en Jannie Smuts. Nog nooit heeft een overwinnaar de verslagenen zo genereus en grootmoedig behandeld als Groot-Brittannië.'

'Maar ik begrijp hoe Hennie zich voelt,' zei Kermit. 'Er zijn veel mensen in het zuiden van ons land die, zelfs na veertig jaar, niet hebben kunnen vergeven en vergeten.'

27

De volgende ochtend gedroeg Hennie zich alsof het gesprek niet had plaatsgevonden. Na hun ontbijt van koffie en de resten van de koude tong, stapten ze in de auto en de spoorzoekers en de vilders laadden de bebloede buffelbouten op de pakezels. Kermit wist Leon over te halen om hem te laten rijden en Hennie bestuurde de andere auto.

Weer was Kermit in een vrolijke, zorgeloze stemming. Leon vond hem aangenaam gezelschap. Ze hadden zo veel gemeen. Ze waren allebei grote liefhebbers van paarden, auto's en jagen, dus hadden ze veel om over te praten. Hoewel Kermit er niet uitgebreid op inging, liet hij doorschemeren dat zijn vader rijk en machtig was en zijn leven domineerde.

'Mijn vader was net zo,' zei Leon.

'Wat heb je gedaan?'

'Ik heb gezegd: "Ik respecteer u, pa, maar ik kan niet onder uw regels leven." Daarna ben ik van huis weggegaan en heb ik dienst genomen in het leger. Dat was vier jaar geleden. Ik ben sindsdien niet meer terug geweest.'

'Potverdomme! Daar moet wat moed voor nodig zijn geweest. Ik wens vaak dat ik dat zou kunnen, maar ik weet dat ik het nooit zal doen.'

Leon merkte dat hij Kermit aardiger begon te vinden naarmate hij hem langer kende. Ach wat! dacht hij. Hij schiet als een idioot, maar niemand is volmaakt. Tijdens het gesprek ontdekte hij dat Kermit een enthousiast naturalist en ornitholoog was. Dat moest ook wel als hij bij het Smithsonian Institute werkte, dacht Leon, en hij zei tegen Kermit dat hij moest stoppen wanneer hij een interessant insect, vogel of klein dier zag dat hij hem wilde laten zien. Hennie reed door en verdween in de verte.

Ze waren niet ver van de plek waar Kermit de vorige dag zijn paard had achtergelaten, maar een kilometer of drie van het presidentiële kamp vandaan, toen er onverwacht twee blanke mannen uit het struikgewas opdoken en voor hen op de weg gingen staan. Ze droegen safarikleding, maar ze hadden geen van beiden een geweer bij zich. De ene was echter bewapend met een grote camera en een driepoot.

'Verdomme nog aan toe! De heren van de pers,' mopperde Kermit. 'Je kunt ze maar niet kwijtraken.' Hij remde. 'Ik denk dat we maar aardig en beleefd tegen hen moeten zijn, anders zullen ze ons uit wraak in de krant te pakken nemen.'

De langste van de twee vreemden haastte zich naar de chauffeurskant van de truck. 'Neem me niet kwalijk, heren.' Hij glimlachte beminnelijk. 'Mag ik zo vrij zijn om u een paar vragen te stellen? Bent u toevallig verbonden aan de safari van president Roosevelt?'

'Meneer Andrew Fagan van de Associated Press, neem ik aan, om de onvergankelijke woorden van dokter David Livingstone te parafraseren.' Kermit schoof zijn hoed naar achteren en beantwoordde zijn glimlach.

De journalist deinsde verbaasd terug en bekeek hem toen wat beter. 'Meneer Roosevelt Junior!' riep hij uit. 'Neem me alstublieft niet kwalijk. Ik herkende u niet in die uitmonstering.' Hij staarde naar Kermits vuile, met bloed bevlekte kleding.

'Meneer Junior Wie?' vroeg Leon.

Kermit keek beschaamd, maar Fagan haastte zich om te antwoorden. 'Weet u niet met wie u in de auto zit? Dit is meneer Kermit Roosevelt, de zoon van de president van de Verenigde Staten.'

Leon keek zijn nieuwe vriend beschuldigend aan. 'Dat heb je me niet verteld!'

'Je hebt het niet gevraagd.'

'Je had het uit jezelf kunnen zeggen,' hield Leon vol.

'Dat zou de boel tussen ons veranderd hebben. Dat gebeurt altijd.'

'Wie is deze jonge vriend van u, meneer Roosevelt?' vroeg Andrew Fagan en hij rukte zijn notitieboekje uit zijn achterzak.

'Dit is mijn jager, meneer Leon Courtney.'

'Is hij daarvoor niet wat jong?' vroeg Fagan twijfelachtig.

'Je hoeft geen lange, grijze baard te hebben om een van de grootste jagers van Afrika te zijn,' antwoordde Kermit.

'... grootste jagers van Afrika!' krabbelde Fagan in steno in zijn boekje. 'Hoe spel je uw naam, meneer Courtney? Met één of twee e's?'

'Eén e.' Leon voelde zich ongemakkelijk en hij keek Kermit boos aan. Wat heb je me nu geflikt? dacht hij.

'Ik vermoed dat u op jacht bent geweest.' Fagan wees naar de kop van de buffelstier achter in de auto. 'Wie heeft dat dier geschoten?'

'Meneer Roosevelt.'

'Wat is het?'

'Het is een Kaapse buffel, *Syncerus caffer*.'

'Mijn god, wat is hij groot! Mogen we alstublieft een paar foto's maken, meneer Roosevelt?'

'Alleen als wij een paar kopieën krijgen. Een voor Leon en een voor mij.'

'Natuurlijk. Wilt u uw geweren pakken? We maken er een waarbij u aan weerskanten van de hoorns staat.' De fotograaf zette zijn driepoot op en liet hen de pose aannemen. Kermit zag er kalm en opgewekt uit, maar Leon keek alsof hij voor het vuurpeloton stond. Het flitspoeder ontplofte in een wolk van rook, wat de vilders en het kamppersoneel die hen in de kar ingehaald hadden in grote verwarring bracht.

'Oké! Geweldig! Mogen we nu dat stamlid in die rode jurk erbij hebben? Zeg hem dat hij zijn speer hoger moet houden. Zo ja! Wat is hij? Een soort opperhoofd?'

'Hij is de koning van de Masai.'

'Echt waar? Zeg dat hij woest moet kijken.'

'Deze stomme idioot denkt dat je vrouwenkleren draagt,' zei Leon in het Maa tegen Manjoro. De Masai keek de fotograaf moordzuchtig aan.

'Geweldig! God, dit is echt geweldig!'

Het duurde nog een halfuur voor ze door konden rijden.

'Gebeurt dat de hele tijd?' vroeg Leon.

'Je went eraan. Je moet aardig tegen hen zijn, anders schrijven ze allerlei bagger over je.'

'Ik vind nog steeds dat je me had moeten vertellen dat je vader de president is.'

'Kunnen we nog een keer samen gaan jagen? Ze hebben me een ouwe kerel die Mellow heet als mijn jager gegeven. Hij leest me de les alsof ik een schooljongen ben en probeert me tegen te houden wanneer ik wil schieten.'

Leon dacht erover na. 'Over twee dagen trekt het grote kamp verder naar de Ewaso Ng'iro. Ik moet de tenten en de zware uitrustingsstukken daar van tevoren heen brengen. Maar ik zou graag weer met je willen jagen, als mijn baas me de kans geeft. Je bent geen kwaaie kerel, ondanks je eenvoudige afkomst.'

'Wie is je baas?'

'Een oude heer die Percy Phillips heet, hoewel je hem in zijn gezicht beter niet oud kunt noemen.'

'Ik ken hem. Hij eet vaak met mijn vader en meneer Selous. Ik zal doen wat ik kan. Ik denk niet dat ik meneer Mellow nog veel langer kan verdragen.'

28

Het lot speelde Kermit in de kaart. Twee avonden nadat de grote safari het kamp op de zuidoever van de Ewaso Ng'iro betrok, bereidde de kok die Delamere aan de president had uitgeleend een banket om de Amerikaanse Thanksgiving Day te vieren. Er was geen kalkoen, dus schoot de president zelf en reusachtige Koritrap. De kok braadde de vogel en maakte een vulling die gekruide buffellever bevatte.

De volgende ochtend was de helft van de mannen in het kamp geveld door een hevige diarree; de buffellever was kennelijk in de hitte bedorven geraakt. Zelfs Roosevelt met zijn ijzeren gestel was eraan ten prooi gevallen. Frank Mellow, die was aangewezen als Kermits jager, was een van degenen die er het ergst door waren getroffen en de kampdokter liet hem naar het ziekenhuis in Nairobi brengen.

Kermit, die de vulling niet gegeten had, buitte de kans uit: hij onderhandelde over de toewijzing van een vervangende jager door de deur van een buiten-wc waar de president ten gevolge van zijn ongesteldheid een groot deel van de tijd doorbracht. Roosevelt verzette zich alleen maar voor de vorm tegen het voorstel van zijn zoon en Kermit kon naar Percy Phillips toe gaan als brenger van het presidentiële decreet. Die avond werd Leon naar Percy's tent geroepen.

'Ik weet niet wat je in je schild hebt gevoerd, maar de hel is losgebroken. Kermit Roosevelt wil dat jij Frank Mellow als jager vervangt en hij heeft zijn vader overgehaald daarmee in te stemmen. Ze hebben mij niet geraadpleegd, dus ik heb geen andere keus dan akkoord te gaan.' Hij keek Leon boos aan. 'Je bent nog niet droog achter je oren. Je hebt nog niet met leeuwen, luipaarden en neushoorns te maken gehad en dat heb ik de president verteld. Maar hij is ziek en wilde niet luisteren. Kermit Roosevelt is een wilde, roekeloze jonge schavuit, net als jij. Als je hem iets laat overkomen, is het met jou en mij afgelopen. Ik zal nooit meer een andere cliënt krijgen en ik zal je met mijn blote handen wurgen. Begrepen?'

'Ja, meneer. Ik begrijp het heel goed.'

'Goed, ga je gang dan maar. Ik kan je niet tegenhouden.'

'Dank u, meneer.' Leon wilde weggaan, maar Percy hield hem tegen.

'Leon!'

Hij draaide zich verbaasd om. Percy had hem nog nooit met zijn voornaam aangesproken. Toen zag hij, tot zijn nog grotere verbazing, dat Percy glimlachte. 'Dit is je grote kans. Zo'n kans krijg je nooit meer. Als je geluk hebt en slim bent, ben je van nu af aan op weg naar de top. Veel succes.'

29

De volgende dag reden Leon en Kermit op goed geluk uit. Ze hadden geen bepaalde prooi op het oog, maar waren gereed om op alles te jagen wat de dag hun zou brengen.

'Als we een leeuw vinden, een grote oude mannetjesleeuw met zwarte manen, zou mijn droom uitkomen. Zelfs mijn vader heeft er nog nooit zo een geschoten.'

'Je zult waarschijnlijk moeten wachten tot we uit Masai-land vertrekken,' zei Leon. 'Dit gebied is buitengewoon ongezond voor grote leeuwen met zwarte manen.'

'Hoezo?' Kermit was geïntrigeerd.

'Iedere jonge *morani* verlangt naar de kans om een leeuw te doden en zijn mannelijkheid te bewijzen. Alle *morani's* van hetzelfde besnijdenisjaar trekken er dan in een groep op uit. Ze achtervolgen een leeuw en omsingelen hem. Wanneer de leeuw beseft dat hij niet kan ontsnappen, kiest hij een van de mannen uit en valt hem aan. De *morani* moet blijven staan en de aanval met zijn schild en assegaai opvangen. Als hij de leeuw doodt, mag hij van de manen van de leeuw een strijdmuts maken en die met ere dragen. Hij mag ook ieder meisje van de stam kiezen. Dit gebruik dunt de leeuwenpopulatie enigszins uit.'

'Ik denk dat ik het meisje zou nemen voordat ik de muts maakte.' Kermit lachte. 'Maar je moet bewondering hebben voor hun moed. Het is een schitterend volk. Kijk eens naar die Manjoro van jou. Hij beweegt zich met de gratie van een panter.'

Manjoro draafde voor de paarden uit, maar op dat moment bleef hij staan en leunde op zijn speer om te wachten tot de ruiters hem ingehaald hadden. Hij wees over de open vlakte voor hen naar de reusachtige, donkere gedaante die aan de rand van een bosje struikgewas stond. De afstand tussen hen en het dier was bijna anderhalve kilometer en zijn contouren waren vaag door de schittering van de hittenevel.

'Een neushoorn. Als ik het hiervandaan goed zie, zou ik zeggen dat het een grote stier is.' Leon viste de Carl Zeiss-verrekijker die Percy hem had gegeven als erkenning van zijn promotie van leerling tot echte jager uit zijn zadeltas. Hij stelde de lenzen scherp en bestudeerde de verre gedaante. 'Het is inderdaad een neushoorn, de grootste die ik ooit heb gezien. Die hoorn is ongelooflijk!'

'Groter dan het dier dat mijn vader vijf dagen geleden geschoten heeft?'

'Heel veel groter, zou ik zeggen.'

'Ik wil hem hebben,' zei Kermit fel.

'Ik ook,' zei Leon. 'We maken onder de wind een omtrekkende beweging en besluipen hem vanuit dat struikgewas. Je moet dan vanaf dertig of veertig meter een zuiver schot kunnen afvuren.'

'Je praat net als Frank Mellow. Je wilt dat ik op handen en voeten rondkruip of als een ratelslang op mijn buik kronkel. Daar heb ik genoeg van.' Kermit trilde al van opwinding bij het vooruitzicht van de jacht. 'Ik ga je laten zien hoe de oude pioniers in het westen op bizons joegen. Volg me, vriend.' Na deze woorden sloeg hij zijn hielen in de flanken van zijn merrie en galoppeerde over de vlakte weg, recht op het dier in de verte af.

'Kermit, wacht!' schreeuwde Leon hem na. 'Doe niet zo stom.' Maar Kermit keek niet om. Hij haalde Big Medicine uit het foedraal onder zijn knie en zwaaide er hoog mee in de lucht.

'Percy heeft gelijk. Je bent een wilde, roekeloze schavuit,' klaagde Leon en hij spoorde zijn paard aan om de achtervolging in te zetten.

De neushoorn hoorde hen aankomen, maar zijn gezichtsvermogen was zo zwak dat hij hen niet onmiddellijk als mensen herkende. Hij draaide met zijn hele reusachtige lichaam heen en weer terwijl hij woest snuivend stof omhoogschopte en met zijn bijziende varkensoogjes in het rond tuurde.

'Jie ha!' Kermit liet zijn cowboykreet horen.

Geleid door het geluid, richtte de neushoorn zich op de vorm van het paard en de ruiter. Hij zette onmiddellijk de aanval in en kwam recht op hen af. Kermit ging hoog in de stijgbeugels staan, bracht zijn geweer omhoog en vuurde vanaf de rug van het galopperende paard. Zijn eerste kogel vloog hoog over de rug van de neushoorn heen en deed tweehonderd meter achter het dier stof van de vlakte opstuiven. Hij herlaadde door snel de grendel over te halen en vuurde weer. Leon hoorde de vlezige dreun waarmee de kogel in het lichaam van het dier insloeg, maar hij zag niet waar het getroffen was. De neushoorn kromp zelfs niet ineen door het schot en bleef op het paard af stormen.

Kermits volgende wilde schot miste opnieuw en Leon zag het stof tussen de voorpoten van de neushoorn opstuiven. Kermit vuurde weer en Leon hoorde dat dit schot in de slobberige, grijze huid insloeg. De stier bokte van pijn en gooide zijn hoorn hoog in de lucht, maar liet hem toen weer zakken om het paard te doorboren wanneer hij het bereikt zou hebben.

Maar Kermit was hem te vlug af. Met de handigheid van een ervaren polospeler stuurde hij het paard met zijn knieën opzij, uit de lijn van de aanval. Het paard en de neushoorn passeerden elkaar en renden tegengestelde richtingen uit. De neushoorn haalde weliswaar met zijn lange hoorn naar Kermit uit, maar de punt ervan schoot een handbreedte langs zijn knie. Tegelijkertijd leunde Kermit uit het zadel en vuurde waarbij de mond van het geweer de grijze huid tussen de aflopende schouders van de stier bijna aanraakte. Toen de neushoorn getroffen werd, trok hij zijn schouders op en bokte. Daarna draaide hij zich om en ging achter het paard aan, maar nu was zijn pas kort en moeizaam. Bloedig schuim druppelde uit zijn bek. Kermit toomde zijn paard in, herlaadde zijn geweer en schoot nog twee keer. Toen de neushoorn door de laatste twee kogels werd getroffen, verkrampte zijn lichaam en vertraagde zijn snelheid tot een wandeltempo. De grote kop hing laag en hij waggelde. Leon naderde in galop. Hij was ontzet door deze brute manier van jagen. Het was in strijd met al zijn ideeën over een eerlijke jacht en een humane manier om een prooi te doden. Tot dit moment had hij de slachtpartij niet met een goed gericht schot kunnen beëindigen uit angst dat hij Kermit op zijn paard zou raken, maar nu had hij een vrij schootsveld. De gewonde neushoorn was minder dan dertig passen van hem vandaan en Kermit was ver opzij van hem zijn geweer aan het herladen.

Leon liet zijn paard zo abrupt stoppen dat het glijdend op zijn gebogen achterbenen tot stilstand kwam. Hij schopte zijn voeten uit de stijgbeugels, sprong op de grond en bracht de Holland omhoog toen hij neerkwam. Hij richtte op het punt waar de ruggengraat van de neushoorn in de kop overging en de kogel doorkliefde de wervel als de bijl van een beul.

Kermit reed naar het kadaver toe en steeg af. Zijn gezicht was rood en zijn ogen glinsterden. 'Bedankt voor je hulp, vriend.' Hij lachte. 'Bij god! Dat was echt spannend! Wat vind je van de Wild West-manier van jagen? Geweldig, hè?' Hij toonde geen enkel berouw over wat er net was gebeurd.

Leon moest diep ademhalen om zijn kalmte te bewaren. 'Het was wild, dat moet ik toegeven, maar ik vraag me af of het nu zo geweldig was,' zei hij met vlakke stem. 'Ik heb mijn hoed laten vallen.' Hij zwaaide zich in het zadel en reed terug.

Wat moet ik nu doen? vroeg hij zich af. Moet ik een directe confrontatie met hem aangaan? Moet ik tegen hem zeggen dat hij een andere jager moet zoeken? Hij zag de hoed voor zich uit op de grond liggen. Hij reed ernaartoe en steeg af. Hij pakte hem op en sloeg hem tegen zijn been om het stof eraf te krijgen. Toen zette hij hem op zijn hoofd. Wees verstandig, Courtney. Als je ermee kapt, is het afgelopen met je. Dan kun je net zo goed teruggaan naar Egypte en de baan bij je vader aannemen.

Hij steeg op en reed terug naar Kermit die naast de neushoorn stond en de lange, zwarte hoorn streelde. Hij keek naar Leon op toen deze met een nadenkende uitdrukking op zijn gezicht afsteeg. 'Zit je iets dwars?' vroeg hij zacht.

'Ik maakte me er zorgen over hoe de president zich zal voelen wanneer hij die hoorn ziet. Hij moet bijna anderhalve meter lang zijn. Ik hoop dat hij niet groen wordt van jaloezie.' Het lukte Leon een ogenschijnlijk ongedwongen glimlach op zijn gezicht te toveren.' Hij wist dat die woorden een perfect vredesaanbod vormden.

Kermit ontspande zich. 'Die kleur zou goed bij hem passen. Ik popel om hem de hoorn te laten zien.'

Leon keek omhoog naar de zon. 'Het is al laat. We zullen vanavond niet meer naar het hoofdkamp kunnen teruggaan. We blijven vannacht hier.'

Ishmael was hen gevolgd op een muilezel en hij voerde een andere mee die de kookpotten en andere benodigdheden op zijn rug droeg. Zodra hij hen had bereikt begon hij een rudimentair kamp op te zetten.

Voordat het helemaal donker was, bracht Ishmael hun het avondeten. Ze leunden achterover tegen hun zadel, balanceerden de emaillen borden op hun schoot en vielen aan op de gele rijst en de stoofpot van Thompsons gazelle.

'Ishmael is een tovenaar,' zei Kermit met volle mond. 'Ik heb slechter gegeten in restaurants in New York. Wil je dat tegen hem zeggen?'

Ishmael nam het compliment ernstig in ontvangst.

Leon schraapte zijn bord schoon en stopte de laatste hap in zijn mond. Nog steeds kauwend haalde hij een fles uit zijn zadeltas en liet het etiket aan Kermit zien. 'Bunnahabhain single malt whisky.' Kermit glimlachte verheugd. 'Waar heb je die in vredesnaam vandaan?'

'Met de complimenten van Percy. Hoewel hij zich niet bewust is van zijn gulheid.'

'Mijn god, Courtney, jij bent hier de echte tovenaar.'

Leon schonk een scheut in hun emaillen bekers en ze nipten er zuchtend van genot aan.

'Stel dat ik een goede fee ben,' zei Leon, 'en dat ik elke wens in vervulling kan laten gaan. Wat zou je dan wensen?'

'Afgezien van een mooi en willig meisje?'

'Ja.'

Ze grinnikten allebei en Kermit dacht er maar een paar seconden over na. 'Hoe groot was die olifant die mijn vader een paar dagen geleden heeft geschoten?'

'De tanden wogen eenenveertig en drieënveertig kilo.'

'Ik wil het beter doen.'

'Het schijnt nogal belangrijk voor je te zijn of je het beter doet dan hij. Is dit een wedstrijd?'

'Mijn vader is altijd geslaagd in alles wat hij aanpakte. Hij was oorlogsheld, gouverneur, jager en sportman en dat allemaal voordat hij veertig werd. En alsof dat nog niet genoeg was werd hij de jongste en meest succesvolle president die Amerika ooit heeft gehad. Hij heeft respect voor winnaars en minacht verliezers.' Hij nam een slokje. 'Uit wat je me verteld hebt, leid ik af dat jij en ik in ongeveer dezelfde situatie opgegroeid zijn. Jij zou het moeten begrijpen.'

'Denk je dat je vader je minacht?'

'Nee, hij houdt van me, maar hij respecteert me niet. Meer dan wat ook op de wereld wil ik dat hij me respecteert.'

'Je hebt een grotere neushoorn gedood dan hij.'

Ze keken naar het reusachtige kadaver waarvan de hoorn glansde in het licht van het vuur.

'Dat is een begin.' Kermit knikte. 'Maar mijn vader kennende hecht hij veel meer waarde aan een olifant of een leeuw. Vind er daarvan een voor me, goede fee.'

Manjoro zat met Ishmael bij het andere vuur en Leon riep naar hem: 'Kom bij me zitten, mijn broeder. Ik heb iets belangrijks met je te bespreken.' Manjoro stond op en hurkte tegenover Leon bij het vuur neer. 'We moeten een grote olifant vinden voor deze bwana.'

'We hebben hem een Swahilische naam gegeven,' zei Manjoro. 'We hebben hem bwana Popoo Hima genoemd.'

Leon lachte.

'Wat is er zo grappig?' vroeg Kermit.

'Je bent geëerd,' zei Leon. 'Manjoro respecteert je in elk geval. Hij heeft je een Swahilische naam gegeven.'

'Wat dan?' vroeg Kermit.

'Bwana Popoo Hima.'

'Dat klinkt weerzinwekkend,' zei Kermit achterdochtig.

'Het betekent "Meneer Snelle Kogel".'

'Popoo Hima! Ja! Zeg maar tegen hem dat de naam me bevalt.' Kermit was blij. 'Waarom hebben ze die naam gekozen?'

'Ze zijn onder de indruk van de manier waarop je schiet.' Leon wendde zich weer tot Manjoro. 'Bwana Popoo Hima wil een heel grote olifant schieten.'

'Dat wil elke blanke man, maar dan moeten we naar de Lonsonjo gaan om onze moeder om raad te vragen.'

'Kermit, het advies dat ik van Manjoro heb gekregen, is dat we naar een Masai-medicijnvrouw die op een bergtop woont, moeten gaan. Zij zal ons vertellen waar we je olifant kunnen vinden.'

'Geloof je echt in dat soort dingen?' vroeg Kermit.

'Ja.'

'Nou, toevallig doe ik dat ook.' Kermit knikte ernstig. 'In de heuvels ten noorden van onze ranch in het ruige deel van Dakota woont een oude indiaanse sjamaan. Ik jaag nooit zonder hem eerst te bezoeken. Iedere echte jager heeft zijn bijgeloof, zelfs mijn vader, die de nuchterste man is die je je kunt voorstellen. Hij draagt altijd een konijnenpoot bij zich wanneer hij op jacht gaat.'

'Het loont de moeite om af en toe naar vrouwe Fortuna te knipogen en te knikken,' beaamde Leon. 'De dame naar wie ik je toe zal brengen, is haar tweelingzuster. Ze is ook mijn adoptiefmoeder.'

'Dan moeten we haar wel kunnen vertrouwen. Wanneer kunnen we vertrekken?'

'We zijn meer dan vijfendertig kilometer van het hoofdkamp vandaan. We verliezen een paar dagen als we de kop van de neushoorn daar eerst naartoe brengen. Ik ben van plan hem hier te verstoppen en hem later door Manjoro te laten ophalen. Op die manier kunnen we nu direct naar de berg vertrekken.'

'Hoe ver is het?

'Twee dagen reizen, als we een beetje ons best doen.' De volgende ochtend hesen ze de neushoornkop in de hoge takken van een peulmahonieboom en wrikten hem in een vork die ruim buiten bereik was van hyena's en andere aasdieren. Daarna zetten ze koers naar het oosten en ze sloegen pas hun kamp op toen het te donker was om de grond voor hen uit te kunnen zien. Leon wilde niet het risico lopen dat een van de paarden een been zou breken in een aardvarkensgat. In de loop van de nacht werd hij wakker en hij bleef even luisteren om erachter te komen wat hem gewekt had. Een paard hinnikte en stampte.

Leeuwen! dacht hij. Ze zijn op de paarden uit. Hij wierp zijn deken af en pakte zijn geweer terwijl hij rechtop ging zitten. Toen zag hij een vreemde gedaante bij de smeulende as van het vuur zitten die in een okerrode *sjoeka* was gehuld.

'Wie ben je?' vroeg hij.

'Ik ben het, Loikot. Ik ben gekomen.'

Toen hij opstond, herkende Leon hem direct, ook al was hij minstens vijf centimeter langer dan toen ze elkaar nog maar zes maanden geleden voor het laatst hadden gezien. In dezelfde periode had hij de baard in de keel gekregen en was hij echt een man geworden. 'Hoe heb je ons gevonden, Loikot?'

'Loesima Mama heeft me verteld waar jullie waren. Ze heeft me gestuurd om jullie te verwelkomen.'

Kermit was van hun stemmen wakker geworden. Hij ging rechtop zitten en vroeg slaperig: 'Wat is er aan de hand? Wie is die magere jongen?'

'Hij is een boodschapper van de dame die we gaan bezoeken. Ze heeft hem gestuurd om ons te zoeken en naar de berg te brengen.'

'Hoe wist ze in 's hemelsnaam dat we op weg naar haar toe waren? Dat wisten we zelf pas gisteravond laat.'

'Word wakker, bwana Popoo Hima. Denk eens na. De dame is een tovenares. Ze kan de toekomst voorspellen. Je kunt maar beter niet met haar gaan pokeren.'

30

Halverwege de ochtend kregen ze de platte top van de Lonsonjo boven de onwerkelijk blauwe horizon voor hen uit in het zicht, maar pas laat in de middag stonden ze voor zijn torenhoge massa en het was al donker toen ze de *manjatta* binnenreden en voor Loesima's hut afstegen. Ze had de paarden gehoord en stond in de deuropening met het licht van het vuur achter haar. Ze was naakt op het kralensnoer om haar middel na. Haar huid was pas met vet en oker ingesmeerd tot hij glansde.

Leon ging naar haar toe en liet zich op één knie zakken. 'Geef me uw zegen, Mama,' zei hij.

'Die heb je, mijn zoon.' Ze raakte zijn hoofd aan. 'En ook mijn moederliefde.'

'Ik heb iemand meegebracht die ook een verzoek heeft.' Leon stond op en wenkte Kermit. 'Zijn Swahilische naam is Bwana Popoo Hima.'

'Dus dit is de prins, de zoon van de grote blanke koning.' Loesima keek aandachtig naar Kermits gezicht. 'Hij is een twijg van een kolossale boom, maar hij zal nooit zo groot worden als de boom waaraan hij ontsproten is. Er is altijd één boom in het bos die hoger is dan alle andere, één adelaar die hoger vliegt dan welke andere ook.' Ze glimlachte vriendelijk naar Kermit. 'In zijn hart weet hij al deze dingen en hij voelt zich er klein en ongelukkig door.'

Zelfs Leon was verbaasd door haar inzicht. 'Hij wil wanhopig graag het respect van zijn vader verdienen,' beaamde hij.

'Daarom is hij naar mij toe gekomen om een olifant voor hem te vinden.' Ze knikte. 'Morgenochtend zal ik zijn *boendoeki* zegenen en hem de weg van de jager wijzen. Maar nu gaan jullie met mij van een feestmaal genieten. Ik heb een jonge geit gedood voor jou en deze *mzoengoe* die geen melk en bloed drinkt, maar van gebraden vlees houdt.'

Ze verzamelden zich de volgende ochtend op het middaguur onder de raadboom in de veekraal. Big Medicine lag op de gelooide leeuwenhuid. Het blauwe metaal was pas geolied en het houtwerk glansde. Het offer van vers koeienbloed en melk, zout, snuiftabak en kralen was erop klaargezet. Leon en Kermit hurkten naast elkaar neer aan het hoofd van de leeuwenhuid en Manjoro en Loikot gingen achter hen zitten.

Loesima kwam haar hut uit en ze zag er schitterend uit in haar mooie kleren. Ze kwam met haar koninklijke gang naar de raadboom toe en haar slavinnetjes volgden haar op de hielen. De mannen klapten uit respect in hun handen en zongen haar lof toe: 'Ze is de grote zwarte koe die ons voedt met de melk uit haar uiers. Ze waakt over ons en ziet alles. Ze is de moeder van de stam. Ze is de wijze die alles op deze wereld weet. Bid voor ons, Loesima Mama.'

Ze hurkte voor de mannen neer en stelde de rituele vragen: 'Waarom zijn jullie naar mijn berg gekomen? Wat willen jullie van me?'

'We smeken u onze wapens te zegenen,' antwoordde Leon. 'We vragen u dringend om te voorspellen welk pad de grote grijze mannen door de wildernis zullen nemen.'

Loesima stond op en besprenkelde het geweer met bloed en melk, snuiftabak en zout. 'Maak dit wapen tot het angstaanjagende oog van de jager en moge het alles doden waarop het zijn blik richt. Moge zijn *popoo* zo recht vliegen als de bij die naar de korf terugkeert.'

Toen ging ze naar Kermit toe en sprenkelde met de vliegenmepper van giraffestaart bloed en melk op zijn gebogen hoofd. 'Het wild zal nooit aan hem ontkomen, want hij heeft het hart van de jager. Laat hem zijn prooi feilloos volgen. Mogen de dieren nooit aan zijn jagersoog ontsnappen.'

Leon vertaalde fluisterend voor Kermit en na elke zin die ze uitsprak, klapten ze in hun handen en zeiden het refrein van haar gebed: 'Laat het al zo zijn, terwijl de grote zwarte koe nog spreekt.'

Loesima begon te dansen en ze draaide in een strakke cirkel rond. Haar blote voeten leken op die van een jong meisje en haar zweet vermengde zich met de olie en de oker tot ze glansde als een sculptuur van kostbare amber. Ten slotte zakte ze op de leeuwenhuid ineen en ze vertrok haar gezicht. Ze beet op haar lippen tot het bloed over haar kin droop. Haar hele lichaam trilde en schokte, haar ademhaling raspte in haar keel en schuim plakte aan haar lippen en vermengde zich met het bloed tot het roze was. Toen ze weer begon te spreken, klonk haar stem zo hees en schor als die van een man. 'De jager trekt huiswaarts. De slimme jager luistert bij zonsopgang naar het getjilp van de kleine zwarte vogel,' zei ze met krassende stem. 'Als hij op de heuveltop wacht, zal de jager driemaal gezegend zijn.' Haar adem stokte en ze schudde zichzelf als een spaniël die uit het water de rivieroever opklautert.

31

'Nou, die aanwijzingen van je moeder waren nogal cryptisch,' merkte Kermit droogjes op toen ze het door Ishmael bereide de avondmaal van gebraden stekelvarken nuttigden dat even mals en sappig was als speenvarken. 'Denk je dat ze me vertelde dat ik het moest opgeven en naar huis moest gaan?'

'Heeft je indiaanse sjamaan je niet geleerd dat je je bij elk woord moet afvragen wat de mogelijke associaties zijn, als je met occulte voorspellingen te maken hebt? Je kunt niets letterlijk opvatten. Ik zal je een voorbeeld geven; de laatste keer dat ik haar om hulp vroeg, heeft Loesima me verteld dat ik de zoetgevooisde zanger moest volgen. Dat bleek een vogel te zijn die honingwijzer heet.'

'Ze lijkt wel een soort ornitholoog, maar ze noemde bij ons een zwarte vogel in plaats van een honingwijzer.'

Laten we bij het begin beginnen. Heeft ze je gezegd dat je naar huis of dat je huiswaarts moest gaan?'

'Huiswaarts! Mijn huis staat in New York in de Verenigde Staten.'

'Nou, dat geeft ons een richting van noordwest ten noorden, denk ik.'

'Bij gebrek aan andere suggesties proberen we dat maar ,' zei Kermit.

Leon navigeerde op het legerkompas dat hij had geritseld toen hij bij de KAR wegging en ze kampeerden die eerste nacht aan de lijzijde van een klein, rotsachtig kopje. Vlak voor zonsopgang zaten ze koffie te drinken terwijl ze op de zon wachtten. Plotseling hield Loikot zijn hoofd schuin en hij hief zijn hand op om hen tot stilte te manen. Ze hielden op met praten en luisterden. Het geluid was zo zwak dat het alleen even te horen was wanneer de bries een beetje ging liggen of ruimde.

'Wat is het, Loikot?'

'De *choengaji* roepen naar elkaar.' Hij stond op en pakte zijn speer. 'Ik moet de heuvel op gaan, zodat ik kan horen wat ze zeggen.' Hij glipte weg in het donker, terwijl zij naar het geluid in de verte luisterden.

'Het klinkt niet als menselijke stemmen,' zei Kermit, 'maar meer als het gezang van spreeuwen.'

'Of als het getjilp van kleine zwarte vogels,' suggereerde Leon. 'De kleine zwarte vogels van Loesima Mama.'

Ze barstten in lachen uit.

'Ik denk dat je gelijk hebt. Loikot zal nieuws voor ons hebben wanneer hij terugkomt.'

Ze hoorden hem roepen, dichterbij en duidelijker dan de andere stemmen, en de uitwisseling van nieuws ging door tot de zon ruim boven de horizon stond. Toen de wind en de toenemende hitte ten slotte verdere communicatie onmogelijk maakten, werd het stil. Kort daarna kwam Loikot terug. Hij blies zich op van gewichtigheid. Het was duidelijk dat hij niets zou zeggen voordat iemand hem erom zou smeken.

Leon deed hem het plezier. 'Vertel me eens waar jij en de broeders van de besnijdenis het over hebben gehad, Loikot?'

'Er werd veel gesproken over de safari met tienduizend dragers en vele *mazoengoe* die op de oever van de Ewaso Ng'iro kamperen en over de vele dieren die gedood worden door de koning van een land dat Emelika heet.'

'En wat werd er precies gezegd?'

'Er is een uitbraak van roodwaterkoorts geweest onder het vee in de buurt van Arusha. Er zijn tien runderen gestorven.'

'Hebben jullie misschien ook de bewegingen van olifanten in de Rift Valley besproken?'

'Ja, daarover hebben we gesproken,' antwoordde Loikot. 'We waren het er allemaal over eens dat dit het seizoen is waarin de grote stieren naar beneden, naar de vallei komen. Recentelijk hebben de *choengaji* er veel gezien in het gebied tussen Maralal en Kamnoro. Er werd gezegd dat er drie in een kudde naar het oosten trekken, allemaal grote stieren.' Toen glimlachte hij eindelijk en zijn stem kreeg een dringende klank. 'Als we ze willen inhalen, M'bogo, moeten we snel naar het noorden trekken om ze de pas af te snijden, voordat ze Samboeroeland en Turkana binnengaan.'

Manjoro en Loikot renden voor de paarden uit met hun lange, soepele pas, een manier van lopen die ze 'gretig de grond opvreten' noemden. De twee ruiters draafden achter hen aan en daarna volgde, op grotere afstand, Ishmael die zijn muilezel bereed en een andere muilezel meevoerde die beladen was met zijn potten, pannen en voorraden.

Kermit was zoals gewoonlijk razend enthousiast. 'Een goed paard tussen je benen, een geweer in je hand, en de belofte dat er voor je uit wild te vinden is! Verdorie, dat is pas leven voor een man.'

'Ik kan niets bedenken wat ik liever zou doen,' beaamde Leon.

Kermit toomde plotseling in en hield zijn hoed boven zijn ogen tegen de zon. Hij keek naar een bosje grijze doornstruiken. 'Kijk eens wat een grote koedoestier daar graast,' zei hij. 'Groter dan welke koedoestier ook die Mellow ooit voor me gevonden heeft.'

'Wil je nog een koedoe hebben of wil je een schitterende jumbo met tanden van vijftig kilo schieten? Je moet kiezen, makker. Je kunt ze niet allebei hebben.'

'Waarom niet?' vroeg Kermit.

'De grote mannetjesolifant die jouw naam op zijn rug heeft gebrandmerkt, loopt misschien vlak achter de volgende heuvel. Als je hier een schot afvuurt, gaat hij er als een speer vandoor. Hij zal pas met rennen ophouden wanneer hij de Nijl oversteekt.'

'Spelbreker! Je bent even erg als die vervloekte Frank Mellow.' Kermit spoorde zijn paard aan tot handgalop om de twee Masai in te halen die nu ver voor hen uit liepen.

Halverwege de middag verrezen de toppen van een rij lage heuvels boven de vlakke horizon die op de knokkels van een gebalde vuist leken. Ze kampeerden die nacht voor de hoogste ervan. De volgende dag dronken ze voor zonsopgang koffie om het vuur en lieten Ishmael bij de paarden achter om het kamp op te breken en zijn muilezel te bepakken terwijl zij naar de top van de heuvel klommen. Toen ze boven waren, schreeuwde Loikot over de vallei. Hij werd bijna direct beantwoord door een vergelijkbare, maar verre kreet die uit de overgebleven flarden van de nacht kwam. De uitwisseling ging enige tijd door tot Loikot zich tot Leon richtte. 'Degene met wie ik net praatte is geen Masai. Dit is de grens tussen ons land en dat van de Samboeroes. Hij is voor de helft Samboeroe, de stam die onze bastaardneven zijn. Ze spreken Maa, maar niet zoals wij. Ze spreken op een rare manier, zó.' Hij liet zijn ogen rollen en maakte een balkend geluid, als een gestoorde ezel. Manjoro vond dit hilarisch en hij strompelde in een kringetje rond terwijl hij zich op zijn wangen sloeg en de imitatie van een Samboeroe die Maa sprak herhaalde.

'Als jullie grappenmakers uitgelachen zijn, kun je me dan vertellen wat je bastaardneef, de Samboeroe, te zeggen had?'

Nog steeds naar lucht happend en hikkend van plezier, antwoordde Loikot: 'De Samboeroe-ezel zegt dat ze gisteravond, toen ze het vee de *manjatta* in dreven, drie stieren hebben gezien. Hij zegt dat ze allemaal heel erg lange, witte tanden hebben.'

'Waar gingen ze naartoe?' vroeg Leon gretig.

'Ze kwamen recht de vallei in, onze kant uit.' Leon vertaalde het nieuws snel voor Kermit en hij zag diens ogen oplichten. 'Dus als ik je gisteren die koedoe had laten schieten, zou je de kans om ze ooit in te halen verknald hebben.'

'Ik ben vervuld van schaamte en berouw. Ik beloof in de toekomst naar de woorden van de Grote Alwetende te zullen luisteren.' Kermit salueerde sardonisch.

'Val dood, Roosevelt!' Leon grijnsde. 'Ik stuur Manjoro en Loikot de vallei in om te controleren of ze niet in de nacht langsgetrokken zijn.

Het is nu echter nieuwe maan, dus ik betwijfel of ze na het donker doorgelopen zijn. Ik durf er heel wat onder te verwedden dat ze tijdens de donkerste uren gerust hebben en dat ze pas nu weer in beweging zijn gekomen.' Ze gingen zitten en zagen hoe de twee Masai de heuvel afliepen en tussen de bomen in de buik van de vallei verdwenen.

'Tot dusver hebben we Loesima's advies over de kleine zwarte vogels die bij zonsopgang tjilpen opgevolgd. Wat was haar volgende suggestie?' vroeg Kermit plotseling.

'Ze zei dat de jager die op de heuveltop wacht drie keer is gezegend. We zijn op de heuveltop. Laten we eens kijken of onze drie zegeningen onderweg zijn.'

Zodra de zon zijn vurige hoofd boven de horizon uitstak, liet Leon de riem van zijn verrekijker van zijn schouder glijden en ging met zijn rug tegen een boomstam zitten. Langzaam speurde hij de vallei beneden af. Binnen een uur zag hij Manjoro en Loikot die de heuvel weer op kwamen, maar ze liepen op hun gemak en praatten met elkaar. Hij liet de verrekijker zakken. 'Ze hebben geen haast, wat betekent dat ze geen geluk hebben gehad. De stieren zijn deze kant niet uit gekomen. Nog niet tenminste.' De beide Masai kwamen de top op en hurkten dichtbij neer. Leon keek Manjoro vragend aan, maar deze schudde zijn hoofd.

'*Hapana*. Niets.' Hij haalde zijn snuifdoos tevoorschijn en bood Loikot een snuifje aan voordat hij er zelf een nam. Ze snoven en niesten, sloten hun ogen en fluisterden zachtjes tegen elkaar zodat het geluid van hun stem in de vallei niet te horen zou zijn. Kermit strekte zich uit op de steenachtige grond, trok de rand van zijn hoed over zijn ogen en snurkte binnen een paar minuten zachtjes. Leon bleef met de verrekijker de vallei afspeuren en liet hem af en toe zakken om zijn ogen rust te gunnen en de lenzen met het pand van zijn overhemd op te wrijven.

In de loop van de eeuwen was een aantal grote, ronde stenen van de heuvelhelling losgeraakt en naar beneden, naar de bodem van de vallei gerold. Sommige leken op de rug van een olifant en een paar keer sloeg Leons hart over wanneer hij een enorme grijze vorm in het blikveld van zijn verrekijker kreeg, maar daarna besefte hij dat het een grijze rotssteen en geen olifant was die hij zag. Opnieuw liet hij de verrekijker zakken en hij vroeg zachtjes aan Manjoro: 'Hoe lang moeten we hier wachten?'

'Tot de zon daar staat.' Manjoro wees op het hoogtepunt. 'Als ze dan nog niet gekomen zijn, is het mogelijk dat ze van richting zijn veranderd. Als dat zo is, moeten we beneden naar de paarden gaan en naar de *manjatta* rijden waar de Samboeroe ze gisteren heeft gezien. Daar kunnen we dan hun spoor oppikken en het volgen tot we ze ingehaald hebben.'

Kermit haalde de hoed van zijn ogen en vroeg: 'Wat zei Manjoro?' Toen Leon het hem had verteld, ging hij rechtop zitten. 'Ik begin me te vervelen,' zei hij. 'Dit is een jacht van haast maken en wachten.'

Leon nam niet de moeite om te antwoorden. Hij bracht de verrekijker omhoog en tuurde de vallei weer in. Ongeveer achthonderd meter de vallei in was een stukje land met een groenere vegetatie dat hem al eerder was opgevallen. Door de kleur en de dichtheid van het gebladerte wist hij dat het een bosje apenbesbomen was. De vruchten waren paars en bitter, maar ze trokken wilde dieren aan, groot en klein. In het midden van het bosje lag een van de grote rolstenen en zijn ronde top kwam boven de bomen uit. Hij keek er weer naar en wilde zijn blik verplaatsen, maar toen verstijfde hij. De steen leek van contour veranderd te zijn en groter te zijn geworden. Hij staarde ernaar tot zijn ogen begonnen te tranen. Toen veranderde de vorm weer. Zijn adem stokte. Een olifant stond achter de steen. Hij ging er half achter schuil, zodat alleen zijn romp en de welving van zijn ruggengraat zichtbaar waren. Hoe de olifant in die positie gekomen was zonder dat een van hen hem had gezien, demonstreerde voor hem nogmaals hoe geruisloos en heimelijk zo'n groot dier zich kon voortbewegen. Hij kreeg het benauwd op de borst en haalde bijna astmatisch adem. Hij bleef naar de olifant staren, maar het dier bewoog zich niet meer. Het is er maar een, dus het kan niet de kudde zijn die we zoeken. Waarschijnlijk is het een afgedwaalde koe of een jonge stier. Hij probeerde zich tegen de teleurstelling te wapenen.

Toen schoten zijn ogen naar rechts. Hij had weer een beweging opgevangen. De kop van een tweede olifant drong zich door een haag van takken. Zijn adem stokte weer. Dit was een stier. Zijn kop was reusachtig, zijn voorhoofd puilde imposant uit en de oren waren uitgespreid als de zeilen van een schoener. De bungelende slurf werd omlijst door een paar lange, gebogen slagtanden, dik en glanzend.

'Manjoro!' fluisterde Leon dringend.

'Ik zie hem, M'bogo.'

Leon keek naar hem en zag dat de Masai allebei stonden en naar het bosje apenbesbomen staarden. 'Hoeveel?' vroeg hij.

'Drie,' antwoordde Loikot. 'Een ervan staat achter de steen. De tweede heeft zijn kop naar ons toegekeerd en de derde staat tussen hen in, maar gaat schuil achter de bomen. Ik kan alleen zijn poten zien.'

Kermit ging snel rechtop zitten, gealarmeerd door de ingehouden spanning in hun stemmen. 'Wat is er? Wat hebben jullie gezien?'

'Niet veel.' Leon beefde. 'Alleen een olifant met tanden van vijftig kilo. Misschien zijn er twee of zelfs drie. Maar jij zult je wel te veel vervelen om daarin geïnteresseerd te zijn.'

Kermit krabbelde overeind, nog half versuft van de slaap. 'Waar? Waar?'

Leon wees. Toen zag Kermit ze. 'Wel allejezus,' liet hij zich ontvallen. 'Sla me op mijn hoofd! Schud me wakker! Dit is niet waar, hè? Zeg me dat ik niet droom. Zeg me dat die tanden echt zijn.'

'Zal ik je eens wat zeggen, vriend? Hiervandaan gezien lijken ze echt.'

'Pak je geweer! Laten we achter ze aan gaan.' Kermits stem sloeg over.

'Wat een goed plan, meneer Roosevelt. Ik heb er niets op aan te merken.' Terwijl ze toekeken, liepen de olifanten op hun gemak het bosje apenbesbomen uit en kwamen door de vallei hun kant uit. Ze liepen achter elkaar en volgden een breed wildpad dat dicht langs de voet van de heuvel liep waarop ze stonden.

'Hoeveel olifanten mag ik volgens mijn vergunning schieten?' vroeg Kermit. 'Zijn dat er drie?'

'Je weet verdomd goed dat het er drie zijn. Wou je ze soms allemaal hebben? Inhalig mannetje dat je bent.'

'Welke heeft de grootste slagtanden?' Kermit stopte patronen in het magazijn van zijn Winchester.

'Dat is hiervandaan moeilijk te zien. Ze hebben alle drie grote tanden. We zullen heel veel dichterbij moeten komen om de grootste uit te zoeken. We kunnen maar beter snel vertrekken. Ze zetten er flink vaart in.'

Ze klauterden de helling af terwijl de losse stenen onder hun voeten wegrolden. De bomen en een bult in de helling belemmerden hun zicht en ze verloren de stieren uit het oog. Leon liep voorop toen ze de bodem van de vallei bereikten. Hij sloeg linksaf langs de voet van de heuvel en liep snel om in een positie te komen vanwaaruit ze de olifanten de pas konden afsnijden. Hij kwam bij het wildpad dat breed en platgetreden was doordat er eeuwenlang hoeven, zoolkussens en voeten over waren gelopen en holde het op. Kermit volgde hem op de hielen en de twee Masai liepen maar een paar passen achter hen. Leon zag dat het pad voor hen uit werd doorsneden door een ondiepe geul die vanaf de helling naar beneden liep. Hij was ontstaan door de afvloeiing van regenwater. Voordat ze de geul bereikten, gebeurde er bijna tegelijk een aantal dingen. Vier of vijfhonderd meter voor hen uit zag Leon de voorste stier aan de andere kant van de geul tussen de bomen uit komen, bijna direct gevolgd door de andere twee. Ze liepen alle drie achter elkaar in hun richting.

Toen echode er een bulderende kreet van de heuveltop aan hun linkerkant: de alarmkreet van een op wacht staande baviaan die de troep voor gevaar waarschuwde. Hij had de mannen in de vallei beneden zijn post ontdekt. De kreet werd onmiddellijk door de andere bavianen overgenomen. Het luide, scherpe geblaf weergalmde door de vallei. De drie olifanten stopten abrupt en bleven dicht bij elkaar onzeker en heen weer zwaaiend staan. Ze hieven hun slurf op om aan de lucht te ruiken of er gevaar dreigde en ze zwaaiden hun kop heen en weer met hun oren wijd gespreid om te luisteren.

'Blijf doodstil staan!' waarschuwde Leon de anderen. 'Ze pikken elke beweging op.' Hij bleef ingespannen naar de dieren kijken. Welke kant zouden ze uit rennen? vroeg hij zich af. Zijn hart bonkte tegen zijn ribben van opwinding en van de inspanning die het hem had gekost om de heuvel af te rennen: alle drie de olifanten hadden tanden van minstens vijftig kilo aan weerszijden van hun kop.

Welke kant moeten we uit? vroeg hij zich af. Toen nam hij een besluit. 'We moeten in de geul zijn voordat ze ons in de gaten krijgen,' zei hij hijgend en hij liep weer verder. Ze bereikten de geul zonder dat de olifanten hen hadden gezien. Ze doken de steile helling af en kwamen midden in een kudde impala's terecht die aan het eten waren van de lage takken van het struikgewas dat de droge waterloop overwoekerde. De kudde schoot uiteen en de in paniek geraakte, snuivende dieren renden de helling aan de overkant van de geul op en denderden over het wildpad recht op de drie olifanten af. Toen de leider zag dat ze op hem af renden, draaide hij zich om en rende recht naar de steile heuvelhelling toe. De andere twee dieren volgden hem.

Leon keek over de top van de oever en zag wat er gebeurde. 'Die vuile rotimpala's ook,' zei hij tandenknarsend. De drie olifanten renden de eerste glooiing aan de voet van de helling op en liepen diagonaal van hem vandaan naar de top van de heuvel. 'Kom mee, Kermit,' schreeuwde hij uitzinnig. 'Als we ze niet de pas af kunnen snijden voordat ze de top bereiken, zien we ze nooit meer terug.'

Ze renden over de smalle strook vlakke grond en bereikten de voet van de heuvel. Ze waren nu tweehonderd meter achter de olifanten. Leon rende met lange passen recht de helling op en sprong over de kleinere stenen op zijn pad heen.

De olifanten waren niet in staat zo'n steile helling recht te beklimmen. De leider draaide zich opzij tot hij dwars op de helling liep en begon zigzaggend naar boven te klimmen. Intussen bleven Leon en Kermit rechtuit lopen waarmee ze alle lussen afsneden die de stieren moesten maken. Bij elke lus wonnen ze terrein op hun gigantische prooi.

'Ik denk niet dat ik dit lang kan volhouden.' hijgde Kermit. 'Ik ben bijna uitgeput.'

'Hou vol, vriend.' Leon stak zijn hand naar achteren en greep zijn pols vast. 'Kom op! We zijn er bijna.' Hij sleepte hem naar boven. 'We zijn nu vóór ze. We hoeven niet ver meer.'

Ten slotte strompelden ze de heuveltop op en Kermit leunde tegen een boomstam. Zijn overhemd was doorweekt van het zweet, zijn borst ging zwoegend op en neer en zijn adem floot door zijn keel. Zijn benen trilden als die van iemand die een toeval heeft. Leon keek over de helling naar beneden. De voorste stier was dertig meter onder hun niveau, maar hij naderde snel en maakte elke bocht langs de hoogtelijn. Leon schatte dat hij op nog geen drie meter afstand van de plaats waar ze op de top stonden, zou langskomen, maar hij leek zich niet bewust van hun aanwezigheid. 'Maak je gereed, maat. Ga op je achterste zitten. Zorg dat je een vast schot hebt. Vlug! Ze zijn over een paar seconden bij ons,' siste hij tegen Kermit. 'Ze geven je maar één kans. Pak de leider. Schiet in zijn oksel, vlak achter de schouder. Schiet hem in zijn hart. Probeer niet hem door de hersenen te schieten.'

Plotseling zag de voorste stier de gestalten die ineengedoken op de top van de heuvel boven hem zaten. Hij stopte weer en zwaaide onzeker met zijn slurf. Hij begon zich om te draaien om de helling weer af te gaan, maar Manjoro en Loikot kwamen achter hem naar boven. Ze schreeuwden en zwaaiden met hun armen om hem weer naar de jagers boven op de top terug te drijven.

De stier aarzelde weer en zwaaide zijn kop heen en weer. Zijn metgezellen zaten nu vlak achter hem. De twee Masai renden naar hen toe, brullend als demonen en wapperend met hun *sjoeka*. In tegenstelling tot hen wachtten de mannen op de top zwijgend en roerloos. Voor de voorste stier leken zij een geringere bedreiging. Hij draaide zich weer om en klom recht naar de plek waar Leon en Kermit op hem wachtten tegen de helling op. De andere twee dieren volgden hem.

'Daar komen ze. Maak je gereed,' zei Leon zacht.

Kermit zat plat op zijn billen, met zijn ellebogen op zijn knieën gesteund. Maar hij hijgde nog steeds en met ontzetting zag Leon dat de loop van zijn Winchester beefde. Hij vreesde dat Kermit op het punt stond om een van zijn excentrieke staaltjes scherpschutterskunst te laten zien, maar het moment was gekomen. Hij haalde diep adem en snauwde: 'Nu, Kermit! Schiet!'

Hij bracht de Holland omhoog als ruggensteun voor het geval Kermit zou missen, wat hij zeker zou doen. De Winchester knalde en sprong in Kermits greep omhoog. Leons mond zakte open en hij liet zijn geweer zakken. De kogel had de stier niet in de schouder geraakt, maar zuiver in de ooropening. De olifant was op slag dood en plofte op zijn knieën. Leon schrok toen de Winchester weer knalde. De tweede stier die achter de gevallen leider aankwam, viel levenloos neer na nog een perfect hersenschot. Maar hij viel op de steile helling en begon naar beneden te rollen. Het kadaver kreeg snelheid en daverde naar beneden waarbij het een lawine van losse stenen en puin veroorzaakte. Manjoro en Loikot werden er bijna door meegesleurd. Op het laatste moment wierpen ze zich opzij en het kadaver gleed langs. De derde stier stond op de open helling onder de top, in het nauw gedreven door de twee koppels mannen. Manjoro sprong overeind en rende schreeuwend en met zijn *sjoeka* zwaaiend op hem af. De stier werd bang. Hij draaide zich naar de top om. De vlucht van het dier ging over in een felle aanval: hij stak zijn oren half naar achteren en rende, gillend van woede, recht op hen af.

'Nog een keer!' schreeuwde Leon. 'Doe het nog een keer! Schiet hem dood!' Hij zwaaide de Holland omhoog, maar voordat hij kon vuren, knalde de Winchester voor de derde keer. De olifant was lager dan Kermit, maar hij kwam recht op hem af dus was het mikpunt bedrieglijk hoger. Toch had hij het perfect beoordeeld en hij richtte loepzuiver. De laatste stier sloeg zijn slurf over zijn kop en stierf even snel en pijnloos als de andere twee dieren. Hij rolde ook van de helling en gleed de laatste paar honderd meter tot hij tegen de stam van een van de grotere bomen vlak bij de voet van de heuvel tot stilstand kwam. Vanaf het eerste tot en met het laatste schot waren er maar één of twee minuten verlopen. Leon had niet één keer geschoten.

De echo's van het schot stierven weg tegen de heuvels aan de overkant van de vallei en een diepe stilte daalde op het land neer. Geen vogel zong en geen aap blafte. De hele natuur leek haar adem in te houden en te luisteren.

Ten slotte verbrak Leon de stilte. 'Wanneer ik zeg, schiet hem in zijn kop dan schiet je hem in zijn lichaam. Wanneer ik zeg, schiet hem in het lichaam, dan schiet je hem in de hersenen. Wanneer ik je een gemakkelijk schot geef, dan verknal je het. Wanneer ik je een onmogelijk schot geef, dan schiet je midden in de roos. Jezus, Roosevelt! Ik weet echt niet waarom je me hier nodig hebt.'

Kermit leek hem niet te horen. Hij bleef met een verbijsterde uitdrukking op zijn bezwete gezicht naar het geweer op zijn schoot staren. 'Lieve hemel, ik heb nog nooit zo goed geschoten.' Hij hief zijn hoofd op en staarde naar de drie enorme lichamen. Hij stond langzaam op en liep naar de dichtstbijzijnde olifant. Hij boog zich voorover en legde zijn hand eerbiedig op een van de glanzende slagtanden. 'Ik kan niet geloven wat er is gebeurd. Big Medicine leek het gewoon van me over te nemen. Het was alsof ik buiten mezelf was getreden en het allemaal vanaf een afstand zag gebeuren.' Hij bracht de Winchester naar zijn lippen als een communiekelk en kuste de blauwe, metalen grendel. 'Hé, Big Medicine, Loesima Mama heeft je aardig betoverd, hè?'

32

Het duurde zes dagen voordat de tanden uit het rottende vlees getrokken konden worden en tegen die tijd had Manjoro een groep dragers uit de nabijgelegen dorpen van de Samboeroe's verzameld om ze naar het basiskamp aan de Ewaso Ng'iro te brengen. Op de terugtocht maakten ze een omweg om de verborgen neushoornkop op te halen. De lange rij dragers droeg een indrukwekkende verzameling trofeeën van groot wild toen ze het kamp naderden. Ze waren nog een kilometer of drie van de rivier verwijderd toen ze een kleine groep ruiters zagen die uit de richting van het kamp naar hen toe reed.

'Ik wed dat het mijn vader is die wil weten wat ik uitgevoerd heb.' Kermit grijnsde verwachtingsvol. 'Ik ben zo benieuwd hoe hij reageert wanneer hij dit allemaal ziet.'

Toen ze intoomden om op de naderende ruiters te wachten, bracht Leon zijn verrekijker omhoog en bestudeerde hen. 'Wacht even! Dat is je vader niet.' Hij keek nog wat langer. 'Het zijn die journalist en zijn cameraman. Hoe wisten ze in godsnaam waar ze ons konden vinden?'

'Ik denk dat ze een informant in ons kamp hebben. Afgezien daarvan hebben ze ogen als rondcirkelende aasgieren,' merkte Kermit op. 'Ze missen niets. Maar goed, we komen er toch niet onderuit om met hen te praten.'

Andrew Fagan reed naar hen toe en lichtte zijn hoed. 'Goedemiddag, meneer Rooosevelt,' riep hij. 'Wat een grote olifantstanden dragen uw mannen! Ik had geen idee dat ze zo groot konden worden. Ze zijn gigantisch. U hebt een bijzonder succesvolle safari. Van harte gefeliciteerd. Mag ik uw trofeeën wat beter bekijken?' Leon riep naar de dragers dat ze de trofeeën moesten neerleggen. Fagan steeg af en liep ernaartoe om ze te bekijken. Hij slaakte verbaasde kreten. 'Ik zou graag uw verslag van de jacht willen horen, meneer Roosevelt,' zei hij, 'als u de tijd voor me vrij zou kunnen maken. En natuurlijk zou ik u buitengewoon dankbaar zijn als u en meneer Courtney zo vriendelijk zouden willen zijn om voor een paar foto's te poseren. Mijn lezers zullen gefascineerd zijn door uw avonturen. Zoals u weet, worden mijn artikelen overgenomen door bijna elke krant in de beschaafde wereld, van Moskou tot Manhattan.'

Een uur later waren Fagan en zijn cameraman klaar. Fagan had zijn notitieboekje volgekrabbeld met steno en zijn fotograaf had een stuk of dertig foto's van de jagers en hun trofeeën gemaakt. Fagan wilde graag terug naar zijn typemachine. Hij was van plan een koerier met zijn kopij naar het telegraafkantoor in Nairobi te sturen met instructies om de hele boel met spoed naar zijn redacteur in New York te verzenden. Toen ze elkaar allemaal de hand hadden geschud, vroeg Kermit onverwacht aan Fagan: 'Hebt u mijn vader wel eens ontmoet?'

'Nee, meneer, maar ik moet eraan toevoegen dat ik een van zijn vurigste bewonderaars ben.'

'Kom me morgen in het hoofdkamp opzoeken,' zei Kermit. 'Dan stel ik u aan hem voor.'

Fagan was stomverbaasd door de uitnodiging en toen hij wegreed, was hij nog steeds zijn dank aan het betuigen.

'Wat bezielde jou opeens, makker?' vroeg Leon. 'Ik dacht dat je de pers haatte.'

'Dat is ook zo, maar je kunt die lui beter als vriend dan als vijand hebben. Eens zal het misschien nuttig blijken te zijn om een man als Fagan te kennen. Nu staat hij zwaar bij me in het krijt.'

Leon en Kermit reden laat in de middag het kamp aan de rivier binnen. Niemand verwachtte hen. Door zijn sterke constitutie had de president zich volledig hersteld van de voedselvergiftiging die door het Thanksgiving-diner was veroorzaakt. Hij zat onder een boom voor zijn tent zijn in leer gebonden exemplaar van *The Pickwick Papers* van Dickens te lezen, een van zijn lievelingsboeken. Met een verbijsterde uitdrukking op zijn gezicht keek hij naar de opschudding die de aankomst van zijn zoon in het kamp had veroorzaakt. Het volledige personeel van het kamp, bijna duizend man sterk, haastte zich uit alle richtingen naar de teruggekeerde jagers om hen te begroeten. De mensen dromden om hen heen, en strekten hun hals uit om de slagtanden en de neushoornkop beter te kunnen zien.

Teddy Roosevelt legde zijn boek neer, schoof zijn bril met stalen montuur op zijn neus omlaag, stond op uit zijn stoel, stopte zijn hemd over zijn uitpuilende buik in zijn broek en ging de oorzaak van de commotie zoeken. De menigte ging eerbiedig uiteen om hem door te laten. Kermit sprong uit het zadel om zijn vader te begroeten. Ze schudden elkaar warm de hand en de president pakte de arm van zijn zoon vast. 'Zo, mijn jongen, je bent bijna drie weken weg geweest. Ik begon me al zorgen om je te maken. Nu moet je je ouweheer maar eens laten zien wat je meegebracht hebt.' Ze liepen naar de plek waar de dragers hun vracht hadden neergelegd om de mensen ernaar te laten kijken. Leon zat nog te paard en was dicht genoeg bij de president om zijn gezicht over de hoofden van de menigte heen goed te kunnen zien. Hij kon alle schakeringen van zijn gelaatsuitdrukkingen zien.

Hij zag een milde, toegeeflijke interesse plaatsmaken voor verbazing toen Roosevelt de tanden telde die op de grond lagen. Daarna verscheen er een verbaasde uitdrukking op zijn gezicht die overging in verbijstering toen hij het formaat van de tanden zag. Hij liet Kermits arm los en liep langzaam naar de rij trofeeën. Zijn rug was naar zijn zoon toe gekeerd, maar Leon zag dat de verbijstering zich verhardde tot afgunst en woede. Hij besefte dat de president een van de meest prestatiegerichte mannen van de wereld moest zijn, anders had hij zijn zeer vooraanstaande positie nooit kunnen bereiken. Roosevelt was eraan gewend om uit te blinken in alles wat hij ondernam en in elk gezelschap op de eerste plaats te komen. Nu werd hij gedwongen zich te verzoenen met het feit dat hij voor één keer door zijn zoon in de schaduw werd gesteld.

De president bleef aan het einde van de rij staan met zijn handen achter zijn rug verstrengeld. Hij kauwde op de punten van zijn snor en fronste zijn wenkbrauwen. Even later klaarde zijn gezicht op en toen hij zich naar Kermit omdraaide, glimlachte hij. Leon was vervuld van bewondering voor de snelheid waarmee hij zijn emoties onder controle had gekregen.

'Schitterend!' zei Roosevelt. 'Deze tanden slaan alles wat we al hebben en bijna zeker alles wat we voor het einde van de expeditie nog zullen krijgen.' Hij greep Kermits hand weer vast. 'Ik ben trots op je, echt trots. Hoeveel schoten heb je moeten afvuren om deze buitengewone trofeeën in de wacht te slepen?'

'Dat kunt u beter aan mijn jager vragen, vader.'

De president keek Leon aan terwijl hij nog steeds Kermits rechterhand vasthield. 'En meneer Courtney, hoeveel waren het er? Tien, twintig, of meer? Vertel ons alles, alstublieft.'

'Uw zoon heeft de drie stieren met drie opeenvolgende schoten gedood,' antwoordde Leon. 'Drie perfecte hersenschoten.'

Roosevelt staarde Kermit even aan, nam hem toen in zijn gespierde armen en omhelsde hem stevig. 'Ik ben heel erg trots op je, Kermit. Ik zou niet trotser op je kunnen zijn dan ik op dit moment ben.'

Leon kon over de schouder van de president Kermits gezicht zien. Het straalde. Nu was het Leons beurt om ten prooi te vallen aan gemengde gevoelens: hij was blij voor zijn vriend, maar tegelijkertijd voelde hij een diepe pijn. Ik hoop dat mijn vader zich er eens toe zal kunnen brengen om dat tegen me te zeggen, dacht hij, maar ik weet dat hij dat nooit zal doen.

De president verbrak ten slotte de omhelzing en hield Kermit op armlengte terwijl hij hem, met schuin geheven hoofd, stralend aankeek. 'Ik mag doodvallen als ik geen kampioen verwekt heb,' zei hij. 'Ik wil er onder het avondeten alles over horen. Maar mijn neus bespeurt dat je een bad nodig hebt voordat we gaan eten. Ga je nu eerst maar opknappen.' Toen keek hij Leon aan. 'Ik zou graag willen dat u bij ons komt eten, meneer Courtney. Zullen we zeggen om half acht?'

Terwijl Leon met zijn scheermes de donkere, dichte stoppelbaard afschoor, vulde Ishmael het bad van verzinkt ijzer bijna tot de rand met heet water dat naar houtrook van het vuur rook. Toen Leon er uitstapte, gloeide zijn lichaam en het had een roze kleur. Ishmael hield een grote handdoek voor hem gereed die hij bij het vuur had verwarmd. Een stel stijf gestreken kakikleren lag op Leons bed klaar en eronder stond een paar glanzend gepoetste muskietenlaarzen.

Korte tijd later vertrok Leon met gekamd en gepommadeerd haar naar de kantinetent die zo groot was als een circustent. Vastbesloten om niet te laat op het etentje van de president te verschijnen, kwam hij een half uur te vroeg. Toen hij langs Percy Phillips' tent liep, werd hij door de vertrouwde stem geroepen. 'Kon eens even hier, Leon.'

Hij liep gebukt door de flap naar binnen en zag Percy met een glas in zijn hand zitten. Percy gebaarde naar de lege stoel tegenover hem. 'Ga zitten. De president wil niet dat er bij hem aan tafel gedronken wordt. Het sterkste dat je vanavond te drinken zult krijgen, is waarschijnlijk cranberrysiroop.' Hij tuitte zijn lippen afkerig en wees naar de fles die op de tafel naast Leons stoel stond. 'Je kunt maar beter nu een hartversterking nemen.'

Leon schonk twee vingers single malt Bunnahabhain-whisky voor zichzelf in en vulde het glas bij met water uit de rivier dat eerst gekookt en daarna in een poreuze canvaswaterzak gekoeld was. Hij nam een slokje om te proeven. 'Een elixer! Ik zou aan dit spul verslaafd kunnen raken.'

'Dat kun je je niet veroorloven. Nog niet tenminste.' Percy stak zijn glas naar voren. 'Schenk mij maar even bij nu je toch bezig bent.' Toen zijn glas bijgevuld was, hief hij het naar Leon. 'Daar ga je,' zei hij.

'Leve de Rifles,' zei Leon. Ze namen een slok en genoten van de geurige drank.

Toen zei Percy: 'Tussen haakjes, heb ik je al gefeliciteerd met je recente, spectaculaire successen?'

'Dat kan ik me niet herinneren, meneer.'

'Verdomme, ik had durven zweren dat ik het wel gedaan had. Ik word oud.' Zijn ogen twinkelden. Ze waren felblauw en helder in het gerimpelde, gebruinde gezicht. 'Oké, luister goed naar me, want ik zeg het maar één keer. Je hebt vandaag je sporen verdiend. Ik ben verdomd trots op je.'

'Dank u, meneer.' Leon was sterker geroerd dan hij verwacht had.

'Voortaan kun je dat "meneer" laten zitten en me Percy noemen.'

'Dank u, meneer.'

'Percy, gewoon Percy.'

'Dank je, Percy.' Ze dronken in een vriendschappelijk stilzwijgen een tijdje door. Toen vervolgde Percy: 'Ik neem aan dat je weet dat ik volgende maand vijfenzestig word?'

'Dat zou ik niet gedacht hebben.'

'Ja ja, dat zal wel. Je dacht waarschijnlijk dat ik ver over de negentig was.' Leon opende zijn mond om beleefd te protesteren, maar Percy legde hem met een handgebaar het zwijgen op.

'Dit is waarschijnlijk niet het moment om erover te beginnen, maar ik voel dat ik achteruitga. De benen zijn niet meer wat ze geweest zijn. Tegenwoordig voelt elke kilometer die ik loop aan als vijf kilometer. Twee dagen geleden miste ik een Tommy vanaf honderd meter en het was nog een makkelijk doelwit ook. Ik heb hier hulp nodig. Ik dacht eraan om een partner te nemen. Een jonge partner. Eigenlijk een heel jonge partner.'

Leon knikte voorzichtig en wachtte tot Percy verder zou gaan.

Percy haalde het zilveren jagershorloge uit zijn zak en klapte het gegraveerde deksel open. Hij bestudeerde de wijzerplaat, sloot het deksel, dronk zijn glas leeg en stond op. 'Het komt niet te pas om de voormalige president van de Verenigde Staten van Amerika op zijn avondmaal te laten wachten. Hij houdt van eten. Jammer dat hij niet van wijn houdt. Maar goed, ik twijfel er niet aan dat we het zullen overleven.'

Er waren tien gasten voor het diner in de grote tent. Freddie Selous en Kermit hadden de ereplaatsen aan weerskanten van de president. Leon werd aan het uiteinde van de tafel gezet, in de stoel die het verst van de president vandaan stond. Teddy Roosevelt was een geboren verteller. Zijn welbespraaktheid was indrukwekkend, zijn kennis encyclopedisch, zijn intellect monumentaal, zijn enthousiasme aanstekelijk en zijn charme onweerstaanbaar. Hij hield de gasten in zijn ban en voerde hen van het ene onderwerp naar het andere, van politiek en religie naar ornithologie en filosofie en van tropische geneeskunde tot Afrikaanse antropologie. Leon liet de elandsbiefstuk op zijn bord koud worden terwijl hij met intense aandacht naar de president luisterde toen deze de huidige internationale spanningen in Europa evalueerde. Dit was een onderwerp dat Penrod Ballantyne uitgebreid met zijn neef had besproken wanneer ze om het kampvuur zaten nadat ze in het veld op wildezwijnenjacht waren geweest, dus het was bekend terrein.

Plotseling richtte de president zich tot hem. 'Hoe denkt u hierover, meneer Courtney.'

Leon was ontsteld toen alle hoofden zich vol verwachting naar hem toe draaiden. Hij was in eerste instantie geneigd om te proberen eronderuit te komen door te zeggen dat hij weinig interesse in het onderwerp had en dat hij er te weinig van wist om een mening te geven, maar toen vermande hij zich. 'U moet me niet kwalijk nemen dat ik deze kwestie vanuit het Britse standpunt bekijk, meneer. Ik geloof dat het gevaar schuilt in de imperialistische aspiraties van Duitsland en Oostenrijk in combinatie met de proliferatie van exclusieve verdragen tussen talrijke staten die op het ogenblik in Europa plaatsvindt. Deze allianties zijn complex, maar ze voorzien allemaal in wederzijdse bescherming en steun voor het geval er een conflict met een buitenstaander ontstaat. Dit zou een domino-effect kunnen hebben als de zwakkere partner in zo'n alliantie door onhandigheid in een confrontatie met een buurland verzeild raakt en de machtigere bondgenoot vraagt om tussenbeide te komen.'

Roosevelt knipperde met zijn ogen. Hij had zo'n doordacht antwoord niet verwacht. 'Voorbeelden, alstublieft,' snauwde hij.

'We geloven dat het Britse imperium alleen bij elkaar gehouden kan worden door een sterke marine. Keizer Wilhelm II heeft geen geheim gemaakt van zijn plannen om de Duitse marine op te bouwen tot de sterkste strijdmacht ter wereld. Dit is een bedreiging voor ons imperium. We zij gedwongen geweest om verdragen te sluiten met andere Europese naties, zoals België, Frankrijk en Servië. Duitsland heeft verdragen gesloten met Oostenrijk en Turkije, een moslimstaat. In 1905, toen er spanning ontstond tussen Marokko en Frankrijk, onze nieuwe strategische bondgenoot, versnelde dat een crisis in heel Noord-Afrika. Vanwege zijn verbond met Turkije was Duitsland verplicht om Marokko te steunen. Frankrijk is onze bondgenoot, en daarom waren we verplicht om zijn kant te kiezen. Het was een sneeuwbaleffect. Slechts door intensieve diplomatieke onderhandelingen en een heleboel geluk werd een oorlog afgewend.'

Leon zag dat er een uitdrukking van respect op de gezichten van zijn gehoor was verschenen en dat moedigde hem aan om door te gaan. Hij maakte een verontschuldigend gebaar. 'Het lijkt me dat de wereld op het randje van de afgrond balanceert. De zaken zitten ingewikkeld in elkaar en het web heeft talloze draden, maar zoals ik u ken, president, zult juist u dat moeten weten.'

Roosevelt kruiste zijn armen voor zijn borst. 'Een wijs hoofd op jonge schouders. U moet morgenavond weer samen met ons eten. Ik zou graag uw mening willen horen over raciale tegenstellingen en spanningen in Afrika. Maar laten we het nu over belangrijkere zaken hebben. Mijn zoon jaagt graag met u. Hij heeft me verteld dat jullie plannen hebben gemaakt om voort te bouwen op jullie recente successen met die olifanten en die neushoorn.'

'Ik ben blij dat Kermit met me wil blijven jagen, meneer. Ik geniet enorm van zijn gezelschap.'

'Wat zal jullie volgende prooi zijn?'

'Mijn hoofdspoorzoeker heeft de verblijfplaats van een heel grote krokodil ontdekt. Zou zo'n exemplaar interessant zijn voor het Smithsonian Institute?'

'Absoluut. Maar dat zal toch niet zo lang duren als u weet waar de krokodil zich ophoudt. Wat zijn uw plannen voor daarna?'

'Kermit wil een grote leeuw schieten.'

'De brutale dondersteen!' Hij stompte Kermit speels tegen de schouder. 'Je bent er niet tevreden mee dat je me met de olifanten en de neushoorn verslagen hebt en je wilt er nu drie op rij van maken!' Het gezelschap lachte met hem mee en Teddy Roosevelt vervolgde: 'Oké, jongen, we wedden erom! Zullen we er tien dollar op zetten?' Ze schudden elkaar de hand om de weddenschap te bezegelen en toen zei de president: 'Als het om leeuwen gaat, hebben we het geluk dat we een vooraanstaand expert op dit terrein in ons midden hebben.' Hij wendde zijn blik van zijn zoon af en richtte zich tot de knappe grijsbaard aan zijn andere kant. 'Misschien wil je zo goed zijn om ons wat hints te geven over de juiste manier om op leeuwen te jagen. Ik ben vooral geïnteresseerd in de waarschuwingssignalen die de leeuw aan de jager afgeeft voordat hij aanvalt. Kun je die voor ons beschrijven en ons vertellen hoe het is om het doelwit van zo'n aanval te zijn?'

Selous legde zijn mes en vork neer. 'Kolonel, ik heb het grootste respect en de diepste bewondering voor de leeuw. Afgezien van zijn koninklijke voorkomen is hij zo sterk dat hij met het kadaver van een os in zijn bek over een één meter tachtig hoog hek van een veekraal kan springen. Zijn kaken zijn zo formidabel sterk dat hij het hardste bot kan verbrijzelen alsof het kalk is. Hij is razendsnel. Als hij aanvalt, kan hij een snelheid bereiken van zestig kilometer per uur.'

Met zijn zachte, maar gezaghebbende stem hield Selous hen bijna een uur in zijn ban tot de president hem onderbrak. 'Dank je. Ik wil morgen vroeg beginnen, dus als u me nu wilt excuseren, dan ga ik naar bed.'

Leon liep samen met Percy terug naar hun tenten. 'Ik ben onder de indruk van je politieke inzicht, Leon, hoewel ik in wat je vanavond gezegd hebt, de stem van je oom Penrod hoorde doorklinken. Ik denk dat Teddy Roosevelt ook onder de indruk was. Het lijkt me dat je beide voeten stevig op de ladder naar de top hebt gezet, zolang je er maar voor zorgt dat Kermit niet door een leeuw gebeten wordt. Onthoud Frederick Selous' waarschuwing. Het zijn levensgevaarlijke dieren. Als de leeuw zijn oren plat naar achteren legt en zijn staart recht omhoog zwiept, weet je dat hij gaat aanvallen en kun je maar beter gereed zijn voor een zuiver schot. Ze waren bij Percy's tent aangekomen. 'Welterusten,' zei Percy. Hij liep gebukt naar binnen en liet de zeildoeken flap dichtvallen.

33

Leon en Kermit lagen naast elkaar op de rivieroever achter een dun scherm van riet dat Manjoro en Loikot de vorige middag hadden gebouwd. De twee Masai-spoorzoekers lagen vlak achter hen. Ze hadden vanaf zonsopgang gewacht tot Manjoro's krokodil zich zou laten zien. Er zaten kijkgaatjes in het scherm waardoorheen ze uitkeken op de poel die groen was door de algen. Het was bijna tweehonderd meter naar de andere oever die werd overschaduwd door een bos van hoge peulmahoniebomen waarvan de takken door kronkelende lianen waren omwikkeld en waaraan de nesten van de heldergele wevervogels hingen. De mannetjes hingen ondersteboven aan de nesten die ze hadden geweven. Hun vleugels trilden en ze tjilpten opgewonden om een toekijkend vrouwtje te verlokken om naar beneden te vliegen en zich in zijn nest te vestigen. Leon doodde de tijd door naar hun capriolen te kijken, maar Kermit begon al de kriebels te krijgen.

Manjoro had de schuilplaats op de top van de steile oever gebouwd, recht boven het wildpad dat door het riet naar de rand van het water liep. Er waren weinig plaatsen rondom de poel die zo'n gemakkelijke toegang tot het water boden. De jagers waren de schuilplaats binnengegaan toen het nog donker was en toen het licht krachtiger werd, had Manjoro Leon gewezen waar de krokodil zich vlak voor de oever had verborgen door zich in de zachte modder onder het wateroppervlak in te graven. Hij had gekronkeld en gewriggeld tot hij de modder op de bodem helemaal had omgewoeld. Daarna was hij roerloos gaan liggen en had hij de fijne modder op zijn kop en lichaam laten neerdalen. Het enige spoor van zijn aanwezigheid was de regelmatige kippengaasachtige contour van zijn schubachtige rug die zich vaag in de modder aftekende. Leon kon de vorm van de kop en de twee uitsteeksels erop waarin de ogen zaten nauwelijks onderscheiden.

Het had hem en Manjoro wat tijd gekost om Kermit duidelijk te maken waar het grote, zich vaag aftekenende lichaam zich precies bevond. Toen hij het ten slotte zag, had Kermit, met zijn gebruikelijke onstuimigheid, besloten onmiddellijk op de wazige contour van de kop te schieten. Er moest vele minuten fluisterend gediscussieerd worden voordat Leon Kermit ervan had overtuigd dat zelfs de Winchester, ondanks Loesima's zegen, niet in staat zou zijn om een dumdumkogel door een meter water te schieten. Hij zou tegengehouden worden alsof hij een stenen muur raakte. Het was nu bijna middag en in de hitte waren kuddes antilopen en zebra's komen drinken bij de drie andere drinkplaatsen rondom de poel, maar er waren geen dieren naar de plek gekomen die door de krokodil in de gaten werd gehouden. Kermit werd met de minuut rustelozer. Hij stond op het punt om opstandig te worden en te eisen dat hij mocht schieten, dacht Leon.

Leon had geluk. Hij bespeurde beweging op hun linkerflank. Hij raakte Kermits arm aan en wees met zijn kin naar de kleine groep Grevy-zebra's die tussen de bomen uit kwamen en schuchter over het wildpad naar de waterpoel liepen. Kermit fleurde op. 'Misschien komt er eindelijk leven in de brouwerij,' mompelde hij en hij raakte de lade van Big Medicine aan.

De Grevy-zebra is het grootste lid van de paardenfamilie, zelfs nog groter dan het Percheron-trekpaard. Zijn andere naam is met goede reden de keizerlijke zebra. De hengst die de groep leidde, had een schouderhoogte van ruim een meter vijftig en woog waarschijnlijk zo'n vierhonderdvijftig kilo. De kudde bewoog zich met de grootst mogelijke voorzichtigheid voort, zoals alle prooidieren wanneer ze weten dat er roofdieren in de buurt kunnen zijn. Ze deden een paar stappen voordat ze stopten om te kijken of er ergens gevaar dreigde en deden dan weer een paar stappen.

Kermit zag ze met gretige verwachting naderbij komen. Big Medicine was geladen en lag voor hem op een zadeltas die het geweer een vast steunpunt gaf. Ten slotte stapte de hengst behoedzaam het pad op dat in de oever was uitgesleten door de hoeven van de duizenden dorstige dieren die hem waren voorgegaan en liep naar het smalle strand. Hij bleef bij de rand van het water staan en speurde lang de oever aan weerszijden van hem af. Ten slotte nam hij zijn noodlottige besluit: hij bracht zijn kop naar beneden en liet zijn fluweelzachte, zwarte snuit in het water zakken. Zodra hij begon te drinken, volgde de rest van de kudde hem het pad af en de dieren verdrongen elkaar in hun gretigheid om het water te bereiken.

Dat was het moment waarop de krokodil zo geduldig had gewacht. Hij gebruikte zijn staart om zichzelf te lanceren en schoot in een glinsterende wolk van druppels uit de modder en door het wateroppervlak omhoog. De mannen op de oever deinsden onwillekeurig terug, geschrokken van de omvang van de monsterlijke kop en de snelheid en gewelddadigheid van de aanval.

'God, hij moet wel zes meter lang zijn,' bracht Kermit uit.

De hengst was zwaar, maar dit beest was vier of vijf keer zo zwaar als hij. Ondanks dit verschil stonden de hoeven van de hengst stevig op vaste grond en al zijn kracht zat in zijn poten. Die van de krokodil waren klein, gebogen en zwak. Al zijn kracht zat in zijn staart. In een echte trekwedstrijd zou de zebra in het voordeel zijn. De krokodil moest hem in dieper water zien te krijgen waar zijn hoeven geen houvast zouden kunnen vinden. Daar zou de enorme staart van de krokodil hem een overweldigend voordeel geven.

Hij probeerde niet de hengst met zijn kaken te grijpen en het water in te trekken, maar sloeg met zijn kop alsof het een knuppel was. Met al dat gewicht en al die kracht achter de klap, ontwikkelde hij zo'n snelheid dat het allemaal met het blote oog nauwelijks te volgen was. De afzichtelijke, hoornachtige schedel knalde tegen de zijkant van de kop van de zebra, brak het bot en verdoofde het dier. Het viel op zijn zij in water dat een meter twintig diep was. Zijn poten trapten krampachtig boven het oppervlak en hij zwaaide zijn kop heen en weer toen hij begon te verdrinken. De krokodil schoot nu naar voren, greep de snuit van de zebra tussen zijn kaken en sleepte hem naar het diepe water. Daar begon hij aan een serie rolbewegingen waardoor het water met schuim bedekt raakte. Hij draaide de nek van de zebra om alsof het een kip was waardoor zijn prooi gedesoriënteerd raakte en tegelijkertijd verdronk. De krokodil bleef rollen tot het laatste sprankje leven uit het gestreepte lichaam was geperst. Daarna liet hij zijn greep verslappen en zwom een stukje achteruit.

Twintig meter van de oever vandaan, bleef hij op het oppervlak dobberen en hield hij de dode zebra in het oog om te controleren of het dier nog tekenen van leven gaf. Het lichaam bleef bijna helemaal ondergedompeld drijven en slechts één poot stak boven het water uit en wees naar de hemel. De krokodil lag evenwijdig aan de schuilplaats van de jagers in het water en alleen het bovenste deel van zijn rug en de helft van zijn kop staken erbovenuit. De kop was nog afzichtelijker door zijn starre, sardonische grijns.

Kermit lag languit achter de zadeltas met zijn geweer tegen zijn schouder en met zijn wang tegen de kam van de lade gedrukt. Zijn linkeroog was stijf gesloten en het rechter was achter de vizieren half dichtgeknepen van concentratie.

Leon boog zich dichter naar hem toe. 'Richt op de hoek van zijn bek, precies op waterniveau onder het oog.' Hij had de laatste woorden nog niet uitgesproken of de Winchester knalde al. Door zijn verrekijker zag Leon het water even opspatten toen de kogel het oppervlak net onder het boosaardige kleine oog een onderdeel van een seconde raakte en zich daarna in de kop van de krokodil boorde.

'Perfect!' schreeuwde Leon en hij sprong overeind. '*Piga*.' riep Manjoro. 'Hij is geraakt!'

'*Ngwenja koefa*!' De krokodil is dood!' Loikot gierde van het lachen. Hij sprong overeind en barstte los in een wilde, springende dans. De krokodil schoot met zijn hele lichaam hoog boven het oppervlak uit en sloeg met zijn staart in een serie gigantische stuiptrekkingen op het water. Hij klapte met zijn kaken, schoot weer hoog uit het water en viel toen met een enorme plons terug. Hij bleef om zijn as ronddraaien en zijn slaande staart wekte golven op die zwaar op het strand braken.

'*Ngwenja koefa*!' juichten de mannen op de oever toen de doodsstuipen van de krokodil een climax bereikten.

Plotseling verstijfde het reusachtige lichaam. De staart welfde zich en verstijfde vervolgens waarna de krokodil heel even roerloos op het oppervlak bleef liggen. Toen zonk hij en verdween onder het groene water.

'We raken hem kwijt!' schreeuwde Kermit bezorgd en hij hinkte op één been terwijl hij zijn laarzen uittrok.

'Wat doe je in vredesnaam?' Leon greep hem vast.

'Ik ga hem eruit trekken.'

Kermit probeerde zich los te wringen, maar Leon hield hem met gemak in bedwang. 'Luister, idioot, als je dat water in gaat, zal de grootvader van de krokodil op je wachten.'

'Maar we raken hem kwijt! Ik moet hem eruit vissen!'

'Nee, dat doe je niet! Manjoro en Loikot wachten hier tot morgen wanneer de krokodil door het gas opgeblazen zal zijn en naar het oppervlak zal drijven. Dan komen jij en ik terug en trekken hem er met touwen uit.'

Kermit kalmeerde een beetje. 'Hij wordt stroomafwaarts meegevoerd.'

'De rivier stroomt niet meer. Dit is een dode poel. Je krokodil kan nergens heen, vriend.'

34

Het was laat in de middag en ze zaten onder de flap van Leons tent thee te drinken terwijl ze de details van de krokodillenjacht eindeloos doornamen, toen er commotie in het kamp ontstond die erop duidde dat de president er aankwam. Kermit sprong op. 'Kom mee!' zei hij tegen Leon. 'Laten we eens gaan kijken wat mijn ouweheer geschoten heeft.' Hij beende weg, maar draaide zich toen om. 'Zeg maar niets over de krokodil. Hij gelooft het toch pas als hij hem ziet.'

Teddy Roosevelt reed het kamp binnen en ze stonden klaar om hem te begroeten toen hij afsteeg en een paardenknecht de teugels toewierp. Hij glimlachte toen hij Kermit zag en zijn ogen twinkelden achter de bril met het stalen montuur.

'Hallo, pa,' riep Kermit. 'Hebt u een goede dag gehad?'

'Niet slecht. Ik heb de leeuwenrekening geopend.'

Kermits gezicht betrok. 'Hebt u een leeuw geschoten?'

'Ja,' bevestigde de president, nog steeds glimlachend. Hij wees met zijn duim over zijn schouder. Kermit zag een paar dragers die over het pad tussen de bomen naderden. Ze droegen een geelbruin lichaam aan een tak tussen hen in. Ze gooiden hun last naast de taxidermietent neer en drie van de wetenschappers van het Smithsonian kwamen naar buiten om de vangst van die dag te bekijken. Ze sneden de touwen door waarmee de poten van de leeuw aan de tak gebonden waren en strekten het kadaver op de grond uit om het op te meten en te fotograferen.

Kermit lachte opgelucht. Hij wist weinig van leeuwen, maar zelfs hij kon zien dat het een onvolwassen leeuwin was. 'Hé, pa!' Hij grinnikte toen hij zich naar zijn vader omdraaide. 'Als u dat een echte leeuw noemt, kan ik me net zo goed president van de Verenigde Staten van Amerika noemen. Het is een kleintje.'

'Je hebt gelijk, jongen,' beaamde zijn vader, nog steeds glimlachend. 'De arme schat. Ik moest haar doodschieten. Ze wilde ons niet bij het lichaam van haar mannetje laten komen. Ze bewaakte het fel. We kunnen haar in elk geval als lid van een leeuwenfamilie laten opzetten in een van de vitrines in de Afrikaanse zaal van het museum. Wat denk jij?' Hij richtte de vraag tot George Lemmon, het hoofd van het team wetenschappers.

'We zijn blij met haar, meneer. Het is een mooi exemplaar. Haar huid is helemaal gaaf, ze heeft nog het onvolwassen vlekkenpatroon van een welp en haar tanden zijn perfect.' De president keek over zijn schouder en merkte ontspannen op. 'O, mooi! Ze brengen het mannetje nu het kamp in. Een tweede team dragers kwam net het bos uit. Vier mannen wankelden onder het gewicht van het reusachtige lichaam dat ze droegen.

'Goeie hemel! Dat lijkt me een prachtexemplaar.' Frederick Selous was in zijn hemdsmouwen uit zijn tent gekomen, met zijn schetsboek in zijn hand. 'We moeten erop letten dat die kerels het lichaam met zorg behandelen. De huid mag niet geschaafd of beschadigd worden.'

De dragers kwamen bij hen aan terwijl de leeuw op het ritme van hun draf aan de tak heen en weer zwaaide. Ze lieten hem voorzichtig naast de leeuwin op de grond zakken. Sammy Edwards, de hoofdtaxidermist, strekte het lichaam voorzichtig uit en legde zijn meetlint van het puntje van de onyxzwarte neus tot het zwarte kwastje aan het einde van de staart langs het lichaam. 'Bijna twee meter vijfenzeventig.' Hij keek op naar de president. 'Dat is een grote leeuw, meneer. De grootste die ik ooit opgemeten heb.'

35

Na de avondmaaltijd ging Kermit naar Leons tent. Hij had een zilveren heupfles Jack Daniel's whisky bij zich. Ze draaiden de lamp laag, gingen in de canvasstoelen onder het muskietennet zitten en begonnen op een fluistertoon te praten.

'Andrew Fagan was vanavond de eregast,' zei Kermit. Naar aanleiding van Kermits uitnodiging was Fagan die middag in het kamp aangekomen. 'Hij kon goed met mijn vader opschieten en mijn vader vond het leuk om een nieuwe toehoorder te hebben.'

Ze zwegen een paar minuten en toen vervolgde Kermit: 'Ik misgun het mijn vader niet. Hij wil even graag als wij allemaal mooie trofeeën hebben en hij spant zich ervoor in als een man die half zo oud is. Je was er natuurlijk niet bij, maar ik kan je vertellen dat hij het bij het eten vanavond nogal overdreef. Het was niet zo dat hij echt opschepte of zich erover verkneukelde dat hij al een leeuw had geschoten en ik niet, maar het scheelde niet veel. Natuurlijk slikte Fagan het als zoete koek.'

Leon bestudeerde de amberkleurige vloeistof in zijn glas en maakte een meelevend geluidje.

'Ik bedoel, het was een flinke leeuw, een mooie leeuw, maar het was niet de beste leeuw die ooit iemand in Afrika geschoten heeft, of wel soms?' vroeg Kermit ernstig.

'Je hebt volkomen gelijk. Het was wel een grote leeuw, maar zijn manen waren niet veel soeps. Ze waren niet veel groter dat een boa van struisvogelveren,' verzekerde Leon hem. Kermit barstte in lachen uit en sloeg toen een hand voor zijn mond. Ze waren meer dan honderd meter van de tent van de president vandaan, maar de grote man verwachtte dat het stil in het kamp zou zijn, nadat de lichten uit waren.

'Een boa,' herhaalde Kermit verrukt en daarna probeerde hij met de falsetstem van een vrouw te praten: 'Gaan we naar het ballet, schatten van me?' Ze lachten nog even om de grap en namen nog een slok whisky.

Toen zei Kermit: 'Soms haat ik mijn vader bijna. Ben ik daarom slecht?'

'Nee, dat maakt je alleen maar menselijk.'

'Zeg eens eerlijk, Leon, wat vond je echt van die leeuw?'

'Wij kunnen het beter doen.'

'Denk je? Denk je dat echt?'

'De leeuw van je vader had geen enkele zwarte haar in zijn boa. Niet een,' zei hij en Kermit noest weer een lachbui bedwingen toen hij het woord 'boa' hoorde. De whisky verwarmde zijn buik en vrolijkte hem op.

Toen zijn vriend zichzelf weer onder controle had, herhaalde Leon: 'Wij kunnen het beter doen. We kunnen een grotere leeuw met zwartere manen schieten. Manjoro en Loikot zijn Masai. Ze hebben een speciale affiniteit met de grote katachtigen. Zij zeggen dat wij het beter kunnen doen en ik geloof hen.'

'Vertel me dan eens hoe we dat gaan doen.' Kermit keek hem ernstig aan.

'We stellen een vliegende colonne samen en rijden voor de grote safari uit het gebied voorbij Masai-land in. De leeuwen zijn daar in de afgelopen duizend jaar niet door de *morani's* in groten getale gedood. We kunnen veel sneller reizen dan de anderen omdat hun snelheid wordt bepaald door het tempo van de dragers. In een paar dagen kunnen we een voorsprong hebben van minstens honderdvijftig kilometer. Wanneer is de president van plan om naar het noorden te gaan, weet je dat?'

'Mijn vader heeft ons vanavond onder het eten verteld dat hij van plan is om hier een tijdje te blijven. Het schijnt dat de lokale gidsen hem en meneer Selous naar een groot moeras hebben geleid dat ongeveer dertig kilometer ten oosten van het kamp ligt. Daar vlakbij hebben ze sporen gevonden waarvan meneer Selous gelooft dat ze van een mannelijke sitatunga-antilope zijn, maar ze waren groter dan die van de soort die hijzelf in 1881 in de Okavangadelta ontdekt heeft. Die is naar hem vernoemd en heet *Limnotragus selousi.* Hij heeft mijn vader ervan overtuigd dat dit misschien een geheel nieuwe ondersoort is. Voor mijn vader is de kans om een soort te ontdekken die daarvoor in de wetenschap onbekend was onweerstaanbaar. Hij droomt van een sitatunga die *Limnotragus roosevelti* heet. Daar zou hij zijn eerstgeborene voor opofferen.' Hij grijnsde. 'Zijn eerstgeborene is natuurlijk ondergetekende! Ik verwacht dat hij hier blijft rondhangen tot hij die antilope gevonden heeft of ervan overtuigd is geraakt dat hij niet bestaat.'

'Ik kan zijn interesse begrijpen. Wat weet je van de sitatunga?'

'Niet veel,' gaf Kermit toe.

'Het is een fascinerend dier, heel zeldzaam en ongrijpbaar. Het is de enige echte waterantilope. Zijn hoeven zijn zo lang en naar buiten staand dat hij op het land amper kan lopen, maar in diepe modder of diep water is hij zo beweeglijk als een meerval. Wanneer hij bedreigd wordt, duikt hij onder water en hij kan uren ondergedompeld blijven met alleen het bovenste deel van zijn neusgaten boven het oppervlak.'

'Tjonge, daar zou ik er graag een van hebben,' zei Kermit.

'Je kunt niet alles hebben, vriend. Een leeuw of een sitatunga, het is jouw keus.' Leon wachtte niet op antwoord. 'De plannen van de president komen ons goed uit. We laten hem zijn gang gaan en vertrekken overmorgen. Denk je dat er nog wat in die fles van je zit? Als dat zo is, moeten we het niet verloren laten gaan. Wat jij?'

36

Ze besteedden de volgende dag aan het verzamelen van het personeel en de uitrustingsstukken voor hun vliegende colonne. Ze kozen zes pony's en drie pakmuilezels uit. Met de opgewektheid van schooljongens die aan het toezicht van de hoofdmeester ontsnappen, reden ze daarna naar het noorden.

Laat in de middag van de derde dag volgden ze de loop van een kleine naamloze rivier, toen de Masai-spoorzoekers, die honderd meter voor hen uit liepen, naar hen schreeuwden. Ze gebaarden en wezen naar een snelle, katachtige gedaante die uit een bosje struikgewas was gekomen en nu over de open grond wegschoot om dekking te zoeken in het dichtere bos erachter.

'Wat is het?' Kermit ging in de stijgbeugels staan en beschermde zijn ogen met zijn hoed tegen de zon.

'Een luipaard,' antwoordde Leon. 'Een groot mannetje.'

'Hij heeft geen vlekken,' wierp Kermit tegen.

'Die kun je vanaf deze afstand niet zien.'

'Kan ik achter hem aan gaan?'

'Leeuwen vluchten niet als ze schoten horen zoals olifanten,' verzekerde Leon hem. 'Ze zijn net zo nieuwsgierig als katten. Ee paar schoten kunnen ze zelfs aantrekken.' Kermit hoefde niet meer te horen. Hij slaakte een wilde cowboykreet en spoorde zijn pony met zijn hoed aan tot een wilde galop terwijl hij tegelijkertijd Big Medicine uit het foedraal onder zijn rechterknie trok en er mee boven zijn hoofd zwaaide.

'Daar gaan we weer, mensen.' Leon lachte. 'Weer een geruisloze, zorgvuldig geplande jacht met Meneer Snelle Kogel.'

Hij spoorde zijn paard met zijn hielen aan tot galop en reed achter Kermit aan. Toen de luipaard de commotie hoorde, stopte hij, ging op zijn hurken zitten en keek verbaasd om. Toen tot hem doordrong hoe gevaarlijk zijn situatie was, draaide hij bliksemsnel zijn kop naar voren en rende weg waarbij hij bij elke grote pas zijn lange, gestroomlijnde en gracieuze lichaam uitstrekte.

'Ji-ha! Erachteraan!' brulde Kermit en zelfs Leon werd aangestoken door de opwinding van de onstuimige aanval.

'Ja! De achtervolging is ingezet!' Hij ging plat op de nek van zijn pony liggen en liet hem, met beide handen aan de teugels, zo hard mogelijk lopen. De wind in zijn gezicht was bedwelmend. Ze lieten zich helemaal gaan en reden om het hardst over de vlakte.

De neus van Leons pony kwam langzaam op gelijke hoogte met Kermits laars. Kermit keek onder zijn oksel door om en toen hij zag dat Leon hem inhaalde, sloeg hij met zijn hoed op de nek van zijn pony en bonkte zijn hielen in de flanken van het dier.

'Sneller!' spoorde hij de pony aan. 'Kom op, schat. Laat je niet inhalen!' Op dat moment stapte zijn paard in een gat dat door een stokstaartje was gemaakt. Zijn rechtervoorbeen brak met het geluid van een zweepslag en het stortte neer alsof het door de hersenen was geschoten. Kermit werd hoog uit het zadel geworpen. Hij raakte de grond met zijn schouder en de zijkant van zijn gezicht. Zijn geweer vloog uit zijn hand en hij rolde als een bal voor de stampende hoeven van Leons paard over de grond. Leon trok de kop van de merrie om en wist zo nog net te voorkomen dat ze op Kermit trapte. Ze had gereageerd op de druk van de teugels, het bit en de sporen en ze wierp haar hoofd wild in haar nek. Ze reden terug naar de gevallen ruiter. Kermits paard deed moeite om overeind te komen, maar zijn voorpoot was net boven het gewricht van de vetlok helemaal doormidden gebroken en de hoef hing er los bij. Kermit lag nog roerloos op de harde aarde uitgestrekt.

'Hij heeft zichzelf de dood ingejaagd. God! Wat moet ik tegen de president zeggen? pijnigde Leon zichzelf terwijl hij zijn voeten uit de stijgbeugels schopte. Hij zwaaide zijn rechterbeen over de nek van zijn paard en liet zich op de grond zakken. Hij rende naar Kermit toe, maar tegen de tijd dat hij bij zijn vriend was, ging deze al duizelig overeind zitten. De huid was van de linkerzijde van zijn gezicht geschuurd, zijn linkerwenkbrauw was half afgerukt en hing in een losse flap over zijn oog en het oog zelf zat vol stof.

'Een fout!' mompelde hij en hij spuwde een mondvol bloed en modder uit. 'Dat was een grote fout!'

Leon lachte opgelucht. 'Probeer je me te vertellen dat het geen opzet was? Ik dacht dat je het alleen deed om indruk op me te maken.'

Kermit streek met zijn tong over de binnenkant van zijn mond. 'Ik ben geen tanden kwijt,' zei hij. Hij sprak alsof zijn verhemelte gespleten was.

'Gelukkig ben je op je hoofd gevallen, anders had je jezelf nog kunnen beschadigen.' Leon knielde naast hem neer, pakte zijn hoofd tussen zijn handen en draaide het heen en weer terwijl hij het oog onderzocht. 'Probeer niet zo te knipperen anders schraapt het zand over je oogbol.'

'Dat is makkelijk gezegd. Wat denk je van "probeer niet te ademen" als je volgende domme instructie.'

Ishmael kwam op zijn muilezel naar hen toe galopperen en overhandigde Leon een waterzak.

'Houd zijn oog open, Ishmael,' beval Leon. Daarna goot hij water in het oog en spoelde de meeste modder eruit. Toen overhandigde hij Kermit de zak. 'Spoel je mond en was je gezicht.' De twee Masai hurkten vlakbij neer, zodat ze de gang van zaken goed konden volgen en ze bespraken alles genietend. 'Willen jullie hyena's ophouden met je te verkneukelen en de kleine tent opzetten en Popoo Hima's dekenrol uitleggen.'

Terwijl zij Kermit de kleine tent in hielpen, haalde Leon de Holland uit het foedraal aan zijn zadel en schoot het gewonde paard dood. Hij liet het er koud en klinisch uitzien, maar zijn empathie met paarden was groot en hoewel hij het dier uit zijn lijden hielp, knaagde het aan zijn geweten.

'Haal het zadel en het tuig van het arme dier af,' zei hij tegen Manjoro toen hij de lege, koperen patroonhuls uit de lade liet schieten en het geweer terugschoof in het foedraal. Hij haastte zich naar de kleine tent en ging naar binnen. 'Waar is Big Medicine?' vroeg Kermit en hij probeerde rechtop te gaan zitten.

Leon duwde hem terug. Ik zal Manjoro ernaar laten zoeken.' Hij verhief zijn stem. 'Manjoro! Breng de *boendoeki* van de bwana.' Toen hield hij een vinger voor Kermits ogen. 'Blijf ernaar kijken!' Hij bewoog de vinger langzaam heen en weer en knikte toen tevreden. 'Hoewel je je best hebt gedaan, is het je godzijdank niet gelukt een hersenschudding op te lopen. Laten we nu eens kijken naar de plek waar eens je linkerwenkbrauw aan je gezicht vastzat.' Hij onderzocht de schade aandachtig. 'Ik zal de wond moeten hechten.'

Kermit keek geschrokken. 'Wat weet jij van het hechten van wonden?'

'Ik heb heel vaak wonden van honden en paarden gehecht.'

'Ik ben geen paard en geen hond.'

'Nee, die dieren zijn behoorlijk slim.' Tegen Ishmael zei hij: 'Haal je naaidoos.'

Op dat moment verscheen Manjoro met een treurige uitdrukking op zijn gezicht in de tentopening. Hij hield twee stukken van de Winchester in zijn handen. 'Het geweer is kapot,' zei hij in het Swahili.

Kermit griste de stukken uit zijn handen. 'Godallejezus!' kreunde hij. De lade was bij de hals van de pistoolgreep afgebroken en het voorste vizier was er afgeslagen. Het was duidelijk dat er met het wapen niet meer geschoten kon worden. Kermit wiegde het alsof het een ziek kind was. 'Wat moet ik doen?' Hij keek Leon meelijwekkend aan. 'Kun je het repareren?'

'Ja, maar pas wanneer we in het kamp terug zijn en ik mijn gereedschapkist kan vinden. Ik zal de kolf met de verse huid van een olifantsoor moeten vastbinden. Wanneer de huid opdroogt, is hij zo hard als ijzer en is je wapen zo goed als nieuw.'

'En het voorste vizier?'

'Als we het origineel niet kunnen vinden, zal ik er met de hand een uit een stuk metaal vijlen en het op zijn plaats vastsolderen.'

'Hoe lang gaat dat allemaal duren?'

'Ongeveer een week.' Hij zag Kermits verslagen uitdrukking en probeerde de klap een beetje te verzachten. 'Misschien iets korter. Het hangt ervan af hoe snel we een vers olifantsoor kunnen vinden en hoe snel het opdroogt. Blijf nu stilzitten terwijl ik je wond hecht.'

Kermit was zo terneergeslagen dat hij ongevoelig leek voor de primitieve ingreep die Leon uitvoerde. Eerst waste hij de wond met een verdunde jodiumoplossing en daarna ging hij aan de slag met naald en draad. Beide procedures waren pijnlijk genoeg om een sterke man te laten huilen, maar Kermit leek zich drukker te maken om Big Medicine dan om zijn eigen pijn.

'Waar moet ik in de tussentijd dan mee schieten?' klaagde hij met de twee stukken van het geweer nog steeds in zijn handen.

'Gelukkig heb ik mijn oude dienstwapen, de .303 Enfield als reservegeweer meegebracht.' Leon trok de naald door een loshangend stuk huid.

Kermit vertrok zijn gezicht, maar hij bleef hardnekkig over het onderwerp doorgaan. 'Dat is een proppenschieter.' Hij klonk beledigd. 'Het wapen is misschien geschikt voor Tommy's, impala's of zelfs mensen, maar het is veel te licht voor een leeuw!'

'Als je dichtbij genoeg bent en hem op de goede plaats raakt, lukt het er wel mee.'

'Dichtbij? Ik weet wat je daarmee bedoelt. Je wilt dat ik de loop in de ooropening van het vervloekte beest steek.'

'Goed, ga jij maar door in je gebruikelijke stijl en schiet er vanaf achthonderd meter maar op los. Maar ik denk niet dat dat zal werken.'

Kermit dacht er een poosje over na, maar hij leek niet al te blij met het idee. 'Als je me nu eens die grote, oude Holland van je leent.'

'Ik houd van je als van een broer, maar ik zou je nog liever mijn kleine zusje voor een nacht lenen.'

'Heb je een klein zusje?' vroeg Kermit die opeens geïnteresseerd was. 'Is ze knap?'

'Ik heb geen zuster,' loog Leon die zijn zusje graag tegen Kermits attenties wilde beschermen, 'en ik leen je mijn geweer niet.'

'Nou, ik wil je zielige kleine .303 niet hebben,' zei Kermit kregelig.

‘Mooi! Dan stel ik voor dat je Manjoro vraagt of je zijn speer mag lenen.’

Manjoro grijnsde vol verwachting toen hij zijn naam hoorde noemen. Kermit schudde zijn hoofd en gebruikte in één keer alle woorden die hij in het Swahili kende: *Mazoeri sana*, Manjoro. *Makoena matatoe*! Het is goed, Manjoro. Maak je geen zorgen.’ De Masai keek teleurgesteld en Kermit richtte zich weer tot Leon. ‘Oké, vriend. Laten we een paar schoten met je proppenschieter proberen.’

37

De volgende ochtend was Kermits oog gezwollen en het zat dicht en op zijn borst zaten een paar indrukwekkende blauwe plekken. Gelukkig was zijn linkeroog beschadigd, dus zijn schietoog was nog goed.

Leon merkte de bast van een koortsboom om hem een doelwit op zestig passen te geven. ‘Op die afstand schiet het wapen tweeënhalve centimeter te hoog, dus houd het oogje van het vizier iets lager,’ adviseerde hij. Kermit vuurde twee schoten af en de kogels sloegen aan weerskanten van het doelwit in op ongeveer een vingerbreedte afstand van elkaar.

‘Wauw! Niet slecht voor een beginneling.’ Kermit had indruk op zichzelf gemaakt en hij fleurde zichtbaar op.

‘Het is verdomd goed, zelfs voor een scherpschutter als Popoo Hima,’ zei Leon. ‘Maar denk eraan dat je niet op iets schiet dat over de horizon is.’

Kermit reageerde niet op het grapje. ‘Laten we een leeuw gaan zoeken,’ zei hij.

Ze kampeerden die avond naast een kleine waterpoel die nog steeds water van de laatste regens bevatte. Zodra ze gegeten hadden, rolden ze in hun dekens en ze sliepen allebei binnen een paar minuten. In de kleine uurtjes schudde Leon Kermit wakker. Hij ging versuft rechtop zitten. ‘Wat is er aan de hand? Hoe laat is het?’

‘Maar je geen zorgen om de tijd, maar luister alleen,’ zei Leon.

Kermit keek in het rond en zag dat de beide Masai en Ishmael bij het vuur zaten. Ze hadden er houtschilfers op gegooid en de vlammen dansten vrolijk. Hun gezicht had een intense en verrukte uitdrukking. Ze luisterden. De stilte duurde minutenlang.

'Waar wachten we op?' vroeg Kermit.

'Geduld! Hou alleen je oren goed open,' berispte Leon hem. Plotseling was de nacht gevuld met geluid, een machtige basstem bulderdc en rees en daalde als golven die door een orkaan voortgedreven worden. Het deed hun huid tintelen en hun nekharen en de haren op hun onderarmen gingen overeind staan. Kermit gooide zijn deken opzij en sprong overeind. Het geluid stierf weg in een serie snikkende, grommende geluiden. De stilte die erop volgde, leek ieder mens en elk dier van de schepping in haar greep te houden.

'Wat was dat in godsnaam?' bracht Kermit uit.

'Een leeuw. Een grote, dominante mannetjesleeuw die dit gebied tot zijn koninkrijk uitroept,' zei Leon zacht. Manjoro voegde er iets in het Maa aan toe en daarna lachten hij en Loikot om de grap.

'Wat zei hij?' vroeg Kermit.

'Hij zei dat zelfs de dapperste man twee keer bang is voor een leeuw. De eerste keer wanneer hij hem hoort brullen en de tweede keer en laatste keer wanneer hij tegenover hem komt te staan.'

'Wat de eerste keer betreft heeft hij gelijk,' gaf Kermit toe. 'Het is een ongelooflijk geluid. Maar hoe weet je dat het een groot mannetje is en geen leeuwin?'

'Hoe weet ik dat ik de stem van Enrico Caruso hoor en niet die van Dame Nellie Melba?'

'Laten we hem gaan schieten.'

'Goed plan, vriend. Ik houd de kaars vast en jij vuurt. Een fluitje van een cent.'

'Wat gaan we dan doen?'

'Ik kruip in elk geval onder mijn deken en probeer wat te slapen. Jij zou hetzelfde moeten doen. We hebben een drukke dag voor de boeg.' Weer strekten ze zich naast het vuur uit, maar ze sliepen nog lang niet toen er opnieuw een donderend gebrul door de nacht echode.

'Luister naar hem!' fluisterde Kermit. 'De leeuw nodigt me uit om met hem te komen spelen. Hoe kan ik slapen met dat lawaai?' Het laatste zagende gegrom stierf weg en toen klonk er een ander geluid, bijna een echo van het eerste gebrul, ver weg en zwak. Ze schoten overeind en de Masai slaakten een kreet.

'Wat was dat, verdomme?' vroeg Kermit. Het klonk als nog een leeuw.'

'Dat is precies wat het was,' verzekerde Leon hem.

'Is het een broer van de eerste?'

'Verre van dat. Het is de rivaal en de doodsvijand van de eerste leeuw.' Kermit wilde nog een vraag stellen, maar Leon weerhield hem. 'Laat me even met de Masai praten.' Ze spraken razendsnel in het Maa en aan het eind van het gesprek draaide Leon zich naar Kermit om. 'Goed, het volgende is daar aan de gang. De eerste leeuw is het oudere en dominante mannetje. Dit is zijn territorium en hij heeft bijna zeker een grote harem van vrouwtjes en hun welpen. Maar hij wordt nu oud en zijn krachten nemen af. Het tweede mannetje is jong en sterk, in de kracht van zijn leven. Hij heeft het gevoel dat hij gereed is om de ander uit te dagen tot een gevecht om het territorium en de harem. Hij sluipt langs de grenzen ervan en verzamelt zijn moed voor de strijd op leven en dood. De oude leeuw probeert hem te verjagen.'

'En Manjoro weet dat allemaal nadat hij een paar keer gebrul heeft gehoord?'

'Zowel Manjoro als Loikot spreekt de leeuwentaal vloeiend,' zei Leon met een uitgestreken gezicht.

'Vanavond geloof ik alles wat je me vertelt. Dus we hebben niet een, maar twee grote leeuwen?'

'Ja, en ze zullen in de buurt blijven. De oude leeuw durft de deur niet open te laten staan en het jonge mannetje kan die dames ruiken. Hij gaat ook nergens heen.'

Daarna was het uitgesloten dat er nog iemand ging slapen. Ze gingen om het vuur zitten, bereidden de jacht met de Masai voor en dronken Ishmaels heerlijke koffie tot de eerste zonnestralen de boomtoppen verguldden. Ze aten hun ontbijt dat bestond uit Ishmaels beroemde omeletten van struisvogeleieren en zijn al even beroemde scones, heet uit de pan. Eén struisvogelei stond gelijk aan vijfentwintig grote kippeneieren, maar er bleef niets over. Terwijl ze de laatste restjes vet uit de pan opveegden met stukjes scone, braken Ishmael en de Masai het kamp op en bepakten de muilezels. De lucht was nog zoet en koel toen ze uitreden om te kijken wat de dag zou brengen.

Toen ze anderhalve kilometer langs de rivieroever hadden gereden, verrasten ze een kudde van een paar honderd buffels die terugkwamen van het water. Leon doodde er twee met opeenvolgende schoten uit de linker- en rechterloop van de Holland. Ze sneden de buiken open zodat de geur van aas op de zwoele bries meegevoerd zou worden en daarna sleepten de muilezels ze naar de geschiktste plekken waar de kadavers omringd werden door open grond en waar geen dicht struikgewas in de buurt was waarin een gewonde leeuw zou kunnen vluchten.

Terwijl ze het lokaas op de juiste plekken legden, sneden de dragers bundels groene takken waarmee ze de kadavers bedekten zodat aasgieren en hyena's er moeilijk bij zouden kunnen. Een leeuw zou door zo'n lichte bedekking maar heel even worden tegengehouden.

Ze reden verder langs de rivier tot ze in het gebied kwamen waarin de leeuwen in de nacht gebruld hadden. Om de drie kilometer schoot Leon een groot dier dat zich toevallig aanbood: een giraffe, een neushoorn of een buffel. Tegen zonsondergang hadden ze over een lengte van vijftien kilometer een rij zeer aantrekkelijke lokazen voor de leeuwen neergelegd.

Die nacht werden ze weer voor een groot deel van hun nachtrust beroofd door het gebrul en tegengebrul van de twee vijanden. Op een bepaald moment was de oudste leeuw zo dichtbij dat de grond onder hun dekenrol trilde door de kracht van zijn heerszuchtige gebrul, maar deze keer werd het niet door zijn uitdager beantwoord.

'De jonge leeuw heeft een van onze lokazen gevonden,' was Manjoro's verklaring voor de stilte. 'Hij eet ervan.'

'Ik dacht dat leeuwen nooit aas aten,' zei Kermit.

'Geloof het maar niet. Ze zijn even lui als huiskatten. Ze eten liever vlees dat ze zonder enige inspanning kunnen krijgen, hoe erg het ook stinkt en hoe verrot het ook is. Ze nemen alleen de moeite om zelf op een prooi te gaan jagen als verder alles mislukt is.'

Twee uur na middernacht was de oude leeuw opgehouden met brullen want het was stil in de duisternis.

'Hij heeft nu zelf een lokaas gevonden,' merkte Manjoro op. 'Morgen zullen we ze allebei te pakken krijgen.'

'Hoeveel leeuwen mag ik op mijn vergunning schieten?' vroeg Kermit.

'Genoeg om zelfs jou tevreden te stellen,' antwoordde Leon. 'Leeuwen worden in Brits Oost-Afrika als ongedierte beschouwd. Je kunt er zo veel schieten als je wilt.'

'Mooi! Ik wil deze twee grote jongens allebei hebben. Ik wil ze mee naar huis nemen om ze aan mijn vader te laten zien.'

'Ik ook,' beaamde Leon fel. 'Ik ook.'

38

Zodra het voor de spoorzoekers licht genoeg was om de sporen te kunnen lezen, gingen ze de keten van lokazen af. Leon en Kermit droegen dikke jacks, want het was een kille ochtend die naar een uitstekende chablis rook.

De eerste drie lokazen die ze bezochten, waren onaangeroerd, hoewel de aasgieren broeierig, gebocheld en somber als begrafenisondernemers in de boomtoppen om hen heen zaten. Toen ze het vierde naderden, stopte Leon een paar honderd meter ervoor en speurde met zijn verrekijker de berg takken die het bedekte zorgvuldig af.

'Je verspilt tijd, vriend. Er is daar niets,' zei Kermit.

'Integendeel,' zei Leon zacht zonder de verrekijker te laten zakken.

'Hoe bedoel je?' Kermits interesse was gewekt.

'Ik bedoel dat daar een grote mannetjesleeuw is.'

'Welnee!' wierp Kermit tegen. 'Ik zie helemaal niets.'

'Hier.' Leon overhandigde hem de verrekijker. 'Kijk hier maar eens door.'

Kermit stelde de lens scherp en staarde er een minuut door. 'Ik zie nog steeds geen leeuw.'

'Kijk naar de plek waar de takken uit elkaar getrokken zijn.' Je kunt de gestreepte heupen van de zebra in de opening zien...'

'Ja, die zie ik.'

'Kijk dan nu net boven de zebra. Zie je twee kleine, donkere uitsteekseltjes aan de andere kant van zijn lichaam?'

'Ja, maar dat is geen leeuw.'

'Dat zijn de punten van zijn oren. Hij ligt plat achter de zebra naar ons te kijken.'

'Mijn god! je hebt gelijk! Ik zag een oor bewegen,' riep hij uit. 'Welke leeuw is het? De jonge of de oude?'

Leon praatte snel met Manjoro. Loikot onderbrak hen om de paar zinnen om zijn eigen mening naar voren te brengen. Ten slotte richtte Leon zich weer tot Kermit. 'Haal maar eens diep adem, makker. Ik heb nieuws voor je. Het is de grote leeuw. Manjoro noemt hem de leeuw aller leeuwen.'

'Wat doen we nu? Gaan we te paard achter hem aan?'

'Nee, te voet.' Leon zwaaide zich al uit het zadel en trok de grote Holland uit het foedraal. Hij opende de lade, trok de koperen patronen uit het staartstuk en verwisselde ze voor een nieuw paar uit zijn patroongordel. Kermit volgde zijn voorbeeld met de kleine Lee-Enfield. De paardenknechten kwamen naar voren, pakten de teugels van hun paarden, leidden ze naar de achterhoede, legden toen hun waterzakken op de grond en hurkten neer om een snuifje te nemen. Al snel sprongen ze op, hieven hun leeuwenspeer en staken ermee in de lucht terwijl ze een bloeddorstig gegrom uitstootten. Ze sprongen bij elke steek van het lange, glinsterende blad van hun speer hoog in de lucht om zich op de strijd voor te bereiden.

Zodra alle jagers klaar waren, gaf Leon Kermit zijn instructies. 'Jij gaat voorop. Ik kom drie passen achter je zodat ik je schootsveld niet blokkeer. Loop langzaam en in hetzelfde tempo, maar niet recht op hem af. Wek de indruk dat je twintig passen rechts van hem langs zult lopen. Kijk hem niet recht aan. Houd je blik op de grond voor je gericht. Als je naar hem kijkt, maak je hem bang en slaat hij op de vlucht of valt hij voortijdig aan. Wanneer je ongeveer vijftig passen van hem vandaan bent, laat hij een waarschuwend gegrom horen. Je zult zien dat hij dan met zijn staart gaat slaan. Blijf dan niet staan en ga niet sneller lopen. Blijf rustig. Als je op dertig passen afstand van hem bent, staat hij op en gaat de confrontatie met je aan. Op dat moment zal een gemiddelde leeuw vluchten of aanvallen. Deze leeuw is anders. Door het sparren met de jonge rivaal is hij in een vechtlustige, roekeloze stemming. Zijn bloed kookt. Hij zal aanvallen. Hij zal je drie of vier seconden de tijd geven. Je moet hem raken voor hij in beweging komt, want voordat je met je ogen kunt knipperen, komt hij met een snelheid van vijfenveertig kilometer per uur recht op je af. Wanneer ik roep dat je moet schieten, moet je hem onder zijn kin in het midden van zijn borst raken. Deze katachtigen zijn zacht. Zelfs met de .303 kun je hem doden, maar onthoud dat je moet blijven schieten zolang hij op zijn poten staat.'

'Jij gaat niet schieten, hè?'

'Niet voordat hij je hoofd eraf begint te bijten, vriend. Goed, lopen maar!'

Ze vertrokken in open slagorde. Kermit ging voorop, Leon volgde een paar passen achter hem en daarachter kwamen de twee Masai die schouder aan schouder liepen met hun assegaai in de aanslag.

'Uitstekend,' moedigde Leon Kermit zachtjes aan. 'Houd die snelheid en die richting aan. Je doet het prima.' Binnen de volgende vijftig passen zag Leon dat de leeuw zijn kop een stukje ophief. Zijn schedel was nu volledig zichtbaar en hij zette zijn manen dreigend uit. Ze leken op een kleine hooiberg, dicht en zwart als Hades. Kermit aarzelde halverwege een stap.

'Rustig, rustig. Blijf doorlopen!' waarschuwde Leon hem. Ze liepen door en nu zagen ze de ogen van de leeuw onder de grote bos haar van de manen. Ze waren koud, geel en meedogenloos. Toen ze nog tien langzame passen hadden gedaan, gromde de leeuw. Het was een laag, diep en oneindig dreigend geluid, zoals het verre gerommel van zomeronweer. Kermit bleef abrupt staan. Hij draaide zich naar het dier opzij en bracht tegelijkertijd het lange geweer omhoog. Door die beweging en doordat Kermit hem recht aankeek, ging de leeuw tot de aanval over.

'Kijk uit! Hij komt eraan,' zei Leon scherp, maar de leeuw lag al op volle snelheid. Hij rende op Kermit af en gromde met korte staccato uitbarstingen, als stoomzuigers op een snel rijdende locomotief. Zijn manen stonden recht overeind van woede en zijn lange staart zwaaide heen en weer. Hij was enorm groot en hij werd nog groter terwijl hij het gat tussen hen dichtte.

'Schiet!' Leons stemgeluid werd overstemd door de scherpe knal van de .303. Kermit had haastig gericht en de kogel vloog over de rug van de leeuw heen en deed tweehonderd meter achter hem een wolkje stof opstuiven. Kermit herlaadde snel. Zijn volgende schot was te laag en raakte de grond tussen de voorpoten van het dier. De leeuw bleef recht op hen afkomen, als een vage, gele streep van snelheid, en hij gromde van woede, terwijl hij stof deed opstuiven en met zijn staart sloeg.

Jezus! dacht Leon. De leeuw krijgt hem te pakken. Hij zwaaide de Holland omhoog en concentreerde al zijn psychische en fysieke krachten op de grote kop en de opengesperde, grommende bek. Hij was zich er amper bewust van dat zijn vinger zich om de trekker spande. Vlak voordat de leeuw zich met zijn volle gewicht van tweehonderdvijftig kilo en met een snelheid van zestig kilometer per uur op hem zou storten, vuurde Kermit zijn derde schot af.

De mond van de .303 Lee-Enfield raakte bijna het glanzende zwarte puntje van de neus van de leeuw. De lichte kogel trof het uiteinde van de snuit en boorde zich vervolgens in de hersenen. Het bruingele lichaam werd slap en als een zak kaf. Kermit wierp zich op het laatste moment opzij en de leeuw zakte in een hoop in elkaar op de plek waar Kermit net had gestaan. Hij keek op het dier neer. Zijn handen trilden, zijn adem ging hortend door zijn keel en het zweet liep in zijn ogen.

'Schiet nog een keer op hem,' schreeuwde Leon, maar Kermits benen begaven het en hij ging zitten. Leon rende naar de leeuw toe, boog zich over hem heen en schoot hem door het hart. Daarna draaide hij zich om naar Kermit die met zijn hoofd tussen zijn knieën zat.

'Alles goed, makker?' vroeg hij diep bezorgd.

Kermit hief langzaam zijn hoofd op en staarde hem aan alsof hij een vreemde was. Hij schudde in verwarring zijn hoofd. Leon ging naast hem zitten en legde een gespierde arm om zijn schouders. 'Rustig maar, vriend. Je hebt het geweldig gedaan. Je hebt de aanval weerstaan. Je bent niet gebroken. Je bleef daar staan en schoot hem dood als een held. Als je vader het had kunnen zien, zou hij trots op je zijn geweest.'

Kermits ogen werden helder. Hij haalde diep adem en vroeg toen schor: 'Denk je dat?'

'Ik weet het wel zeker,' zei Leon met diepe overtuiging.

'Jij hebt niet geschoten, hè?' Kermit was nog zo labiel als een langeafstandsloper na een zware wedstrijd.

'Nee, je hebt hem zelf gedood, zonder mijn hulp,' verzekerde Leon hem.

Kermit zei niets meer, maar staarde kalm naar het schitterende lichaam van de leeuw. Leon bleef naast hem zitten. Manjoro en Loikot begonnen om hen heen te draaien terwijl ze schuifelend en met stijve benen huppelend en springend om hen heen begonnen te dansen.

'Ze gaan ter ere van jou de leeuwendans uitvoeren,' verklaarde Leon.

Manjoro begon te zingen. Zijn stem was krachtig en zuiver.

'Wij zijn de jonge leeuwen.
Wanneer we brullen, trilt de aarde.
Onze speren zijn onze tanden.
Onze speren zijn onze klauwen...'

Na elke regel sprongen ze hoog op met het gemak van opvliegende vogels en Loikot viel in bij het refrein. Toen het lied afgelopen was, gingen ze naar de dode leeuw toe en doopten hun vingers in zijn bloed. Ze kwamen terug naar de plaats waar Kermit nog steeds zat. Manjoro boog zich over hem heen en smeerde een streep bloed op zijn voorhoofd.

'Je bent een Masai.
Je bent een morani.
Je bent een leeuwenkrijger.
Je bent mijn broeder.'

Hij stapte achteruit en Loikot nam zijn plaats voor Kermit in. Hij smeerde ook bloed op Kermits gezicht en trok rode strepen onder zijn wangen. Daarna galmde hij:

'Je bent een Masai
Je bent een morani.
Je bent een leeuwenkrijger.
Je bent mijn broeder.'

Ze hurkten voor hem neer en klapten ritmisch in hun handen.

'Ze maken een Masai en een broeder van je. Het is de hoogste eer die ze je kunnen bewijzen. Je moet ze ervoor bedanken.'

'Jullie zijn ook míjn broeders,' zei Kermit. 'Ook al worden we gescheiden door grote wateren, ik zal jullie van mijn leven niet vergeten.'

Leon vertaalde voor hem en de Masai mompelden vergenoegd voor zich uit.

'Zeg tegen Popoo Hima dat hij ons een grote eer bewijst,' zei Manjoro.

Kermit stond op en liep naar het lichaam van de leeuw. Hij knielde ervoor neer alsof het een altaar was. Hij raakte het niet direct aan, maar zijn gezicht had een bijzondere uitstraling toen hij de enorme kop bestudeerde. De manen begonnen vijf centimeter boven de ondoorzichtige gele ogen en ze liepen in golven van dicht zwart haar naar achteren over de schedel, de nek en de zware schouders en vervolgens onder de borst door. Ze eindigden pas halverwege de brede rug.

'Laat hem maar,' zei Manjoro tegen Leon. 'Popoo Hima neemt de geest van de leeuw in zijn hart op. Het is juist en passend. De echte krijger doet het deze manier.'

De zon was al onder voordat Kermit bij de leeuw wegging en naar Leon toe kwam die in zijn eentje bij een klein vuur zat. Ishmael had aan weerskanten ervan een houtblok neergezet dat als zitplaats moest dienen. Op een derde houtblok, dat ondersteboven stond, had hij twee bekers en een fles neergezet. Toen Kermit tegenover Leon ging zitten, keek hij naar de fles. 'Bunnahabhaim-whisky, dertig jaar oud,' zei Leon. 'Ik heb hem van Percy gebietst voor het geval zoiets als dit zou gebeuren en we gedwongen zouden zijn om het te vieren. Helaas heeft hij me maar een halve fles gegeven. Hij zei dat het spul eigenlijk te goed was voor mensen als jij.' Leon schonk de whisky in de bekers en reikte Kermit er een aan.

'Ik voel me anders,' zei Kermit en hij nam een slokje.

'Dat begrijp ik,' zei Leon. 'Vandaag heb je je vuurdoop ondergaan.'

'Ja!' antwoordde Kermit fel. 'Dat is het precies. Het was een mystieke, bijna religieuze ervaring. Er is me iets vreemds en heerlijks overkomen. Ik heb het gevoel alsof ik iemand anders ben, niet mijn oude ik, maar iemand die beter is dan ik ooit ben geweest.' Hij zocht naar woorden. 'Ik heb het gevoel alsof ik herboren ben. Mijn oude ik was bang en onzeker. Het nieuwe is niet bang meer. Nu weet ik dat ik de wereld op mijn eigen voorwaarden tegemoet kan treden.'

'Ik begrijp het,' zei Leon. 'Een overgangsrite.'

'Is het jou ook overkomen?' vroeg Kermit.

Leon kneep zijn ogen half dicht toen hij terugdacht aan de bleke, naakte lichamen die gekruisigd op de door de zon geblakerde aarde lagen. Hij hoorde weer het suizen van de pijlen van de Nandi's en hij voelde Manjoro's gewicht weer op zijn rug.

'Ja... maar het leek niet op wat er vandaag is gebeurd.'

'Vertel me er eens over.'

Leon schudde zijn hoofd. 'Dit zijn dingen waar we niet te veel over moeten praten. Woorden kunnen hun betekenis alleen maar bezoedelen en bagatelliseren.'

'Natuurlijk. Het is iets wat heel erg privé is.'

'Precies,' zei Leon en hij hief zijn beker. 'We hoeven het niet uit te spinnen. We weten het in ons hart. De Masai hebben een naam voor deze gedeelde waarheid. Ze zeggen eenvoudigweg "broeders van het krijgersbloed".

Ze bleven lang in een vriendschappelijk stilzwijgen zitten tot Kermit zei: 'Ik denk niet dat ik vannacht zal kunnen slapen.'

'Ik blijf samen met je waken,' antwoordde Leon. 'Na een tijdje begonnen ze de kleinste details van de jacht van die dag op te halen en te bespreken: hoe het eerste gegrom had geklonken, hoe groot de leeuw had geleken toen hij in zijn volle grootte verrees en hoe snel hij had aangevallen. Maar om de emotionele aspecten draaiden ze heen. Het whiskyniveau in de fles daalde gestaag.

Even voor middernacht schrokken ze omdat ze Engelssprekende stemmen en paarden hoorden die het kamp in het donker naderden. Kermit sprong op. 'Wie kunnen dat in godsnaam zijn?'

'Ik denk dat ik het wel kan raden.' Leon grinnikte toen een man die een rijbroek en een slappe hoed droeg het licht van het vuur binnenreed. 'Goedenavond, meneer Roosevelt, meneer Courtney. Ik kwam toevallig langs en ik dacht: laat ik even het kamp in gaan om gedag te zeggen.'

'Meneer Andrew Fagan, ik hoop dat u het niet erg vindt dat ik u een vuile leugenaar noem. U hebt ons bijna twee weken lang dag en nacht gevolgd. Mijn spoorzoekers hebben de meeste dagen uw spoor opgepikt.'

'Kom, kom, meneer Courtney.' Fagan lachte. 'Volgen is een te groot woord. Maar het is waar dat ik meer dan oppervlakkig geïnteresseerd ben in wat jullie uitgespookt hebben, net als de rest van de wereld.' Hij zette zijn hoed af. 'Mogen we een poosje bij u komen zitten?'

'Ik ben bang dat u een beetje te laat bent,' zei Kermit. 'Zoals u ziet, is de fles bijna leeg.'

'Door een opmerkelijk toeval heb ik een fles bij me.' Fagan riep naar zijn fotograaf: 'Carl, wil je alsjeblieft die fles Jack Daniel's voor ons pakken en er daarna bij komen zitten?' Toen ze zich allemaal in het licht van het vuur hadden geïnstalleerd en het eerste slokje uit hun beker hadden genomen, vroeg Fagan: 'Is er vandaag nog iets interessants gebeurd. We hebben schoten gehoord die uit uw richting kwamen.'

'Vertel het hem maar, Leon!' Kermit kon zijn mond bijna niet dichthouden, maar hij wilde geen opschepperige indruk maken.

'Nu we het er toch over hebben, meneer Roosevelt heeft vanmiddag de leeuw geschoten waarnaar we allemaal vanaf het begin van onze safari op zoek waren.'

'Een leeuw.' Fagan morste een paar druppels whisky. 'Dat is pas echt nieuws. Wat kunt u over hem zeggen als u hem vergelijkt met de leeuw die ongeveer een week geleden door de president is geschoten?'

'Dat moet u zelf maar beoordelen,' zei Leon.

'Mogen we hem zien?'

'Komt u maar mee,' zei Kermit gretig. Hij pakte een brandend stuk hout uit het vuur en leidde hen maar de plaats waar de leeuw lag. Tot nu toe was hij in het donker verborgen geweest. Hij hield de vlam hoog om het dier te verlichten.

'Godallemachtig, dat is een monster!' zei Fagan en hij wendde zich snel tot zijn fotograaf. 'Carl, ga je camera halen.' Hij haalde Kermit en Leon over om bijna een uur met de trofee te poseren, hoewel Kermit niet echt overgehaald hoefde te worden. Toen ze eindelijk naar het vuur terugkeerden en hun bekers weer oppakten, zagen ze sterretjes voor hun ogen door de vele explosies van het flitspoeder. Fagan haalde zijn notitieboekje tevoorschijn. 'Vertelt u ons eens, meneer Roosevelt, hoe voelt u zich na wat u vandaag hebt gedaan?'

Kermit dacht daar een poosje over na. 'Bent u een jager, meneer Fagan? Als dat zo is, kan ik het u gemakkelijker uitleggen.'

'Nee, meneer. Ik ben een golfer, geen jager.'

'Oké. Voor mij was deze leeuw wat het voor u zou zijn als u bij het Open Kampioenschap een hole-in-one zou slaan tijdens de play-off met Willie Anderson om de titel.'

'Een prachtig voorbeeld! U hebt de gave van het woord, meneer.' Fagan schreef snel. 'Vertel me dan nu tot in de kleinste details het hele verhaal, vanaf het moment dat u dat reusachtige beest voor het eerst zag tot het moment dat u het doodde.' Kermit was nog steeds gespannen door de opwinding en de drank. Hij liet niets weg en ging overdrijving geenszins uit de weg. Hij vroeg Leon regelmatig om bevestiging van de kleinere details. 'Is dat niet zo? Is dat niet precies wat er gebeurd is?' Leon steunde hem loyaal, zoals een jager ook aan een cliënt verplicht is. Toen het verhaal ten slotte verteld was, bleven ze nog een tijdje zwijgend zitten om de details te verwerken. Leon wilde net zeggen dat het voor iedereen tijd was om naar bed te gaan toen een donderend gebrul uit het duister klonk.

'Wat was dat?' Andrew Fagan was geschrokken. 'Wat was dat in godsnaam?'

'Dat is de leeuw waarop we morgen gaan jagen,' zei Kermit nonchalant.

'Nog een leeuw? Morgen?'

'Ja.'

'Vindt u het goed als we meegaan?' vroeg Fagan. Leon opende zijn mond om te weigeren, maar Kermit was hem voor.

'Natuurlijk. Waarom niet? U bent welkom, meneer Fagan.'

39

De volgende ochtend vroeg begonnen de vilders met hun werk aan de leeuw en ze bedekten de natte huid met een dikke laag rotszout.

'Wacht hier wanneer jullie klaar zijn,' zei Leon tegen hen. 'Ik stuur Loikot wel om jullie te halen.'

Toen het vanuit het oosten licht werd, keek hij naar de bomen aan de andere kant van de open plek. Zodra hij individuele bladeren tegen de achtergrond van de vroegeochtendhemel kon zien, zei hij: 'Het is licht genoeg om te kunnen schieten. Opstijgen, alstublieft, heren.' Toen ze allemaal in het zadel zaten, maakte hij een gebaar naar Manjoro. Met de twee Masai-spoorzoekers voorop vertrokken ze in een gesloten colonne. Leon stuurde zijn pony geleidelijk terug in de rij tot hij stijgbeugel aan stijgbeugel reed met Fagan. Hij sprak zacht maar ferm. 'Het was heel grootmoedig van meneer Roosevelt om u toe te staan om aan de jacht deel te nemen. Als het aan mij had gelegen, zou ik dat hebben geweigerd. U hebt echter het gevaar dat eraan verbonden is misschien onderschat. Als de boel misloopt, kan er iemand ernstig gewond raken. Ik moet er bij u op aandringen dat u veilig uit de buurt blijft.'

'Natuurlijk, meneer Courtney. Wat u wilt.'

'Met "uit de buurt" bedoel ik minstens tweehonderd meter. Ik zorg voor mijn cliënt. Ik zal niet ook nog op u kunnen letten.'

'Ik begrijp het. Tweehonderd meter uit de buurt en zo stil als een muis. Komt in orde, meneer. U zult niet eens merken dat we er zijn.'

Manjoro leidde hen naar het volgende lokaas voor de leeuw dat drie kilometer verder lag. Toen ze het opgeblazen lichaam van de oude giraffe naderden, vloog een groot aantal aasgieren dat van het kadaver gegeten had op en een troep van meer dan tien hyena's vluchtte in groteske paniek. De dieren hadden hun staart op hun rug gedraaid, ze lachten schril en hun grijnzende kaken waren besmeurd met bloed.

'*Hapana*,' Manjoro haalde zijn schouders op. 'Niets.'

'Er zijn nog drie lokazen. Hij is waarschijnlijk bij een ervan. Verspil geen tijd, Manjoro, leid ons verder,' beval Leon. Het tweede kadaver lag in het midden van een open plek met pas verbrande zwarte stoppels die aan drie kanten omringd was door groen koesaka-sakastruikgewas waarvan het dichte gebladerte laag boven de grond hing en een vluchtend dier een veilige aftocht bood. Maar Leon had de plek uitgekozen omdat er een breed stuk open grond rondom het kadaver was. Er was genoeg ruimte voor hen om hun werk te kunnen doen.

Het eerste dat Leon trof en dat direct op zijn zenuwen werkte, was dat de bovenste takken van de bomen vol zaten met een kolonie aasgieren en dat een groepje van vier hyena's aan de rand van de koesakasaka stond. Zowel de aasgieren als de hyena's bleven ruim uit de buurt van de dode buffel in het midden van de open plek. Er moest daar iets zijn wat ze niet beviel. Manjoro, die een flink stuk voor hen uit liep, stopte plotseling en maakte een onopvallend handgebaar dat voor Leon een even duidelijke waarschuwing inhield als een verbale hint gedaan zou hebben.

Leon toomde in. 'Wees voorzichtig. Hij is hier,' zei hij tegen Kermit. 'Wacht. Manjoro wordt warm. Laat hem het maar voor ons uitzoeken.' Fagan en zijn gezelschap hadden hen ingehaald. 'Jullie blijven hier,' zei Leon. 'Kom niet dichterbij voordat ik jullie het teken geef. Jullie hebben hiervandaan een goed zicht op wat er gaat gebeuren, maar jullie moeten ruim buiten de gevarenzone blijven.' Ze zagen dat Manjoro de wind testte die licht en warm was, maar van hem vandaan recht naar het lokaas woei. Manjoro schudde zijn hoofd en maakte weer een gebaar.

'Oké, makker, de leeuw is bij het lokaas,' zei Leon tegen Kermit. 'We gaan eropaf. Dezelfde routine als de vorige keer. Rustig aan. Haast je niet. Maar wat je ook doet, kijk die vervloekte leeuw deze keer niet aan.'

'Oké, baas.' Kermit grijnsde van nerveuze opwinding en zijn hand trilde toen hij zijn geweer uit het foedraal haalde. Leon hoopte dat de langzame benadering van de leeuw hem de tijd zou geven om zich onder controle te krijgen.

Ze stegen af.

'Controleer je geweer. Let erop dat je een kogel in de loop hebt.'

Kermit deed wat hem was gezegd en Leon zag tot zijn opluchting dat zijn handen niet meer trilden. Hij gebaarde Manjoro dat hij zijn positie achter hen moest innemen en ze begonnen aan de lange, langzame tocht over het verbrande open terrein. Kleine wolkjes fijne as stoven op bij elke stap die ze deden. Ze waren nog tweehonderdvijftig meter van het kadaver verwijderd toen de leeuw erachter opstond. Hij was heel groot, even groot als de oude leeuw. Zijn manen waren vol, maar roodachtig bruin en alleen de uiteinden ervan waren hier en daar roetzwart. Hij was in een schitterende conditie. Zijn huid was glad en glanzend en had geen lelijke littekens. Toen hij grauwde, zagen ze dat hij lange, glanzend witte, perfecte tanden had. Maar hij was jong en daarom onvoorspelbaar.

'Kijk hem niet aan,' waarschuwde Leon op een fluistertoon. 'Blijf lopen, maar kijk hem in godsnaam niet aan. We moeten dichterbij komen. Veel dichterbij.' Toen ze nog honderdvijftig meter van de leeuw verwijderd waren, grauwde hij weer en zijn staart trilde onzeker. Hij draaide zijn grote kop om en keek achter zich.

'O, shit! Nee!' klaagde Leon in stilte. 'Hij wordt bang. Hij houdt het niet meer vol. Hij gaat ervandoor.'

De leeuw keek weer naar hen en hij gromde voor de derde keer, maar het geluid klonk niet fel en bloeddorstig. Toen draaide hij zich abrupt om en rende met grote sprongen over de open plek om zich in de koesaka-sakastruiken in veiligheid te brengen.

'Hij ontsnapt!' schreeuwde Kermit. Hij rende met drie snelle passen naar voren, bleef toen staan en bracht de Lee-Enfield omhoog.

'Nee!' schreeuwde Leon dringend. 'Niet schieten!' De afstand was veel te groot en de leeuw was een snel bewegend doelwit. Leon rende naar voren om Kermit tegen te houden, maar de Lee-Enfield knalde scherp en de mond schoot omhoog. De lange, zich scherp aftekenende spieren van de leeuw bewogen onder de glanzende huid als die van een atleet in zijn gloriejaren. Leon zag dat de kogel doel trof. Op de plaats van inslag kwam de huid omhoog en rimpelde alsof er een steen in een stille, diepe vijver was gegooid. De kogel was twee handbreedtes achter de laatste rib in de flank van de leeuw ingeslagen, onder de centrale lijn van het lichaam.

'Een buikschot!' kreunde Leon. 'Veel te ver naar achteren.' De leeuw gromde toen hij door de kogel werd getroffen en daarna zette hij het op een rennen. In de tijd die het Leon kostte om zijn geweer naar zijn schouder te brengen, had het dier het struikgewas bijna bereikt. De afstand viel ver buiten het zuivere schootsbereik van de Holland, maar toch was Leon gedwongen om te schieten. De leeuw was gewond. Het was zijn morele plicht om te proberen hem uit zijn lijden te verlossen, hoe klein de kans op succes ook was. Hij vuurde de eerste loop af en zag dat de zware kogel te snel daalde en stof onder de borst van de leeuw deed opstuiven. De knal van zijn tweede schot vermengde zich met die van het eerste, maar hij kon niet zien waar hij de leeuw getroffen had voordat het dier in de struiken verdween.

Hij keek snel om naar Manjoro die zijn linkerbeen aanraakte.

'Ik heb verdomme zijn achterpoot gebroken,' zei Leon boos. 'Daar zal hij niet veel langzamer van gaan lopen.' Hij wierp de gebruikte patroonhulzen uit en herlaadde de Holland.

'Sta daar niet met een leeg geweer van het uitzicht te genieten,' snauwde hij tegen Kermit. 'Herlaad dat vervloekte ding.'

'Het spijt me,' zei Kermit beschaamd.

'Mij ook,' kaatste Leon grimmig terug.

'Hij ontsnapte.' Kermit probeerde zijn gedrag te verklaren.

'Ja, en nu is hij helemaal weg, met jouw kogel in zijn buik.' Leon wenkte Manjoro en ze hurkten, met hun hoofden dicht bij elkaar, neer en ze spraken ernstig met elkaar. Na een tijdje voegde Manjoro zich weer bij Loikot en de beide Masai namen een snuifje. Leon ging op de kale aarde zitten met de Holland dwars over zijn schoot. Kermit zat een stukje verderop en keek naar Leons gelaatsuitdrukking. Leon negeerde hem.

'Wat doen we nu?' vroeg Kermit ten slotte.

'We wachten.'

'Waarop.'

'Tot de arme stakker uitgebloed is en zijn wonden verstijven.'

'En dan?'

'Dan gaan Manjoro en ik het struikgewas in en jagen hem eruit.'

'Ik ga mee.'

'Geen sprake van. Je hebt voor vandaag genoeg plezier gehad.'

'Je kunt gewond raken.'

'Dat is beslist een mogelijkheid.' Leon grinnikte bitter.

'Geef me nog een kans, Leon,' vroeg Kermit zielig.

Leon draaide zijn hoofd om en keek hem voor het eerst recht aan, met een harde, koude uitdrukking in zijn ogen. 'Vertel me maar eens waarom ik dat zou moeten doen.'

'Omdat dat schitterende dier een langzame en pijnlijke dood sterft en ik degene ben die hem verwond heeft. Ik ben aan God, de leeuw en mijn heilige eer als man verplicht om het struikgewas in te gaan en hem uit zijn lijden te helpen. Begrijp je dat?'

'Ja,' zei Leon en zijn uitdrukking werd zachter. 'Dat begrijp ik heel goed en ik waardeer het in je. We gaan samen het struikgewas in en ik zal het als een eer beschouwen om jou aan mijn zijde te hebben.'

Hij wilde nog meer zeggen, maar toen keek hij uit over de open plek en zijn gelaatsuitdrukking werd er een van afgrijzen. Hij krabbelde overeind. 'Wat denkt die vervloekte idioot dat hij aan het doen is?' Andrew Fagan reed langzaam langs het struikgewas, recht op de plek af waar de gewonde leeuw verdwenen was. Leon begon te rennen om hem de pas af te snijden.

'Ga terug, stomme idioot! Ga terug!' brulde hij zo hard hij kon. Fagan keek zelfs niet om. Hij reed langzaam een dodelijk gevaar tegemoet. Leon rende zo hard mogelijk en hij naderde Fagan snel. Hij schreeuwde niet meer en bereidde zich voor op het verschrikkelijke moment waarvan hij wist dat het zou komen. Hij was nu zo dichtbij dat Fagan hem wel moest horen. 'Fagan, idioot die je bent! Ga daar weg!' schreeuwde hij en hij zwaaide zijn geweer boven zijn hoofd. Deze keer keek Fagan om en hij zwaaide opgewekt met zijn rijzweep terug, maar hij toomde zijn paard niet in.

'Kom onmiddellijk hier!' Leons stem klonk schril van wanhoop.

Deze keer toomde Fagan zijn paard in en zijn glimlach verdween. Hij keerde en reed naar Leon toe, maar op dat moment schoot de leeuw, grommend van woede, op volle snelheid uit de haag van koesaka-saka tevoorschijn. Zijn manen stonden rechtop en zijn gele ogen schoten vuur, terwijl hij naar Fagan toe rende.

Zijn paard gooide zijn hoofd naar achteren en steigerde toen wild op zijn achterpoten. Fagan verloor een stijgbeugel en werd op de nek van zijn paard geworpen. Het paard sloeg op hol en Fagan klemde zich met beide armen aan hem vast. Op een korte afstand was de leeuw sneller dan paard en ruiter, dus hij haalde hen snel in. Hij sprong omhoog en sloeg de lange gele klauwen van beide voorpoten diep in het kruis van het paard.

Het paard hinnikte van pijn en bokte hevig om zich uit de wrede greep te bevrijden. Fagan viel uit het zadel en kwam met een dreun als een zak houtskool die uit een kolenwagen wordt gegooid op de grond terecht, maar zijn voet bleef in de stijgbeugel haken en hij werd achter het worstelende paard aan onder de achterpoten van de leeuw meegesleept. Het paard gilde en trapte woest om zijn aanvaller af te schudden en zijn hoeven schoten langs Fagans hoofd. Omdat een van de achterpoten van de leeuw gebroken was, kon hij niet genoeg houvast krijgen om het paard naar de grond te trekken. De strijd werd bijna aan het zicht onttrokken door wolken as die uit het verbrande gras omhooggeschopt werden. Omdat zijn zicht werd belemmerd, durfde Leon niet te schieten uit angst dat hij Fagan zou raken in plaats van de leeuw. Toen brak Fagans stijgbeugelriem onder de spanning en hij rolde weg van de mêlee.

'Fagan, kom hierheen!' brulde Leon. Deze keer reageerde Fagan onmiddellijk. Hij kwam overeind met de stijgbeugel nog steeds om zijn rechtervoet en strompelde naar hem toe. Achter hem waren de leeuw en het paard nog steeds in gevecht. Het paard trapte met beide achterbenen en sleepte de leeuw in een cirkel rond. De leeuw brulde en klemde zich met zijn voorpoten vast terwijl hij probeerde in de zwoegende romp van het paard te bijten.

Het paard trapte weer en deze keer raakte hij de leeuw met beide hoeven hard op de borst. De trap was zo krachtig dat de leeuw achterover werd geworpen en zijn klauwen uit het vlees van het paard werden losgerukt. Hij rolde op zijn rug, maar sprong in dezelfde beweging weer overeind. Het paard vluchtte in een wilde galop, terwijl het bloed uit de diepe wonden in zijn kruis spoot. De leeuw staarde hem na, maar zijn aandacht werd afgeleid door de rennende Fagan. Hij veranderde snel van richting en ging achter Fagan aan. Fagan keek om en jammerde meelijwekkend.

'Hierheen!' Leon rende naar hem toe, maar de leeuw was sneller. Hij kon nog steeds niet schieten omdat Fagan recht tussen hem en het dier in liep. Binnen een seconde zou de leeuw hem te pakken hebben.

'Ga liggen!' schreeuwde Leon. 'Laat je plat op de grond vallen zodat ik vrij kan schieten.'

Misschien omdat hij gehoorzaamde of misschien doordat zijn benen van angst verlamd raakten en het begaven, zakte Fagan in elkaar en rolde zich op de kale grond op tot een bal met zijn knieën tegen zijn borst opgetrokken en met zijn beide handen om zijn achterhoofd geklemd. Zijn ogen waren stijf dichtgeknepen en zijn gezicht was een lijkwit masker van doodsangst. Het was bijna te laat. De leeuw rende geruisloos als de dood op hem af. Hij gromde niet meer in de laatste fatale momenten van zijn aanval en zijn kaken waren opengesperd en zijn hoektanden waren ontbloot. Hij strekte zijn nek uit om in het lichaam van de hulpeloze Fagan te bijten.

Leon vuurde zijn eerste loop af en de kogel boorde zich door de onderkaak van de leeuw. Witte stukjes tand vlogen rond als dobbelstenen uit een beker. Daarna dreef de uitgezette kogel zich met immense kracht door de hele lengte van het grote bruingele lichaam heen, van borst tot anus. De leeuw werd erdoor naar achteren geworpen en sloeg in een slordige salto over de kop. Hij rolde terug op zijn poten en ging met hangende kop en wankel heen en weer zwaaiend staan terwijl het bloed uit zijn open bek druppelde. Leons tweede schot boorde zich in zijn schouder en de kogel verbrijzelde bot en drong zich door het hart heen. De leeuw viel met stijf gesloten ogen achterover in een kluwen van slappe poten. Zijn gebroken, bebloede kaken hapten vruchteloos naar lucht.

Leon had nog twee dikke, koperen patronen tussen de vingers van zijn linkerhand gereed. Nadat hij met een snelle duimbeweging de bovenste hendel had overgehaald en met een duw met zijn pols de grendel had verschoven, schoot de lade van de Holland open en toen de gebruikte patronen er met een pingelend geluid uit waren gesprongen, verving hij ze met een handige beweging, zo snel als een professionele kaartspeler een aas wegtovert. Hij bracht de Holland weer snel naar zijn schouder en schoot de leeuw in de borst om zich ervan te verzekeren dat hij dood was. De niet gebroken achterpoot trapte spastisch in de lucht in de laatste doodsstuip en hield toen op met bewegen.

'Bedankt voor uw medewerking, meneer Fagan, u kunt nu opstaan,' zei Leon beleefd. Fagan opende zijn ogen en keek om zich heen alsof hij verwachtte dat hij voor de poort van het paradijs lag. Hij krabbelde moeizaam overeind.

Zijn gezicht was zo wit als een kabukimasker, maar het glansde van het zweet. Zijn lichaam was bedekt met as, maar de voorkant van zijn Brooks Brothers-rijbroek van twintig dollar was drijfnat. Toen hij aarzelend een stap in Leons richting deed, maakten zijn laarzen een soppend geluid.

De heer Andrew Fagan, steunpilaar van de pers, nestor van de American Associated Press, bestuurslid van de New Yorkse Racket Club en captain van de Pennsylvania Golf Club met een handicap van acht had net uitgebreid in zijn broek gepist.

'Vertel me eens eerlijk, meneer, vond u dat niet heel wat enerverender dan het spelen van achttien holes golf?' vroeg Leon vriendelijk.

40

Eindelijk verliet de grote presidentiële safari de oevers van de Ewaso Ng'iro en bewoog zich log door het uitbundig mooie binnenland naar het noordoosten. Kermit en Leon maakten het beste van de korte tijd die ze samen nog hadden. Ze legden grote afstanden te paard af en jaagden intensief, meestal met veel succes. Nadat Leon Big Medicine gerepareerd had, miste Kermit nooit meer een schot. Was dit het gevolg van Loesima's toverformule, vroeg Leon zich af, of kwam het gewoon doordat hij Kermit zijn eigen ethische code had bijgebracht, namelijk dat je begrip en respect diende te hebben voor de prooi waarop je jaagde. De ware tovenarij zat 'm niet in een toverformule, maar was ontstaan doordat Kermit zich had ontwikkeld tot een zeer bedreven en verantwoordelijke jager, een evenwichtig en zelfverzekerd man. Hun vriendschap, die op de proef gesteld en getest was, nam een vast en duurzaam karakter aan.

Vier maanden nadat ze de Ewaso Ng'iro hadden verlaten, kwamen ze bij de machtige Victorianijl aan, bij de plaats Jinja die aan de kop lag van dat uitgestrekte reservoir van vers water, het Victoriameer. Hier zouden hun wegen zich scheiden.

Percy Phillips' contract eindigde bij de rivier. Op de oostelijke oever zagen ze een ander uitgestrekt kamp: Quentin Grogan wachtte daar om het van Percy over te nemen en president Roosevelt naar het noorden te leiden door Oeganda, Soedan en Egypte naar Alexandrië en de Middellandse Zee. Daar zouden hij en zijn gezelschap zich inschepen voor New York.

Roosevelt hield een afscheidslunch op de oever van de Nijl. Hoewel hijzelf niet dronk, liet hij zijn gasten champagne serveren. Het was een feestelijke bijeenkomst die eindigde met een toespraak van de president. Een voor een koos hij zijn gasten uit en onthaalde de anderen op een amusante of ontroerende anekdote waarin degene die hij had uitgekozen de hoofdrol speelde. Er werd 'bravo' en 'For he's a jolly good fellow!' geroepen.

Ten slotte was het Leons beurt. De president vertelde details van de leeuwenjacht en de redding van Andrew Fagan. Zijn gehoor was verrukt toen hij naar die ongelukkige gentleman verwees als de Plassende Pers. Fagan was niet aanwezig, omdat hij de achtervolging van de safari kort na het incident met de leeuw had opgegeven. Hij was aangeslagen teruggekeerd naar Nairobi.

'À propos, dat was ik bijna vergeten. Heb ik niet een weddenschap met je gesloten, Kermit? Het had iets te maken met wie de grootste leeuw zou schieten, hè?' vervolgde president Roosevelt onder gelach van de gasten.

'Dat klopt vader en daar ging het inderdaad om!'

'Als ik het me goed herinner, hadden we om vijf dollar gewed?'

'Nee, vader, om tien dollar.'

'Heren!' Roosevelt richtte zich tot de anderen aan de tafel. 'Waren het er vijf of tien?'

Er werd geamuseerd geroepen 'Het waren er tien! Betalen, meneer! Een weddenschap is een weddenschap!'

Hij zuchtte en haalde zijn portefeuille tevoorschijn. Hij pakte er een tiendollarbiljet uit en liet dat langs de tafel doorgeven tot Kermit het in ontvangst kon nemen. 'Helemaal betaald,' zei hij. 'Jullie zijn allemaal mijn getuigen.' Toen richtte hij zich weer tot zijn gasten. 'Weinigen van jullie weten dat mijn zoon, nadat hij de winnende leeuw had doodgeschoten, door zijn twee spoorzoekers tot erelid van de Masai-stam is benoemd.'

Er werd weer 'Bravo!' en 'For he is a jolly good fellow!' geroepen.

De president hief een hand op om hen tot stilte te manen. 'Ik denk dat het alleen maar passend is als ik hun dezelfde eer bewijs.'

Hij keek Leon aan. 'Wil je Manjoro en Loikot alsjeblieft roepen?' Leon had hen er eerder voor gewaarschuwd dat ze naar voren geroepen zouden worden door Bwana Toembo; president Roosevelts naam in het Swahili betekende Meneer Machtige Buik.

Manjoro en Loikot wachtten achter in de tent en ze kwamen snel naar voren. Ze zagen er prachtig uit in hun wijde, rode *sjoeka's* en hun vlechten waren met oker en vet ingesmeerd. Ze droegen hun leeuwenassegaai.

Leon, vertaal alsjeblieft voor deze prachtkerels wat ik hun wil vertellen,' zei de president. 'Jullie hebben mijn zoon, Bwana Popoo Hima, de grootste eer van jullie stam bewezen. Jullie hebben hem tot *morani* van de Masai benoemd. Nu benoem ik jullie allebei tot krijger van mijn land, Amerika. Dit zijn de papieren die bewijzen dat jullie Amerikanen zijn. Jullie kunnen te allen tijde naar mijn land komen en dan zal ik jullie persoonlijk verwelkomen. Jullie zijn Masai, maar jullie zijn nu ook Amerikaan.' Hij draaide zich om naar zijn secretaris die achter zijn stoel stond en pakte de burgerschapscertificaten, twee met rood lint dichtgebonden rollen, uit zijn hand. Hij overhandigde ze aan de Masai en schudde hun daarna de hand. Manjoro en Loikot begonnen direct de leeuwendans rondom de lunchtafel uit te voeren. Kermit kwam overeind en sprong, schuifelde en mimede met hen mee. Het gezelschap klapte en juichte en Roosevelt wiegde in zijn stoel naar voren en naar achteren van het lachen. Toen de dans afgelopen was, schreden Manjoro en Loikot met grote waardigheid de tent uit.

De president stond weer op. 'Dan wil ik nu de vrienden die ons vandaag gaan verlaten een paar souvenirs aanbieden aan de tijd die we samen zo aangenaam hebben doorgebracht.' Zijn secretaris kwam de tent weer binnen met een stapel schetsboeken in zijn handen. De president pakte ze van hem aan en deelde ze aan zijn gasten uit. Toen Leon zijn schetsboek opende, zag hij dat het aan hem persoonlijk was opgedragen,

> *Voor mijn goede vriend en nimrod, Leon Courtney. Ter herinnering aan de gelukkige dagen die je met Kermit en mij hebt doorgebracht op de elysische velden van Afrika. Teddy Roosevelt.*

Het schetsboek bevatte tientallen met de hand getekende schetsen. Ze waren allemaal een uitbeelding van een incident dat in de afgelopen maanden had plaatsgevonden. Op een ervan stond Kermit die van zijn paard werd geworpen. De titel was: *Zoon en Erfgenaam maakt een duikeling van zijn paard en grote hilariteit van de Grote Nimrod die getuige is van voornoemd voorval.* Een andere was van Leon die de leeuw doodde waarbij Roosevelt had aangetekend: *Hier verhindert de Grote Nimrod dat vooraanstaand journalist het avondmaal van een leeuw wordt en vreugde bij Zoon en Erfgenaam doordat hij getuige is van de schietkunst van de voornoemde Grote Nimrod.* Leon was verbaasd en ontroerd door het geschenk dat, zoals hij wist, van onschatbare waarde was, omdat elke lijn door de machtige man zelf getrokken was.

Er kwam te snel een eind aan de lunch: de boten wachtten aan de oever om het presidentiële gezelschap de rivier over te zetten. Leon en Kermit liepen samen de oever af. Ze waren geen van beiden in staat om een afscheidswoord te bedenken dat niet sentimenteel of banaal zou klinken.

'Wil je een geschenk voor Loesima voor me meenemen, vriend?' Kermit verbrak de stilte toen ze bij de rand van het water kwamen. Hij overhandigde Leon een rolletje groene bankbiljetten. 'Het is maar honderd dollar. Ze verdient veel meer. Zeg haar dat mijn *boendoeki*, dankzij haar, uitstekend geschoten heeft.'

'Het is een royaal geschenk. Ze zal er tien goede koeien van kunnen kopen. Voor een Masai is er niets begeerlijker dan dat,' zei Leon.

'Tot ziens, vriend, het was me een waar genoegen,' zei Kermit.

'Het was een geweldige tijd. Tot ziens en een goede reis, vriend.' Ze schudden elkaar de hand. 'Ik schrijf je,' zei Kermit.

'Ik wed dat je dat tegen alle meisjes zegt.'

'Je zult het wel zien,' zei Kermit. Hij stapte in de wachtende boot die even later van de oever vertrok en het snelstromende, brede water van de Nijl op voer. Toen de boot bijna buiten gehoorsafstand was, stond Kermit op de achtersteven op en schreeuwde iets. Leon kon de woorden boven het geraas van de stroomafwaartse watervallen uit net verstaan. 'Broeders van het krijgersbloed!'

Leon lachte, zwaaide met zijn hoed en brulde terug: 'Leve de Rifles!'

41

'En nu is het weer tijd om naar de aarde terug te keren, mijn gelauwerde vriend. Voor jou is de pret voorbij. Er is werk aan de winkel. Eerst moet je ervoor zorgen dat de paarden veilig naar Nairobi teruggebracht worden. Daarna moet je de trofeeën verzamelen die we onderweg in de kampen hebben achtergelaten. Let erop dat ze goed gedroogd en gezouten worden. Pak ze daarna in en breng ze naar de spoorlijn op de Kapitivlakte. Ze moeten zo snel mogelijk naar het Smithsonian Institute in Amerika worden verscheept, het liefst gisteren. Je moet alle uitrustingsstukken en de voertuigen een onderhoudsbeurt geven, met inbegrip van de vijf ossenwagens en de twee auto's. Alles is bijna een jaar op de weg geweest en een deel ervan is er uitermate slecht aan toe. Daarna moet je alles terugbrengen naar Kamp Tandala zodat het in gereedheid gebracht kan worden voor Lord Eastmont: het is nu twee jaar geleden sinds hij de safari bij me besprak. Natuurlijk krijg je Hennie du Rand om je te helpen, maar zelfs dan zul je een hele tijd geen fratsen kunnen uithalen. Je zult niet veel tijd hebben voor de dames in Nairobi, vrees ik.'

Percy knipoogde naar hem. 'Ik laat het verder aan jou over. Ik ga terug naar Nairobi. Mijn oude buffelbeen doet verdomd veel pijn en dokter Thompson is de enige die er wat aan kan doen.'

Een paar maanden later reed Leon in een van de met diverse spullen volgeladen auto's Kamp Tandala binnen, op korte afstand gevolgd door de tweede auto met Hennie du Rand achter het stuur. Ze hadden die dag sinds zonsopgang bijna driehonderd kilometer gereden over stoffige wegen vol voren. Leon zette de motor uit die sputterend afsloeg. Hij stapte stijf uit, zette zijn hoed af en sloeg hem tegen zijn been. Daarna hoestte hij door de wolk fijn stof die eraf kwam.

'Waar bleef je nou in vredesnaam?' Percy kwam zijn tent uit. 'Ik dacht al dat je dood was. Ik wil met je praten, nu meteen.'

'Waar is de brand?' vroeg Leon. 'Ik heb sinds drie uur vanochtend achter het stuur gezeten. Ik wil eerst een bad nemen en me scheren voordat ik nog een woord zeg en ik ben niet in de stemming om van wie dan ook gezeik aan te horen, zelfs niet van jou, Percy.'

'Nou, nou!' Percy grijnsde. 'Neem jij je bad maar. Je hebt het beslist nodig. Daarna wil ik graag een paar minuten van je kostbare tijd hebben.'

Een uur later kwam Leon de kantinetent binnen waar Percy met zijn leesbril met stalen montuur op het puntje van zijn neus aan de lange tafel zat. Een stapel onbeantwoorde brieven, rekeningen, kasboeken en andere documenten lag voor hem op de tafel. Zijn schrijfvingers zagen zwart van de inkt.

'Het spijt me, Percy. Ik had niet zo tegen je tekeer moeten gaan,' zei Leon.

'Maak je daar maar niet druk om.' Percy zette de pen terug in de inktpot en gebaarde hem dat hij in de stoel tegenover hem moest gaan zitten. 'Een beroemd man als jij heeft het recht om af en toe lichtgeraakt te zijn.'

'Sarcasme is de laagste vorm van geestigheid.' Leon stoof weer op. 'Het enige wat ik hier ben, is een beroemde sloof.'

'Hier!' Percy schoof een stapel krantenknipsels naar hem toe. 'Lees die maar eens. Dat zal je inzakkende moreel een oppepper geven.'

Verbaasd las Leon de stapel door. Hij zag dat de knipsels afkomstig waren uit tientallen kranten en tijdschriften uit Noord-Amerika en Europa, van de *Los Angeles Times* tot de *Deutsche Allgemeine Zeitung* uit Berlijn. Er waren meer artikelen in het Duits dan in het Engels, wat hem verbaasde. Zijn school-Duits was echter goed genoeg om de essentie ervan te kunnen begrijpen. Hij bestudeerde er een waarvan de tekst luidde: 'De Grootste Blanke Jager van Afrika. Dat zegt de zoon van de president van Amerika.' Eronder stond een foto van hem waarop hij er heroïsch en elegant uitzag. Hij legde het neer en pakte het volgende op waarin een foto van hem stond waarop hij een stralende Teddy Roosevelt de hand schudde. Het onderschrift luidde: 'Ik heb liever een jager met geluk dan een slimme jager. Kolonel Roosevelt feliciteert Leon Courtney met het schieten van een mensenetende leeuw.'

Op het volgende knipsel stond Leon die een paar lange gebogen olifantstanden zó vasthield dat ze hoog boven zijn hoofd een poort vormden. Het onderschrift luidde: 'De grootste jager van Afrika met een paar recordolifantstanden.' Op andere foto's richtte Leon een geweer op een denkbeeldig dier buiten beeld of galoppeerde hij op een paard over de savanne tussen kuddes wilde dieren, steeds zwierig en welgemoed. Er was een halve meter aan kolommen tekst en Leon telde zevenenveertig aparte artikelen. Het laatste had als kop: 'De man die mijn leven redde. Vond u dat niet heel wat enerverender dan het spelen van achttien holes golf? door Andrew Fagan. Schrijvend hoofdredacteur American Associated Press.'

Toen hij ze allemaal vluchtig doorgenomen had, stapelde Leon de knipsels netjes op en schoof ze over de tafel heen terug naar Percy die ze direct naar hem terugschoof. 'Ik wil ze niet hebben. Niet alleen staat er allemaal onzin in, maar ik word ook een beetje misselijk van al die pluimstrijkerij. Je kunt ze verbranden of je kunt ze teruggeven aan je oom Penrod. Hij is degene die ze verzameld heeft. Hij wil je trouwens spreken, maar daar hebben we het later nog wel over. Eerst wil ik dat je de andere post leest. Die is veel interessanter.' Percy schoof hem een stapel brieven toe.

Leon keek ze door. Hij zag dat bijna alle brieven waren geschreven op duur papier van velijn of zwaar linnen en dat ze allemaal een briefhoofd in reliëf hadden. De meeste waren met de hand geschreven, maar er waren er ook een paar die op goedkoper papier getypt waren. Ze waren gedresseerd in diverse stijlen, bijvoorbeeld: Herr Courtney, *Glücklicher Jäger*, Nairobi, Afrika,' of M. Courtney, *Chasseur Extraordinaire*, Nairobi, *Afrique de L'Est*,' of simpeler: De grootste jager van Afrika, Nairobi, Afrika.'

Leon keek naar Percy op. 'Wat is dit?'

'Verzoeken van mensen die Andrew Fagans artikelen hebben gelezen en nu met je willen komen jagen. De arme, onwetende stakkers. Ze weten niet wat ze doen,' legde Percy kort uit.

'Ze zijn aan mij geadresseerd, maar jij hebt ze geopend!' beschuldigde Leon hem streng.

'Ik dacht dat je zou willen dat ik dat deed. Er had iets in kunnen staan waarop met spoed geantwoord moest worden,' antwoordde Percy met een onschuldige uitdrukking op zijn gezicht en hij haalde verontschuldigend zijn schouders op.

'Een gentleman opent geen post die aan iemand anders geadresseerd is.' Leon keek hem recht aan.

'Ik ben geen gentleman. Ik ben je baas. Vergeet dat niet, jochie.'

'Dat kan ik in een handomdraai veranderen.' Leon voelde dat de brieven in zijn hand hem een nieuwe autoriteit en status hadden gegeven.

'Kom, kom, beste Leon. Laten we geen overhaaste dingen doen. Je hebt gelijk. Ik had je brieven niet mogen openen en ik verontschuldig me ervoor. Verschrikkelijk ongemanierd van me.'

'Beste Percy, ik accepteer je welgemeende excuses onvoorwaardelijk.'

Ze zwegen een poosje terwijl Leon snel de laatste brieven doorlas.

Percy verbrak de stilte. 'Er is er een van een Duitse prinses, Isabella von Hoherberg of zoiets.'

'Die heb ik gezien.'

'Ze heeft haar foto erbij gedaan,' voegde Percy er behulpzaam aan toe. 'Helemaal niet slecht. Ze zou geschikt zijn voor een man van mijn leeftijd, maar je houdt wel van rijpe vrouwen, hè?'

'Hou toch je mond, Percy.' Ten slotte keek Leon op. 'De rest lees ik later wel.'

'Denk je dat dit het juiste moment is om over het partnerschap te praten dat ik je wilde aanbieden?'

'Ik ben diep geroerd, Percy. Ik heb geen moment gedacht dat je dat serieus meende.'

'Dat doe ik wel.'

'Goed. Laten we er dan over praten.'

Het was bijna avond voordat ze de structuur van hun nieuwe financiële overeenkomst hadden opgezet.

'Nog één ding, Leon. Je moet voor je privégebruik van de auto betalen. Ik ga je amoureuze uitstapjes naar Nairobi niet financieren.'

'Dat is redelijk, Percy, maar als je zo'n voorwaarde wilt stellen, heb ik er zelf ook twee.'

Percy keek achterdochtig en ongemakkelijk. 'Laat maar horen.'

'De naam van de nieuwe firma...'

'Die is natuurlijk Phillips en Courtney Safari's,' onderbrak Percy hem haastig.

'Dat is niet in alfabetische volgorde, Percy. Zou dat niet Courtney en Phillips Safari's of simpelweg C en P Safari's moeten zijn.'

'Het is mijn bedrijf, dus moet het P en C Safari's zijn,' protesteerde Percy.

'Het is niet langer jouw bedrijf. Het is nu ons bedrijf.'

'Brutale, kleine rotzak. Zullen we een munt opgooien om over de naam te beslissen?' Hij voelde in zijn zak en haalde er een zilveren shilling uit. 'Kruis of munt?'

'Kruis!' zei Leon. Percy gooide de munt hoog op en ving hem op de rug van zijn linkerhand op. Hij bedekte hem met zijn rechterhand. 'Weet je zeker dat je kruis wilt hebben?'

'Kom op, Percy. Laat maar zien.'

Percy gluurde onder zijn hand en zuchtte. 'Dit gebeurt er nu met de oude leeuw wanneer hij het tegen de jonge agressieve leeuw moet opnemen,' zei hij treurig.

'Ja, ja. Laat nu maar eens zien wat je verbergt.'

Percy liet hem de munt zien. 'Goed, je hebt gewonnen,' gaf hij toe. 'Het wordt C en P Safari's. Wat is je tweede eis?'

'Ik wil dat ons partnerschap geantidateerd wordt op de dag dat de safari van Roosevelt begon.'

'Oei, dat komt hard aan. Je pepert het me wel in, hè? Je wilt dat ik je de volledige commissie betaal voor je jacht met Kermit Roosevelt!' Percy speelde ongeloof en vertwijfeling.

'Hou op, Percy, je breekt mijn hart.' Leon glimlachte.

'Wees redelijk, Leon. Dat komt neer op bijna tweehonderd pond!'

'Tweehonderdvijftien, om precies te zijn.'

'Je buit een zieke, oude man uit.'

'Je ziet er anders kerngezond uit. Zijn we het eens?'

'Ik veronderstel dat ik geen andere keus heb, harteloze schurk die je bent.'

'Mag ik dat als een "ja" opvatten?' Percy knikte aarzelend, maar toen glimlachte hij en stak zijn hand uit.

Ze schudden elkaar de hand en Percy grijnsde triomfantelijk. 'Als je me onder druk had gezet zou ik omhooggegaan zijn tot dertig procent commissie in plaats van die zielige vijfentwintig procent waar jij genoegen mee hebt genomen.'

'En ik zou akkoord gegaan zijn met twintig procent als je je poot wat langer stijf had gehouden.' Leons glimlach was even zelfvoldaan.

'Welkom aan boord, partner. Ik denk dat we het samen goed zullen kunnen vinden. Ik veronderstel dat je die tweehonderdvijftien pond nu direct wilt hebben? Je wilt toevallig niet tot het eind van de maand wachten?'

'Dat heb je goed gezien. Ik wil het nu hebben en ik wil liever niet tot het eind van de maand wachten. Nog één ding, het is bijna een jaar geleden dat ik een moment voor mezelf had. Ik neem een paar dagen vrij en ik heb een auto nodig. Ik heb zaken af te handelen in Nairobi en misschien zelfs nog verder weg.'

'Doe de dame, wie het ook is, de hartelijke groeten van me.'

'Percy, ik moet je waarschuwen dat je gulp openstaat en dat je verstand eruit hangt.'

42

Leons eerste stopplaats in Nairobi was de Greater Lake Victoria Trading Company in de hoofdstraat. De motor van de Vauxhall sputterde doorlopend en sloeg nog steeds terug ter voorbereiding op het definitieve einde toen meneer Vilabjhi zijn winkel uit kwam rennen om hem te begroeten. Hij werd op de hielen gevolgd door mevrouw Vilabjhi en een horde karamelkleurige cherubijntjes met ravenzwart haar en enorme, glanzende, donkere ogen. Ze waren gekleed in kleurige sari's en kwetterden als spreeuwen.

Meneer Vilabjhi greep Leons hand vast voordat hij kon uitstappen en hij schudde hem krachtig. 'U bent duizend en een keer welkom, geëerde sahib. Sinds uw laatste bezoek hebben mijn ogen geen mooier vergezicht gezien dan uw innemende gelaat.' Hij leidde Leon de winkel binnen zonder zijn rechterhand los te laten. Met de andere sloeg hij naar de zwerm kinderen die om hen heen draaide. 'Wegwezen! Weg! Stoute kinderen. Ondeugende en onbeschaafde vrouwspersonen!' riep hij. Ze besteedden geen enkele aandacht aan hem, behalve dat ze net buiten zijn bereik bleven. 'Vergeet en vergeef hen, alstublieft, sahib. Helaas brengt mevrouw Vilabjhi alleen vrouwspersonen ter wereld, ondanks mijn toegewijde inspanningen om het tegendeel te bereiken.'

'Ze zijn allemaal buitengewoon knap,' zei Leon galant. Dit moedigde de kleinste cherubijn aan om onder de ineffectief zwaaiende hand van haar vader door te duiken, op haar tenen te gaan staan en Leons hand vast te pakken. Ze hielp haar vader om hem het gebouw binnen te leiden. 'Kom binnen! Kom binnen! Ik smeek het u, sahib. U bent tienduizend maal welkom.' Meneer Vilabjhi en het cherubijntje leidden hem naar de achtermuur van de winkel. De kleurrijke religieuze iconen van de godin Kali met haar groene gezicht en vele armen en de god Ganesh met de olifantskop waren naar de zijkanten van de muren verplaatst om ruimte te maken voor de meest recente toevoeging aan de collectie. Het waren een grote gouden lijst en een met houtsnijwerk versierde plaque die met bladgoud was beschilderd. Op de plaque stond:

Eerbiedig opgedragen aan Sahib Leon Courtney
Wereldberoemd polospeler en shikar
Geachte en diep beminde vriend en goede kameraad van
Kolonel Theodore Roosevelt, president van de Verenigde Staten van Amerika
en van
De heer Goolam Vilabjhi.

Achter het glas van de lijst was een aantal van de Engelstalige krantenknipsels geplakt die van American Associated Press afkomstig waren.

'Mijn gezin en ik hopen en bidden dat u een van deze schitterende publicaties wilt tekenen om het juweel in de kroon van mijn collectie van gekoesterde memorabilia aan onze vriendschap te worden.'

'Er is niets wat me een groter plezier zou doen, meneer Vilabjhi.' In weerwil van zichzelf was Leon diep geroerd. De dochtertjes dromden om hem heen toen hij een foto van zichzelf tekende. '*Voor mijn goede vriend en weldoener, de heer Goolam Vilabjhi. Met vriendelijke groeten, Leon Courtney*.'

Terwijl hij op de vochtige inkt blies, verzekerde meneer Vilabjhi hem: 'Ik zal deze persoonlijk met de hand geschreven autograaf de rest van mijn dagen en zolang als ik leef koesteren.' Toen zuchtte hij. 'Ik veronderstel dat u nu wilt praten over het terugkopen van uw echt ivoren slagtand die ik nog steeds in mijn bezit heb.'

Toen Manjoro en Loikot de tand naar de auto droegen, volgde Leon hen terwijl een paar kleine meisjes aan zijn handen hingen en andere de kakipijpen van zijn broek stevig vasthielden. Slechts met moeite kon hij hen loskrijgen en op de chauffeursplaats gaan zitten. Hij reed naar de nieuwe Muthaiga Country Club met zijn roze geschilderde muren van baksteen die de Kolonistenclub had vervangen en die op een plek ver van Main Street met zijn opgewonden bedrijvigheid stond.

Zijn oom Penrod wachtte op hem in de bar voor leden. Het eerste wat Leon opviel toen de kolonel opstond om hem te begroeten was dat hij wat was aangekomen, vooral om het middel. Sinds hun laatste ontmoeting van meer dan een jaar geleden was Penrod van de categorie volslank opgeschoven naar de categorie duidelijk gezet. Er zat ook wat meer grijs in zijn snor. Zodra ze elkaar de hand hadden geschud, vroeg Penrod: 'Zullen we gaan lunchen? Vandaag serveert de chef steak en kidney pie. Dat is een van mijn lievelingsgerechten. Ik wil niet dat het janhagel er eerder bij is dan ik. We kunnen onder het eten praten.' Hij leidde Leon naar een tafel op het terras onder de pergola van paarse bougainville die discreet buiten gehoorsafstand van de andere gasten stond. Toen hij het witte servet in zijn boord stopte, vroeg Penrod: 'Ik neem aan dat Percy je de artikelen van de hand van die yankee Andrew Fagan en de brieven van vooraanstaande mensen die daar het gevolg van waren, heeft laten zien?'

'Ja, ik heb ze, oom,' antwoordde Leon. 'Ik vond ze eigenlijk nogal gênant. De mensen maken zo'n verschrikkelijk ophef. Ik ben beslist niet de grootste jager van Afrika. Dat was Kermit Roosevelts idee van een grap, maar Fagan vatte het serieus op. Eigenlijk ben ik nog steeds een groentje.'

'Dat moet je nooit toegeven, Leon. Laat ze maar denken wat ze willen. Trouwens, uit wat ik heb gehoord, concludeer ik dat je snel leert.' Penrod glimlachte ontspannen. 'Om je de waarheid te zeggen heb ik een beetje de hand gehad in dat hele gedoe. Nogal slim, vond ik, een geniale inval.'

'Hoe bent u er dan bij betrokken, oom?' Leon was geschrokken.

'Ik was in Londen toen de eerste artikelen verschenen. Daardoor kreeg ik een ingeving. Ik heb de militaire attaché bij onze ambassade in Berlijn gebeld en hem gevraagd de artikelen aan de Duitse pers aan te bieden, vooral aan de sport- en jachtbladen die door de betere kringen gelezen worden. Het is een stereotype dat dat soort Duitsers, net als hun Engelse tegenhangers, voor een groot deel enthousiaste sportlui zijn en hun eigen jachtgronden hebben. Mijn plan was om de meest vooraanstaanden onder hen hierheen te lokken om met jou op safari te gaan. Dat zal jou de gelegenheid geven om allerlei informatie te verzamelen die zeker van onschatbare waarde zal blijken te zijn wanneer de tijd komt dat we tegen de Duitsers moeten vechten.'

'Waarom zouden ze me in vertrouwen nemen, oom?'

'Leon, mijn jongen, ik kan niet geloven dat je je volkomen onbewust bent van je charme. De mensen lijken je te mogen, vooral de Fräuleins en de mademoiselles. Tijdens een safari leven de mensen dicht bij Moeder Natuur en haar schepsels zodat zelfs de zwijgzaamste mensen zich ontspannen, waardoor ze minder op hun hoede zijn en vrijuit gaan spreken. Om er nog maar over te zwijgen dat daardoor ook de korsetten en de onderbroeken van de dames gemakkelijker uitgaan. En waarom zou een belangrijk figuur in het Duitsland van de keizer, een grote wapenhandelaar of een van zijn metgezellen, een frisse, onschuldige jongen als jij ervan verdenken dat hij een snode geheim agent is?' Penrod stak een vinger omhoog om de aandacht te trekken van de vlak bij hen wachtende hoofdober die een wijde, witte tot op de enkels vallende *kanza*, een vuurrode sjerp en een fez met kwastjes droeg. 'Malonzi! Breng ons alsjeblieft een fles Châteaux Margaux uit 1879 uit mijn privévoorraad.'

Toen Malonzi terugkwam, droeg hij de lichtelijk stoffige fles met de eerbied die hij verdiende in zijn wit gehandschoende handen. Penrod keek toe terwijl Malonzi plechtig de rituele handelingen verrichtte: hij ontkurkte de fles, rook aan de kurk, decanteerde daarna de fonkelende rode wijn en schonk een klein beetje in een kristallen glas. Penrod draaide de wijn in het glas rond en snoof het bouquet op. 'Perfect! Ik denk dat je hiervan zult genieten, Leon. Graaf Pillet-Will mocht voor deze wijn de kwaliteitsaanduiding Premier Grand Cru voeren.'

Nadat Leon de nobele rode wijn respect had betoond, gebaarde Penrod Malonzi dat hij de dampende borden met steak en kidney pie met een goudbruine korst kon brengen. Daarna tastte hij gretig toe en zei met volle mond: 'Ik ben zo vrij geweest om je post door te nemen, vooral die uit Duitsland. Ik popelde om te zien wat voor vis we in het net hadden. Ik hoop dat je het niet erg vindt.'

'Helemaal niet, oom.'

'Ik heb zes brieven uitgekozen die onze speciale aandacht verdienen, Daarna heb ik de militaire attaché bij de ambassade in Berlijn getelegrafeerd en hij heeft me politieke beoordelingen van de uitgekozen personen toegestuurd.'

Leon knikte voorzichtig.

'Vier van hen zijn bijzonder belangrijke en invloedrijke personen op sociaal, politiek of militair terrein. Ze zijn op de hoogte van alle staatszaken en als ze al geen leden van de raad van keizer Bill zijn, dan zijn ze zeker zijn vertrouwelingen. Ze zullen weten wat zijn intenties ten aanzien van de rest van Europa en Groot-Brittannië en ons imperium zijn en welke voorbereidingen hij in dat verband heeft getroffen.' Leon knikte weer en Penrod vervolgde: 'Ik heb dit met Percy Phillips besproken en hem gezegd dat je bovenal een officier van de Britse Militaire Inlichtingendienst bent en dat al je andere verantwoordelijkheden op de tweede plaats komen. Hij heeft ermee ingestemd om op alle mogelijke manieren met ons samen te werken.'

'Dat begrijp ik, oom.'

'De potentiële cliënt die boven alle anderen onze voorkeur had is prinses Isabella Madeleine Hoherberg von Preussen von und zu Hohenzollern. Ze is een nicht van de keizer en haar echtgenoot is veldmaarschalk Walter Augustus von Hoherberg van het Duitse Opperbevel.'

Leon leek gepast onder de indruk.

'Hoe is je Duits trouwens, Leon?'

'Het was ooit eens redelijk tot vrij goed, maar het is nu lang niet meer wat het geweest is, oom. Ik heb vroeger op school zowel Frans als Duits gehad.'

'Dat heb ik in je legerdossier gezien. Talen waren je beste vakken. Je moet er een oor voor hebben. Percy heeft me verteld dat je ook Swahili en Maa spreekt als een inlander. Maar heb je veel contact gehad met Duitssprekenden?'

'Ik heb in een vakantie een wandeltocht door het Zwarte Woud gemaakt, samen met groepen andere scholieren. Ik heb een aantal lokale bewoners leren kennen met wie ik het goed kon vinden. Een van hen was een meisje dat Ulrike heette.'

'De beste plaats om een taal te leren,' merkte Penrod op, 'is onder de dekens.'

'Daar zijn we niet aan toe gekomen, oom. Helaas.'

'Dat mag ik wel hopen van een goed opgevoede, jonge gentleman als jij.' Penrod glimlachte. 'In elk geval kun je je Duits maar beter ophalen. Je zult binnenkort veel van je tijd in het gezelschap van Duitsers doorbrengen, waarvan wellicht een groot deel onder de dekens, gezien de voorkeur van Fräuleins uit de hogere kringen. Zou deze mogelijkheid indruisen tegen je hoge morele normen?'

'Ik zal proberen ermee in het reine te komen, oom.' Leon kon een glimlach nauwelijks onderdrukken.

'Goed zo! Vergeet nooit dat het allemaal voor de koning en het vaderland is.'

'Wie zijn wij om ons te drukken wanneer de plicht roept?' vroeg Leon.

'Precies. Ik had het zelf niet beter kunnen zeggen. En vrees niet, ik heb al een leraar Duits voor je gevonden. Hij heet Max Rosenthal. Hij was ingenieur bij de Meerbach Autofabriek in Wieskirche voordat hij naar Duits Oost-Afrika vertrok. Na zijn aankomst heeft hij een paar jaar een hotel in Dar es Salaam geleid. Daar heeft hij een al te intieme relatie met de cognacfles gekregen waardoor hij zijn baan kwijtraakte. Maar het is iemand die bij vlagen drinkt. Wanneer hij nuchter is, is hij een prima arbeidskracht. Ik heb Percy overgehaald om hem aan te nemen om jullie safarikampen te leiden en je kennis van het Duits bij te spijkeren.'

Toen ze op de trap van de club afscheid namen, pakte Penrod Leons arm samenzweerderig vast en zei ernstig tegen hem: 'Ik weet dat je nieuw bent in het spionagevak, dus wil ik je graag een goede raad geven.

Schrijf niets op. Maak geen aantekeningen van wat je ziet. Prent het allemaal in je geheugen en breng de volgende keer dat je me ziet verslag bij me uit.'

43

Toen Leon Max Rosenthal in Kamp Tandala ontmoette, bleek hij een krachtig gebouwde Beier met enorme handen en voeten en een bruuske, joviale manier van optreden te zijn. Leon mocht hem direct.

'Hallo.' Ze schudden elkaar de hand. 'We gaan samenwerken. Ik weet zeker dat we elkaar goed zullen leren kennen,' zei Leon.

Max grinnikte zo luid dat zijn buik ervan schudde. 'Ah, je spreekt een beetje Duits. Dat is mooi.'

'Ik spreek het niet zo goed,' zei Leon, maar jij gaat me helpen het te verbeteren.'

Bijna onmiddellijk bleek Max van onschatbare waarde te zijn. Hij was een begaafd leraar en een harde, efficiënte werker die Leon ontlastte van veel van het routinewerk dat bij het organiseren van de kampen en het zorgen voor keukenvoorraden kwam kijken.

Hij en Hennie du Rand vormden een goed koppel werkpaarden zodat Leon tijd vrij had om zich de organisatorische en economische vaardigheden eigen te maken die de safaribusinesss eiste. Leon maakte er een gewoonte van om met Max alleen in het Duits te communiceren en als gevolg daarvan werd zijn beheersing van de taal verrassend snel groter.

Lord Eastmont zou al over een paar weken voor zijn safari arriveren, toen Leon een telegram uit Berlijn ontving waarin stond dat prinses Isabella Madeleine Hoherberg von Preussen von und zu Hohenzollern had besloten om met de volgende reis van het Duitse lijnschip SS Admiral uit Bremerhafen naar Afrika te komen. Haar plichten als prinses waren van dien aard dat ze maar zes weken in Afrika kon blijven voordat ze naar Duitsland moest terugkeren. Ze eiste dat alles voor haar in gereedheid zou zijn wanneer ze aankwam.

Dit gebiedende bericht veroorzaakte grote opschudding in Kamp Tandala. Percy stormde door het kamp waarbij hij eerder in de weg liep dan dat hij Leon en zijn personeel hielp bij hun verwoede pogingen om de uitgebreide voorbereidingen die al voor de komst van lord Eastmont waren getroffen te veranderen. Ze hadden nu twee grote safari's tegelijk te leiden, iets wat ze nog nooit hadden gedaan. Uiteindelijk was de enige omstandigheid die de boel redde dat de prinses maar zes weken zou blijven, terwijl lord Eastmont een safari van vier maanden had besproken. Leon wist Percy gerust te stellen door hem te verzekeren dat hij en zijn personeel hem direct zouden komen assisteren bij de rest van zijn expeditie zodra de prinses naar Duitsland was vertrokken.

Toen de prinses aan boord van de Admiral in de lagune van Kilindini arriveerde, vertrok Leon in een motorsloep van het strand om haar te verwelkomen. Hij wachtte bijna een uur op het dek voordat ze zich verwaardigde haar luxepassagiershut te verlaten. Toen ze eindelijk de kajuitstrap naar het hoofddek op kwam, werd ze geëscorteerd door de kapitein en vier van zijn officieren die zich allemaal uitermate onderdanig tegen haar gedroegen. De rest van haar gevolg, onder wie haar secretaris en twee mollige, knappe dienstmeisjes, kwam achter haar aan.

De prinses zag er schitterend uit toen ze het zonlicht in stapte. Leon had foto's van haar gezien, maar hij was toch totaal verrast toen hij haar in levenden lijve zag. Het eerste wat hem aan haar opviel, was dat ze zo lang was en dat haar slanke lichaam daarmee een contrast vormde. Ze was bijna even lang als hij, maar hij zou haar leest gemakkelijk met beide handen kunnen omvatten. Haar boezem was jongensachtig en haar houding hooghartig. Haar blik was staalhard en zo doordringend als een rapier. Haar gelaatstrekken waren hard en zo scherp als een trekzaag. Ze droeg een groene loden rijmantel van superieure snit die tot op haar enkels viel. De neuzen van haar schoenen die onder de mantel uit staken, hadden de glans van duur leer. Tot zijn verbazing droeg ze een 9mm Luger-pistool in de holster aan haar riem en had ze een safarihoed met brede rand in haar linkerhand. Ze droeg haar asblonde haar in twee dikke vlechten die boven op haar hoofd een lus vormden. Leon wist van Penrod dat ze tweeënvijftig was, maar ze zag eruit als dertig.

'Koninklijke Hoogheid, ik ben uw dienaar.'

Ze nam niet de moeite om op zijn buiging te reageren, maar bleef naar hem kijken alsof hij net een bijzonder smerige wind had gelaten. Ten slotte zei ze op ijzige toon: 'U bent erg jong.'

'Koninklijke Hoogheid, dat is een betreurenswaardige omstandigheid waarvoor ik me verontschuldig. Ik hoop er mettertijd verbetering in aan te kunnen brengen.'

De prinses glimlachte niet. 'Ik zei dat u jong was. Ik heb niet gezegd dat u te jong was.' Ze stak haar rechterhand uit.

Hij pakte hem vast en voelde dat hij even hard en koud was als haar gelaatsuitdrukking. Hij kuste de lucht een klein stukje boven haar benige, witte knokkels. De kleine rimpeltjes op de rug van haar hand verraadden haar leeftijd.

'De gouverneur van Brits Oost-Afrika heeft voor de reis naar Nairobi zijn privétreinwagon tot uw beschikking gesteld,' zei Leon.

'Ja, dat is gepast en dat had ik ook verwacht,' antwoordde ze.

'Zijne Excellentie zou het zeer op prijs stellen als u als eregast aanwezig zou willen zijn bij een speciaal diner in Government House dat gegeven zal worden op een dag die u uitkomt, prinses.'

'Ik ben niet naar Afrika gekomen om te eten in het gezelschap van lagere ambtenaren. Ik ben hier gekomen om dieren te doden. Veel dieren.'

Leon boog weer. 'Dat zal ook gebeuren, mevrouw. Heeft Uwe Koninklijke Hoogheid een voorkeur voor bepaalde dieren om te doden?'

'Leeuwen!' antwoordde ze. 'En varkens.'

'En wat vindt u van olifanten en buffels?'

'Nee! Alleen grote leeuwen en varkens met grote slagtanden.'

44

Voordat ze vertrokken, probeerde de prinses elk paard van de stal volbloeden die Leon voor haar had verzameld uit. Ze reed schrijlings, als een man. Leon keek toe toen ze, met een minachtende uitdrukking op haar gezicht, het eerste paard keurde. Ze liep er twee keer omheen voordat ze zich gracieus in het zadel zwaaide en het naar haar hand zette. Hij realiseerde zich dat ze een uitmuntende amazone was. Eigenlijk had hij zelden een vrouw gezien die aan haar kon tippen.

Toen ze uit Tandala waren vertrokken en tussen de kuddes in reden, vergat ze haar oorspronkelijke eis dat ze alleen leeuwen en varkens wilde schieten en werd ze heel wat minder kieskeurig. Ze had een mooi klein 9,3x74 Mannlicher-geweer dat was gemaakt door Joseph Just van Ferlach en door Wilhelm Röder was ingelegd met goud waarmee landelijke taferelen met faunen en naakte nymfen die uitgelaten ronddartelden, waren uitgebeeld. Toen ze zonder af te stijgen met drie achtereenvolgende schoten vanaf een afstand van driehonderd meter drie rennende Grant-gazellen had omgekegeld, concludeerde Leon dat ze waarschijnlijk de beste schutter, man of vrouw, was die hij ooit had ontmoet.

'Ja, ik wil veel dieren doden,' zei ze toen ze de Mannlicher herlaadde. Ze glimlachte warm en het was de eerste keer sinds ze in Afrika was aangekomen dat Leon haar zag glimlachen.

45

Toen hij de prinses meenam naar de top van de Lonsonjo om Loesima te ontmoeten, was Leon niet voorbereid op de manier waarop de twee vrouwen onmiddellijk op elkaar reageerden. Figuurlijk gezien kromden ze hun rug en bliezen naar elkaar als twee katten. 'M'bogo, dit is een vrouw met vele diepe, duistere passies. Geen enkele man kan haar peilen. Ze is zo dodelijk als een mamba. Ze is niet degene die ik je beloofd heb. Wees op je hoede,' zei Loesima tegen Leon.

'Wat zei dat kreng?' vroeg de prinses op hoge toon. De vijandigheid tussen de beide vrouwen knetterde in de lucht als statische elektriciteit.

'Dat u een vrouw met enorme macht bent, prinses.'

'Zeg tegen de grote koe dat ze dat niet moet vergeten.'

Toen de ceremonie van het zegenen van de geweren onder de raadboom uitgevoerd zou worden, kwam Loesima in haar ceremoniële kledij uit haar hut, maar toen ze nog tien passen van de Mannlicher op de leeuwenhuid verwijderd was, bleef ze staan en haar gezicht kreeg de kleur van gedroogde modder.

'Wat zit u dwars, Mama?' vroeg Leon zachtjes.

'Die *boendoeki* is doortrokken van het kwaad. De witharige vrouw is een even machtige tovenares als ik. Ze heeft haar eigen *boendoeki* behekst op een manier die me bang maakt.' Ze keerde zich om naar haar hut. 'Ik kom niet meer uit mijn hut voordat die heks de berg verlaten heeft,' zei ze.

'Loesima is ziek geworden. Ze moet naar haar hut om te rusten,' vertaalde Leon.

'Ja, ik weet heel goed wat haar dwarszit.' De prinses schonk Leon een van haar zeldzame, strakke glimlachjes.

46

Twintig dagen later waren ze in een gebied waar volgens Manjoro en Loikot geen enkele leeuw te vinden was. Ze reden bij zonsopgang het kamp uit zodat de prinses haar slachting onder de wrattenzwijnen kon voortzetten. Ze had er al meer dan vijftig geschoten, waaronder drie beren met ongelooflijk lange slagtanden. Ze waren nog geen achthonderd meter uit de buurt van het kamp toen ze op een enorme, solitaire leeuw met zwarte manen stuitten die midden op een open grazige laagte stond. Zonder ook maar een moment te aarzelen en zonder af te stijgen, bracht de prinses de Mannlicher omhoog en schoot ze, met chirurgische precisie, een kogel door de hersenen van de leeuw.

De beide Masai hadden verrukt moeten zijn door haar optreden, maar ze waren merkwaardig ingetogen toen ze het kadaver begonnen te villen. Het was aan Leon om haar te feliciteren, maar de prinses negeerde hem. Hij hoorde Loikot tegen Manjoro fluisteren: 'Die leeuw had daar nooit horen te zijn. Waar is hij vandaan gekomen?'

'Nywele Mweupe heeft hem opgeroepen,' zei Manjoro nors. Ze hadden de prinses de Swahilische naam 'Wit Haar' gegeven. Manjoro had hem niet gebruikt in combinatie met een van de aanspreekvormen van respect, 'mensahib' of 'beibi'.

'Zelfs voor jou is dat een vreselijk domme opmerking, Manjoro,' snauwde Leon. 'Die leeuw kwam op de geur van al die dode wrattenzwijnen af.' Hij rook muiterij in de lucht. Loesima had kennelijk met hem gepraat.

'De bwana weet het het beste,' gaf Manjoro met demonstratieve beleefdheid toe, maar hij keek Leon niet aan en hij glimlachte evenmin. Toen ze klaar waren met het villen, voerden de twee Masai niet de leeuwendans voor de prinses uit. In plaats daarvan gingen ze apart zitten en namen een snuifje. Toen Leon vroeg waarom ze de dans weggelaten hadden, gaf Manjoro geen antwoord, maar Loikot mompelde: 'We zijn te moe om te dansen en te zingen.'

Toen Manjoro de tot een bundel opgerolde ongelooide huid op zijn schouder nam en terugliep naar het kamp, zag Leon dat hij met het manke been dat hij had overgehouden aan het pijlschot van de Nandi veel slechter liep terwijl het normaal gesproken nauwelijks zichtbaar was dat hij er iets aan mankeerde. Dit was zijn manier om te protesteren of zijn afkeuring te laten blijken.

Toen ze het kamp binnenreden, sprong de prinses uit het zadel en beende de kantinetent in waar ze zich in een canvasstoel liet ploffen. Ze gooide haar rijzweep op de tafel, zette haar hoed af en liet hem door de tent zeilen. Daarna schudde ze haar vlechten uit en zei bevelend: 'Courtney, zeg eens tegen die waardeloze kok van je dat hij me een kop koffie moet brengen.'

Leon gaf de bestelling door aan de keukentent en een paar minuten later kwam Ishmael haastig aanlopen met een dampende porseleinen koffiepot op een zilveren blad. Hij zette de pot neer en schonk een kop voor haar in. Toen ging hij in de houding achter haar stoel staan om te wachten tot ze zou zeggen dat hij kon gaan.

De prinses bracht de kop naar haar mond en nam een slokje. Ze trok een vies gezicht en gooide de kop met inhoud tegen de andere wand van de tent. 'Denk je soms dat ik een zeug ben dat je me zulke varkensdraf voorzet?' schreeuwde ze. Ze griste haar rijzweep van de tafel en sprong overeind. 'Ik zal je leren me meer respect te betonen, wilde.' Ze trok haar arm terug om Ishmael in het gezicht te slaan. Hij deed geen poging zich te beschermen, maar staarde haar doodsbang en tegelijkertijd verbijsterd aan. Leon sprong achter haar uit zijn stoel en greep haar pols vast voordat ze echt kon slaan. Hij draaide haar om en keek haar aan. 'Koninklijke Hoogheid, er zijn geen wilden onder mijn personeel. Als u met de safari wilt doorgaan, zou ik dat maar goed in gedachten houden.' Hij hield haar gemakkelijk in bedwang tot ze niet meer tegenstribbelde. Toen vervolgde hij: 'U kunt maar beter naar uw tent gaan om tot etenstijd uit te rusten. U bent duidelijk overspannen door de opwinding van de leeuwenjacht.'

Toen hij haar losliet, stormde ze de tent uit. Ze kwam niet tevoorschijn toen Ishmael op de gong sloeg toen het eten klaar was en Leon at alleen. Voordat hij naar bed ging, controleerde hij heimelijk haar tent en hij zag dat haar lamp nog brandde. Hij ging naar zijn eigen tent en vulde zijn jachtboek in. Hij wilde er een opmerking over het incident in de kantine aan toevoegen, maar toen herinnerde hij zich Penrods waarschuwing. In plaats van zijn gevoelens te uiten, schreef hij: De prinses heeft eens te meer bewezen dat ze een opmerkelijke amazone en schutter is. De kalme manier waarop ze de schitterende leeuw doodde, was uitzonderlijk knap. Hoe meer ik haar zie, hoe meer ik haar jagerskwaliteiten bewonder.'

Hij vloeide de bladzijde af, stopte het jachtboek terug in zijn bureau en deed de lade op slot. Daarna las hij een half uur in het boek dat zijn oom Penrod had geschreven over zijn ervaringen in de Boerenoorlog. Het heette *Met Kitchener naar Pretoria.* Toen zijn ogen dicht begonnen te vallen, legde hij het neer, kleedde zich uit en kroop onder het muskietennet. Hij blies de lamp uit en strekte zich tevreden uit om van een goede nachtrust te genieten.

Hij had net zijn ogen gesloten toen hij wakker schrok van de luide knal van een pistoolschot. Het geluid kwam uit de richting van de tent van de prinses. Zijn eerste gedachte was dat een gevaarlijk dier, een leeuw of een luipaard, de tent was binnengedrongen. Hij worstelde zich uit het muskietennet en pakte de grote Holland die volledig geladen naast het bed gereedstond voor het geval dat een dergelijke noodsituatie zich zou voordoen. Slechts gekleed in zijn pyjamabroek rende hij naar haar tent. Hij zag dat haar lamp nog steeds brandde.

'Koninklijke Hoogheid, is alles in orde met u?' riep hij. Toen hij geen antwoord kreeg, trok hij de canvasflap open en dook, met zijn geweer in de aanslag, naar binnen. Toen bleef hij verbaasd staan. De prinses stond in het midden van de tent tegenover hem. Haar asblonde haar viel over haar schouders en kwam tot haar middel. Ze droeg een bijna doorzichtige, roze nachtjapon. De lamp stond achter haar, zodat de contouren van haar lange, slanke lichaam zichtbaar waren. Haar voeten waren bloot en verrassend klein en welgevormd. Ze had de rijzweep in haar ene hand en het 9mm Luger-pistool in de andere. De geur van kruitpoeder hing nog steeds in de lucht. Haar gezicht was wit van woede en haar ogen fonkelden als geslepen saffieren terwijl ze hem woedend aankeek. Ze bracht de Luger omhoog en schoot een tweede kogel door het dak van de tent. Daarna gooide ze het pistool op het enorme bed dat de helft van het vloeroppervlak in beslag nam.

'Zwijn dat je bent! Denk je dat je me in het bijzijn van al je bedienden als oud vuil kunt behandelen?' vroeg ze. Ze deed een stap in zijn richting en zwaaide dreigend met de zweep. 'Je bent niet beter dan de beesten die voor je werken.'

'Beheers u alstublieft, mevrouw,' zei hij.

'Hoe durf je me zo toe te spreken? Ik ben een prinses van het Huis van Hohenzollern. En jij bent een gewone burger van een bastaardras.' Haar Engelse uitspraak was perfect. Ze glimlachte ijskoud. 'Ah, nu word je eindelijk kwaad, slaaf! Je wilt terugvechten, maar dat durf je niet, hè? Je bent een slappeling. Je hebt er de moed niet voor. Je haat me, maar je moet je elke vernedering laten welgevallen die ik je laat ondergaan.'

Ze gooide de zweep voor zijn voeten. 'Doe dat geweer weg. Het helpt echt niet om je zwakke mannelijkheid te vergroten. Pak de zweep op!' Leon legde de Holland op het grondzeil voor de ingang van de tent en griste de zweep van de vloer. Hij beefde van woede. Haar beledigingen hadden hem diep geraakt en hij stond op het punt om zijn zelfbeheersing volledig te verliezen.

Hij wist niet precies wat hij met de zweep moest doen, maar hij voelde goed aan in zijn rechterhand.

'M'bogo, is alles in orde? We hebben schoten gehoord. Zijn er problemen?' riep Manjoro zachtjes door het tentzeil en de prinses trok zich een paar stappen terug.

'Ga weg, Manjoro, en neem de anderen mee. Jullie mogen alleen terugkomen als ik jullie roep,' schreeuwde Leon terug.

'*Ndio*, bwana.'

Hij hoorde aan hun zachte voetstappen dat ze wegliepen en de prinses lachte hem in zijn gezicht uit. 'Je had hun moeten vragen je te helpen. Je hebt de moed niet om het in je eentje tegen me op te nemen.' Ze lachte. 'Ja, nu word je weer kwaad. Dat is goed. Je wilt me slaan, maar je durft niet.' Ze boog zich naar hem toe tot hun gezichten vlak bij elkaar waren.

'Je hebt een zweep in je hand. Waarom gebruik je hem niet? Je haat me, maar je bent bang voor me.' Plotseling spuwde ze hem in het gezicht. Instinctief haalde hij naar haar uit en de zweep raakte haar wang. Ze wankelde achteruit en omklemde de rode striem, terwijl ze meelijwekkend jammerde. 'Ja, dat verdiende ik. Je bent een echte meester wanneer je kwaad bent.' Ze wierp zich voor zijn voeten en klampte zich aan zijn knieën vast. Hij trilde van afkeer van zichzelf en hij gooide de zweep door de tent.

'Ik wens u een goede nacht, Koninklijke Hoogheid.' Hij probeerde zich naar de deur om te draaien, maar ze liet hem met verrassende kracht struikelen. Zodra hij uit zijn evenwicht was, sprong ze met haar volle gewicht op zijn rug en hij viel op het bed met de prinses boven op zich. 'Bent u gek geworden?' vroeg hij.

'Ja,' antwoordde ze. 'Gek van verlangen naar jou.'

Pas een uur voor zonsopgang stond ze hem toe haar tent te verlaten. Onderweg naar zijn eigen bed viel het hem op dat de tenten van haar personeel, haar secretaris en haar dienstmeisjes, donker waren, ondanks de kreten van de prinses die in de lange nacht duidelijk hoorbaar moesten zijn geweest. Het leek erop dat ze allemaal al lang geleden gewend waren geraakt aan de pekelzonden van de prinses.

47

De volgende ochtend bij het ontbijt deed ze alsof er niets was gebeurd. Ze ging als een helleveeg tekeer tegen haar dienstmeisjes en was wreed sarcastisch tegen haar secretaris. Ze negeerde Leon en beantwoordde zelfs zijn beleefde groet niet. Pas toen ze twee koppen koffie had gedronken, stond ze op en zei: 'Courtney, vandaag heb ik buitengewoon veel zin om varkens te doden.'

Leon had een serie kleine drijfjachten bedacht waaraan de prinses eindeloos veel plezier beleefde. Hij en zijn spoorzoekers dreven een groepje wrattenzwijnen een bosje dicht struikgewas in. Daarna zetten ze de prinses in een positie waarin ze uitkeek op de open grond achter het struikgewas en dreven ze de varkens naar haar toe. Zodra ze uit hun dekking tevoorschijn kwamen, schoot ze erop los met de Mannlicher. Ze had Heidi, de knapste van haar dienstmeisjes, geleerd om de reservemagazijnen te herladen. Elk magazijn bevatte zes kogels en de prinses kon een leeg magazijn in een oogwenk vervangen. Ze drukte op de ontspanningspal en liet het vallen. Heidi ving het op en herlaadde het met haar handige roze vingers, die sinds haar kindertijd door eindeloos naaldwerk geoefend waren. Vervolgens liet de prinses een vol magazijn in het staartstuk glijden zodat ze bijna achter elkaar door kon blijven schieten. Het tempo waarin ze vuurde, was bijna even verbluffend als de zuiverheid van haar schoten. Ze kon twaalf schoten afvuren in evenveel seconden. Vaak werkten de wrattenzwijnen niet met de drijvers mee: ze vluchtten in een onverwachte richting uit hun dekking of renden tussen de rij drijvers door terug zodat Hare Koninklijke Hoogheid geen schietkans werd geboden. Wanneer dat gebeurde, ontstak ze in een koude woede. Ze voer dan uit tegen Leon en zijn team of ze trok zich terug in een ijzig stilzwijgen dat alleen doorbroken kon worden door het vooruitzicht op nog meer bloedvergieten. Die middag laat lukte het Leon en zijn drijvers, wier gelederen versterkt waren door Max Rosenthal, Ishmael en de vilders, om de spectaculairste drijfjacht van de safari te houden.

Ze dreven drieëntwintig wrattenzwijnen, beren, zeugen en biggetjes, langs de prinses en haar laadster. Ze wist er tweeëntwintig te doden. De enige die ontkwam, was een magere oude zeug die op het moment waarop ze vuurde van richting veranderde. De kogel miste het doelwit ruim en de zeug liep tussen de benen van de prinses door terug waardoor deze tegen de grond sloeg. Ze ging rechtop zitten met haar rok boven haar knieën en haar hoed over haar ogen. 'Jij vuile bedriegster!' schreeuwde ze toen de zeug met haar staart hoog en recht in de lucht als een wimpel in het struikgewas verdween.

48

Die avond was ze bij de maaltijd bijna hartelijk en vriendelijk, maar nog niet helemaal. Ze drong er bij Leon op aan dat hij nog een glas van de uitstekende Krug zou nemen en ze pelde met haar lange, witte vingers een druif voordat ze hem tussen de lippen van de mollige Heidi stopte.

'Eet, schat! Je hebt vandaag goed werk gedaan,' zei ze. Maar direct daarna krijste ze tegen haar secretaris en beval ze hem de tafel te verlaten vanwege zijn slechte manieren. Hij had een wrattenzwijnkarbonade met zijn vingers opgepakt zonder zich tegenover haar te excuseren. Toen ze uitgegeten was, stond ze zonder een woord te zeggen op en beende weg naar haar tent.

Het was een lange, warme, zware dag geweest en Leon hoopte dat hij eens een hele nacht zou kunnen slapen. Hij had net zijn tanden gepoetst en knoopte nu zijn pyjamajasje dicht toen hij het gevreesde pistoolschot hoorde.

'Voor koning en vaderland!' bromde hij toen hij naar haar tent liep, maar hij was er nieuwsgierig naar wat voor amusement de prinses voor vanavond in petto had.

De prinses lag loom op het grote bed uitgestrekt. Ze was echter niet alleen. Haar dienstmeisje Heidi lag op haar knieën in het midden van de tent. Ze was spiernaakt en had een miniatuurzadel op haar rug en een gouden bit in haar mond. De kleine gouden belletjes aan de teugels rinkelden toen ze haar hoofd in haar nek wierp en hinnikte.

'Je paard wacht op je, Courtney,' zei de prinses. 'Wil je een ritje op haar maken?'

Toen ze haar fantasie uitgeput had, stuurde ze Heidi weg, maar toen Leon het meisje wilde volgen, hield ze hem tegen. 'Ik heb niet gezegd dat jij kon vertrekken, Courtney.' Ze schoof op het bed op en klopte naast haar op het matras. 'Blijf nog een poosje, dan zal ik je interessante verhalen vertellen over de heerlijke, ondeugende dingen die ik met mijn vrienden in Berlijn doe.'

Het ganzendonzen matras was heerlijk zacht en warm. Leon strekte zich erop uit. Eerst luisterde hij ongeconcentreerd naar haar anekdotes. Ze waren zo vergezocht dat het sprookjes leken te zijn van het soort dat de duivels in de hel aan hun kroost vertellen. Ze gingen over hekserij en satansaanbidding, over obscene en heiligschennende rituelen.

Toen begon hij zich, met een griezelig gevoel waardoor de haren in zijn nek overeind gingen staan, te realiseren dat ze bekende personen uit de hoogste regionen van de Duitse aristocratie en het Duitse leger met name noemde. Wat ze hem als smakelijke roddels en schandalen opdiste was politiek cordiet – en bovendien zwetend en instabiel cordiet. Wat zou Penrod van zulke explosieve informatie vinden? Zou hij er ook maar een woord van geloven?

49

Toen hij de volgende avond na een zware dag jagen zijn jachtboek invulde, probeerde hij zich alle namen te herinneren die de prinses had genoemd. Hij noteerde ze op een van de achterste pagina's. Toen hij ermee klaar was, had hij een lijst met zestien namen, maar toen hij het boek wilde opbergen, begon hij zich ongemakkelijk te voelen.

Niemand behalve Penrod en ik zullen dit lezen, dacht hij. Maar de twijfel bleef aan hem knagen toen hij zich gereedmaakte om naar bed te gaan. Ten slotte opende hij het bureau en pakte zijn scheermes. Hij opende het jachtboek en sneed de belastende pagina er zorgvuldig uit. Hij hield hem boven de vlam van de lamp en liet hem verbranden tot het papier helemaal zwart was. Hij verpulverde het en stapte in bed om te wachten tot zijn cliënte hem zou oproepen. Die avond hoorde hij echter geen pistoolschot, voordat hij in slaap viel.

Hij werd wakker toen het licht van de opgaande zon zijn tent binnenkroop. Hij voelde zich verkwikt en opgewekt na een volledige nachtrust van zeven uur.

50

Voordat het gezelschap klaar was met ontbijten, kwam Manjoro naar de kantinetent en hurkte neer voor de ingang waar alleen Leon hem kon zien. Zodra ze oogcontact hadden gemaakt, stond Manjoro op en glipte weg. Leon verontschuldigde zich en volgde hem. Manjoro wachtte op hem in het deel van het kamp waar de bedienden waren ondergebracht.

'Wat is er, broeder?' vroeg Leon.

'Swaloe is gebeten door een slang.'

Swaloe was de hoofdvilder. 'Heeft hij gezien wat voor slang het was?' vroeg Leon geschokt.

'Het was een *foeta*. M'bogo.'

'Weet je het zeker?' Leon klampte zich vast aan de vage hoop dat het geen zwarte mamba, de giftigste slang van Afrika, was geweest.

'Hij was in zijn bed gekropen. Nadat hij hem drie keer had gebeten, heeft Swaloe hem met zijn vilmes gedood. Ik heb de slang gezien. Het was een *foeta*.'

'Is Swaloe al dood?'

'Nee, M'bogo. Hij wacht op uw zegen voordat hij naar zijn voorouders gaat.'

'Breng me snel bij hem.' Ze haastten zich naar een van de grashutten en Leon liep gebukt door de lage deuropening naar binnen. Swaloe lag op zijn slaapmat. De andere drie vilders zaten in een kring om hem heen. Het lichaam van de slang lag vlakbij. De kop was er afgehakt, maar Leon zag onmiddellijk dat Manjoro gelijk had. Het was een zwarte mamba, geen bijzonder groot exemplaar, want hij was maar ongeveer één meter twintig lang, maar één beet van de slang bevatte voldoende gif om wel twintig mannen te kunnen doden. Swaloe was drie keer gebeten.

Swaloe lag op zijn rug en hij was naakt op een lendendoek na. Zijn hoofd werd ondersteund door een uitgesneden houten kussen. Er zaten twee dubbele tandafdrukken op zijn borst en een op zijn wang. Zijn ogen waren opengesperd, maar ze waren glazig en nietsziend. Wit schuim borrelde uit zijn mond en neusgaten.

Leon knielde naast hem en pakte zijn hand vast. Hij was koud, maar de vingers bewogen nog. 'Ga in vrede, Swaloe,' fluisterde Leon in zijn oor. 'Je voorouders wachten om je te verwelkomen.' Swaloes koude vingers knepen nauwelijks merkbaar in zijn hand. Hij glimlachte flauwtjes en stierf toen. Leon bleef een poosje bij hem zitten, boog zich toen naar voren en sloot zijn starende ogen.

'Graaf een diep graf,' zei Leon tegen de andere vilders. 'En leg er stenen op zodat de hyena's niet bij hem kunnen komen.'

'Waarom zou ze Swaloe willen doden?' vroeg Manjoro aan niemand in het bijzonder. De vilders schoven onrustig heen en weer.

'Hou daarmee op!' snauwde Leon en hij stond op. 'De *foeta* was een *foeta* en verder niets. Het had niets met hekserij te maken!'

'Als de bwana dat zegt,' stemde Manjoro met bestudeerde beleefdheid in, maar hij keek Leon niet aan.

Leon ging terug naar de kantinetent. De prinses dronk net haar kop koffie leeg. Ze begroette hem koel. 'Ah, je hebt toch tijd vrij weten te maken om je om je cliënte te bekommeren. Ik ben je dankbaar.'

'Neem me niet kwalijk, Koninklijke Hoogheid, maar een onbeduidende kwestie eiste mijn aandacht. Wat kan ik voor u doen?'

'Ik heb een van mijn gouden medaillons verloren. Er zit een streng van mijn moeders haar in. Het is voor mij erg belangrijk.'

'We vinden het wel,' verzekerde hij haar. 'Wanneer en waar hebt u het voor het laatst gezien?'

'Na de drijfjacht van gisteren op de zwijnen. Ik zat onder die boom te wachten tot jij en je mannen de dieren zouden slachten. Ik herinner me dat ik het medaillon tussen mijn vingers wreef. Ik moet het daar hebben laten vallen.'

'Ik zal het meteen gaan halen.' Leon boog voor haar. 'Ik ben voor het middaguur terug.' Ze wuifde hem weg en hij liep de tent uit, terwijl hij naar zijn paardenknecht riep dat hij zijn paard moest brengen.

Toen Leon en de spoorzoekers het gebied bereikten waar ze de drijfjacht op de wrattenzwijnen hadden gehouden, zagen ze een grote, prachtig gevlekte mannetjesluipaard die van de restanten van de kadavers aan het eten was. Hij rende weg en verdween tussen het hoge gras. Leon en de spoorzoekers liepen naar de plek waar de prinses had gezeten en zochten het hele omliggende gebied af.

'*Hapana.*' Manjoro gaf het eindelijk op. 'Er is niets.' Ze keerden terug naar het kamp.

De dienstmeisjes van de prinses zaten samen in de kantinetent aan hun borduurramen te werken, koffie te drinken, te fluisteren en te giechelen.

'Waar is jullie meesteres?' vroeg Leon. Ze wisselden een blik, giechelden nog wat en haalden hun schouders op, maar ze gaven geen antwoord. Hij liet hen achter en ging naar zijn tent. Hij dook door de flap naar binnen en zag de prinses op zijn bed zitten. De laden van zijn bureau waren opengetrokken en de inhoud lag om haar heen uitgespreid, Zijn jachtboek lag open op haar schoot.

'Prinses.' Hij boog stijfjes. 'Het spijt me dat we uw medaillon niet hebben kunnen vinden.'

Ze raakte het medaillon aan dat nu om haar hals hing. De grote diamant die in het deksel ingezet was, glinsterde in het gedempte licht. 'Dat maakt niet uit,' zei ze.' Een van mijn dienstmeisjes heeft het onder mijn bed gevonden. Ik moet het daar hebben laten vallen.'

'Ik ben blij dat te horen.' Hij keek nadrukkelijk naar het jachtboek. 'Is er iets in het bijzonder waar Uwe Koninklijke Hoogheid naar zocht?'

'Nee, niets eigenlijk. Ik verveelde me toen je er niet was, dus probeerde ik de tijd te doden. Ik was geboeid door je beschrijvingen van mijn bedrevenheid...' ze zweeg even veelbetekenend en staarde in zijn ogen '... in de jacht.' Ze sloot het boek en stond op. 'Hoe ga je me vandaag amuseren, Courtney? Wat valt er voor me te doden?'

'Ik heb een geweldige luipaard voor u gevonden.'

'Breng me naar hem toe!'

51

De luipaard was in de bloei van zijn leven en zelfs dood was hij mooi. De huid van zijn rug had de kleur van gevlamd, met koper gelegeerd goud die onder de buik donzig roomgeel werd. Hij had pikzwarte vlekken die in groepjes bij elkaar lagen alsof hij herhaaldelijk was aangeraakt door de samengetrokken vingers van Diana, de koningin van de jacht. Zijn snorharen waren stijf en glasachtig wit en zijn hoektanden en klauwen waren perfect. Er was heel weinig bloed. De prinses had één schot afgevuurd dat hem recht in het hart had geraakt toen hij wegrende van een van de kadavers van de wrattenzwijnen. Toen ze hem op de rug van een muilezel laadden, fluisterde Manjoro net luid genoeg om ook voor Leon verstaanbaar te zijn tegen Loikot: 'Zal ze vanavond het wijfje van de *foeta* naar een van ons toe sturen?'

Leon negeerde hem en deed of hij het niet had gehoord. Manjoro volgde de muilezel terwijl hij theatraal overdreven met zijn been trok.

52

Die avond beval de prinses Leon onder het eten dat hij een fles Louis Roederer Cristal-champagne uit haar voorraad moest openen. Tijdens de maaltijd raakte ze hem twee keer intiem onder de tafel aan, iets wat ze nog nooit had gedaan. Tegen zijn wil reageerde zijn lichaam op de kundige aanraking van haar vingers. Toen ze het voelde, glimlachte ze en liet hem los. Daarna fluisterde ze iets tegen Heidi wat hij niet kon verstaan, maar allebei haar dienstmeisjes barstten los in een onbedaarlijk gegiechel.

Later die avond werd Leon al door het schot van de Luger door het dak van de tent van de prinses opgeroepen voordat hij klaar was met de notitie in zijn jachtboek over de jacht op de luipaard. Toen hij het neerlegde, voelde hij dat hij zich overgaf aan de perverse opwinding die ze zo gemakkelijk bij hem kon wekken. 'Ze zou de heilige Petrus en alle engelen uit de hemel nog kunnen corrumperen,' hield hij zichzelf voor toen hij gehoorzaam naar haar tent liep.

53

Toen ze de volgende ochtend uitreden om de jacht op wrattenzwijnen voort te zetten, kwam ze naast hem rijden en babbelde ze zo vrolijk als een jong meisje. Weer werd Leon in verwarring gebracht door de snelle verandering in haar stemming en hij vroeg zich af waar het de voorbode van was. Hij hoefde niet lang te wachten voor het hem duidelijk werd.

'O, ik houd er toch zo van om varkens te doden,' merkte ze op, 'en deze Afrikaanse soort is amusant, maar kan toch niet tippen aan onze Duitse wilde zwijnen.'

'We hebben ook andere varkens die groter en gevaarlijker zijn,' wierp Leon tegen. 'De reusachtige bosvarkens die in de bamboebossen van het Aberdaregebergte leven, kunnen meer dan vijfhonderd kilo wegen.'

'Poe!' Ze wuifde zijn aanbeveling weg. 'Er is maar één variant van de jacht die me echt meer opwindt dan alle andere.'

'Welke is dat dan? Gaat het om een erg zeldzame soort?' vroeg hij geïnteresseerd en ze lachte luchthartig.

'Helemaal niet. Op de Polynesische eilanden worden ze "lange varkens" genoemd.' Hij keek haar ongelovig aan. 'Ah! Nu begrijp je het eindelijk.' Ze lachte weer. 'Ik heb er heel veel gedood, maar de spanning wordt nooit minder. Zal ik je over mijn eerste "lange varken" vertellen, Courtney?'

'Als u dat wilt.' Zijn stem was schor van afgrijzen.

'Hij was een jonge jachtopziener op een van de koninklijke landgoederen. Ik was dertien. Hoewel ik nog maagd was, wilde ik hem hebben, maar hij was getrouwd en hij hield van zijn vrouw. Hij lachte me uit. Toen ik alleen met hem in het bos was om op auerhoenderen te jagen, stuurde ik hem vooruit om een vogel op te halen die ik geschoten had, Toen hij tien passen van me vandaag was, schoot ik hem met beide lopen van mijn geweer in de achterkant van zijn benen. Door de impact van de kogels werd het bot weggerukt en zijn benen werden alleen nog bij elkaar gehouden door pezen en flarden vlees. Er was veel bloed. Ik ging naast hem zitten en praatte tegen hem terwijl hij dood lag te bloeden. Ik legde hem uit waarom ik hem moest doden. Hij smeekte om genade, niet voor zichzelf, maar omwille van die del van een vrouw van hem en het ellendige jong dat ze in haar buik droeg. Hij huilde en smeekte me een dokter te halen om hem te redden. Ik lachte hem uit, zoals hij het gewaagd had om mij uit te lachen. Hij deed er bijna een uur over om te sterven.' Haar gelaatsuitdrukking was dromerig. Ze reden een poosje zwijgend verder tot ze onschuldig vroeg: 'Jij zou me toch nooit zo teleurstellen als de jachtopziener, hè, Courtney?'

'Ik hoop het niet, mevrouw.'

'Ik ook niet, Courtney. Nu we elkaar zo goed begrijpen, wil ik dat je tweebenige varkens voor me zoekt om op te jagen. Wil je dat voor me doen?'

Leon voelde dat de gal in zijn keel omhoogkwam en zijn stem beefde toen hij antwoordde: 'Koninklijke Hoogheid, dit is iets wat ik nooit verwacht had. U moet me een beetje tijd geven om erover na te denken. Weet u dat u me vraagt om een halsmisdrijf te plegen?'

'Ik ben een prinses. Ik zal je voor straf behoeden. Niemand heeft me ooit vragen gesteld over de jachtopziener en de anderen. Ik ben geen vrouw uit het volk. Ik heb het goddelijke recht van iemand van koninklijken bloede. Ik zal je schild zijn. De verdwijning van een paar wilden zal niet eens opgemerkt worden.' Ze boog zich op haar paard maar hem toe en streelde zijn gespierde onderarm. Met moeite weerstond hij de aandrang om zijn arm terug te trekken en haar in het gezicht te stompen. Haar stem was zacht en verleidelijk. 'Tot je het zelf meemaakt, kun je je niet voorstellen hoeveel genot deze bijzondere soort jacht schenkt, Courtney.'

Leon haalde diep adem om kalm te worden, maar hij was totaal van slag door haar verhaal over gevoelloze lust en wreedheid. Het kostte hem moeite om helder te denken. Hij had de bijna overweldigende aanvechting om zijn handen om haar keel te slaan en haar te wurgen. Toen drong tot hem door dat zijn instinctieve reactie volkomen in strijd was met zijn plicht om kost wat kost zo veel mogelijk informatie uit haar los te krijgen. Daarna moest hij haar invloed gebruiken om toegang te krijgen tot anderen van haar soort en bij hen hetzelfde te doen. Ze was de sleutel tot de top van de Duitse society die hem toevallig in de schoot was geworpen. Hij was niet de rechter en de beul. Hij was maar een klein radertje in de grote machinerie van de Britse Militaire Inlichtingendienst.

Ten slotte kreeg zijn plichtsgevoel de overhand. Met enorme inspanning wist hij zijn handen onder controle te krijgen. In plaats van haar bij de keel te grijpen, pakte hij haar handen vast en kneep erin. Toen glimlachte hij en fluisterde: 'Natuurlijk, Koninklijke Hoogheid. Ik zal doen wat u vraagt, maar u moet me de tijd geven om de voorbereidingen te treffen.'

'Deze safari is over zestien dagen afgelopen. Daarna moet ik naar Duitsland terugkeren. Ik zal boos worden als je me teleurstelt… erg boos.' Er klonk een koude dreiging in haar stem door en hij moest weer aan de Duitse jachtopziener denken.

54

Het was nog vroeg toen ze naar het kamp terugkeerden. De prinses ging naar haar tent om een bad te nemen en Leon haastte zich naar zijn eigen tent om snel een briefje aan Penrod te schrijven.

Oom, ik heb u zulke verhalen te vertellen over mijn nieuwe vriendin en haar hooggeplaatste vrienden dat uw haren te berge zullen rijzen. Dit monster heeft me nu echter in haar greep. Ze eist van me dat ik een onuitsprekelijke misdaad bega, opdat zij zich kan vermaken. Zowel mijn geweten als de wet verbiedt me om aan haar eis toe te geven. Als ik gedwongen word botweg te weigeren om mee te werken, zal ze heel erg beledigd zijn. Ze zal de toevoer van informatie uit Duitsland die we zo zorgvuldig proberen op te bouwen stopzetten. Ik smeek u om een manier te zoeken om haar diplomatiek uit Brits Oost-Afrika te verwijderen voor dit gebeurt.

Uw liefhebbende neef.

Hij vouwde het vel papier op, stopte het in de borstzak van zijn safarijasje en knoopte de zak dicht. Hij liep zijn tent uit en ging terug naar de kantinetent waarbij hij onderweg zo dicht langs de tent van de prinses kwam dat hij haar woedende tirade tegen Heidi en het gedempte gesnik van het meisje kon horen. Hij liep door naar het deel van het kamp waar de bedienden hun onderkomen hadden en trof Manjoro en Loikot aan voor hun hut waar ze zaten te snuiven. Ze zwegen toen ze hem zagen aankomen.

Hij keek even rond om zich ervan te vergewissen dat ze niet in de gaten werden gehouden en overhandigde Manjoro toen het opgevouwen briefje. 'Ga zo snel mogelijk naar Nairobi en neem Loikot mee. Geef deze brief aan mijn oom, kolonel Ballantyne in het hoofdkwartier van de KAR. Treuzel onderweg niet. Vertrek nu direct. Spreek hier, behalve met mijn oom, met niemand over.'

Ze stonden direct op en pakten hun speren die aan weerskanten van de deuropening van de hut in de grond gestoken waren.

Leon pakte Manjoro's schouders vast om zijn orders kracht bij te zetten. 'Mijn broeder,' zei hij zacht, 'als je snel rent, zal de heks spoedig vertrokken zijn.'

'*Ndio*, M'bogo.' Manjoro glimlachte voor het eerst in weken en hij trok niet met zijn been toen hij en Loikot het kamp uit draafden en op weg gingen naar Nairobi.

55

Toen de prinses hem die avond naar haar tent liet komen, kon hij haar verzekeren dat hij allebei zijn spoorzoekers erop uitgestuurd had om de voorbereidingen te treffen voor hun jacht op lange varkens. 'Ze kennen een Arabier wiens dhows regelmatig het hele Victoriameer op en neer varen. Hij handelt hoofdzakelijk in ivoor en huiden, maar hij handelt clandestien ook in andere goederen,' vertelde hij haar.

'Dat is geweldig. Ik wist dat ik op je kon rekenen, Courtney.' De prinses kon niet stil blijven zitten. Ze sloeg steeds haar lange benen over elkaar en wriggelde met haar achterste over de canvasstoel alsof ze jeuk had. 'Alleen al de gedachte windt me op. Wanneer denk je dat je mensen terugkomen?'

'Ik verwacht hen hier over vijf of zes dagen, zodat er genoeg tijd overblijft om me, voor u vertrekt, te introduceren in deze nieuwe jachtvorm.'

'Tot dan moeten we ons maar zo goed mogelijk amuseren.' Ze ging in de stoel achteroverliggen en tilde haar rijmantel tot aan haar knieën op. 'Ik weet zeker dat je wel iets weet te bedenken om me te vermaken.'

56

Vier avonden later bracht Leon de prinses terug naar het kamp nadat ze weer een dag op wrattenzwijnen hadden gejaagd. Ze was woedend en gefrustreerd. Hij had vier drijfjachten voor hen laten houden, maar ze hadden geen van alle succes gehad. Elke keer waren ze onvoorbereid geweest omdat de dieren onverwacht uit hun dekking schoten. De prinses had de hele dag geen enkel schot op haar favoriete prooi afgevuurd. Op de terugweg naar het kamp had ze zich een beetje afgereageerd op een troep bavianen en er vijf uit de boomtoppen geschoten voordat de overlevenden luid krijsend in paniek vluchtten.

Toen ze de rand van het kamp naderden, zag Leon tot zijn verbazing twee in een vaalbruine militaire kleur geschilderde Ford-auto's naast de villoods geparkeerd staan. Toen ze erlangs reden, ging een handvol in het uniform van de KAR geklede *askari's* met geschouderd geweer keurig in het gelid staan en salueerde. Leon herkende de sergeant en zijn soldaten. Het waren leden van de regimentsgarde van het hoofdkwartier. Hij fleurde op toen hij zich tot hen richtte. 'Op de plaats rust, sergeant Miomani.'

De sergeant grijnsde verheugd omdat Leon hem zich herinnerde en hij bracht zijn arm met een snelle beweging naar beneden. Hij schreeuwde tegen zijn mannen: 'Zet af geweer! Op de plaats rust! Ingerukt. Een, twee, drie!'

Ze reden het kamp in.

'Wie zijn die mannen en wat doen ze hier, Courtney?' vroeg de prinses.

'Het zijn Britse soldaten, Koninklijke Hoogheid, maar veel meer kan ik u niet vertellen. Ik heb geen idee waarom ze vandaag hier zijn,' loog hij gladjes. 'Ik verwacht dat we het snel te horen zullen krijgen.' Maar hij bedacht dat Manjoro en Loikot als gazellen gerend moesten hebben en dat Penrod Ballantyne als een bezetene gereden moest hebben, want ze waren er een dag eerder dan hij had verwacht.

Leon en de prinses stegen voor de kantinetent af en Leon schreeuwde naar de keuken dat Ishmael koffie moest brengen – 'en zorg dat hij heet is!' Daarna leidde hij de prinses de koele halfdonkere tent binnen.

Penrod stond op van een van de kampeerstoelen en was een eventuele opmerking die Leon kon maken vóór door te zeggen: 'Je zult wel verbaasd zijn om me te zien.' Hij schudde Leon de hand en wendde zich toen tot de prinses. 'Zou je zo vriendelijk willen zijn om me aan Hare Koninklijke Hoogheid voor te stellen.'

'Koninklijke Hoogheid, mag ik u voorstellen aan kolonel Penrod Ballantyne?' zei hij en toen zag hij pas de kroon en de drie sterren op Penrods epauletten. De promotie van zijn oom moest na hun laatste ontmoeting zijn doorgekomen en hij verbeterde zichzelf snel. 'Neem me niet kwalijk, prinses. Ik had moeten zeggen brigadegeneraal Penrod Ballantyne, de officier die het bevel voert over Zijne Majesteits strijdkrachten in Brits Oost-Afrika.' Penrod salueerde, deed toen drie afgemeten stappen naar voren en strekte zijn rechterhand uit.

Ze negeerde het gebaar en bestudeerde zijn gezicht met een koude blik in haar ogen. 'Dat zal wel!' zei ze. Ze liep langs hem heen en ging in haar vaste stoel aan de tafel zitten. 'Zeg tegen je kok dat hij haast moet maken met mijn koffie, Courtney. Ik heb dorst.' Ze had in het Duits gesproken. Toen keek ze Penrod weer aan. 'Wat komt u hier doen? Dit is een privésafari. U verstoort het plezier van mijn verblijf hier.' Haar Engels was onberispelijk.

Penrod liep naar de stoel die tegenover de hare aan de tafel stond. Toen hij zichzelf erin liet zakken, zei hij: 'Koninklijke Hoogheid, ik verontschuldig me voor de inbreuk op uw privacy, maar ik ben hier in opdracht van Zijne Excellentie, de gouverneur van Brits Oost-Afrika.'

'Ik heb u niet gevraagd om te gaan zitten,' zei de prinses en Penrod stond abrupt op.

Zijn gezicht liep rood aan, maar zijn stem bleef vlak. 'Neem me niet kwalijk, mevrouw.'

'Ze hebben geen manieren, die Engelsen.' Ze sprak tegen de lucht boven zijn hoofd. 'Ja, en wat dan nog? Wat wil die gouverneur van u van me?'

'Hij heeft me hiernaartoe gestuurd om u ervan op de hoogte te stellen dat er een ernstige epidemie van Rift Valley-hondsdolheid is uitgebroken die zich snel door het land verspreidt. Al meer dan duizend lokale mensen zijn aan de ziekte bezweken en er sterven er elke dag meer. De laatste gerapporteerde dodelijke slachtoffers zijn in dorpen hier in de buurt gevallen. U bent in levensgevaar, Koninklijke Hoogheid.' De hooghartige gelaatsuitdrukking van de prinses veranderde ingrijpend. Ze keek Penrod vol afgrijzen aan. 'Wat is deze Rift Valley-hondsdolheid precies?'

'Ik geloof dat de Duitse vertaling *Tollwut* is, mevrouw.'

'*Tollwut? Mein Gott*!'

'Inderdaad, Koninklijke Hoogheid. En deze keer is het virus bijzonder kwaadaardig en besmettelijk. Het veroorzaakt een afschuwelijk wrede en onvermijdelijke dood waarbij het slachtoffer stuiptrekkend ligt te kronkelen, om water schreeuwt en ten slotte in zijn eigen schuimende speeksel verdrinkt.'

'*Mein Gott*!' herhaalde ze.

'De gouverneur is van mening dat hij u niet kan toestaan om het gevaar te lopen dat u door de ziekte wordt besmet, maar voordat hij een besluit nam, heeft hij met Berlijn getelegrafeerd. De secretaris van Zijne Keizerlijke Majesteit heeft de instructies van de keizer doorgegeven. Ze houden in dat u uw verblijf hier moet beëindigen en direct naar Duitsland moet terugkeren. Daarom heeft Zijne Excellentie een luxehut voor u gereserveerd aan boord van het Italiaanse lijnschip Roma. Het vertrekt de vijftiende van de maand uit de Kilindinilagune naar Genève. Daarvandaan zult u de nachttrein naar Berlijn kunnen nemen. Ik ben hier om u te vergezellen naar de Roma die over vijf dagen in Kilindini zal aankomen. We moeten ons haasten om er op tijd te zijn.'

‘Wanneer wilt u vertrekken?’ vroeg de prinses en ze stond op.
‘Kunt u binnen een uur gereed zijn, mevrouw?’
‘*Jawohl*!’ Ze rende, schreeuwend om haar dienstmeisjes, weg. ‘Heidi! Brunhilde! Pak mijn reiskoffers! Laat de hutkoffers maar staan. We vertrekken binnen een uur!’ Zodra ze weg was, grijnsden Penrod en Leon naar elkaar als schooljongens die net een spectaculaire streek hebben uitgehaald.
‘Rift Valley-hondsdolheid! Hoe bent u daarop gekomen, perfide Albion?’
‘Een absoluut dodelijke ziekte!’ Penrod knipoogde bijna onmerkbaar. ‘Toevallig is dit de eerste uitbraak ervan in de medische geschiedenis.’
‘Wat vond u van Hare Koninklijke Hoogheid?’
‘Charmant,’ antwoordde Penrod. ‘Verdomd charmant! Ik wilde haar over mijn knie leggen om haar eens flink met de lat te geven.’
‘Als u dat had gedaan, zou ze waarschijnlijk zwaar verliefd op u zijn geworden.’
‘O ja?’ Penrod hield op met glimlachen. ‘Je moet interessante verhalen te vertellen hebben.’
‘Verhalen die uw haar te berge zullen doen rijzen, neemt u dat maar van me aan. Ik weet zeker dat u dergelijke dingen nooit gehoord hebt. Maar ik vertel ze niet hier en niet nu.’
Penrod knikte. ‘Je leert het spel snel. Zodra ik de lieflijke prinses in Kilindini aan boord van dat schip heb gezet, kom ik terug om naar je verhalen te luisteren en je op een lunch in de Muthaiga Club te trakteren.’
‘Met een fles Margaux uit 1879 erbij?’ opperde Leon.
‘Twee, als je daar mans genoeg voor bent,’ beloofde Penrod.
‘U bent absoluut een goed mens, oom.’
‘Dat is te veel eer, beste jongen.’

57

Lang voor de afgesproken tijd kwam de prinses haar tent uit, op de hielen gevolgd door haar secretaris en haar dienstmeisjes die hun armen vol hadden met haar jassen en zijden jurken. Penrod had vlakbij een auto klaarstaan waarvan de motor plofte en rammelde. Leon bood de prinses zijn hand toen ze voor in de auto stapte. Ze streek met haar vingertoppen over zijn kruis toen ze ging zitten en ze liet haar stem dalen zodat alleen hij haar kon horen. 'Doe mijn grote vriend de hartelijke groeten van me.'

'Dank u, mevrouw. Hij laat het hoofd zakken wanneer hij eraan denkt dat u weg bent.'

'Brutale jongen.' Ze kneep zo hard in zijn zachte vlees dat zijn adem stokte en zijn ogen begonnen te tranen. 'Niet zo familiair. Je moet je plaats weten.'

'Vergeef me alstublieft mijn aanmatiging, Koninklijke Hoogheid. Ik ben diepbedroefd. Maar vertelt u me eens wat ik moet doen met alle uitrustingsstukken die u achterlaat en met het meubilair, de geweren en de champagne? Zal ik alles laten inpakken en het u toesturen?'

'*Nein*! Ik wil ze niet meer hebben. Je kunt ze houden of verbranden.'

'U bent zeer royaal. Maar komt u ooit nog terug om met me te jagen.'

'Nooit!' zei ze fel. 'Hondsdolheid? Nee, dank je wel!'

'Stuurt u dan uw vrienden hierheen om met me te jagen, prinses?'

'Alleen degenen die ik echt haat.' Ze zag zijn uitdrukking en liet zich enigszins vermurwen. 'Maar maak je geen zorgen, Courtney. De vrienden die ik echt haat zijn talrijker dan degenen die ik echt mag.' Ze draaide zich om naar Penrod die op de stoel achter haar zat. 'Zeg tegen uw chauffeur dat hij kan vertrekken uit dit afschuwelijke door hondsdolheid geteisterde oord.'

'*Auf Wiedersehen*, prinses!' Leon lichtte zijn hoed en zwaaide ermee, maar ze nam niet de moeite zich om te draaien toen de auto hobbelend over de oneffen weg wegreed.

58

Twee weken later reed Penrod op zijn grijze hengst naar Kamp Tandala. Ishmael had een pot vers gezette Lapsong-thee en een schaaltje gemberkoekjes klaarstaan om hem te verwelkomen. Ishmael serveerde zijn gemberkoekjes niet aan iedereen, maar hij reserveerde ze voor zijn favoriete gasten. Nadat Penrod de inwendige mens versterkt had, stegen hij en Leon op en begonnen aan de twaalf kilometer lange tocht naar Muthaiga.

'Ik verheugde me echt op een ritje,' zei Penrod. 'Het lijkt wel of ik tegenwoordig nooit meer achter mijn bureau vandaan kom.' Hij keek Leon aan. 'Jij lijkt daarentegen in prima conditie te zijn, beste jongen.'

'De prinses heeft me hard laten werken. Heeft ze u verteld dat ze meer dan honderd wrattenzwijnen heeft neergeknald, om nog maar te zwijgen over een monsterlijke leeuw met zwarte manen en een prachtige luipaard!'

'Die vriendelijke dame en ik hebben tijdens de reis naar de kust amper tien woorden met elkaar gewisseld. Ik reken op jou om me op de hoogte te brengen. Daarom ben ik je komen halen. Hier kunnen we praten zonder bang te hoeven zijn dat we worden afgeluisterd.' Hij gebaarde naar het bos en de glooiende groene heuvels om hen heen. 'Er zijn hier geen grote oren en ogen. Dus vertel je oom nu maar alles.'

'Dan kunt u maar beter het kinriempje van uw helm vastmaken anders zal hij door mijn onthullingen hoog de lucht in geblazen worden, oom.'

'Begin maar bij het begin en laat niets weg.' De ongehaaste rit naar de Muthaiga Country Club duurde bijna anderhalf uur; voor Leon net lang genoeg om verslag uit te kunnen brengen. Penrod onderbrak hem alleen om Leon een naam te laten bevestigen of om hem te vragen of hij een bepaald detail nog wat kon verduidelijken. Meer dan eens zoog hij zijn adem scherp naar binnen en stond er diepe afkeuring op zijn gezicht te lezen. Pas toen ze de oprijlaan van de club opreden, kon Leon zeggen: 'Dat is het wel zo'n beetje, oom.'

'Het was meer dan genoeg,' antwoordde Penrod grimmig. 'Als ik het van iemand anders dan jou had gehoord, zou ik mijn reserves hebben gehad. Sommige dingen zijn zo bizar dat ze voor een rationeel denkend mens bijna niet te bevatten zijn. Je hebt meer bereikt dan ik had durven hopen.'

'Wilt u dat ik het allemaal opschrijf?'

'Nee. Als je dat eerder had gedaan, zou ze je doorgehad hebben toen ze je tent doorzocht. Ik onthoud het wel en waarschijnlijk vergeet ik het mijn hele leven niet meer.' Penrod zweeg tot ze aan het einde van de oprijlaan kwamen en hun paarden voor het clubhuis intoomden. Toen zei hij zacht: 'Een opmerkelijke dame, die prinses van je, Leon.'

'Niet van mij, oom, dat verzeker ik u. Wat mij betreft mogen de hyena's haar hebben.'

'Kom, laten we gaan lunchen. De kok heeft vandaag mergpijpen op toast en jachtschotel met corned beef op het menu staan. Ik hoop maar dat je akelige verhalen mijn eetlust niet bedorven hebben.'

'Niets zou dat kunnen, oom.'

'Pas op, jongen. Een beetje respect voor mijn grijze haren en de sterren op mijn schouders.'

'Neem me niet kwalijk, generaal. Het was niet mijn bedoeling om u te beledigen. Ik wilde alleen zeggen dat u een connaisseur met een onberispelijke smaak bent.'

Toen Penrod de meeste andere gasten in de eetzaal had begroet en aan elke tafel even was blijven staan, bereikten ze eindelijk het terras en gingen ze in de stoelen onder de bougainvilleas zitten. Malonzi opende de fles wijn en schonk hun glazen in. Daarna serveerde hij de hors d'oeuvre van mergpijpen op toast en trok zich toen discreet terug.

'Ik zal je op de hoogte brengen van alles wat er in de grotere wereld is gebeurd terwijl jij je in de wildernis met die prinses en wrattenzwijnen aan het amuseren was.' Penrod schepte een grote, vette brok merg uit de pijp op zijn toast en begon daarna aan een korte samenvatting van de gebeurtenissen in Europa.

'Het meest verrassende feit waarover gepraat wordt, is dat de Sociaal-Democratische Partij bij de recente verkiezingen voor het eerst in de geschiedenis de grootste partij van de Duitse Reichstag is geworden. Ze heeft haar zetelaantal meer dan verdubbeld sinds de verkiezingen van 1907. Er zijn daar grote problemen op til. De heersende militaire elite zal iets spectaculairs moeten doen om zich opnieuw te doen gelden. Misschien is een leuk oorlogje wel wat?' Hij stopte de toast met merg in zijn mond en kauwde er met smaak op. 'En Servië zal zeker Oostenrijk willen aanpakken. Wat vind je van nog een oorlogje? En nu we het toch over oorlog hebben, die in Turkije dendert door. De Turken hebben de Bulgaren van de poorten van Konstantinopel teruggeslagen, maar dat heeft meer dan twintigduizend doden gekost...' Hij verslond de rest van het merg en spoelde het weg met een glas Margaux.

Terwijl hij wachtte tot Malonzi de jachtschotel zou serveren vervolgde hij: 'Als we dichter bij huis kijken, dan heb je een grote berg post waaronder meer dan tien brieven van mensen die van je diensten als jager gebruik willen maken. Ik heb ze bij het postkantoor opgehaald en ze gelezen om jou de moeite te besparen.'

'Ik heb het al eerder gezegd, maar ik zeg het nog een keer. U bent een goed mens, oom.'

Penrod incasseerde het compliment met een gracieus gebaar met zijn vork.

'De meeste van deze brieven waren afkomstig van onbeduidende figuren – die heb ik weggegooid. Sommige waren echter zeer veelbelovend, allemaal uit ons favoriete land, Deutschland. Een ervan is afkomstig van een conservatieve minister, een tweede van een zekere graaf Bauer, een adviseur van de rijkskanselier, Theobald von Bethmann-Hollweg, en de derde is van een captain of industry die de grootste leverancier van het leger is. Natuurlijk willen we hen alle drie strikken, maar voor ons is de industrieel de aantrekkelijkste van de drie. Dat is ook een graaf en hij heet Otto Kurt Thomas von Meerbach. Hij staat aan het hoofd van de Meerbach Motorenfabriek.'

'Die fabriek ken ik.' Leon was onder de indruk. 'Ze hebben daar de rotatiemotor voor vliegtuigen ontwikkeld. Ze concurreren met graaf Zeppelin die aan bestuurbare luchtschepen werkt. Ze staan elkaar naar het leven! Ik zou de man graag ontmoeten. Ik ben gefascineerd door het idee om met een luchtschip te vliegen, maar ik heb tot nu toe nog nooit een van die ongelooflijke vliegmachines gezien, laat staan dat ik ermee de lucht in ben gegaan.'

Penrod glimlachte om zijn jongensachtige enthousiasme. 'Als alles volgens plan verloopt, krijg je misschien spoedig je kans. Met Percy's zegen heb ik Von Meerbach uit jouw naam een spoedtelegram gestuurd. Er stond precies in wat je allemaal te bieden hebt, met inbegrip van de beschikbare periodes en je standaardtarieven. Maar je hebt je jachtschotel nog niet geproefd. Hij is erg lekker. O, tussen haakjes, er is ook een brief van je vriend, Kermit Roosevelt.'

'Die u geopend hebt om mij de moeite te besparen?'

'Goeie god, nee.' Penrod was ontzet. 'Dat zou niet in me opkomen. Dat is je privépost.'

'In tegenstelling tot al mijn andere post die openbaar is, oom?' vroeg Leon en Penrod glimlachte ontspannen.

'Die lees ik plichtshalve, beste jongen.' Toen veranderde hij van onderwerp. 'Ik heb begrepen dat je, nu je van de prinses bent verlost, in allerijl vertrekt om je partner Percy te helpen met de safari van Lord Eastmont.'

'Dat klopt. Ik vertrek morgenochtend vroeg. Percy jaagt op de westoever van het Manjarameer in Duits gebied. Hij heeft in Tandala een briefje voor me achtergelaten. Hij schreef dat lord Eastmont graag een buffel met hoorns van minstens een meter wil schieten en Manjara is de beste plaats om er zo een te vinden.'

'Percy heeft me aan Eastmont voorgesteld toen hij op doorreis in Nairobi was. We hebben hier gegeten. Percy, ik en de twee lords, Eastmont en Delamere.'

'Mag ik vragen wat u van Eastmont vond, oom?'

'Dat mag je zeker. Vanaf onze allereerste ontmoeting vond ik hem een rare snijboon. Er was iets aan hem dat me dwarszat. Pas nadat hij en Percy naar Manjara vertrokken waren, kwam alles met een sneltreinvaart terug, als je me die beeldspraak toestaat.'

'Natuurlijk, oom. Gaat u alstublieft verder. Ik ben een en al oor.'

'Ik herinnerde me dat er tijdens de campagne in Zuid-Afrika van 1899 een naar incident had plaatsgevonden. Bertie Cochrane, een jonge kapitein van het Middlesex Regiment van Bereden Vrijwilligers, had het bevel over een vooruitgeschoven verkenningspeloton in een plaats die Slang Nek heette. Ze stuitten op een sterk contingent Boeren. Bij de eerste schoten vluchtte Cochrane. Hij liet het aan zijn sergeant over om te proberen de aanval van de Boeren af te slaan en vluchtte naar huis en mama. Het was een slachting. Van de twintig man waaruit het peloton bestond, sneuvelden er vijftien voordat ze zich in veiligheid konden brengen. Cochrane moest voor een krijgsraad verschijnen wegens lafheid in het gezicht van de vijand. Hij werd schuldig bevonden en oneervol ontslagen. Hij zou voor het vuurpeloton zijn gekomen als hij geen hooggeplaatste vrienden had gehad. Toen ik me dit allemaal herinnerde, heb ik iemand die ik bij het ministerie van Defensie ken een telegram getuurd om hem te laten controleren of mijn herinneringen aan het incident klopten. Het antwoord was bevestigend. Cochrane en Eastmont zijn een en dezelfde persoon, maar ik kreeg nog meer informatie. Na zijn oneervolle ontslag trouwde Bertie met een puissant rijke Amerikaanse olie-erfgename. Nog geen twee jaar later verdronk de nieuwe mevrouw Cochrane bij een bootongeluk op het Ullswater in het Lake District van Cumberland. Cochrane werd door de rechtbank van Middlesex berecht voor de moord op zijn vrouw, maar wegens gebrek aan bewijs vrijgesproken. Hij erfde haar fortuin en twee jaar later werd hij, na de dood van zijn oom, graaf Eastmont en had hij een landgoed van meer dan vierduizend hectare vlak bij Appleby in Westmoreland. Dus werd onze eenvoudige Bertie Cochrane Bertram, graaf van Eastmont.'

'Goeie god! Weet Percy dit?'

'Nog niet, maar ik vertrouw erop dat jij hem het blijde nieuws zult brengen.'

Leon was in gedachten verzonken toen hij terugreed naar Tandala. Toen hij er aankwam, stonden Manjoro en Loikot op hem te wachten. Hij gaf hun instructies om ervoor te zorgen dat ze de volgende ochtend vroeg aan de reis naar Percy's jachtkamp op de oever van het Manjarameer konden beginnen en ging vervolgens naar zijn tent om zijn post te lezen.

Er waren drie brieven van zijn moeder die, zoals altijd, heel erg lief en onderhoudend waren. Ze waren elk meer dan twintig bladzijden lang en steeds met een maand ertussen gedateerd, maar ze waren alle drie tegelijk in het postkantoor van Nairobi aangekomen. Hij las dat het met zijn vader en met diens zaken, zoals altijd, goed ging. Het laatste boek van zijn moeder was getiteld *African Reflections* en het was voor publicatie geaccepteerd door McMillan in Londen. Leons oudste zuster, Penelope, zou in mei met haar jeugdliefde gaan trouwen, en dat was zes weken geleden. Hij zou haar een verlaat huwelijksgeschenk moeten sturen. Hij legde de drie brieven apart om ze later te beantwoorden en sneed toen de brief open met het poststempel van New York en Kermits rode waszegel op de flap.

Kermit had woord gehouden. Zijn brief was luchtig en gezellig. Hij beschreef de laatste maanden van de grote safari met Quentin Grogan langs de Nijl en door Soedan en Egypte. Big Medicine was dood en verderf onder de kuddes blijven zaaien. Tijdens de reis van Alexandrië naar New York was hij weer verliefd geworden, maar het meisje was al bezet. Hij leek deze afwijzing snel te hebben verwerkt. Daarna beschreef hij een etentje in het huis van Andrew Carnegie, de staalmiljonair die de grote safari van de president had gefinancierd. Een van de andere gasten was een Duitse industrieel uit Wieskirche in Beieren geweest. Hij heette Otto von Meerbach. Kermit had tijdens het etentje tegenover hem aan tafel gezeten en ze hadden elkaar direct gemogen. Na het eten, toen de dames zich hadden teruggetrokken, waren ze onder het genot van port en sigaren nog lang blijven zitten.

> Otto is een bijzondere figuur, compleet met duelleerlitteken en alles, die zo uit een stuiversroman lijkt te zijn weggelopen. Hij is een reus van een vent die bruist van energie en zelfvertrouwen en zelfs als je hem niet mag, moet je toch bewondering voor hem hebben. Hij is eigenaar van de Meerbach Motorenfabriek. Je hebt er vast van gehoord. Ik geloof dat we het er wel eens over gehad hebben. Het is een van de grootste en succesvolste ondernemingen van Europa met meer dan dertigduizend werknemers. MMF heeft de rotatiemotor voor vliegtuigen en bestuurbare luchtschepen ontwikkeld en maakt ook auto's en trucks voor de Duitse landmacht en vliegtuigen voor de luchtmacht. Maar wat Otto echt interessant maakt, is dat hij een enthousiast jager is. Hij heeft reusachtige landgoederen in Beieren waar hij op herten en wilde zwijnen jaagt. In de winter houdt hij jachtpartijen in zijn *Schloss* die beroemd zijn. Het is niets bijzonders wanneer de jagers daarbij meer dan honderd wilde zwijnen per dag schieten. Hij heeft me uitgenodigd om bij

> hem te komen logeren en samen met hem op jacht te gaan wanneer ik de volgende keer in Europa ben. Ik heb hem over onze safari verteld en hij was zeer geïnteresseerd. Hij vertelde me dat hij al jarenlang overweegt om een keer in Afrika op safari te gaan. Hij heeft me om je adres gevraagd en natuurlijk heb ik hem dat gegeven. Ik hoop dat je daar geen bezwaar tegen hebt.

'Dus zo is Von Meerbach erachter gekomen hoe hij me kon bereiken,' zei Leon hardop. 'Dank je, Kermit.' De brief ging nog een paar bladzijden door.

> Otto's vrouw, of misschien is ze zijn maîtresse, dat weet ik niet, is echt een van de mooiste vrouwen die ik ooit heb gezien. Ze heet Eva von Wellberg. Ze is heel beschaafd en rustig, maar grote god, wanneer ze me met die ogen aankeek, smolt mijn hart weg als boter in een braadpan. Ik zou zó met Otto om haar gunsten geduelleerd hebben, ook al staat hij bekend als een van de beste zwaardvechters van Europa. Zo sterk zijn mijn gevoelens voor die mooie vrouw van hem.

Leon lachte. Het was typerend voor Kermit om zo te overdrijven. Hij leidde uit de beschrijving van zijn vriend af dat Eva waarschijnlijk redelijk mooi was. Kermit eindigde met de aansporing dat Leon snel moest terugschrijven en hem al het nieuws moest vertellen over zijn eigen activiteiten en over de vele vrienden die Kermit in Brits Oost-Afrika had gemaakt, in het bijzonder over Manjoro en Loikot. De brief besloot met '*salaams en Waldmanns Heil (dit laatste heb ik van Otto geleerd en het betekent 'Jagersgroet') van je BK*. Het duurde even voordat Leon begreep waar de afkorting voor stond. Hij glimlachte weer. 'En voor jou ook het beste, Kermit Roosevelt, mijn broeder van het krijgersbloed.'

Leon opende een lade van zijn bureau om de brieven van zijn moeder en Kermit te gaan beantwoorden, maar voordat hij zijn pen in de inktpot kon dopen, sloeg Ishmael op de gong. Het eten was klaar. Leon kreunde. Hij was nog niet helemaal hersteld van de lunch met Penrod, maar Ishmaels maaltijden waren niet vrijblijvend. Ze waren verplicht.

59

De reis naar het zuiden, naar het Manjarameer, verliep de eerste driehonderd kilometer over meedogenloos oneffen wegen. De Vauxhall kreeg het heel zwaar te verduren en ze werden minstens tien keer gedwongen om te stoppen om lekke banden te plakken. Manjoro en Loikot waren ware meesters geworden in het vinden en verwijderen van de doornen die de banden hadden doorboord. Op de zandige delen van de weg raakte de motor regelmatig oververhit en moesten ze wachten tot hij afgekoeld was voordat ze de radiator konden bijvullen.

De grens tussen Brits en Duits Oost-Afrika was niet gemarkeerd en niet bewaakt. Er stonden geen borden langs de weg; ze moesten het doen met wegwijzermarkeringen op bomen en een paar door de zon gebleekte dierenschedels op palen. Alleen navigerend op hun instinct en de hemel, bereikten ze ten slotte de kleine rimboewinkel van een Hindoe handelaar aan de Makoejoeni. Percy had in afwachting van Leons komst een paar goede paarden bij de winkeleigenaar achtergelaten.

Leon parkeerde de truck onder een ficusboom achter de winkel en zadelde een van de paarden. Hiervandaan was het een rit van minstens vijfenzeventig kilometer naar Percy's jachtkamp dat op een klip boven de oever van het meer lag.

Leon en de Masai bereikten het de volgende dag na het donker. Hij zag dat Percy noch zijn adellijke cliënt naar het kamp was teruggekeerd. Percy's kok serveerde Leon een maaltijd van gegrild neushoornhart en cassavepap met pompoenpuree en dikke jus.

Daarna ging Leon bij het vuur zitten en keek naar de flamingo's die in donkere onvaste strepen voor de maan langs vlogen. Op de andere oever van het meer woedde een bosbrand die eruitzag als een vurige slang die door de donkere heuvels kroop en hij kon de rook ruiken. Het was over tienen toen hij de paarden uit het donker hoorde komen en hij naar de rand van het kamp ging om de jagers te begroeten.

Toen Percy stijf en moeizaam afsteeg, herkende hij Leon die in de schaduw wachtte. Hij rechtte zijn schouders en zijn gezicht rimpelde zich in een verwelkomende glimlach. 'Wel heb ik jou daar!' riep hij. 'Je timing is perfect, Leon. Kom mee naar het vuur, dan zal ik je aan lord Eastmont voorstellen. En als je geluk hebt, schenk ik misschien zelfs een glas Talisker voor je in.'

Eastmont was een lange, slungelige man met enorme handen en voeten en een hoofd zo groot als een watermeloen. Zijn lange, dunne ledematen pasten niet bij zijn omvangrijke romp. Percy was iets langer dan een meter tachtig en zijn Masai-spoorzoeker was nog een paar centimeter langer, maar Eastmont torende boven hen uit en Leon concludeerde dat hij ruim een meter negentig moest zijn. Toen hij hem de hand schudde, leek het alsof zijn hand in die van Eastmont verdween. In het flikkerende licht van het vuur was Eastmonts gezicht broodmager en benig en zijn uitdrukking was somber en nors. Hij zei weinig en liet het praten aan Percy over. Toen de glazen volgeschonken waren, bleef hij in het vuur staren terwijl Percy de jacht van die dag beschreef.

'Nou, lord Eastmont wilde een echt reusachtige buffel hebben en, waarachtig, vanochtend hebben we er een gevonden. Het was een oud solitair dier en ik zweer bij alles wat me heilig is dat hij hoorns had van meer dan een meter dertig.'

'Dat is ongelooflijk, Percy! Maar ik geloof je toch,' verzekerde Leon hem. 'Laat me de kop zien. Brengen je mensen hem vanavond hier of halen je vilders hem morgen op?'

Er viel een pijnlijke stilte en Percy keek over het vuur heen naar zijn cliënt. Eastmont leek het niet gehoord te hebben. Hij bleef in de vlammen staren.

'Tja,' zei Percy en hij zweeg weer. Toen vervolgde hij met een stortvloed van woorden: 'Er is een klein probleem. De kop van de buffel zit aan zijn lichaam vast en zijn lichaam leeft nog steeds.'

Leon voelde een huivering over zijn rug lopen en hij vroeg voorzichtig: 'Gewond?'

Percy knikte aarzelend en gaf toen toe: 'Maar behoorlijk zwaar, denk ik.'

'Hoe zwaar, Percy? In de kop of in de buik? Hoeveel bloed was er?'

'Achterpoot,' zei Percy en hij vervolgde haastig: 'Zijn schenkel is gebroken, geloof ik.' Hij moet morgenochtend stijf en kreupel zijn.'

'Bloed, Percy? Hoeveel?'

'Een beetje.'

'Aderlijk of slagaderlijk?'

'Moeilijk te zeggen.'

'Dat is helemaal niet moeilijk te zeggen. Je hebt me zelf geleerd hoe je dat doet, dus jij moet het zeker weten. Het ene is helderrood en het andere is donkerrood. Waarom vond je het moeilijk om te zien wat het was?'

'Er was niet erg veel bloed.'

'Hoe ver ben je hem gevolgd?'

'Tot het donker werd.'

‘Hoe ver, Percy, niet hoe lang.’

‘Een kilometer of drie.’

‘Shit!’ zei Leon uit de grond van zijn hart.

‘De beschaafde versie van dat woord is *merde*.’ Percy probeerde de spanning met humor te verlichten.

‘Ik hou het wel bij Engels.’ Leon glimlachte niet.

Ze zwegen secondelang. Toen keek Leon naar Eastmont. ‘Wat voor kaliber hebt u gebruikt, lord?’

‘Drie zeven vijf.’ Eastmont keek niet op toen hij antwoordde.

Shit! dacht Leon, maar hij zei het niet. Een lullige proppenschieter! Hoe dicht is het struikgewas waarin hij zich schuilhoudt?’

‘Heel dicht,’ gaf Percy toe. ‘We volgen hem morgen bij het eerste licht.’ Hij zal stijf zijn en pijn hebben. Het zal niet lang duren voor we hem hebben ingehaald.’

‘Ik heb een beter plan. Jullie blijven hier en maken er een rustig dagje in het kamp van. Gun je been wat rust, Percy. Ik volg hem en maak het karwei af,’ stelde Leon voor.

De lord stootte een gebrul uit als een mannetjeszeeleeuw in de paartijd. ‘Dat doe je niet, brutale snotaap. Het is mijn buffel en ik maak hem af.’

‘Met alle respect, lord, maar als er te veel jagers zijn, kan een potentieel gevaarlijke situatie fataal aflopen. Laat mij gaan. Daarom betaalt u ons zo veel geld, om dat soort dingen te doen.’ Leon glimlachte in een weinig overtuigende poging om diplomatiek te zijn.

‘Ik betaal jullie zo veel geld zodat jullie doen wat je gezegd wordt, jongen.’ Leons mond verstrakte. Hij keek Percy aan, maar deze schudde zijn hoofd.

‘Het komt wel in orde, Leon,’ zei hij. ‘We vinden hem waarschijnlijk morgen.’

Leon stond op. ‘Zoals je wilt. Ik ben bij het eerste licht gereed om te vertrekken. Welterusten, lord.’ Eastmont antwoordde niet en Leon keek om naar Percy. Hij zag er oud en ziek uit in het licht van de vlammen. ‘Welterusten, Percy,’ zei hij vriendelijk. ‘Maak je geen zorgen. Ik heb hier een goed gevoel over. We vinden hem, dat weet ik zeker.’

60

Leon stond met Manjoro en Loikot aan de rand van de klip. De zon was nog niet op en een lage mistbank hing boven het water. Er stond geen wind en het meer had een glanzende loodgrijze kleur. Vluchten lichtgevend roze flamingo's vlogen er in lange bevende lijnen overheen en het rimpelloze water weerspiegelde de vogels perfect. Het was erg mooi.

'Bwana Samawati denkt dat zijn achterpoot gebroken is,' zei Leon terwijl hij nog steeds naar de flamingo's keek. 'Misschien dat hij daardoor een beetje minder snel is.' Loikot spuwde een kloddertje slijm in het zwarte lavazand en Manjoro peuterde in zijn neus en bestudeerde daarna het korstige snot op het uiteinde van zijn wijsvinger aandachtig. Ze reageerden geen van beiden op de dwaze bewering. Een gebroken poot zou een woedende buffelstier niet langzamer laten lopen.

'Bwana Mjigoeoe wil voorop rijden. Hij zegt dat het zijn buffel is. Hij zal hem doden,' zei Leon. De Masai hadden Eastmont de naam 'Meneer Grote Voeten' gegeven en ze reageerden op deze laatste informatie met evenveel vreugde als ze zouden tonen bij het nieuws dat een dierbare vriend was overleden.

'Misschien schiet hij hem in de andere poot. Dan gaat hij wel langzamer lopen,' merkte Manjoro op en Loikot sloeg dubbel van het lachen. Leon kon zich niet beheersen, Hij moest meelachen en hun plezier verlichtte hun gevoelens een beetje.

Achter hen kwam Percy uit zijn tent en Leon liet de Masai achter om hem te begroeten. Zijn gezicht zag even grauw als het water van het meer en hij trok duidelijker met zijn been.

'Morgen, Percy. Heb je goed geslapen?'

'Dat vervloekte been heeft me wakker gehouden.'

'Er is koffie in de kantinetent,' zei Leon en ze liepen ernaartoe. 'Ik heb oom Penrod in Nairobi gesproken. Hij vroeg me of ik je iets wilde vertellen.'

'Ga je gang.'

'Eastmont is oneervol ontslagen uit het leger in Zuid-Afrika. Lafheid in het zicht van de vijand.' Percy stond stil en staarde hem aan. 'In Engeland is hij vrijgesproken van de moord op zijn extreem rijke vrouw. Gebrek aan bewijs.'

Percy dacht er even over na en zei toen: 'Zal ik je eens wat zeggen? Dat verbaast me niets. Ik had hem gisteren vlak bij de buffel, op een afstand van twintig meter. Geen centimeter meer. Hij schoot hem in zijn achterpoot omdat hij door angst werd overmand.'

'Laat je hem vandaag voorop rijden?'

'Je hebt hem gisteravond gehoord. We hebben niet veel keus.'

'Wil je dat ik hem ruggensteun geef?'

'Denk je soms dat ik dat zelf niet meer kan?' Percy keek verslagen.

Leon kreeg onmiddellijk berouw. 'Nee, natuurlijk niet! Je bent nog steeds een kanjer!'

'Bedankt. Dat wilde ik graag horen. Maar Eastmont is nog steeds mijn cliënt. Ik geef hem wel ruggensteun, maar ik ben blij dat ik jou achter me heb.' Op dat moment kwam Eastmont zijn tent uit en hij sjokte naar hen toe. Zijn loop was onbeholpen, als die van een dansende beer aan een ketting. 'Goedemorgen, lord,' begroette Percy hem opgewekt. 'U popelt vast om het spoor van uw buffel op te pikken?'

61

Ze reden een uur voordat ze de plek bereikten waar Percy de vorige avond was gestopt met het volgen van het bloedspoor. Het was een slechte plek. De doornstruiken waren dicht en groeiden tot laag bij de grond. Er liepen smalle paadjes tussendoor die plat waren getreden door kuddes neushoorns, olifanten en buffels.

Percy's spoorzoeker die al dertig jaar voor hem werkte, heette Ko'twa. Hij wees het koude spoor aan dat in de loop van de nacht al bijna uitgewist was doordat andere grote dieren eroverheen gelopen waren en Manjoro en Loikot volgden het op een drafje.

De drie jagers volgden hen te paard. Het struikgewas was dicht, maar de grond was zacht en zandig, dus legden ze de eerste drie kilometer snel af. Daarna veranderde de zachte ondergrond in een harde kiezellaag die de afdrukken van de hoeven van de buffel niet vasthield. Er was een beetje bloed dat zwart was opgedroogd, dus het was bijna onmogelijk om de vlekjes in de muls van dode bladeren en verdroogde twijgen onder de struiken te vinden. De ruiters bleven ver achter om de drie spoorzoekers de kans te geven om hun wonderbaarlijke stukjes speurwerk ongehinderd te verrichten. Binnen een uur was de zon al ruim op en het was bloedheet. Er stond geen bries en de lucht was verstikkend. Zelfs de vogels en de insecten waren rustig. De stilte was broeierig en dreigend en het struikgewas werd dichter tot het bijna ondoordringbaar was. De spoorzoekers persten zich door de smalle openingen en paadjes tussen de doornige, klauwende takken. Zelfs vanaf de rug van hun paarden was het uitzicht van de ruiters zwaar belemmerd.

Ten slotte toomde Leon zijn paard in en fluisterde tegen Percy: 'We maken te veel lawaai. De buffel hoort ons al op anderhalve kilometer aankomen. We willen hem niet bang maken zodat hij in beweging komt. Daardoor zal zijn wond minder stijf worden. We moeten de paarden achterlaten.' Ze stegen af en kluisterden de dieren, maar ze gaven ze neuszakken zodat ze niet nukkig zouden worden.

Terwijl ze voor het laatst uit hun waterzakken dronken, gaf Percy Eastmont zijn laatste instructies. 'Wanneer de buffel aanvalt en ik bedoel wannéér hij aanvalt, niet áls hij aanvalt, valt hij aan met zijn neus hoog in de lucht. Hij zal waarschijnlijk voor u langslopen. U denkt dan misschien dat hij langzaam beweegt en dat hij het eigenlijk niet op u gemunt heeft. Maak uzelf niets wijs. Hij valt heel snel aan en hij wil u te grazen nemen. Hij zal zo groot lijken dat u niet weet waar u hem precies moet raken. U zou in de verleiding kunnen komen om op het midden van zijn lichaam te schieten. Doe dat niet. Als u hem wilt tegenhouden, is er maar één plaats om op te schieten. U moet hem door de hersenen schieten. Onthoud dat hij zijn neus hoog in de lucht heeft. Richt op de punt van de neus die zwart en glanzend zal zijn en u een goed doelwit zal bieden. Blijf op zijn neus schieten tot hij neervalt. Als hij niet neervalt en blijft komen, werpt u zich naar links. Ik sta rechts achter en u moet me de kans geven een zuiver schot af te vuren. Begrijpt u dat allemaal?'

'Ik ben geen kind, Phillips,' zei Eastmont stijfjes. 'Praat dan ook niet zo tegen me.'

Nee, je bent geen kind, dacht Leon bitter. Je bent de dappere gentleman die je peloton in de steek liet zodat je mensen door de Boeren aan flarden geschoten konden worden. Ik denk dat we vandaag nog plezier met je kunnen hebben, lord.

'Neem me niet kwalijk,' zei Percy. 'Zijn jullie klaar om te vertrekken?' Ze namen een gevechtsformatie aan. Eastmont liep voorop met Percy rechts vlak achter hem terwijl Leon de achterhoede vormde. Hun geweren waren geladen en op veilig gezet. Leon hield twee reserve-.470-patronen tussen de vingers van zijn linkerhand gereed voor het geval hij snel zou moeten herladen. Ze volgden de spoorzoekers die precies wisten wat ze moesten doen zonder dat het hun verteld hoefde te worden. Dit was allemaal gesneden koek voor hen. Zodra de buffel uit zijn dekking tevoorschijn kwam, moesten ze opzij gaan zodat Eastmont open grond voor zich zou hebben waarin hij de confrontatie met het dier kon aangaan. Ze liepen langzaam en zwijgend naar voren en communiceerden met gebarentaal met elkaar.

De zon klom naar zijn hoogtepunt. De lucht was zo heet als dampen uit de hel. De rug van Eastmonts overhemd droop van het zweet. Leon zag druppels vanaf de haargrens over zijn nek lopen. Hij hoorde hem in de stilte kort en hijgend ademhalen, als een astmaticus. Ze hadden het afgelopen uur nog geen tweehonderd langzame passen gelopen en de spanning leek in de lucht om hen heen te knetteren als statische elektriciteit.

Plotseling hoorden ze recht voor hen uit een geluid als dat van twee droge twijgen die tegen elkaar tikten. De spoorzoekers verstijfden. Loikot bleef op één been staan met het andere voor zich uitgestrekt om de volgende stap te doen.

'Wat was dat?' vroeg Eastmont. Zijn stem klonk in de stilte als een misthoorn.

Percy greep zijn schouder vast en kneep er hard in om hem tot zwijgen te brengen. Daarna boog hij zich naar voren tot zijn lippen Eastmonts oor bijna aanraakten. 'De buffel heeft ons horen aankomen. Hij stond op van zijn slaapplaats. Zijn hoorn heeft een tak aangeraakt. Hij is dichtbij. U moet heel stil zijn.'

Niemand anders zei iets en niemand bewoog zich. Loikot stond nog steeds op één been. Ze luisterden allemaal, roerloos als wassen beelden. Het leek een eeuwigheid te duren. Toen liet Loikot zijn been zakken en Manjoro keek om. Hij maakte met zijn rechterhand een gracieus en welsprekend gebaar naar Leon. 'De buffel is naar voren gegaan,' zei de hand. 'We kunnen hem volgen.'

Ze liepen voorzichtig door, maar ze hoorden en zagen niets. De spanning was nu om te snijden. Leon had zijn duim op de veiligheidspal van de Holland en de kolf van zijn geweer was onder zijn rechteroksel geklemd. Hij kon het direct in de aanslag brengen, richten en vuren. Toen hoorde hij het, zacht als regen op het gras, als de adem van een slapende baby. Hij keek naar links en zag de buffel aankomen. Hij was teruggelopen en in een hinderlaag gaan liggen, verborgen in een ondoordringbaar bosje grijze doornstruiken. Hij had de spoorzoekers langs laten lopen en kwam nu uit de struiken tevoorschijn, zwart als houtskool en groot als een granieten berg. De spanwijdte van zijn grote, gewelfde, glanzende hoorns was groter dan die van de volledig gestrekte armen van een volwassen man. De punten ervan waren zo scherp als dolken en de hoornen verbinding ertussen was zo ruw als de dop van een reusachtige walnoot en zo massief als een monoliet van obsidiaan.

'Percy! Links van je! Hij valt aan!' schreeuwde Leon zo hard hij kon. Hij stapte opzij om zichzelf een vrij schootsveld te geven, maar toen hij het geweer omhoogbracht en tegen zijn schouder zette, verdween de buffel achter een bosje doornstruiken zodat hij hem niet in het vizier kon krijgen.

'Jouw kant, Percy! Schiet!' schreeuwde Leon. Vanuit zijn ooghoek zag hij dat Percy zich naar links draaide en schuifelend in positie probeerde te komen, maar zijn kreupele been sleepte zodat zijn reactie vertraagd werd. Hij zette zich schrap, boog zich naar voren en richtte het geweer op de aanvallende stier. Leon wist dat Percy hem op die afstand met een hersenschot zou doden. Percy was een ouwe rot. Hij zou het nooit verknallen.

Maar ze waren lord Eastmont vergeten. Toen Percy zijn wijsvinger om de trekker spande, verloor hij de moed. Hij liet zijn geweer vallen, draaide zich snel om en vluchtte. Zijn ogen hadden een wilde uitdrukking en zijn gezicht was lijkwit van paniek toen hij over het pad terugrende. Hij leek Percy niet eens te zien toen hij met zijn volle gewicht tegen hem op knalde. Percy sloeg tegen de grond en zijn geweer vloog uit zijn handen toen hij met zijn schouders en achterhoofd de grond raakte. Eastmont stopte niet eens, maar rende recht op Leon af. Het pad was zo smal dat Leon hem niet kon ontwijken. Hij draaide zijn geweer om en gebruikte de kolf om Eastmont tot staan te brengen. Het was zinloos. Eastmont was een reus van een man en hij was gek van angst. Leon raakte hem met de kolf midden op de borst. De notenhouten lade brak af bij de pistoolgreep, maar Eastmont deinsde zelfs niet terug. Hij raakte Leon als een lawine. Leon werd door de botsing opzij geworpen en Eastmont bleef doorrennen. Leon landde op zijn rechterschouder naast het pad. Hij had de lade van het gebroken geweer in zijn linkerhand en hij duwde zich met zijn rechterhand omhoog. Wanhopig keek hij over het pad naar de plek waar Percy was gevallen.

Percy kwam moeizaam op zijn knieën overeind. Hij had zijn geweer verloren en was versuft door de val op zijn achterhoofd. Achter hem zag Leon dat de stier de doornstruiken uit kwam en het smalle pad op stormde. Zijn kleine oogjes waren bloeddoorlopen en ze richtten zich op Percy. Hij liet zijn enorme kop zakken en zwenkte naar hem toe. Zijn achterpoot sleepte en zwaaide slap heen en weer aan het verbrijzelde bot, maar op de andere drie poten naderde hij snel en donker als een zomertornado.

Leon bracht het gebroken geweer omhoog. De kolf was weg, maar hij zou met één hand vuren. Hij wist dat hij door de terugstoot zijn pols zou kunnen breken. 'Percy, ga liggen!' schreeuwde hij. 'Plat op de grond! Geef me een kans!' Maar Percy stond in zijn volle lengte op, recht in de lijn van zijn schot. Hij schudde, wankelend als een dronkaard, verward zijn hoofd en keek ongericht om zich heen. Leon probeerde weer te schreeuwen, maar zijn keel was dichtgesnoerd van afgrijzen en hij kon geen geluid uitbrengen. Hij zag dat de stier zijn kop heen en weer bewoog om zich op te laden voor de stoot met zijn hoorns. Hij hoefde nog maar een paar meter af te leggen om Percy te bereiken. Zijn nek was zo dik als een boomstam en één bonk spieren. Hij gebruikte al die opgekropte kracht om met de reusachtige halvemaan van hoorns uit te halen.

De punt van de hoorn raakte Percy ter hoogte van de nieren in de lendenstreek. Toen de stier zijn kop hoog in de lucht wierp, werd Percy gespietst. Met ongeloof zag Leon dat de punt van de lange gebogen hoorn door de buik van zijn vriend heen naar buiten was gekomen. De buffel schudde zijn kop om het slappe lichaam af te werpen. Percy werd in het rond gezwiept en zijn slappe armen en benen zwaaiden met de bewegingen mee, maar de hoorn stak nog steeds door de buik heen. Leon hoorde hoe de huid en het vlees met het geluid van scheurende zijde uiteengereten werden. Percy bungelde over de kop van de buffel heen voor de ogen van het dier zodat het niet kon zien. Leon rende naar voren en schoof de veiligheidspal van het gebroken geweer terug. Voordat hij bij de stier was, liet deze zijn kop zakken en schoof Percy met een vegende beweging van zijn hoorn over de grond. Zodra hij los was, beukte hij met de hoornen plaat tussen de hoorns op het lichaam in en begon hem de grond in te stampen. Leon hoorde Percy's ribben breken als droge twijgen. Hij kon niet op de schedel van de stier schieten omdat de kogel er dwars doorheen zou gaan en zich vervolgens in Percy's vastgepinde lichaam zou boren.

Hij liet zich naast de schouder van de stier op één knie zakken en drukte de beide lopen aan het einde van de ruggengraat tegen de enorme nek. Hij had verwacht dat zijn polsen door de terugslag van het geweer zouden breken, maar zijn woede was zo intens dat hij het nauwelijks voelde en dacht dat het geweer was geketst. Maar de stier deinsde van het schot vandaan terug en zakte in een zittende houding op zijn heupen met zijn voorpoten schrap voor hem op de grond. Zijn kop hing naar beneden zodat Leon hem eindelijk in zijn hersenen kon schieten. Hij sprong op en rende weer naar voren waarbij hij erop lette dat hij buiten bereik van die dodelijke hoorns bleef. Hij drukte de tromp van de niet-afgevuurde loop achter de hoornachtige plaat tegen de schedel en vuurde. De kogel deed de hersenen van het dier in hun benen omhulsel uit elkaar barsten. Hij viel voorover en rolde toen op zijn zij. Hij trapte krampachtig met zijn goede achterpoot, stootte een treurig doodsgeloei uit en bleef toen roerloos liggen.

Leon liet de kapotte lade van zijn geweer vallen, draaide zich naar Percy om en liet zich naast hem op zijn knieën vallen. Percy lag op zijn rug met zijn armen wijd gespreid als een kruisbeeld. Zijn ogen waren gesloten. De wond in zijn buik was gruwelijk. Door de heftige bewegingen van de stier was hij zo vergroot dat de gescheurde en verwarde darmen door de opening naar buiten puilden en de inhoud ervan uit de wond stroomde. Aan de donkere kleur van het bloed zag Leon dat Percy uit zijn nieren bloedde.

'Percy!' riep Leon. Hij durfde hem niet aan te raken uit angst dat hij hem nog meer pijn en schade zou toebrengen. 'Percy!'

Zijn partner opende zijn ogen en hij richtte zijn blik met moeite op Leons gezicht. Hij glimlachte spijtig en treurig. 'De tweede keer ben ik niet weggekomen. De eerste keer was het alleen maar mijn been, maar nu hebben ze me echt te pakken.'

'Kraam toch niet van die onzin uit.' Leons stem klonk scherp, maar zijn blik vertroebelde. Hij voelde vocht op zijn wangen en hoopte dat het alleen zweet was. 'Zodra ik je opgelapt heb, breng ik je terug naar het kamp. Alles komt in orde met je.' Hij trok zijn overhemd uit en verpropte het tot een bal. 'Dit is misschien een beetje onaangenaam, maar we moeten het lek stoppen dat je daar hebt.' Hij stopte het overhemd in het gat in Percy's buik. Het gleed gemakkelijk naar binnen, want de wond was groot en diep.

'Ik voel niets, zei Percy. 'Dit wordt veel gemakkelijker dan ik ooit gedacht had.'

'Houd je mond, oude man.' Leon kon niet in de ogen kijken, die al omfloerst begonnen te raken. 'Ik ga je nu optillen en je naar je paard dragen.'

'Nee,' fluisterde Percy. 'Laat het hier gebeuren. Ik ben er klaar voor en jij helpt me naar de andere kant.'

'Natuurlijk,' zei Leon. 'Ik doe alles wat jij wilt, Percy. Dat weet je.'

'Geef me dan je hand.' Percy tastte naar hem en Leon greep zijn hand stevig vast. Percy sloot zijn ogen. 'Ik heb nooit een zoon gehad,' zei hij zacht. 'Ik wilde het wel graag, maar ik heb er nooit een gehad.'

'Dat wist ik niet,' zei Leon.

Percy opende zijn ogen. 'Ik denk dat ik het dan maar met jou zal moeten doen.' Hij had de oude twinkeling weer in zijn ogen. Leon probeerde te antwoorden, maar zijn keel was dichtgesnoerd. Hij hoestte en wendde zijn hoofd af. Het duurde even voor hij zijn stem had teruggevonden. 'Daarvoor ben ik niet goed genoeg, Percy.'

'Er heeft nog nooit iemand om me gehuild.' Er klonk verbazing in Percy's stem.

'Shit!' zei Leon.

'*Merde*,' verbeterde Percy hem.

'*Merde*,' echode Leon.

'Luister.' Percy's stem kreeg plotseling een dringende klank. 'Ik wist dat dit zou gebeuren. Ik heb een droom gehad, een voorspellende droom. Ik heb in Tandala iets voor je achtergelaten in de oude tinnen hutkoffer onder mijn bed.'

'Ik hou van je, Percy, taaie ouwe rakker die je bent.'

'Dat heeft ook nog nooit iemand tegen me gezegd.' De twinkeling in zijn blauwe ogen begon te verdwijnen. 'Houd je gereed. Het gaat nu gebeuren. Houd je gereed om in mijn hand te knijpen om me naar de andere kant te helpen.' Hij sloot langer dan een minuut stijf zijn ogen en sperde ze toen open. 'Knijpen, jongen. Knijp hard.' Leon kneep en hij was verrast door de kracht waarmee de oude man terugkneep.

'O, God, vergeef me mijn zonden. O, goede, liefhebbende Vader! Ik kom eraan.' Percy haalde nog een laatste keer diep adem, zijn lichaam verstijfde en toen werd zijn hand in die van Leon slap. Leon bleef lang naast hem zitten. Hij was zich er niet van bewust dat de spoorzoekers waren teruggekomen en dicht achter hem waren neergehurkt. Toen Leon zijn hand uitstrekte en Percy's starende ogen zachtjes sloot, sprong Ko'twa op en rende zwaaiend met zijn assegaai terug over het pad.

Leon legde voorzichtig Percy's armen en benen recht, tilde hem in zijn armen op alsof hij een slapend kind was en liep terug naar de plek waar ze de paarden gekluisterd hadden, terwijl Percy's hoofd op zijn schouder rustte.

'Bwana, kom snel! Ko'twa wil Mjigoeoe doden!' Leon herkende Manjoro's stem boven het rumoer uit. Met Percy nog steeds in zijn armen begon hij te rennen. Toen hij de volgende bocht in het smalle pad rondde, zag hij een tafereel van wilde verwarring voor zich.

Eastmont lag opgerold in de foetushouding midden op het pad. Zijn knieën waren tot zijn borst opgetrokken en hij bedekte zijn gezicht afwerend met zijn grote handen. Ko'twa danste met geheven assegaai om hem heen en schreeuwde naar het liggende lichaam: 'Varken en zoon van varkens! Je hebt Samawati gedood! Jij ding dat geen man is. Je hebt hem achtergelaten om te sterven. Hij was een man onder mannen en jij hebt hem gedood, waardeloos creatuur dat je bent. Nu ga ik jou doden.' Hij probeerde het glanzende blad van de assegaai in Eastmonts rug te steken, maar Manjoro en Loikot hingen aan zijn speerarm om te verhinderen dat de steek doel zou treffen.

'Ko'twa!' Leons stem knalde als een geweerschot en bereikte de spoorzoeker zelfs in zijn intense verdriet. Hij keek Leon aan, maar zijn ogen waren blind van woede en verdriet.

'Ko'twa, je bwana heeft je nodig. Kom hier en breng hem naar huis.' Hij hield hem het levenloze lichaam voor. Ko'twa staarde hem aan. Langzaam keerde hij terug uit de spelonken van zijn geest en de rode vlekken van woede verdwenen uit zijn ogen. Hij liet zijn assegaai vallen en schudde de handen van de twee Masai af. Hij kwam naar Leon toe terwijl de tranen over zijn wangen stroomden en Leon legde Percy in zijn armen. 'Draag hem voorzichtig, Ko'twa.'

Ko'twa knikte zwijgend en droeg Percy naar de plek waar de paarden wachtten.

Leon liep naar Eastmont toe en porde hem met de neus van zijn laars in zijn rug. 'Sta op. Het is allemaal voorbij. Je bent veilig. Opstaan.' Eastmont snikte zachtjes. 'Sta verdomme op, laffe hond, die je bent!'

Eastmont strekte zijn enorme lichaam uit en keek hem niet-begrijpend aan. 'Wat is er gebeurd?' vroeg hij onzeker.

'Je bent ervandoor gegaan, lord.'

'Het was mijn schuld niet.'

'Dat moet een grote troost zijn voor Percy Phillips en de soldaten die je bij Slang Nek hebt achtergelaten om te sterven. En trouwens ook voor je vrouw die je in het Ullswater hebt verdronken.'

Eastmont leek de beschuldigingen niet te begrijpen. 'Ik wilde niet dat het zou gebeuren,' jammerde hij. 'Ik wilde mezelf bewijzen, maar ik kon er niets aan doen dat het weer gebeurde. Probeer dat alsjeblieft te begrijpen.'

'Nee, lord, dat doe ik niet, maar ik heb wel een goede raad voor je. Praat nooit meer tegen me. Helemaal nooit. Ik zal me niet kunnen beheersen als ik je gejammer ooit nog hoor. Ik zal dat groteske hoofd van je monsterlijk misvormde lichaam rukken.' Leon wendde zich af en riep Manjoro. 'Breng deze man terug naar het kamp.' Hij liet hen achter en liep terug naar het karkas van de buffel. Hij vond de stukken van zijn geweer in de struiken naast het pad waar hij ze neergegooid had. Toen hij bij de paarden kwam, wachtte Ko'twa op hem. Hij hield Percy nog steeds in zijn armen.

'Broeder, laat me Samawati alsjeblieft van je overnemen, want hij was mijn vader.' Leon pakte het lichaam uit de armen van de rouwende spoorzoeker en droeg Percy naar zijn paard.

62

Toen Leon het kamp aan de oever van het meer bereikte, zag hij dat Max Rosenthal met de andere auto uit Tandala was gekomen. Leon zei hem dat hij ervoor moest zorgen dat Eastmonts bagage werd ingepakt en ingeladen. Toen Eastmont, begeleid door Manjoro, in het kamp aankwam, was hij neerslachtig en nors.

'Ik stuur u terug naar Nairobi,' zei Leon op koude toon. 'Max zal u op de trein naar Mombassa zetten en een hut voor u reserveren voor de volgende reis naar Europa. Ik zal de buffelkop en uw andere trofeeën naar u opsturen zodra ze geconserveerd zijn. Ik kan u vertellen dat de hoorns van uw buffel een lengte hebben van bijna anderhalve meter, dus u kunt blij en trots zijn. Ik ben u wat geld schuldig als restitutie voor deze gekortwiekte safari. Zodra ik het bedrag heb uitgerekend, zal ik mijn bank opdracht geven het over te maken. Stap nu in de auto en laat ik u niet meer zien. Ik moet de man begraven die u hebt gedood.'

63

Ze groeven op de klip boven het meer een diep graf voor Percy onder een oude baobabboom. Ze wikkelden hem in zijn bedrol en legden hem onder in de kuil. Daarna bedekten ze hem met de grootste stenen die ze konden dragen voordat ze het graf dichtgooiden. Leon stond naast de berg aarde terwijl Manjoro de anderen voorging in de leeuwendans.

Leon bleef nog nadat alle anderen naar het kamp waren teruggegaan. Hij ging op een dode tak zitten die van de baobab gevallen was en keek uit over het meer. Nu de zon op het water scheen, was het zo blauw als Percy's ogen. Hij nam zwijgend afscheid. Als Percy in de buurt rondhing, zou hij weten wat Leon dacht zonder dat hem dat verteld hoefde te worden. Toen hij eindelijk het graf verliet en terugging naar het kamp, constateerde hij dat Max al met lord Eastmont naar Nairobi was vertrokken.

'In elk geval drink ik zijn whisky nog,' dacht Leon grimmig. Deze woorden waren altijd Percy's samenvatting geweest van een safari waarmee het vreselijk was misgegaan.

64

Leon reed over de oneffen weg naar Arusha, het lokale bestuurscentrum van de regering van Duits Oost-Afrika. Hij verscheen voor de *Amtsrichter* van het district en legde een beëdigde verklaring af over de omstandigheden rondom Percy's dood. De rechter stelde een overlijdensakte op.

Toen hij een paar dagen later Kamp Tandala bereikte, wachtten Max en Hennie du Rand nerveus op zijn terugkeer om te horen welk lot hun te wachten stond nu Percy er niet meer was. Leon zei tegen hen dat hij met hen zou praten, zodra hij wist hoe het bedrijf ervoor stond.

Nadat hij een pot thee had gedronken om het stof uit zijn keel te spoelen, schoor hij zich, nam een bad en trok de kleren aan die Ishmael net gestreken had. Daarna moest hij zichzelf bekennen dat hij opzettelijk tijd rekte omdat hij eigenlijk niet naar Percy's bungalow wilde gaan. Percy was erg op zichzelf geweest en Leon had het gevoel dat het een soort ontheiliging zou zijn als hij in Percy's persoonlijke bezittingen ging rondneuzen. Maar hij sterkte zich ten slotte met de gedachte dat Percy hem dat zelf opgedragen had.

Hij liep de heuvel op naar de kleine bungalow met het rieten dak waarin Percy de afgelopen veertig jaar had gewoond. Toch aarzelde hij nog om naar binnen te gaan. Hij ging een poosje op de veranda zitten en haalde wat herinneringen op aan de lol die ze samen hadden gehad terwijl ze in de gemakkelijke teakhouten stoelen zaten met de kussens van olifantshuid en de onderzetters voor whiskyglazen die in de armleuningen waren uitgesneden. Ten slotte stond hij weer op en liep naar de voordeur die openzwaaide toen hij ertegenaan duwde. In al die jaren had Percy nooit de moeite genomen hem op slot te doen.

Leon ging het koele, halfdonkere huis binnen. De muren van de voorkamer waren bedekt door boekenkasten waarvan de planken vol stonden met honderden boeken. Percy's bibliotheek bevatte een schat aan boeken over Afrika. Instinctief liep Leon naar de middelste plank en pakte er een exemplaar van *Sunshine and Storm over Africa* van Percy 'Samawati' Phillips af. Het was zijn autobiografie. Leon had het verscheidene keren gelezen. Nu bladerde hij het door en genoot van sommige van de illustraties. Hij zette het terug op de plank en liep Percy's slaapkamer binnen. Hij was nog nooit in deze kamer geweest en hij keek beschroomd in het rond. Aan één muur hing een kruisbeeld. Leon glimlachte. 'Percy, jij sluwe oude boef, ik heb altijd gedacht dat je een doorgewinterde atheïst was maar je was al die tijd in het geheim katholiek.'

Er hing nog één andere versiering aan de kloosterachtig kale muren. Een oud, met de hand ingekleurd daguerreotype van een echtpaar dat stijfjes in wat kennelijk hun zondagse kleren waren, hing tegenover het bed. De vrouw had een klein kind van onduidelijke sekse op haar schoot. Ondanks zijn bakkebaarden leek de man als twee druppels water op Percy. Het waren onmiskenbaar zijn ouders en Leon vroeg zich af of het kind Percy of een van zijn broers of zusters was.

Hij ging op de rand van het bed zitten. Het matras was zo hard als beton en de dekens waren versleten. Hij stak zijn hand onder het bed en haalde er een gedeukte, tinnen hutkoffer onder vandaan, maar hij merkte dat hij op weerstand stuitte. Hij liet zich op één knie zakken om te kijken waarachter de koffer was blijven haken.

'Jeetje!' mompelde hij. 'Ik vroeg me al af wat je daarmee had gedaan!'

Het kostte aanzienlijk meer moeite om de zware tand onder het bed uit te trekken. Toen wiegde Leon op zijn hielen naar achteren. Hij keek naar de grote ivoren slagtand, een van het paar waarvan hij de andere aan meneer Vilabjhi had verpand. 'Ik dacht dat je hem verkocht had, Percy, maar je hebt hem al die tijd bewaard.'

Hij ging weer op de rand van het bed zitten, zette zijn voeten bezitterig op de tand en trok toen het deksel van de koffer open. De koffer zat vol met Percy's kostbaarheden en waardevolle voorwerpen, van zijn paspoort tot zijn boekhouding en zijn chequeboek en van kleine juwelenkistjes met manchetknopen en sierknoopjes tot oude stoomboottickets en vergeelde foto's. Er waren ook een paar bundeltjes documenten die door een lint bij elkaar werden gehouden. Leon glimlachte weer toen hij zag dat een ervan alle krantenknipsels over de grote safari bevatte waarin hij zo'n prominente rol had gespeeld. Boven op deze verzameling lag een opgevouwen, met rode was verzegeld document, waarop in blokletters geschreven stond: PAS NA MIJN DOOD TE OPENEN DOOR LEON COURTNEY.

Leon woog het in zijn hand en haalde toen het jachtmes uit de schede aan zijn riem. Hij wrikte voorzichtig het zegel los en vouwde toen één enkel vel zwaar manillapapier open. De kop luidde: 'Laatste Wilsbeschikking'. Leon keek naar de onderkant van de bladzijde. Ze was ondertekend door Percy en zijn twee getuigen waren brigadegeneraal Penrod Ballantyne en Hugh, de derde baron Delamere.

Onberispelijk, dacht Leon. Percy had geen geloofwaardiger getuigen kunnen vinden dan deze twee. Hij begon boven aan de pagina en las het hele met de hand geschreven document zorgvuldig door. De essentie ervan was duidelijk. Percy had zijn hele bezit, zonder enige uitzondering, nagelaten aan zijn partner en dierbare vriend Leon Ryder Courtney.

Het kostte Leon enige tijd om de enormiteit van Percy' laatste geschenk aan hem te verwerken. Hij moest het document nog drie keer lezen om het in zich op te nemen. Hij had nog steeds geen flauw benul hoeveel Percy's totale bezit waard was, maar alleen al zijn vuurwapens en de safari-uitrusting moesten al vijfhonderd pond waard zijn, om nog maar te zwijgen over de reusachtige ivoren tand die Leon nu als voetenbankje gebruikte. Maar de intrinsieke waarde van de nalatenschap interesseerde Leon niet: het was het geschenk zelf, de diepe genegenheid en hoogachting die Percy voor hem had gekoesterd, dat de echte schat was. Hij had er geen haast mee om de verdere inhoud van de koffer te onderzoeken en hij bleef een tijdje zitten om over het testament na te denken. Ten slotte droeg hij de koffer naar de veranda waar het licht sterker was en ging in de gemakkelijke stoel zitten waarin Percy het liefst had gezeten. 'Ik houd hem voor je warm, oude man,' mompelde hij verontschuldigend en hij begon de koffer uit te pakken. Percy had zijn administratie nauwkeurig bijgehouden. Leon opende zijn kasboek en knipperde met zijn ogen toen hij de balansen zag van de depositorekeningen bij het filiaal in Nairobi van Barclays Bank voor Dominions, Kolonies en Overzeese Gebiedsdelen. Percy's tegoeden bedroegen meer dan vijfduizend pond sterling. Hij had van Leon een rijk man gemaakt.

Maar dat was nog niet alles. Hij vond eigendomsaktes van land en huizen, niet alleen in Nairobi en Mombassa, maar ook in Bristol, Percy's geboortestad, in Engeland. Leon kon niet vaststellen hoeveel ze waard waren.

Dat probleem bestond niet bij de bundel consols, de altijddurende obligaties tegen vijf procent die door de Britse overheid werden uitgegeven en die de veiligste en betrouwbaarste investering waren die bestond.

Hun nominale waarde was twaalfenhalfduizend pond. Alleen de rente daarover was al meer dan zeshonderd pond per jaar. Dat was een vorstelijk inkomen. 'Percy, ik had geen idee! Waar heb je dat in vredesnaam allemaal vandaan gehaald?'

Toen het donker werd, ging Leon de voorkamer weer binnen en stak de lampen aan. Hij werkte door tot na middernacht. Hij sorteerde documenten en nam de boekhouding door. Toen zijn ogen dicht begonnen te vallen, liep hij naar de sobere kleine slaapkamer en strekte zich onder het muskietennet op Percy's bed uit. Het harde matras verwelkomde zijn vermoeide lichaam. Het gaf hem een goed gevoel. Na al zijn omzwervingen had hij eindelijk een plek gevonden die als zijn thuis aanvoelde.

65

Hij werd wakker van het ochtendgezang van een lijster voor het raam. Toen hij de heuvel was afgelopen, trof hij Max Rosenthal en Hennie du Rand in de kantinetent aan waar ze nerveus op hem zaten te wachten. Ishmael had hun ontbijt klaargezet, maar ze hadden het geen van beiden aangeraakt. Leon ging aan het hoofd van de tafel zitten.

'Jullie kunnen je ontspannen en jullie hoeven niet meer op het puntje van jullie stoel te zitten. Eet jullie eieren met bacon op voordat ze koud worden en Ishmael een woedeaanval krijgt,' zei hij. 'C en P Safari's blijft gewoon bestaan. Er verandert niets. Jullie hebben nog steeds je baan. Ga precies zo door als hiervoor.'

Zodra hij zijn ontbijt op had, liep hij naar de Vauxhall. Toen Manjoro de auto met de slinger had gestart, stapten hij en Loikot achterin en reed Leon naar de stad. Zijn eerste stopplaats was het kleine gebouwtje achter Government House dat als Registratiekantoor dienstdeed. De klerk autoriseerde Percy's overlijdensakte en zijn testament en Leon tekende de inschrijvingen in het enorme in leer gebonden register.

'Als executeur van het testament van meneer Phillips hebt u dertig dagen om een lijst in te dienen met de activa van de nalatenschap,' zei de klerk. 'Daarna moet u de belasting betalen voordat de overgebleven activa aan de genoemde erfgenamen kunnen worden overgedragen.'

Leon was geschokt. 'Hoe bedoelt u? Wilt u beweren dat je voor doodgaan moet betalen?'

'Dat klopt, meneer Courtney. Successierechten. Tweeënhalf procent.'

'Dat is een schande! Dat is diefstal en afpersing,' riep Leon uit. 'En als ik weiger te betalen?'

'Dan leggen we beslag op de activa en sluiten u waarschijnlijk ook nog op.'

Leon ziedde nog van woede om dit onrecht toen hij de poort van de kazerne van de KAR door reed en de auto voor het hoofdkwartier parkeerde. Hij liep de trap op en beantwoordde het saluut van de schildwachten toen hij hen passeerde. De nieuwe adjudant zat in de kamer voor de officier van dienst. Tot Leons verbazing was het niemand minder dan Bobby Sampson. Hij droeg nu de kapiteinssterren op zijn epauletten. 'Het lijkt erop dat hier iedereen wordt bevorderd, zelfs de laagste vormen van dierlijk leven,' merkte Leon vanuit de deuropening op.

Bobby staarde hem een ogenblik uitdrukkingsloos aan, sprong toen van achter zijn bureau op, rende naar Leon toe en schudde hem vol vreugde de hand. 'Leon, ouwe jongen! Schoonheid is voor immer een vreugde. Ik weet niet wat ik moet zeggen.'

'Je hebt het net allemaal gezegd, Bobby.'

'Vertel me eens wat je allemaal uitgevoerd hebt sinds we elkaar de laatste keer hebben gezien!'

Ze praatten een tijdje geanimeerd en toen zei Leon: 'Ik zou de generaal graag willen spreken, Bobby.'

'Ik twijfel er niet aan dat de generaal je graag te woord zal staan. Wacht hier, dan ga ik even met hem praten.' Een paar minuten later kwam hij terug en leidde Leon het kantoor van de generaal binnen.

Penrod stond op, schudde Leon over het bureau heen de hand en gebaarde toen naar de stoel tegenover hem. 'Je verrast me een beetje, Leon. Ik had je pas over een maand of zo in Nairobi terug verwacht. Wat is er gebeurd?'

'Percy is dood.' Leons stem haperde toen hij Penrod het slechte nieuws zo onomwonden vertelde.

Penrod staarde hem sprakeloos aan. Toen kwam hij achter zijn bureau vandaan en ging bij het raam staan waar hij, met zijn handen achter zijn rug verstrengeld, over het exercitieterrein uitkeek. Ze zwegen een tijdje tot Penrod weer naar zijn stoel terugging. 'Vertel me wat er gebeurd is,' beval hij.

Dat deed Leon en toen hij klaar was, zei Penrod: 'Percy wist dat het zou gebeuren. Hij heeft me gevraagd als getuige zijn testament te tekenen voordat hij de stad verliet. Wist je dat hij er een gemaakt had?'

'Ja, oom. Hij heeft me verteld waar ik het kon vinden. Ik heb het al gedeponeerd bij de registrator.'

Penrod stond op en zette zijn pet op. 'Het is een beetje vroeg, maar we zijn verplicht om een fatsoenlijke wake voor Percy te houden. Kom mee.'

Afgezien van de barman, was de mess leeg. Percy bestelde de drankjes en ze gingen samen in de rustige hoek zitten die traditioneel gereserveerd was voor de bevelvoerend officier en zijn gasten. Een tijdje ging het gesprek over Percy en over de manier waarop hij gestorven was. Ten slotte vroeg Penrod: 'Wat ga je nu doen?'

'Percy heeft me alles nagelaten, oom, dus ik wil het bedrijf laten voortbestaan, al was het alleen maar om zijn nagedachtenis te eren.'

'Dat verheugt me zeer, om alle jou bekende redenen,' zei Penrod goedkeurend. 'Maar ik veronderstel dat je de naam ervan gaat veranderen.'

'Dat heb ik al gedaan, oom. Ik heb de nieuwe naam vanochtend bij het Registratiekantoor laten registreren.'

'Courtney Safari's?'

'Nee, oom. Phillips en Courtney. P en C Safari's.'

'Je hebt zijn naam niet verwijderd, maar vooropgezet terwijl hiervoor jouw naam als eerste werd vermeld.'

'De oude naam werd bepaald door kruis of munt te gooien. Percy wilde het bedrijf eigenlijk de naam geven die het nu heeft. Dit is gewoon mijn manier om hem te bedanken voor alles wat hij voor me heeft gedaan.'

'Goed gedaan, jongen. Ik heb trouwens goed nieuws voor je. P en C Safari's gaat een vliegende start maken. Prinses Isabella Madeleine Hoherberg von Preussen von und zu Hohenzollern heeft je bedrijf aanbevolen. Het lijkt erop dat graaf von Meerbach, een vriend van de familie, haar na haar terugkeer in Duitsland heeft gesproken en dat ze jou zonder enige reserves heeft aanbevolen. Von Meerbach is akkoord gegaan met de prijsopgave die ik hem heb gestuurd en hij heeft de vereiste waarborgsom al op je bankrekening gestort. Hij heeft bevestigd dat hij met zijn hele entourage begin volgend jaar naar Brits Oost-Afrika komt voor een safari van zes maanden.'

Leon vertrok zijn gezicht en draaide het ijs in zijn glas rond. 'Op de een of andere manier lijkt het niet veel uit te maken nu Percy er niet meer is.'

'Kop op, jongen. Von Meerbach brengt een paar prototypes van zijn vliegtuigen mee. Kennelijk wil hij ze testen onder tropische omstandigheden. Ogenschijnlijk ontwikkelt hij ze als postvliegtuig, maar hij is van plan ze bij deze safari te gebruiken om vanuit de lucht wilde dieren te ontdekken. In elk geval is dat wat hij zegt, maar, gezien zijn connecties met het Duitse leger, betwijfel ik of dat de hele waarheid is. Ik vermoed dat hij ze gaat gebruiken om het achterland langs onze grens met Duits Oost-Afrika te verkennen ter voorbereiding van eventuele militaire aanvallen op ons. Hoe dan ook, je krijgt misschien de gelegenheid om je droom om tussen de wolken te vliegen in vervulling te laten gaan en tegelijkertijd wat nuttige informatie voor me te verzamelen. Als je nu je glas leegdrinkt, kunnen we teruggaan naar mijn kantoor. Ik zal je een kopie geven van de bevestiging die Meerbach heeft gestuurd. Het is het langste telegram dat ik ooit onder ogen heb gehad. Het is in totaal tweeëntwintig bladzijden lang en hij zet er de eisen in uiteen waaraan de safari moet voldoen. Het moet hem een vermogen hebben gekost.'

66

Leon wachtte op het strand van de Kilindinilagune toen het Duitse vrachtstoomschip SS Silbervogel op de rede voor anker ging. Hij voer er met de eerste lichter naartoe. Toen hij de kajuitstrap op liep, wachtten er op het achterdek vijf passagiers op hem, de ingenieur en zijn monteurs van de Meerbach Motorenfabriek, een deel van het team dat graaf Otto von Meerbach vooruit had gestuurd.

De man die de leiding had, stelde zich voor als Gustav Kilmer. Hij was een gespierde, competent ogende man van voor in de vijftig met een vierkante kin en ijzerkleurig, gemillimeterd haar. Zijn handen zaten vol vetvlekken die niet meer weg te krijgen waren en zijn nagels waren gescheurd door het werken met zwaar gereedschap.

Toen ze met kroezen bier in hun hand waren gaan zitten, nam Gustav de inventarislijst met hem door van de lading die in de ruimen van de Silbervogel was opgeslagen. Het waren in totaal zesenvijftig reusachtige kisten die bij elkaar achtentwintig ton wogen. Er waren ook negenduizend liter speciale brandstof voor de rotatiemotoren van de vliegtuigen in vaten van tweehonderd liter en nog een ton smeerolie en consistentvet. Verder waren er drie motorvoertuigen onder groene dekzeilen vastgebonden op het achterdek. Twee ervan waren zware transportvrachtwagens, vertelde Gustav, en de derde was een open jachtauto die speciaal door hemzelf en graaf Otto was ontworpen en in de fabriek in Wieskirche was gebouwd.

Het kostte de lichters drie dagen om deze reusachtige vracht aan land te brengen. Max Rosenthal en Hennie du Rand wachtten aan het hoofd van een groep van tweehonderd zwarte dragers om de kisten en de vaten van de lichters naar de goederenwagons te brengen die op het treinstation van Kilindini klaarstonden.

Toen de drie voertuigen aan land werden gebracht en de zware dekzeilen eraf waren gehaald, controleerde Gustav of ze tijdens de reis schade hadden opgelopen. Leon volgde al zijn bewegingen gefascineerd. De vrachtwagens waren groot en sterk en technisch geavanceerder dan alles wat hij op dit gebied ooit had gezien. Een ervan was voorzien van een tank voor vierenhalfduizend liter om de brandstof voor de auto's en de vliegtuigen te vervoeren en in een apart compartiment tussen de brandstoftank en de chauffeursplaats was een compacte gereedschapsruimte annex werkplaats. Gustav verzekerde Leon dat hij vanuit de werkplaats het onderhoud kon doen van alle drie de voertuigen en de vliegtuigen, waar ze ook in het veld waren.

Leon was onder de indruk, maar de open jachtauto vervulde hem met diepe bewondering. Hij had nog nooit zo'n prachtig stuk techniek gezien. Van de met leer beklede stoelen, ingebouwde cocktailbar en geweerrekken tot de enorme zescilinder honderd-pk-motor onder de lange, glanzende motorkap was het een wonder van technisch vernuft.

Gustav was inmiddels voor Leons jongensachtige charme gevallen en hij was gevleid door diens interesse en overvloedige lof voor zijn creaties. Hij nodigde Leon uit om als passagier de lange rit naar Nairobi mee te maken.

Toen de lading ten slotte in de spoorwagons was geladen, beval Leon Hennie en Max om aan boord van de trein te gaan om de goederen naar Nairobi te begeleiden. Toen de trein het rangeerterrein af reed en de heuvels van de kuststreek in pufte, stapten Gustav en zijn monteurs in de drie Meerbach-voertuigen en startten de motoren. Met Leon naast zich in de passagiersstoel van de jachtauto, leidde Gustav de vrachtwagens de weg op.

De rit duurde Leon veel te kort, want elke kilometer was een genot. Hij zat in de leren stoel die comfortabeler was dan de gemakkelijke stoelen op de veranda van de Muthaiga Country Club en de gepatenteerde Meerbach-vering gaf hem het gevoel dat hij zweefde. Hij keek met verbazing naar de snelheidsmeter toen Gustav de grote auto op een glad en recht stuk van de weg honderdtien kilometer per uur liet rijden.

'Nog niet zo lang geleden was het een groot punt van discussie of het menselijk lichaam dit soort snelheden zou kunnen overleven,' zei Gustav ontspannen.

'Het beneemt me de adem,' bekende Leon.

'Wil jij een poosje rijden?' vroeg Gustav grootmoedig.

'Ik zou er een moord voor plegen,' zei Leon.

Gustav grinnikte vrolijk en stopte langs de kant van de weg om het stuur over te geven.

Ze versloegen de goederentrein naar Nairobi met bijna vijf uur en ze stonden op het perron om hem te verwelkomen toen hij met gillende stoomfluit het station binnentjoekte. De machinist zette de trein op een zijspoor om de volgende ochtend uitgeladen te worden. Leon had iemand ingehuurd die een krachtige stoomtractielocomotief had om de lading naar haar definitieve bestemming te brengen.

In overeenstemming met de talrijke instructies die uit het hoofdkwartier van Meerbach in Wieskirche waren getelegrafeerd, had Leon al een grote hangar met open zijkanten en een dak van zeildoek laten bouwen die als werkplaats en opslagruimte dienst kon doen. Hij had hem op het stuk open land neergezet dat hij van Percy had geërfd. Het grensde aan het poloveld dat hij wilde gebruiken als landingsstrip voor de vliegtuigen die nog in hun kisten wachtten om in elkaar gezet te worden.

Het waren drukke dagen voor Leon. In een van zijn telegrammen had graaf Otto von Meerbach hem gedetailleerde instructies gegeven voor de materiële voorzieningen die voor hemzelf en zijn metgezellin getroffen moesten worden. Op elke jachtlocatie moest Leon aan elkaar grenzende verblijven voor het paar gereed hebben; hij had gedetailleerde specificaties gekregen van deze ruime luxesuites. Het meubilair ervoor zat in een van de kisten, met inbegrip van bedden, klerenkasten en linnengoed. Hij had ook instructies ontvangen over de manier waarop de avondmaaltijden geregeld moesten worden. Graaf Otto had volledige sets serviesgoed en zilverwerk, een paar enorme massief zilveren kroonkandelaars die per stuk bijna tien kilo wogen en waarop taferelen van de jacht op hertenbokken en wilde zwijnen waren uitgebeeld, opgestuurd. Het prachtige porseleinen servies en de kristallen glazen waren versierd met het in bladgoud gedrukte familiewapen van de Meerbachs: een gepantserde vuist die een zwaard zwaaide en het motto '*Durabo*!' dat eronder op een banier stond. 'Ik zal overleven!' Leon vertaalde het Latijn. In het fijne witte tafellinnen was hetzelfde motief geborduurd.

Er waren tweehonderdtwintig dozen met de beste champagnes, wijnen en likeuren en vijftig kisten ingeblikte en gebottelde delicatessen:

sausen, kruiden en zeldzame specerijen zoals saffraan, foie gras uit Lyon, ham uit Westfalen, gerookte oesters, Deense zure haring, Portugese sardines in olijfolie en Russische beloegakaviaar. Max Rosenthal was verrukt toen hij deze epicurische schat voor het eerst zag.

Afgezien van dit alles waren er zes grote hutkoffers met het etiket: Fräulein Eva von Wellberg. NIET OPENEN VOOR AANKOMST VAN DE EIGENARES. Een van de grootste was echter opengebarsten en er was een verzameling schitterende dameskleding en -schoeisel voor alle mogelijke gelegenheden uitgevallen. Toen Leon er door Max bij werd geroepen om te kijken wat er aan de ramp van de beschadigde bagage te doen viel, keek hij verbaasd naar de exquise lingerie waarvan elk onderdeel apart in zijdepapier was verpakt. Toen hij een vederlicht zijden frutseltje oppakte, steeg er een betoverende, erotische geur uit op. Wellustige beelden drongen zich aan hem op. Hij onderdrukte ze streng, legde het kledingstuk terug op de berg en gaf Max opdracht om de koffer weer in te pakken en het beschadigde deksel opnieuw te verzegelen.

In de daaropvolgende weken liet Leon de meeste details door Max en Hennie afhandelen terwijl hijzelf elk uur dat hij kon missen in de hangar naast het poloveld doorbracht om te kijken hoe Gustav en zijn team de vliegtuigen in elkaar zetten. Gustav werkte grondig en nauwkeurig. Op elke kist stond wat de inhoud ervan was zodat ze in de juiste volgorde uitgepakt zouden worden. Langzaam, dag na dag, begon de legpuzzel van diverse motoronderdelen, montagedraad en stijlen, vleugels en romp de herkenbare vorm van een vliegtuig aan te nemen. Toen Gustav eindelijk met de assemblage klaar was, verbaasde het Leon hoe groot de vliegtuigen waren. Hun romp was bijna twintig meter lang en de spanwijdte van de vleugels een verbazingwekkende drieëndertig meter. Het framewerk was bedekt met zeildoek dat was behandeld met een cellulosederivaat om het zo sterk en strak als staal te maken. De vliegtuigen waren in felle kleuren met flamboyante patronen geschilderd. Het eerste was een oogverblindend schaakbord van helderrode en zwarte vierkanten en de op de neus geschilderde naam was *Der Schmetterling*: De Vlinder. Het tweede was versierd met zwarte en gouden strepen. Graaf Otto had dit vliegtuig *Die Hummel*: De Hommel, genoemd.

Toen de romp eenmaal in elkaar gezet was, konden de motoren geïnstalleerd worden. Het waren voor elk vliegtuig vier zevencilinder tweehonderdvijftig-pk-Meerbach-rotatiemotoren met veertien kleppen. Nadat Gustav ze om de beurt op proefbanken van teakhouten bielzen had vastgeschroefd, startte hij ze. Hun geronk kon kilometers ver weg in de Muthaiga Country Club worden gehoord en al snel waren alle leeglopers uit Nairobi erop afgekomen en ze zwermden om de hangar heen als vliegen om een dode hond. Ze belemmerden het werk ernstig en Leon liet Hennie een omheining met prikkeldraad om het terrein heen bouwen om de drommen nieuwsgierigen op afstand te houden.

Toen Gustav de motoren afgesteld had, verklaarde hij dat hij gereed was om ze in de vleugels van de twee vliegtuigen in te bouwen. Een voor een werden ze met blok en touw opgehesen aan stellages die boven de vleugels uitstaken. Daarna manoeuvreerde hij en zijn monteurs ze in positie en zetten ze vast aan hun bevestigingspunten. Twee aan elk paar vleugels.

Drie weken nadat ze met het werk begonnen waren, was de assemblage van de vliegtuigen voltooid. 'Nu moeten ze nog worden getest,' zei Gustav tegen Leon.

'Gaat u erin vliegen?' Leon kon zijn opwinding slechts met moeite bedwingen, maar hij werd onmiddellijk teleurgesteld, want Gustav schudde zijn hoofd.

'*Nein*! Ik ben niet gek. Alleen graaf Otto vliegt met deze dingen.' Hij zag hoe Leon keek en probeerde hem een beetje te troosten. 'Ik ga er alleen mee taxiën, maar jij mag mee.'

De volgende ochtend vroeg beklom Leon de ladder naar de ruime cockpit van De Vlinder. Gustav die een lange leren jas, een bijpassende leren helm en een vliegbril droeg die op zijn voorhoofd omhooggeschoven was, volgde hem en ging op de pilotenbank achter in de cockpit zitten. Eerst liet hij Leon zien hoe hij zich met de riemen moest vastbinden. Leon keek nauwlettend naar alles wat Gustav deed. De Duitser liet eerst met de stuurknuppel de hoogteroeren en de ailerons bewegen en deed daarna hetzelfde met de rolroeren. Toen hij zich ervan had vergewist dat ze allemaal vrij konden bewegen, gaf hij zijn assistenten op de grond het teken om met de gecompliceerde startprocedure te beginnen. Toen alle vier de motoren ten slotte soepel draaiden, stak Gustav zijn duim omhoog naar zijn assistenten waarop ze de wiggen onder de wielen wegtrokken.

Terwijl Gustav de gashendels bespeelde alsof ze de registers van een kerkorgel waren, rolde De Vlinder majestueus de hangar uit en de heldere Afrikaanse zon in. Er steeg een gejuich op onder de paar honderd toeschouwers die langs de prikkeldraadomheining stonden. Gustavs mannen renden naast de vleugelpunten om De Vlinder bij te sturen terwijl het vliegtuig, hobbelend en schommelend, log vier rondjes over het poloveld maakte.

Gustav zag wat Leon graag wilde en hij kreeg weer medelijden met hem. 'Kom maar, ga maar achter de stuurknuppel zitten!' schreeuwde hij boven het lawaai van de motoren uit. 'Laat maar eens zien of je ermee kunt rijden.'

Verheugd nam Leon Gustavs plaats op de pilotenbank en de Duitser knikte goedkeurend toen hij zag dat Leon snel onder de knie kreeg hoe hij de stuurknuppel en het roer moest bedienen en de vier gashendels steeds beter wist te hanteren. 'Ja, mijn motoren voelen dat je ze respecteert en waardeert. Je zult snel leren hoe je er het allerbeste uit kunt halen.'

Ten slotte keerden ze terug naar de hangar en toen Leon de ladder was afgeklommen, ging hij op zijn tenen staan en raakte de zwart met rood geruite neus van De Vlinder aan. 'Eens zal ik met je vliegen, grote schoonheid van me,' fluisterde hij tegen het boven hem uittorenende vliegtuig. 'Ik mag doodvallen als dat niet gebeurt!'

Gustav kwam achter hem naar beneden en Leon maakte van de gelegenheid gebruik om hem naar iets te vragen wat hem al een tijdje had verbaasd. Hij wees naar de rekken met haken en beugels die aan weerskanten van de romp onder de vleugels hingen. 'Waar zijn die voor, Gustav?'

'Die zijn voor de bommen,' zei Gustav argeloos.

Leon knipperde met zijn ogen, maar bleef doen alsof hij alleen maar lichtelijk nieuwsgierig was. 'Natuurlijk,' zei hij. 'Hoeveel bommen kan het dragen?'

'Veel,' antwoordde Gustav trots. 'Het vliegtuig is erg sterk. Het kan duizend kilo bommen, een vijfkoppige bemanning en de volle brandstoftanks dragen. Het kan een snelheid bereiken van honderdvijfenzestig kilometer per uur op een hoogte van zevenentwintighonderd meter over een afstand van zevenhonderdvijftig kilometer en daarna naar zijn basis terugkeren.'

'Dat is fantastisch!'

Gustav streelde de felkleurige romp. 'Er is geen enkel vliegtuig op de wereld dat het kan evenaren,' pochte hij.

De volgende dag om twaalf uur had Penrod Ballantyne al de exacte gegevens van het experimentele vliegtuig de Meerbach Mark III aan het ministerie van Oorlog in Londen getelegrafeerd.

67

Leons volgende taak was het zoeken van vier geschikte plaatsen in de wildernis voor de landingsbanen, een op elke van de vier ver uit elkaar liggende locaties waar hij met zijn cliënt wilde gaan jagen. Graaf Otto had hem gedetailleerde instructies getelegrafeerd waarin hij hem de vereiste afmetingen en hun ligging ten opzichte van de meest voorkomende windrichtingen had opgegeven. Toen hij eenmaal geschikte locaties had gevonden, bepaalde Leon met een theodoliet de mate van vlakheid van de bodem en bakende de landingsbanen af. Intussen had Hennie du Rand honderden mannen uit de omringende dorpen gerekruteerd om de bomen te vellen en de grond te nivelleren. Op sommige plekken moest hij termietenheuvels met dynamiet laten ontploffen en op andere moest hij talrijke geulen en door aardvarkens gegraven gaten opvullen. Wanneer een landingsbaan klaar was, trok hij langs de grenzen ervan strepen met ongebluste kalk zodat de locatie vanuit de lucht goed zichtbaar zou zijn. Daarna hees hij een van de windzakken die Gustav hem had gegeven en toen de bries hem met lucht had gevuld, wapperde hij trots aan de ruwhouten mast.

Terwijl Hennie de landingsbanen bouwde, hield Max Rosenthal zich bezig met de constructie van de uitgebreide kampen waarvoor graaf Otto de specificaties had opgegeven. Leon moest de beide mannen opjagen om alles voor de aankomst van hun gasten gereed te hebben. Uiteindelijk slaagden ze daarin, maar ze hadden maar een paar dagen over voordat het lijnschip met graaf Otto von Meerbach aan boord op de rede van Kilindini voor anker zou gaan.

68

Leon wist door het betalen van steekpenningen aan boord te komen van de loodsboot die de Kilindini-lagune uit voer naar het Duitse passagiersschip SS Admiral uit Bremerhaven zodra dat boven de horizon uitkwam. De zee was kalm, dus het was gemakkelijk om van de loodsboot op het lijnschip over te stappen. Toen hij de kajuitstrap oprende, werd hij door een van de officieren van het schip tegengehouden en moest hij zeggen wat hij kwam doen. Toen hij de naam van zijn cliënt noemde, veranderde de houding van de man snel en hij leidde Leon naar de brug.

Leon herkende graaf von Meerbach direct uit Kermits beschrijving. Hij stond in de vleugel van de brug een Cohiba-sigaar te roken en hij praatte met de kapitein die zich onderdanig tegen hem gedroeg. Graaf Otto was de enige passagier die op de brug mocht komen tijdens de gecompliceerde manoeuvre waarmee het reusachtige lijnschip voor anker zou gaan. Leon bestudeerde hem een paar minuten en ging toen naar hem toe om zich voor te stellen.

Graaf Otto droeg een elegant roomkleurig tropenkostuum. Hij was zo groot en zo hard als een eikenboom, zoals Kermit had geschreven. Hij maakte de indruk dat hij alleen uit spieren bestond, maar hij gedroeg zich met het hooghartige zelfvertrouwen van een grenzeloos rijk en machtig man. Hij was niet knap in de conventionele betekenis van het woord, maar zijn gezicht was hard en onverzettelijk. Zijn mond was breed, maar een gerimpeld wit litteken liep van zijn ene mondhoek tot vlak onder zijn rechteroor, zodat het leek alsof hij constant een scheve, spottende grijns op zijn gezicht had. Zijn glinsterende, lichtgroene ogen hadden een alerte, intelligente uitdrukking. Hij had een witte panamahoed in zijn linkerhand. Zijn schedel was goed gevormd en geproportioneerd en zijn dikke, kortgeknipte haar was felrood.

Dit is een harde, ontzagwekkende kerel! was Leons snelle oordeel voordat hij naar hem toe liep. 'Heb ik de eer om me tot graaf Otto von Meerbach te richten?' Leon boog licht.

'*Jawohl*, dat klopt. Mag ik vragen wie u bent?' De graaf had een stentorstem en zijn toon was autoritair.

'Ik ben Leon Courtney, meneer, uw jager. Welkom in Brits Oost-Afrika.'

Graaf Otto glimlachte met een neerbuigende hartelijkheid en strekte zijn rechterhand uit. Leon zag dat de hand krachtig was en dat de rug ervan bedekt was met krullend, rood haar. Hij droeg een gouden ring met een grote, witte diamant om zijn middelvinger. Leon bereidde zich voor op de handdruk die, zoals hij wist, verpletterend zou zijn.

'Ik heb er al, sinds ik Kermit Roosevelt en Isabella von und zu Hohenzollern heb gesproken naar uitgezien je te ontmoeten, Courtney.' Leon merkte dat hij de kracht van de grote met sproeten bedekte hand kon evenaren, maar hij moest zich wel tot het uiterste inspannen. 'Ze hebben allebei een hoge dunk van je. Ik hoop dat je ervoor zult zorgen dat we met een goede buit thuiskomen.' Graaf Otto sprak uitstekend Engels.

'Dat verwacht ik zeker, meneer. Ik heb jachtvergunningen op uw naam voor alle diersoorten, maar u moet me wel vertellen welke prooi u het interessantst vindt. Leeuwen? Olifanten?' Graaf Otto liet eindelijk zijn hand los en het bloed stroomde er zo pijnlijk in terug dat Leon zich moest beheersen om hem niet te masseren. Hij ving een glimp van respect in de lichtgroene ogen op. Hij wist dat de hand van de graaf ook verdoofd was, hoewel deze totaal niet liet blijken dat hij pijn had.

'Je Duits is goed, naar dat had ik al gehoord,' antwoordde graaf Otto in dezelfde taal. 'Om je vraag te beantwoorden, ik jaag graag op beide soorten, maar vooral op leeuwen. Mijn vader was ambassadeur in Caïro ten tijde van Kitcheners oorlog tegen de Mahdi. Daardoor had hij de gelegenheid om in Abessinië en Soedan te jagen. Ik heb nog veel van zijn leeuwenhuiden in mijn jachthut in het Zwarte Woud liggen, maar ze zijn nu oud en sommige zijn aangevreten door motten en wormen. Ik heb gehoord dat de zwarten hier met een speer op leeuwen jagen. Is dat waar?'

'Ja, meneer. Voor de Masai en de Samboeroes is het een manier om de moed en de mannelijkheid van de jonge krijger te testen.'

'Ik zou wel eens getuige willen zijn van deze manier van jagen.'

'Dat zal ik voor u regelen.'

'Mooi, maar ik wil ook enkele paren grote olifantstanden hebben. Vertel me eens wat naar jouw mening het gevaarlijkste dier van Afrika is, Courtney. Is dat de leeuw of de olifant?'

'De ouwe rotten in Afrika zeggen dat het gevaarlijkste dier het dier is dat je doodt.'

'Ja, dat begrijp ik. Het is een typisch Engelse grap.' Hij grinnikte. 'Maar wat vind je er zelf van, Courtney? Welk dier is het?'

Leon zag een levendig beeld voor zijn geestesoog van de gebogen, zwarte hoorn die uit Percy Phillips' buik stak en zijn glimlach verdween. 'De buffel,' antwoordde hij ernstig. 'De gewonde buffel die zich in dicht struikgewas schuilhoudt, krijgt mijn stem.'

'Ik zie aan je uitdrukking dat je uit het hart spreekt. Geen Engelse grappen meer, hè?' zei graaf Otto. 'Dus we jagen op olifanten en leeuwen, maar het meest op buffels.'

'U moet begrijpen dat we met wilde dieren te maken hebben en dat veel van geluk afhangt, hoewel ik mijn best zal doen om u te helpen trofeeën in de wacht te slepen, meneer.'

'Ik heb altijd veel geluk gehad,' antwoordde graaf Otto. Het was een feitelijke constatering, geen opschepperij.

'Dat is zelfs voor de simpelste van geest zo duidelijk als wat, meneer.'

'En het is even duidelijk dat jij niet simpel van geest bent, Courtney.'

Als twee zwaargewichtboksers aan het begin van de eerste ronde keken ze naar elkaars ogen, terwijl ze glimlachten en schijnbewegingen maakten, hun dekking hoog hielden en elkaar aftastten, elkaar snel beoordeelden en hun houding subtiel veranderden om op elke nuance in het krachtenveld tussen hen in te kunnen reageren.

Toen rook Leon plotseling een subtiel parfum in de warme, tropische lucht. De geur was licht en aangenaam. Het was dezelfde betoverende geur die hij al eerder geroken had toen hij het zijden kledingstuk uit de opengebarsten hutkoffer in zijn hand had gehouden. Toen zag hij dat graaf Otto een snelle blik over zijn schouder wierp. Leon draaide zich om en volgde zijn blik.

Daar stond ze. Sinds hij Kermits brief had gelezen, had hij naar deze ontmoeting uitgekeken, maar toch was hij niet op het moment voorbereid. Hij voelde gekriebel in zijn borst, alsof een opgesloten vogel die uit de kooi van zijn ribbenkast probeerde te ontsnappen met zijn vleugels fladderde. Zijn adem stokte.

Haar schoonheid overtrof de povere beschrijving van zijn vriend honderdmaal. Kermit had wat één detail betreft echter gelijk gehad: haar ogen. Ze waren intens blauw, van een iets donkerdere schakering dan violet en zachter dan duifgrijs en ze stonden in de buitenste hoeken schuin omhoog. Ze stonden wijd uit elkaar en hadden lange, dichte wimpers die met elkaar verstrikt raakten als ze ze sloot. Haar voorhoofd was breed en hoog en haar kaaklijn was fijn gebeeldhouwd. Haar lippen waren vol en licht getuit wanneer ze glimlachte en er even een glinstering van haar kleine, uitermate witte tanden te zien was. Haar haar was glanzend zwart. Ze droeg het strak achterover, maar onder de rand van haar modieuze hoed die zwierig schuin op haar hoofd stond, waren een paar sliertjes aan de spelden ontsnapt en krulden over haar kleine roze oren. Ze was lang en kwam bijna tot Leons schouder, maar hij had haar middel met twee handen kunnen omvatten.

De pofmouwen van haar fluwelen, met biezen versierde jasje lieten haar armen onder de ellebogen bloot. Ze waren welgevormd en licht gespierd, zoals die van een amazone. Haar handen waren elegant gevormd, haar vingers waren lang en liepen taps toe en haar nagels waren parelachtig. Het waren de handen van een kunstenares. Onder haar lange, wijde rok staken de puntige neuzen van slangenleren rijlaarzen uit. Hij stelde zich voor dat haar door het dure leer omhulde voeten even welgevormd waren als haar handen.

'Eva, mag ik je aan Herr Courtney voorstellen? Hij is de jager die tijdens ons kleine Afrikaanse avontuur voor ons zal zorgen. Herr Courtney, mag ik u aan Fräulein von Wellberg voorstellen?' vroeg Otto.

'Aangenaam, Fräulein,' zei Leon. Ze glimlachte en hield hem haar rechterhand met de palm naar beneden voor. Toen hij hem vastpakte, voelde hij dat hij warm en stevig was. Hij boog en tilde haar hand op tot haar vingers een paar centimeter van zijn lippen vandaan waren, liet hem toen los en deed een stap naar achteren. Ze hield zijn blik nog even vast. Toen hij in haar ogen keek zag hij dat de uitdrukking erin raadselachtig en vol heimelijke belofte was. Hij had het gevoel dat hij in een poel keek waarvan de diepte nooit helemaal gepeild zou kunnen worden.

Toen ze zich afwendde om met graaf Otto te praten, voelde hij een emotie die totaal verschilde van elke emotie die hij ooit ervaren had. Het was een vreemde mengeling van opgetogenheid en spijt, van verworvenheid en verlammend verlies. In een oogwenk leek hij iets van oneindige waarde te hebben ontdekt dat, bijna op hetzelfde moment, van hem was afgepakt. Toen graaf Otto een grote, sproetige hand om Eva's middel legde en haar dichter naar zich toe trok en zij glimlachend naar hem opkeek, haatte Leon hem met een bitter genoegen dat achter in zijn keel smaakte als verbrand kruit.

69

Het duurde niet lang voordat graaf Otto en zijn mooie metgezellin aan land waren gebracht, want ze hadden weinig bagage bij zich, nog geen tien grote hutkoffers en een paar kisten met graaf Otto's geweren en munitie. Verder was alles hiervoor al met de Silbervogel verzonden. Terwijl zijn bagage snel in de grote Meerbachvrachtwagen werd geladen die boven het strand stond te wachten, begroette graaf Otto zijn werknemers uit Wieskirche die in een rij stonden om hem te verwelkomen. Hij gedroeg zich tegen hen als een vader tegen zijn jonge kinderen: hij begroette hen bij naam en plaagde hen om de beurt met opmerkingen die op hen persoonlijk betrekking hadden. Ze kronkelden zich als puppy's, ze grijnsden en mompelden dankbaar alsof zijn neerbuigendheid een compliment was.

Toen richtte hij zich tot Leon. 'Je kunt nu je assistenten voorstellen,' zei hij en Leon riep Hennie en Max naar voren. Graaf Otto behandelde hen op dezelfde ontspannen, neerbuigende manier en Leon zag dat ze bijna onmiddellijk in zijn ban raakten. Hij wist hoe hij met mannen moest omgaan, maar Leon wist dat hij zich, als iemand hem ooit kwaad zou maken of teleur zou stellen, wraakzuchtig en genadeloos tegen hem zou keren.

'*Sehr gut, meine Kinder*. Heel goed, mijn kinderen. Nu kunnen we naar Nairobi gaan,' zei graaf Otto. Terwijl de monteurs van Meerbach, Hennie, Max en Ishmael achter in de wachtende vrachtwagen stapten, ging Gustav achter het stuur zitten en het grote voertuig reed ronkend weg naar Nairobi.

'Courtney, jij rijdt met mij mee in de jachtwagen,' zei graaf Otto. 'Fräulein von Wellberg zit naast me en jij gaat achterin zitten om me de weg te wijzen en me de bezienswaardigheden langs de weg te laten zien.' Hij liet haar met veel gedoe in de passagiersstoel plaatsnemen. Hij legde een mohair plaid over haar schoot, gaf haar een stofbril om haar ogen tegen de wind en het stof te beschermen, een paar handschoenen zodat de smetteloze huid van haar handen niet onder de zon te lijden zou hebben en een zijden sjaal om onder haar mooie kin vast te knopen om te voorkomen dat haar hoed zou wegwaaien. Ten slotte controleerde hij de drie geweren in het geweerrek achter zijn stoel, ging toen achter het stuur zitten, zette zijn stofbril recht, gaf gas en reed snel achter de vrachtwagen aan. Hij reed erg hard, maar hij was een buitengewoon goede chauffeur. Een paar keer zag Leon dat Eva zo hard in de deurknop kneep dat haar knokkels wit werden wanneer hij een scherpe bocht rondde, een alarmerende slip corrigeerde doordat de wielen in een weggedeelte met fijn zand terechtkwamen of wanneer hij over een serie ribbels in de weg hobbelde. Toch bleef haar gelaatsuitdrukking kalm.

Toen de weg eenmaal vanaf de kust omhoog begon te lopen, kwamen ze in een gebied waar veel wild zat en al snel reden ze langs kuddes gazellen en grotere antilopen. Eva werd daardoor afgeleid van de snelheid waarmee graaf Otto reed; ze lachte en klapte verrukt in haar handen bij het zien van al die dieren en de rare sprongen die ze van schrik maakten wanneer de auto langsraasde.

'Otto!' riep ze. 'Hoe heten die mooie, kleine dieren die zo heerlijk dansen en huppelen?'

'Courtney, beantwoord de vraag van de Fräulein,' schreeuwde graaf Otto boven het geruis van de wind uit.

'Dat zijn Thomson-gazellen, Fräulein. U zult er de komende dagen nog vele duizenden van zien. Het is de meest voorkomende diersoort in dit land. De bijzondere loop die u is opgevallen staat bekend als stuiteren. Het is een schrikreactie waarmee alle andere gazellen in het zicht worden gewaarschuwd voor dreigend gevaar.'

'Zet de auto alsjeblieft even stil, Otto. Ik wil ze graag tekenen.'

'Zoals je wilt, schat.' Hij haalde toegeeflijk zijn schouders op en stopte langs de kant van de weg. Eva balanceerde haar schetsboek op haar schoot en haar houtskool vloog over de bladzijde. Leon leunde onopvallend naar voren en zag een perfecte impressie van een stuiterend dier met gewelfde rug en vier stijf gehouden poten op magische wijze voor zijn ogen op het papier verschijnen. Eva von Wellberg was een talentvol kunstenares. Hij herinnerde zich de ezel, de dozen water- en olieverf die voor haar aankomst met de Silbervogel verscheept waren. Hij had er toen nauwelijks bij stilgestaan, maar nu was het duidelijk hoe belangrijk ze waren.

Daarna werd de reis op Eva's verzoek regelmatig onderbroken wanneer ze iets wilde tekenen; een roestende adelaar in de bovenste takken van een acaciaboom of een vrouwtjesjachtluipaard die op haar lange poten over de savanne slenterde met haar drie jonge welpen in een rij achter haar aan. Hoewel graaf Otto haar ter wille was, werd het snel duidelijk dat hij er genoeg van begon te krijgen dat hij steeds moest stoppen en wachten. De volgende keer dat Eva hem liet stoppen, stapte hij uit en pakte een geweer uit het rek. Terwijl hij naast de auto stond, doodde hij vijf gazellen met evenveel schoten toen ze voor de auto langs over de weg renden. Het was een ongelooflijk staaltje schietkunst. Hoewel Leon een dergelijke slachtpartij verfoeide, sprak hij op beleefde toon toen hij vroeg: 'Wat wilt u met de dode dieren doen, meneer.'

'Laat maar liggen,' zei graaf Otto achteloos en hij legde het geweer terug in het rek.

'Wilt u ze niet bekijken, meneer. Een ervan heeft een prachtig stel hoorns.'

'*Nein*. Je zegt dat er heel veel van zijn. Laat ze maar liggen voor de aasgieren. Ik controleerde alleen maar de vizieren van mijn geweer. Laten we doorrijden.'

Leon merkte op dat Eva's gezicht bleek zag toen ze doorreden en haar lippen waren getuit. Hij vatte dit op als een blijk van afkeuring en hij kreeg een hogere dunk van haar.

Graaf Otto richtte zijn aandacht weer op de weg voor zich. Eva had Leon niet meer recht aangekeken sinds hij op de brug van het schip aan haar was voorgesteld. Ze had ook niet tegen hem gesproken; al haar vragen en opmerkingen werden via graaf Otto aan hem doorgegeven. Hij verbaasde zich daarover. Misschien was ze van nature extreem bescheiden of wellicht wilde hij niet dat ze met andere mannen praatte. Toen herinnerde hij zich dat ze vriendelijk tegen Gustav was geweest en dat ze vlot met Max en Hennie had gepraat toen ze in Kilindini aan haar voorgesteld waren. Waarom was ze zo afstandelijk tegen hem? Vanaf de achterbank kon hij heimelijk haar gezicht bestuderen. Een paar keer schoof Eva ongemakkelijk op haar stoel heen en weer of stopte ze met een verlegen gebaar een sliertje haar onder haar sjaal en de wang die naar hem toe gekeerd was, en bloosde lichtjes alsof ze zich volledig van zijn interesse bewust was.

Toen ze even na het middaguur weer een bocht in de stoffige weg rondden, zagen ze dat Gustav in de berm op hen stond te wachten. Hij gebaarde hen dat ze moesten stoppen en toen graaf Otto remde, rende hij naar de chauffeurskant van de auto. 'Neem me niet kwalijk, meneer, maar de lunch is klaar, als u mocht willen eten.'

Hij wees naar de grote vrachtwagen die tweehonderd meter naast de weg in een bosje koortsbomen was geparkeerd.

'Mooi, ik heb een enorme honger,' antwoordde graaf Otto. 'Spring op de treeplank, Gustav, dan geef ik je een lift.' Terwijl Gustav zich aan de zijkant van de auto vastklemde, hobbelden ze over het ruwe terrein naar de vrachtwagen.

Ishmael had een zonnescherm tussen vier bomen opgehangen en in de schaduw ervan had hij een schraagtafel en kampeerstoelen neergezet. De tafel was gedekt met een sneeuwwit linnen tafelkleed, zilveren bestek en porseleinen serviesgoed. Toen ze stijf uitstapten en hun benen strekten, bracht Ishmael die zijn lange witte *kanza* en een fez droeg, hun om de beurt een bak met warm water, een stuk lavendelzeep en een schone handdoek.

Zodra ze zich gewassen hadden, bracht Max hen naar de tafel. Er waren borden met gesneden ham en kaas uitgestald en er stonden mandjes met roggebrood, botervlootjes en een enorme zilveren schaal die gevuld was met beloegakaviaar. Hij ontkurkte de eerste van een rij flessen wijn die op een bijzettafel stond en schonk de frisse, gele Gewürztraminer in glazen met een lange steel.

Eva at met lange tanden. Ze nam een paar slokjes wijn en at één met een lepel kaviaar besmeerd toastje, maar graaf Otto viel op het voedsel aan als een bootwerker. Toen de maaltijd beëindigd was had hij twee flessen wijn soldaat gemaakt en de schaal met kaviaar en de borden met ham en kaas in wanorde achtergelaten. De wijn leek geen nadelige invloed op hem te hebben gehad toen hij weer achter het stuur ging zitten en ze verder reden naar Nairobi, maar hij ging aanzienlijk harder rijden, zijn gelach werd onbeheerst en zijn humor minder welvoeglijk.

Toen ze een groep vrouwen inhaalden die achter elkaar met bundels afgesneden gras op hun hoofd balancerend langs de rand van de weg liepen, minderde graaf Otto vaart tot een wandeltempo en bestudeerde de blote borsten van de meisjes openlijk. Toen hij wegreed, legde hij zijn hand met een bezitterig en vertrouwelijk gebaar in Eva's schoot, en zei: 'Sommigen houden van chocolade, maar ik geef de voorkeur aan vanille.' Ze pakte zijn pols vast en legde zijn hand terug op het stuur. 'De weg is gevaarlijk, Otto,' zei ze kalm en Leon kookte van verontwaardiging om de vernedering die graaf Otto haar zo achteloos had laten ondergaan. Hij wilde tussenbeide komen om haar op de een of andere manier te beschermen, maar hij voelde aan dat graaf Otto met veel wijn achter de kiezen onvoorspelbaar en gevaarlijk zou kunnen zijn. Omwille van Eva beheerste hij zich.

Maar toen richtte zijn woede zich op haar. Waarom liet ze zich dat soort gedrag welgevallen? Ze was toch geen hoer. Toen realiseerde hij zich geschokt dat ze dat nu juist wel was. Ze was een courtisane voor de hogere kringen. Ze was graaf Otto's speeltje en had haar lichaam tot zijn beschikking gesteld in ruil voor een paar smakeloze sieraden, mooie kleren en waarschijnlijk het loon van een hoer. Hij probeerde haar te verachten. Hij wilde haar haten. Toen kwam een andere gedachte bij hem op die hem trof als een kaakslag van een gepantserde vuist: als zij een hoer was, dan was hij dat ook. Hij dacht aan de prinses en aan de anderen aan wie hij zichzelf en zijn diensten had verkocht.

We moeten allemaal proberen te overleven, dacht hij in een poging zichzelf en haar te rechtvaardigen. Als Eva een hoer is dan zijn we dat allemaal. Maar hij wist dat dit niet ter zake deed. Het was veel te laat om haar te verachten of te haten, want hij was al hopeloos verliefd op haar.

70

Toen de zon onderging, reden ze Kamp Tandala binnen en graaf Otto verdween met Eva in een van de luxeverblijven die voor hen in gereedheid waren gebracht. Ishmael en drie leden van het keukenpersoneel brachten hun avondmaaltijd naar hun privé-eetkamer.

Het paar verscheen pas weer de volgende ochtend na het ontbijt.

'*Guten Tag*, Courtney. Zorg ervoor dat deze brieven onmiddellijk bezorgd worden. Graaf Otto overhandigde hem een bundeltje enveloppen die met rode waszegels verzegeld waren en waarop in reliëf de tweekoppige adelaars van het Duitse ministerie van Buitenlandse Zaken in Berlijn waren geperst. Ze waren geadresseerd aan de gouverneur van de kolonie en aan alle andere notabelen in Nairobi, met inbegrip van lord Delamere en de bevelvoerend officier van Zijne Majesteits strijdkrachten in Brits Oost-Afrika, brigadegeneraal Penrod Ballantyne. 'Dit zijn mijn introductiebrieven van de keizerlijke regering,' verklaarde hij, 'en ze moeten vandaag zonder mankeren bezorgd worden.'

'Natuurlijk, meneer. Ik zal ervoor zorgen dat het terstond wordt gedaan.' Leon liet Max Rosenthal komen en gaf hem, in het bijzijn van graaf Otto, opdracht om de brieven te bezorgen. 'Neem maar een van de auto's, Max. Kom niet terug voordat alle brieven aan de betrokkenen persoonlijk zijn overhandigd.'

Toen Max wegreed, kwam Eva uit het privéverblijf en voegde zich bij hen. Ze droeg rijkleding en zag er fris en uitgerust uit. Haar haren glansden in het zonlicht en haar huid gloeide door het zoete, jonge bloed dat eronder stroomde.

Graaf Otto bekeek haar goedkeurend en richtte zich toen weer tot Leon. 'Nu gaan we naar het vliegveld, Courtney. Ik ga met mijn vliegtuigen vliegen.' In de loop van de nacht was de jachtauto gewassen en opgepoetst. Ze stapten alle drie in en graaf Otto reed door de stad naar het poloveld.

Toen ze daar aankwamen, had Gustav de Vlinder en de Hommel al naar de rand van het veld gereden. Graaf Otto liep om beide vliegtuigen heen en inspecteerde ze zorgvuldig terwijl hij ernstig met Gustav sprak. Toen hij ten slotte tevredengesteld was, klom hij op de vleugels om de spanning van de tuigdraden en de stijlen te controleren. Hij opende de motorkappen en onderzocht de brandstofleidingen en de kabels van de gashendels. Hij schroefde de vuldoppen van de brandstoftanks los en mat de niveaus met een peilstok.

Pas halverwege de ochtend verklaarde hij dat hij volkomen tevreden was met de beide vliegtuigen. Daarna beklom hij de ladder en stapte in de cockpit van de Hommel. Terwijl hij de kinriem van zijn vlieghelm vastgespte, gebaarde hij Gustav dat hij de motoren moest starten. Toen ze warmgelopen waren en soepel draaiden, taxiede hij naar de andere kant van het poloveld en keerde het grote vliegtuig zodat het met de neus in de bries stond. De hele bevolking van Nairobi was op het geluid van de motoren afgekomen en opnieuw stonden de mensen in gespannen verwachting langs het veld. De vier motoren barstten los in een leeuwachtig gebrul en de Hommel taxiede terug naar de plek waar Leon en Eva voor de hangar stonden. Leon stond een paar passen achter haar, eerder als een ondergeschikte dan als een gelijke. De Hommel trok nu snel op. Het vliegtuig kwam met zijn staart van de grond en Leon hield zijn adem in toen hij zag hoe het enorme onderstel lichtjes over het gras hobbelde, zich van de zwaartekracht losmaakte en opsteeg. Het vloog geen twintig meter boven hun hoofd met brullende motoren weg. De toeschouwers doken instinctief in elkaar – behalve Eva.

Toen Leon zich oprichtte, zag hij dat ze heimelijk naar hem keek. Een vage, spottende glimlach deed haar mondhoeken omkrullen. 'Goeie hemel!' zei ze plagerig. 'Is dit de vermetele jager en onbevreesde doder van wilde dieren?'

Het was pas de tweede keer sinds hij aan haar was voorgesteld dat ze hem recht aankeek en de eerste keer dat ze rechtstreeks tegen hem sprak. Hij schrok van de verandering in haar houding nu graaf Otto er niet bij was. 'Ik hoop dat dit de enige keer zal blijven dat ik niet aan uw verwachtingen voldoe, Fräulein.' Hij boog licht voor haar.

Ze wendde zich af en beëindigde het korte contact bewust. Ze beschermde haar ogen met haar hand tegen de zon en keek naar de Hommel die boven het veld rondcirkelde. Het was een lichte afwijzing, maar Leon genoot van de herinnering van haar glimlach, ook al was die eerder spottend dan vriendelijk geweest. Hij volgde haar blik en zag dat de Hommel al naar het veld daalde om te landen.

Graaf Otto landde en taxiede terug naar de hangar. Hij zette de motoren uit en klom naar beneden. De toeschouwers juichten hem uitbundig toe en hij wuifde met zijn gehandschoende hand naar hen. Gustav haastte zich naar hem toe en de beide mannen liepen, diep in gesprek, naar de Vlinder. Graaf Otto liet hem onder aan de ladder staan, klom naar de cockpit en startte de motoren. Hij taxiede naar het einde van het poloveld, keerde en denderde naar hen terug. Toen de Vlinder opsteeg en laag over zijn hoofd scheerde, verbaasde Leon zich opnieuw over het wonder van het vliegen. Deze keer bleef hij stokstijf staan en toen hij naar Eva keek, zag hij dat ze hem weer gadesloeg. Ze boog haar hoofd en haar violette ogen glinsterden van ondeugend plezier. Haar stem ging verloren in het kabaal dat de toeschouwers maakten, maar hij kon haar lippen lezen toen ze het woord 'bravo!' vormden. De spot werd verzacht door weer een geheimzinnig glimlachje. Toen wendde ze zich af en ze keek naar het vliegtuig dat twee keer boven het veld rondcirkelde voordat het de neus in de windrichting draaide om te landen. Toen het neergekomen was, taxiede het naar de plek waar ze voor de hangar stonden.

Leon verwachtte dat graaf Otto de motoren zou uitzetten en zou uitstappen, maar hij leunde uit de cockpit en bestudeerde de gezichten van de toeschouwers beneden. Hij koos Eva uit en gebaarde haar dat ze naar hem toe moest komen. Ze liep snel naar hem toe en Gustav en twee van zijn mannen holden voor haar uit met de ladder. Toen ze halverwege was, kwam ze in de schroefwind van de propellers terecht die haar rok om haar benen blies. Haar breedgerande hoed werd van haar hoofd gerukt en haar lange, donkere haar viel om haar gezicht. Ze lachte en bleef snel doorlopen. Haar hoed werd meegevoerd tot de plek waar Leon stond en hij greep hem toen hij langsrolde.

Eva bereikte de ladder en klom lichtvoetig naar boven. Ze had dit duidelijk al heel vaak gedaan. Leon zag haar in de cockpit verdwijnen. Toen draaide graaf Otto zijn gehelmde hoofd naar hem toe en wenkte hem. Verrast raakte Leon met een vragend gebaar zijn borst aan. 'Wie? Ik?' Graaf Otto knikte nadrukkelijk en wenkte hem weer, deze keer gebiedender. Leon rende met bonkend hart van opwinding door de schroefwind en klauterde de ladder op. Toen hij in de cockpit was, overhandigde hij Eva de hoed. Ze keek nauwelijks in zijn richting toen ze hem aanpakte. De speelse woorden die ze een paar minuten geleden hadden gewisseld, hadden net zo goed nooit uitgesproken kunnen zijn. Ze had ergens een leren vlieghelm vandaan gehaald die ze onder haar kin had vastgemaakt. Toen zette ze de getinte vliegbril op.

'Trek de ladder op!' schreeuwde graaf Otto en hij zette zijn bevel kracht bij met een handgebaar. Leon leunde uit de cockpit, tilde de ladder op en haakte hem vast aan de haken aan de romp.

'Mooi. Ga hier maar zitten!' Graaf Otto wees naar de stoel naast hem. Leon ging zitten en maakte zijn veiligheidsriem vast. Graaf Otto vormde met zijn handen een toeter voor zijn mond en schreeuwde: 'Jij navigeert voor me, goed?'

'Waar gaan we heen?' schreeuwde Leon terug.

'Naar je dichtstbijzijnde jachtkamp.'

'Dat is meer dan honderdvijftig kilometer hiervandaan,' protesteerde Leon.

'Een kort vluchtje. Ja, daar gaan we heen.'

Hij haalde de gashendels over en taxiede naar de andere kant van het veld. Daar stopte hij even om de wijzers op het dashboard te controleren en duwde de vier gashendels toen helemaal naar voren. Het geraas van de Meerbach-motoren was oorverdovend. De Vlinder schoot hobbelend en hotsend over elke onregelmatigheid in de bodem naar voren en de vleugels wiebelden en zwaaiden heen en weer toen het vliegtuig steeds sneller ging taxiën. Leon klemde zich aan de rand van de cockpit vast. De tranen stroomden uit zijn ogen door de harde wind, maar zijn hart zong. Toen hield het geslinger en gehobbel abrupt op. Leon keek naar beneden en zag dat ze zich steeds verder van de aarde beneden hem verwijderden. 'We vliegen!' schreeuwde hij tegen de wind in. 'We vliegen echt!' Hij zag de stad beneden hem, maar het duurde even voordat hij hem herkende. Alles zag er vanuit deze gezichtshoek anders uit. Hij moest zich oriënteren aan de hand van de spoorlijn voordat hij andere bekende punten kon lokaliseren: de roze muren van de Muthaiga Country Club, het glanzende golfijzeren dak van Delameres nieuwe hotel, het witgekalkte Government House en de residentie van de gouverneur.

'Welke kant op?' Graaf Otto moest hem aan zijn arm schudden om zijn aandacht te trekken. 'Volg de spoorlijn.' Leon wees naar het westen. Met beide handen probeerde hij zijn ogen te beschermen tegen de wind die met een snelheid van honderdvijftig kilometer per uur aan zijn gezicht rukte. Graaf Otto porde hem met een benige vinger in de ribben en wees naar een klein kastje in de zijwand van de cockpit. Leon opende het en zag dat er achterin nog een leren vlieghelm lag. Hij trok hem over zijn hoofd, gespte de kinriem vast en zette daarna de vliegbril recht. Nu kon hij zien en de zijflappen van zijn helm beschermden zijn trommelvliezen tegen het gebulder van de wind.

Terwijl hij de helm opzette, was Eva opgestaan en naar de voorkant van de cockpit gelopen waar ze de leuning vasthield die langs de rand ervan liep. Ze leek op een boegbeeld van een oorlogsschip terwijl ze tegen de beweging van de Vlinder in gracieus haar evenwicht bewaarde.

Op dat moment dook het vliegtuig misselijkmakend en onverwacht naar beneden. Leon zocht in paniek houvast. Hij wist absoluut zeker dat ze zouden neerstorten en in een berg wrakstukken beneden op de aarde een snelle, maar gewelddadige dood zouden vinden. Maar de Vlinder was onverstoorbaar: het vliegtuig bewoog met een waardig gebaar van minachting voor de zwaartekracht haar vleugels heen en weer en vloog kalm door naar het westen.

Eva stond nog in de neus en pas toen zag Leon de veiligheidsriem die om haar middel gegespt was en de karabijnsluiting aan het andere einde van het koord die aan een stalen oogbout in de vloerplanken tussen haar voeten was bevestigd. Daardoor was verhinderd dat ze uit de cockpit werd geslingerd toen het vliegtuig naar beneden dook.

Graaf Otto was met zijn grote sproetige handen nog bezig met de bediening van het controlepaneel. Hij grijnsde naar Leon met een onaangestoken Cohiba-sigaar in een mondhoek geklemd. 'Een thermiekbel!' schreeuwde hij boven de wind uit. 'Het is niets.'

Leon schaamde zich voor zijn paniekreactie. Hij had genoeg over de theorie van het vliegen gelezen om te weten dat lucht zich op dezelfde manier gedroeg als water met al zijn onvoorspelbare stromingen en draaikolken.

'Kon naar voren!' Graaf Otto gebaarde. 'Kom naar voren tot je voor ons uit kunt kijken om de weg te wijzen.' Leon liep voorzichtig naar de voorkant van de cockpit. Zonder naar hem te kijken, stapte Eva opzij om ruimte voor hem te maken en hij ging naast haar staan. Ze zetten zich met beide handen schrap tegen de leuning. Ze stonden zo dicht bij elkaar dat hij zich, ondanks de wind, voorstelde dat hij een zweem van haar speciale parfum rook. Zonder zijn hoofd opzij te bewegen, keek hij vanuit zijn ooghoek naar haar. De schroefwind blies haar blouse en haar rok plat tegen haar lichaam en ledematen zodat elke welving en elke contour geaccentueerd werden. Voor het eerst zag hij de vorm van haar lange, slanke benen en daarna keek hij naar de twee heuvels van haar boezem onder het katoenfluwelen jasje. Hij zag direct dat haar borsten groter waren dan ze hadden geleken en dat ze ronder en voller waren dan die van Verity O'Hearne. Hij moest zijn blik van haar losrukken en keek weer recht vooruit.

Ze naderden de rand van de Great Rift Valley al. Hij zag de glinstering van de stalen rails op het punt waar de spoorlijn van de helling naar de vulkanische steppe van de bodem van de vallei begon af te dalen. Hij keek om naar graaf Otto en gebaarde naar hem dat hij negentig graden naar het zuiden moest draaien. De Duitser knikte en de Vlinder liet één vleugel zakken en begon aan een trage draai naar links. Door de middelpuntvliedende kracht werd Eva zachtjes tegen hem aan gedrukt en één lang, verrukkelijk moment voelde Leon dat de zijkant van haar dij tegen de zijne rustte. Ze leek dit niet te merken, want ze maakte geen aanstalten om zich terug te trekken. Toen liet graaf Otto de linkervleugel omhoogkomen en de Vlinder kwam weer recht te liggen. Het contact werd verbroken.

De Great Rift Valley opende zich voor hen. Vanaf deze hoogte was het een vergezicht dat niet aan de mensheid, maar aan God en zijn engelen toebehoorde. Nu kon Leon pas echt zien hoe onmetelijk het land was: de verschroeide, rotsachtige heuvels, de geelbruine, met donkere stukken bos bevlekte vlaktes en de blauwe palissades van heuvels en bergen die zich eindeloos ver uitstrekten.

Plotseling kantelde het dek onder hen omdat graaf Otto de neus van de Vlinder liet zakken en het vliegtuig de diepte in dook. De klippen van de helling schoten onder hen door, zo dichtbij dat het leek of de wielen van de rotsen terugstuiterden. De bodem van de vallei kwam dreigend op hen af. Leon zag dat Eva's vuisten zich om de leuning balden en dat ze haar rug welfde door de spanning in haar lichaam. Om haar te laten boeten voor haar eerdere uitdagende gedrag, liet hij de leuning los, zette zijn handen op zijn heupen en leunde gemakkelijk tegen de neerwaartse beweging in. Deze keer kon ze hem niet negeren en ze wierp hem een snelle blik toe terwijl hij ondanks de verschillende krachten die aan zijn lichaam trokken in evenwicht bleef. Toen keek ze weer voor zich uit, maar ze haalde één hand van de leuning en draaide de palm met een berustend gebaar naar boven. Graaf Otto trok de neus van de Vlinder omhoog uit de duik langs de wand van de vallei. Leons knieën knikten door de zwaartekracht en Eva werd weer tegen hem aan gedrukt. Ze zwaaide van hem vandaan toen het vliegtuig weer rechttrok. Ze vlogen razendsnel langs de helling en de wand aan bakboordzijde schoot zo dicht langs dat het leek of de vleugelpunt hem elk moment zou kunnen aanraken.

Plotseling zag Leon iets wat leek op een zwerm grote, zwarte kevers die zich ongeveer anderhalve kilometer voor hen uit kruipend voortbewoog. Pas toen de Vlinder erop afvloog, zag hij dat het een grote kudde buffels was die in paniek voor hen vluchtte. Hij gebaarde weer naar graaf Otto en de Vlinder helde scherp over naar de vluchtende kudde. Weer werd Eva tegen hem aan gedrukt, maar deze keer stootte ze opzettelijk met haar heup tegen hem aan. Hij begreep dat ze hem liet weten dat ze zich even sterk bewust was van de lichamelijke contacten als hij en dat besef ging gepaard met een gevoel alsof er een elektrische stroomstoot door zijn kruis ging.

Ze schoten zo dicht over de op en neer gaande ruggen van de buffels heen dat Leon elk afzonderlijk bolletje opgedroogde modder in hun haar kon zien en dat hij zelfs het patroon van evenwijdige littekens kon onderscheiden die door de klauwen van een jagende leeuw waren achtergelaten op de rug van de stier die de kudde leidde.

Ze vlogen door tot Eva opgewonden zwaaide en aan haar kant van de romp naar buiten wees. Graaf Otto helde over in de richting waarin ze wees. Toen trok hij de Vlinder recht en ging in het verlengde van vijf reusachtige mannetjesolifanten vliegen die zich, niet ver voor hen uit, een weg baanden door het dichte kreupelhout. Hoewel ze niet langer de zwaartekracht als excuus kon gebruiken, gaf Eva hem nog een brutaal duwtje met haar heup. Het was een prikkelend, maar gevaarlijk spelletje dat ze speelden, recht onder graaf Otto von Meerbachs neus. Leon lachte in de wind en Eva gluurde, zonder haar hoofd te bewegen, door haar geloken wimpers naar hem en ze glimlachte geheimzinnig.

Ze naderden de rennende olifanten snel. Leon zag dat het allemaal oude stieren waren en minstens twee ervan hadden slagtanden van meer dan vijftig kilo per stuk. Een andere had er maar een – de tweede was bij de rand afgebroken – maar de overgebleven tand was kolossaal en deed die van de andere stieren in het niet zinken. Otto ging lager vliegen en daarna nog lager, tot het leek alsof hij recht de kudde in wilde vliegen. Toen de olifanten leken te beseffen dat ze niet konden voorkomen dat de Vlinder ze inhaalde, draaiden ze zich om en gingen schouder aan schouder op een kluitje staan zodat ze een falanx vormden om zich tegen de dreiging vanuit de lucht te verdedigen. Zo luid trompetterend dat Leon ze boven het geronk van de motoren uit kon horen, stormden ze recht op het vliegtuig af. Toen het rakelings over de dieren heen vloog, steigerden ze, spreidden hun oren wijd uit en strekten hun slangachtige slurf uit alsof ze het uit de lucht wilden grissen.

Graaf Otto steeg een paar honderd meter en vloog verder naar het zuiden. Nieuwe en onverwachte vergezichten openden zich voor hen. Ze vlogen over verborgen valleien, geheime inspringende en uitspringende hoeken in de wanden van de Rift waarvan sommige op geen enkele kaart die Leon ooit had bestudeerd, waren weergegeven. Twee of drie dalen werden gevoed door rivieren en waren begroeid met groen gras waarop kuddes grote zoogdieren, van giraffen tot neushoorns, zich verzameld hadden. Leon probeerde de exacte locatie van elk dal in zijn geheugen te prenten zodat hij kon teruggaan om ze te verkennen, maar ze vlogen zo snel dat hij er moeite mee had om te bepalen waar ze zich precies bevonden.

Ze stegen nog hoger tot ze ongeveer honderdvijftig kilometer voor hen uit het uitgestrekte massief van de Kilimanjaro aan de zuidelijke horizon zagen opdoemen. De berg was blauw door de afstand en zijn top was gehuld in een zilverkleurige wolk waardoorheen de zon gouden messen van licht wierp. Toen liet graaf Otto de vleugels heen en weer bewegen om Leons aandacht te trekken en hij wees naar een tafelberg die dichterbij was, maar dertig of veertig kilometer voor hen uit. De platte top had waarschijnlijk zijn aandacht getrokken.

'De Lonsonjo!' riep Leon, maar zijn stem ging verloren in het geraas van de wind en de motoren. 'Ga erheen!' Hij maakte heftige handgebaren en graaf Otto duwde de gashendels wijd open. De Vlinder steeg verder, maar de tafelberg Lonsonjo verrees drieduizend meter boven de zeespiegel, in de buurt van de hoogtegrens van het vliegtuig. Eerst steeg het vliegtuig snel, maar naarmate het hoger kwam, nam de snelheid af. Het werd zo traag dat ze niet meer dan vijftien meter boven de klippen vlogen.

Voor hen uit graasde Loesima's vee verspreid op het zoete gras van het hoge tafelland. Erachter zag Leon het patroon van hutten en veekralen die de *manjatta* vormden en hij gebaarde Otto dat hij naar het dorp moest vliegen. Geiten, kippen en naakte herdersjongens vlogen uiteen toen ze naderden. Het was gemakkelijk om Loesima's hut van de andere hutten te onderscheiden, want hij was de grootste en de mooiste en hij stond dichter bij de zich uitspreidende takken van haar raadboom. Loesima was nergens te zien tot ze bijna recht boven haar hut vlogen. Toen verscheen ze plotseling. Ze kwam gebukt door de lage ingang van haar hut naar buiten en staarde naar hen omhoog. Ze was naakt op haar kleine rode lendendoek en haar kleurige armbanden, enkelbanden en halssnoeren na. Ze staarde naar de Vlinder met een uitdrukking van komische verbijstering.

'Loesima!' schreeuwde Leon en hij rukte de helm en de vliegbril van zijn hoofd. 'Loesima Mama! Ik ben het! M'bogo, uw zoon!' Hij zwaaide verwoed en plotseling herkende ze hem. Hij was zo dichtbij dat hij haar gezicht zag oplichten en ze zwaaide met beide handen naar hem, maar ze waren het dorp al voorbij en daalden aan de andere kant van de berg.

Het rotsgesteente was zo steil en ondoordringbaar als de muur van een monumentaal middeleeuws fort en korstmos had er een bonte mengeling van kleuren op geschilderd. Toen kwam de Vlinder onverwacht op gelijke hoogte met een onderbreking in de wand, een verticale schoorsteen van rotsgesteente die de klip vanaf de top tot aan de puinhelling aan de voet van de berg spleet. Aan de top van de schoorsteen stroomde een heldere waterval over de rand van de klip. Hij maakte deel uit van een rivier die het water van het door de regen doordrenkte tafelland erboven afvoerde en het in golvende, kantachtige gordijnen langs het met zwart mos bedekte steen liet storten. Toen ze erlangs vlogen, blies de wind rondwervelende, fijne druppels in hun gezicht. Hun bril werd erdoor bedekt en ze voelden koud als sneeuwvlokken op hun wangen aan.

De waterval viel een meter of zestig lager in de poel aan de voet van de klip. De zonnestralen drongen niet door in de donkere, mysterieuze spleet: hij was gevuld met schaduw waardoor de poel inktzwart was. Hij was zo volmaakt rond dat hij aangelegd zou kunnen zijn door oude Romeinse of Egyptische architecten. Ze konden maar heel even van deze grandioze aanblik genieten voordat de Vlinder er al weer langs was gevlogen; de schoorsteen leek zich achter hen te sluiten als de enorme deur van een kathedraal en elk spoor van de waterval was aan het zicht onttrokken.

Toen ze de schaduw van de berg uit vlogen, werd de zon al rood terwijl hij daalde door de nevel van stof en rook die laag op de horizon hing. Leon keek uit over de paarse vlakte om een eerste glimp van het jachtkamp op te vangen. Ten slotte zag hij, ver voor hen uit, de zilverkleurige worst van de windzak die de landingsbaan markeerde in de top van de mast zweven. Hij gebaarde graaf Otto dat hij ernaartoe moest draaien en al snel zagen ze het groepje onlangs met riet bedekte daken van wat Leon Percy's Kamp had genoemd. Vlak erachter lag een klein kopje van niet meer dan zestig meter hoog, maar het was vanaf een afstand van vele kilometers te zien.

Graaf Otto cirkelde boven het kamp rond om de windrichting te bepalen en zich op de landingsbaan te oriënteren. Toen ze naast het kamp overhelden om te keren, keek Leon over de vleugel naar beneden. Hij zag een dichte, ogenschijnlijk ondoordringbare wildernis van haakdoornstruiken die zich kilometers ver leek uit te strekken en in het midden ervan zag hij weer een groepje van die donkere vormen. Aan hun omvang zag hij direct dat het buffels was, drie oude mannetjes. Eén ding was zeker: die oude stieren zouden chagrijnig en uiterst gevaarlijk zijn. Toen ze hun kop ophieven en boosaardig naar het vliegtuig staarden, beoordeelde Leon ze snel en mompelde toen voor zich uit: 'Er zitten geen fatsoenlijke hoorns tussen. Ze dragen allemaal een gebedskapje.' Het was een oneerbiedige verwijzing naar de joodse keppeltjes, waarmee de oude jagers een paar buffelhoorns beschreven dat zo oud en versleten was dat de punten verdwenen waren zodat er alleen maar een hoornen kap over was.

Toen graaf Otto landde en de Vlinder tot het andere einde van de strip liet uitrijden, zagen ze een stofwolk die met grote snelheid over de weg vanaf het kamp naderde. Er kwam een truck in zicht met Hennie du Rand achter het stuur en Manjoro en Loikot achterin.

'Het spijt me heel erg, baas!' zei Hennie tegen Leon toen deze de cockpit uit kwam en de ladder afklom. 'We verwachtten u pas over ruim een week, U hebt ons verrast.' Hij was duidelijk van de wijs.

'Ik had ook niet verwacht dat ik hier zou zijn, maar de graaf heeft zijn eigen tijdschema. Zijn er voedsel en drank in het kamp?'

'Ja!' Hennie knikte. 'Max heeft meer dan genoeg uit Tandala meegebracht.'

'Is er heet water in de douche? Zijn de bedden opgemaakt en is er wc-papier in het toilet?'

'Dat zal er zijn voor u het nog een keer kunt vragen,' beloofde Hennie.

'Dan komt het allemaal wel goed. Het familiemotto van de graaf is *Durabo*, ik zal overleven. We zullen het vanavond op de proef stellen,' zei Leon en hij draaide zich om naar graaf Otto toen deze de ladder afkwam.

'Ik ben blij dat ik u kan vertellen dat alles voor u in gereedheid is,' zei hij monter en hij leidde het paar naar hun verblijven.

71

Op de een of andere manier hadden Hennie en zijn kok een wonder van improvisatie verricht. Ze hadden een redelijke maaltijd bereid uit de kisten met proviand die Max uit Tandala had meegebracht en Leon wachtte op zijn gasten in de kantinetent. Toen Eva binnenkwam, gaapte hij haar aan, zo mooi zag ze eruit. Het was voor het eerst dat hij een mooie vrouw in een broekrok zag, een zeer gewaagde en avant-gardemode die de kolonies nog niet bereikt had. Hoewel het kledingstuk ruim om haar benen en achterwerk viel, kon hij zich voorstellen wat er onder de fijne stof moest zitten. Vlak voordat graaf Otto achter haar binnenkwam, rukte hij zijn blik van haar los.

Hennie had een paar kratten van Meerbach Eisbock-lagerbier gekoeld in de zeildoeken waterzakken. Het was een bier dat talrijke gouden medailles had gewonnen bij de jaarlijks in oktober gehouden *Bierfeste* in München. Het was een product van een grote Beierse brouwerij die een klein onderdeel vormde van het Meerbach-imperium. Als zijn eigen beste klant dronk graaf Otto er voordat de maaltijd werd geserveerd een paar liter van op om zijn eetlust op te wekken.

Toen hij aan het hoofd van de tafel plaatsnam, stapte hij van bier over op bourgognewijn, op een bijzondere Romanée Conti 1896 die hij persoonlijk in zijn kelders in Wieskirche had uitgekozen. De wijn paste perfect bij de hors d'oeuvre van gerenoekpaté en de entree van wilde eendenborst op plakjes gebakken foie gras. Graaf Otto sloot de maaltijd af met een paar glazen vijftig jaar oude port en een Montecristo-sigaar uit Havana.

Hij trok aan zijn sigaar en zuchtte van genot toen hij in zijn stoel achteroverleunde en zijn riem een paar gaatjes losser deed. 'Courtney, heb je die buffels gezien waar we overheen vlogen voordat we landden?'

'Ja, meneer.'

'Ze liepen in dicht struikgewas, hè?'

'Ja, zeker. Maar ze zijn geen van alle de prijs van een patroon waard.'

'Ah, zijn ze dan niet gevaarlijk?'

'Heel gevaarlijk. En zelfs nog gevaarlijker wanneer ze gewond zijn,' antwoordde Leon, 'maar...'

Graaf Otto viel hem in de rede. '"Maar" is een woord waar ik niet erg van hou, Courtney.' Zijn stemming was plotseling omgeslagen. 'Meestal is het een teken dat iemand op het punt staat een uitvlucht te verzinnen om me niet te hoeven gehoorzamen.' Hij keek boos en het duelleerlitteken op zijn wang werd van glasachtig wit roze.

Leon had nog niet geleerd dat dit op gevaar duidde. Hij sprak verder zonder er aandacht aan te besteden: 'Ik wil alleen maar zeggen...'

'Ik ben niet erg geïnteresseerd in wat je wilde zeggen, Courtney. Ik heb liever dat je luistert naar wat ík te zeggen heb.'

Leon liep rood aan door de berisping, maar toen zag hij dat Eva, die buiten graaf Otto's directe gezichtsveld zat, haar lippen tuitte en bijna onmerkbaar haar hoofd schudde. Hij haalde diep adem en nam haar waarschuwing ter harte, al kostte het hem moeite. 'Wilt u op die stieren gaan jagen, meneer?'

'Ah, Courtney, je bent toch niet zo'n *Dummkopf* als je vaak lijkt te zijn.' Hij lachte en zijn toon werd weer joviaal. 'Ja, inderdaad, ik wil die stieren schieten. Ik wil je de gelegenheid geven om me te laten zien hoe gevaarlijk ze echt zijn.'

'Ik heb mijn geweer niet uit Tandala meegebracht.'

'Dat heb je ook niet nodig. Ik schiet wel.'

'Wilt u dat ik ongewapend met u meega?'

'Durf je dat niet aan, Courtney? In dat geval zou ik morgen maar in bed blijven of eronder. Waar je je maar het lekkerst en het veiligst voelt.'

'Als u gaat jagen, ga ik met u mee.'

'Ik ben blij dat we elkaar begrijpen. Dat maakt alles eenvoudiger, nietwaar?' Hij trok aan de sigaar tot de punt helder gloeide en blies toen een perfecte kring van rook over de tafel heen naar Leons gezicht. Leon stak een vinger door de kring en verbrak hem voordat hij zijn gezicht bereikte.

Eva kwam gladjes tussenbeide om de opflakkerende vlammen van hun woede te doven. 'Otto, hoe heette die prachtige tafelberg waar je vanmiddag overheen vloog?'

'Vertel ons erover, Courtney,' beval hij.

'Hij heet de Lonsonjo. Het is een heilige plaats voor de Masai en de woonplaats van een van hun machtigste geestelijke leidsters. Ze is een zieneres die met verbazingwekkende nauwkeurigheid de toekomst kan voorspellen.' Leon keek niet in Eva's richting toen hij antwoordde.

'O, Otto!' riep ze uit. 'Dat moet de vrouw geweest zijn die we de grootste hut uit zagen komen. Hoe heet deze profetes?'

'Amuseert deze magische hocus pocus je, mallerd?' vroeg graaf Otto toegeeflijk.

'Je weet hoe leuk ik het vind om me de toekomst te laten voorspellen.' Ze glimlachte lief en zijn laatste restje woede vervloog. 'Herinner je je die zigeunerin in Praag nog? Ze vertelde me dat mijn hart echt toebehoorde aan een sterke, liefhebbende man die altijd van me zou houden. Dat was jij, natuurlijk.'

'Natuurlijk. Wie zou het anders kunnen zijn.'

'Hoe heet deze waarzegster, Otto?'

Hij keek Leon aan en trok een rode wenkbrauw op.

'Ze heet Loesima, meneer.' Leon had geleerd hoe hij dit spelletje van omslachtige vragen en antwoorden moest spelen.

'Hoe goed ken je haar?' vroeg graaf Otto.

Leon lachte luchthartig. 'Ze heeft me als zoon geadopteerd, dus we kennen elkaar goed genoeg.'

'Ha, ha! Als ze jou geadopteerd heeft, valt er aan haar oordeel te twijfelen. Maar...' Graaf Otto spreidde zijn handen in een capitulerend gebaar terwijl hij Eva aankeek, '... ik begrijp dat ik geen rust zal hebben voordat ik aan die gril van je toegegeven heb. Goed dan, ik zal je naar die oude vrouw op de berg meenemen om je de toekomst te laten voorspellen.'

'Heel erg bedankt, Otto.' Ze streelde de rug van zijn hand. Leon voelde hoe het opkomende maagzuur van jaloezie in zijn buikwand prikte. 'Nu zullen we zien of die zigeunerin in Praag gelijk had. Je bent zo lief voor me. Wanneer neem je me er mee naartoe? Misschien nadat je op die buffels van je gejaagd hebt?'

'We zullen zien.' Graaf Otto lachte en veranderde van onderwerp. 'Ik ben bij het aanbreken van de dag gereed om te vertrekken, Courtney. Het is niet meer dan een paar kilometer naar de plek waar we de kudde hebben gezien. Ik wil daar aankomen voordat de zon op is.'

72

De stille wereld wachtte op de zon en de nachtkilte zat nog in de lucht toen graaf Otto de jachtauto aan de rand van het bosje doornstruiken achter de landingsbaan neerzette op de plek waar Manjoro en Loikot bij een rokerig vuurtje van droge twijgen neergehurkt zaten en hun handen warmden. Ze schopten aarde over de vlammen en stonden op toen Leon uitstapte en naar hen toe kwam. 'Wat hebben jullie me te vertellen?'

'Nadat de maan was ondergegaan, hebben we ze horen drinken bij de waterpoel vlak bij het kamp. We hebben hun spoor vanochtend gevonden en we zijn ze vanaf de poel hiernaartoe gevolgd. Ze zijn dichtbij in de doornstruiken. Nog maar kort geleden hoorden we ze daar rondlopen,' rapporteerde Manjoro en hij vervolgde: 'Ze zijn heel erg oud en heel erg lelijk. Weet Kichwa Moezoeroe zeker dat hij er een wil schieten?' Ze hadden graf Otto 'Vuurhoofd' genoemd vanwege zijn haarkleur en ook vanwege zijn kennelijke onverschrokkenheid, iets wat de Masai altijd zeer bewonderden.

'Ja, hij weet het zeker. Ik heb hem niet op andere gedachten kunnen brengen,' zei Leon.

Manjoro haalde berustend zijn schouders op. Toen vroeg hij: 'Wat voor *boendoeki* gebruikt u, M'bogo? Uw grote geweer hebben we in Tandala achtergelaten.'

'Ik heb vandaag geen *boendoeki* bij me, maar dat maakt niet uit, want Kichwa Moezoeroe schiet als de beste.'

Manjoro keek hem scheef aan. 'En als het nu eens misgaat, M'bogo, wat dan?'

'Dan steek ik de buffel hiermee in zijn oog.' Leon tilde een zware tak op die hij naast de weg had gevonden.

'Dat is geen wapen. Het is zelfs geen goede luizenkrabber. Hier.' Manjoro keerde een van zijn twee steeksperen om en overhandigde die aan Leon met het achtereinde naar voren. 'Dan hebt u een echt wapen.'

De speer had een prachtig blad van bijna een meter lang waarvan de rand aan beide zijden scherp geslepen was. Leon testte het op zijn onderarm. Hij schoor er de haren net zo glad en moeiteloos mee af als hij met een echt scheermes gedaan zou hebben. 'Dank je, mijn broeder, maar ik hoop dat ik dit niet zal hoeven te gebruiken. Pik het spoor weer op, Manjoro, maar houd je gereed om te vluchten als Kichwa Moezoeroe het verknalt!'

Leon liet hen achter en ging terug naar de jachtauto waar graaf Otto zijn geweer uit het foedraal haalde. Leon voelde zich wat meer op zijn gemak toen hij zag dat het een dubbelloopsgeweer van een zwaar kaliber was, waarschijnlijk een Europees 10.75-wapen. Het was meer dan krachtig genoeg om een buffel te vellen.

'Zo, Courtney, ben je er klaar voor om een beetje plezier te maken?' vroeg graaf Otto toen Leon naar hem toe kwam. Hij had een onaangestoken sigaar tussen zijn lippen en hij had zijn loden jagershoed op zijn achterhoofd geschoven. Hij laadde kogels met een stalen huls in het open magazijn van het geweer.

'Ik hoop dat u niet van plan bent om te veel plezier te maken, meneer, maar ik ben er klaar voor.'

'Dat zie ik, ja.' Hij wees naar de speer in Leons hand. 'Jaag je daarmee op konijnen of op buffels?'

'Als je een buffel ermee op de juiste plek raakt, is hij dood.'

'Ik zal je iets beloven, Courtney, als het je lukt om daarmee een buffel te doden, leer ik je met een vliegtuig vliegen.'

'Ik ben overweldigd door uw grootmoedigheid, meneer.' Leon boog licht. 'Wilt u Fräulein von Wellberg alstublieft vragen om in de auto te blijven tot we terug zijn, meneer. Deze dieren zijn onvoorspelbaar en wanneer het eerste schot eenmaal is afgevuurd, kan er van alles gebeuren.'

Graaf Otto haalde de sigaar uit zijn mond voordat hij zich tot Eva richtte. 'Zul je vandaag braaf zijn, *meine Schatze*, en doen wat onze jonge vriend vraagt?'

'Ik ben toch altijd een braaf meisje, Otto?' vroeg ze, maar iets in haar blik loochende haar suikerzoete antwoord.

Hij stopte de sigaar terug in zijn mond en overhandigde haar zijn zilveren Vesta-doos. Ze opende hem, schudde er een lucifer met een rode kop uit, streek hem op de zool van haar laars aan. Toen de vlam opflakkerde, hield ze de lucifer op armlengte om de zwavelrook te laten verbranden en stak toen de sigaar aan. Graaf Otto keek naar Leons ogen toen hij aan de Cohiba-sigaar zoog. Leon wist dat deze demonstratie van dominantie en onderdanigheid waarschijnlijk ten behoeve van hem werd gegeven. De andere man was niet onopmerkzaam en hij moest de emotionele spanning in de lucht kunnen voelen. Hij toonde nu zijn macht over Eva. Leon hield een neutrale uitdrukking op zijn gezicht.

Toen kwam Eva weer tussenbeide. 'Wees alsjeblieft voorzichtig, Otto. Ik zou niet weten wat ik zonder jou zou moeten beginnen.'

Leon vroeg zich af of ze hem tegen de jaloerse woede van de graaf probeerde te beschermen. Als dat zo was, werkte het goed.

Graaf Otto grinnikte. 'Maak je maar zorgen om de buffel, niet om mij.' Hij schouderde het geweer en volgde de Masai het struikgewas in zonder nog iets te zeggen. Leon sloot zich bij hem aan en ze liepen geruisloos naar voren.

Toen de buffels eenmaal in het dichte struikgewas waren gekomen, hadden ze zich verspreid om te eten en hun sporen liepen heen en weer. Als ze er een volgden, zouden ze maar al te gemakkelijk op een van de andere kunnen stuiten, dus ze bewogen zich langzaam voort en controleerden om de paar passen de grond voor hen. Ze hadden niet meer dan honderd passen gelopen toen ze vlakbij het gekraak van brekende twijgen hoorden dat werd gevolgd door een zacht gesnuif. Manjoro hief een hand op, het teken om stil te blijven staan en geen geluid te maken. Er volgde een stilte van een volle minuut die veel langer leek en daarna hoorden ze het geritsel van takken. Iets groots drong zich tussen de doornstruiken door en kwam recht op hen af. Leon raakte graaf Otto's arm aan. Deze liet het geweer van zijn schouder glijden en hield het hoog in de draaghouding voor zijn borst.

Plotseling ging de muur van doornstruiken recht voor hen uiteen en de kop en schouders van een buffel drongen zich door de opening. Het was een gehavend oud dier dat onder de littekens zat. Zijn ene hoorn was afgebroken en er was nog maar een gekartelde stomp van over. De andere hoorn was bijna helemaal weggesleten doordat hij constant scherp geslepen was langs boomstammen en termietenheuvels. Zijn nek was schriel en op sommige plekken kaal. Het dichtstbijzijnde oog was glazig en wit en volledig blind door oftalmie, een door vliegen veroorzaakte ziekte. Aanvankelijk zag hij hen niet. Een poosje bleef hij op een bosje gras staan kauwen terwijl er losse strohalmen en slierten speeksel uit de hoeken van zijn bek hingen. Hij schudde zijn kop om de kleine, zwarte vliegen te verjagen die om de oogleden van het blinde oog kropen om de gele pus te drinken die over de wang van de buffel droop.

Arme, ouwe stakker, dacht Leon. Een kogel door je kop zou een weldaad voor je zijn. Hij raakte graaf Otto's schouder aan. 'Doe het,' fluisterde hij en hij zette zich schrap voor het schot. Maar niets had hem kunnen voorbereiden op wat er volgde.

Otto gooide zijn hoofd in zijn nek en schreeuwde wild: 'Kom op dan. Laat maar eens zien hoe gevaarlijk je bent.' Hij vuurde een schot over de kop van de buffel heen af. De stier deinsde heftig terug en draaide zijn kop naar hen toe. Hij staarde met zijn ene goede oog naar hen, snoof toen luid van schrik en draaide zich om. Hij barstte los in volle galop en vluchtte recht de palissade van doornstruiken in. Vlak voordat hij zou verdwijnen, vuurde graaf Otto weer. Leon zag stof opstuiven van de achterhand van de stier, een handbreedte links van de knoestige ruggenwervels die door de gelittekende, grijze huid heen zichtbaar waren. Hij keek de gewonde stier vol ontzetting na. 'U hebt hem opzettelijk verwond!' zei hij beschuldigend en op een toon waaruit totaal ongeloof sprak.

'*Jawohl*! Natuurlijk. Je zei dat ze gewond moesten zijn als we een beetje plezier wilden hebben. Nou, nu is hij gewond en ik ga die andere twee ook een beetje opporren!' Voordat Leon zich van de schok kon herstellen, slaakte graaf Otto weer een woeste strijdkreet en ging achter het getroffen dier aan. De beide Masai waren even verbijsterd als Leon en gedrieën keken ze de Duitser niet-begrijpend na.

'Hij is gek!' zei Loikot vol ontzag.

'Ja,' zei Leon grimmig. 'Zeg dat wel. Luister maar eens.'

Er klonk vlak voor hen kabaal in het struikgewas: het getrappel van vele hoeven, het breken van takken, gesnuif van woede en schrik, het geknal van geweerschoten en het dreunende geluid van zware kogels die bot en vlees troffen. Leon realiseerde zich dat graaf Otto op alle drie de stieren schoot, niet om ze te doden, maar om ze te verwonden. Hij draaide zich snel om naar de Masai. 'Julie kunnen hier niets meer doen. Kichwa Moezoeroe heeft de boel volledig verknald. Ga terug naar de auto!' beval hij. 'Zorg voor de memsahib.'

'M'bogo, dat is een grote stommiteit. We gaan met zijn allen naar voren of helemaal niet.'

Er klonk weer een schot, gevolgd door het doodsgeloei van een stier. In elk geval was er een afgevallen, dacht Leon, maar er waren er nog twee over. Er was geen tijd om met de Masai in discussie te gaan. 'Kom dan maar mee,' snauwde Leon. Ze renden naar voren en bereikten graaf Otto die voor een kleine opening in de doornstruiken stond. Voor zijn voeten lag een stervende stier. Hij trapte krampachtig met zijn achterpoten in zijn doodstrijd. Het dier moest hem hebben aangevallen toen hij de open plek op stapte. Hij had hem gedood met een hersenschot.

'Je had ongelijk, Courtney. Ze zijn helemaal niet zo gevaarlijk,' merkte hij kalm op en hij liet nog een kogel in de lade glijden.

'Hoeveel andere hebt u verwond?' blafte Leon.

'Allebei natuurlijk. Maak je geen zorgen. Je krijgt misschien toch nog een kans om te leren vliegen.'

'U hebt ongetwijfeld uw moed bewezen, meneer. Geef me nu uw geweer en laat mij het karwei afmaken.'

'Ik laat nooit een jongen het werk van een man doen, Courtney. Bovendien heb je je goede speer. Waar zou je een geweer voor nodig hebben?'

'Straks komt er door uw toedoen nog iemand om.'

'Ja, misschien, maar ik denk niet dat ik het zal zijn.' Hij liep naar voren naar de muur van doornstruiken aan de andere kant van de open plek. 'Een ervan is daar het struikgewas in gegaan. Ik ga hem er aan zijn staart uittrekken.'

Het was zinloos om te proberen hem tegen te houden. Leon hield zijn adem in toen graaf Otto de andere kant van de open plek bereikte.

De gewonde buffel wachtte op hem achter de eerste rand vegetatie. Hij liet hem dichtbij komen en viel hem toen aan vanaf een afstand van maar vijf meter. De struiken barstten uiteen toen hij op hem afstormde. Graaf Otto had het geweer ogenblikkelijk aan zijn schouder en de trompen raakten de natte, zwarte neusgaten van de stier bijna aan toen hij vuurde. Het was weer een perfect hersenschot. De voorpoten van de stier begaven het. Zijn voorwaartse snelheid was echter zo groot dat hij naar voren gleed en de benen van zijn kwelgeest raakte als een zwarte lawine. Graaf Otto werd naar achteren geslingerd, zijn geweer vloog uit zijn handen en hij kwam plat op zijn rug terecht. Leon hoorde dat de lucht uit zijn longen werd geperst. Hij ging moeizaam rechtop zitten en hij hijgde zwaar. Leon rende naar voren om hem te helpen.

Hij was midden op de open plek aangekomen toen Manjoro achter hem een dringende waarschuwing schreeuwde. 'Links van u, M'bogo. De andere komt eraan!'

Hij draaide zich naar links en zag de derde gewonde buffel die hem bijna bereikt had en zo dichtbij was dat hij zijn kop al liet zakken om met zijn hoorns naar hem te stoten. Hij zag het etterende blinde oog – dit was het eerste dier waarop graaf Otto had geschoten. Leon draaide zich naar hem toe en bereidde zich voor. Hij stond in perfect evenwicht op de ballen van zijn voeten en wachtte het juiste moment af. Toen de stier aanviel, draaide hij zich in de blinde kant van het dier dat hem nu niet meer zag en wild met zijn hoorns stootte naar de plek waar Leon een seconde eerder nog had gestaan. Als de hoorn niet afgebroken en verkort was had hij waarschijnlijk Leons buik opengereten en hoewel Leon ervan wegdraaide, bleef het puntige uiteinde in zijn overhemd haken, maar het schoot direct weer los. Leon welfde zijn rug en het enorme lichaam van de stier streek langs hem en bespatte de pijpen van zijn broek met bloed terwijl hij langsraasde.

'Hé, Toro!' Graaf Otto schreeuwde een aanmoediging. Hij kwam moeizaam overeind en zijn stem was schor van het lachen ondanks de pijn in zijn lege longen. 'Hé, Torero!' Hij lachte nog steeds hijgend toen hij zich vooroverboog om zijn geweer op te rapen.

'Schiet!' schreeuwde Leon toen de stier uiteindelijk glijdend tot stilstand kwam en zichzelf met schrap gezette voorpoten afremde.

'*Nein!*' schreeuwde graaf Otto terug. 'Ik wil zien hoe je je speertje gebruikt.' Hij hield het geweer vast met de lopen naar de grond gericht. 'Wil je vliegen leren? Dan moet je de speer gebruiken.'

Zijn eerste kogel had de achterpoot van de stier bij de heup gebroken, dus hij herstelde zich langzaam van de mislukte aanval. Maar toen draaide hij zich onhandig om en richtte zijn ene oog weer op Leon. Daarna dook hij naar voren en kwam in volle galop op hem af. Leon had van de eerste aanval van de stier geleerd: hij hield de speer nu in de klassieke Masai-greep met het lange blad in het verlengde van zijn onderarm, als een schermdegen. Hij liet de stier dichtbij komen en wachtte tot het allerlaatste moment voordat hij zijn lichaam uit de lijn van de aanval en weer in de blinde vlek van de stier zwaaide. Toen het grote, zwarte lichaam langs zijn been streek, boog hij zich over de schouder heen en zette de punt van de speer in de holte tussen de schouderbladen. Hij probeerde er niet mee te steken, maar liet de voorwaartse snelheid van de aanval van de stier het werk doen. Het verbaasde hem hoe gemakkelijk het vlijmscherpe staal naar binnen gleed. Hij voelde nauwelijks een schok toen de hele meter staal in het zwoegende, zwarte lichaam verdween. Hij liet de speer los en de stier rende ermee weg terwijl hij zijn kop op en neer en heen en weer zwaaide van de pijn die het blad veroorzaakte dat zich diep in zijn lichaam had geboord. Leon zag dat door deze heftige bewegingen het staal zich dieper in zijn borst wrong en het hart- en longweefsel doorsneed.

Weer kwam de stier aan de andere kant van de open plek bokkend tot stilstand. Hij zwaaide nog steeds met zijn kop om Leon te vinden, maar deze bleef roerloos staan. Ten slotte zag de stier hem en hij draaide zich naar hem toe, maar zijn bewegingen waren traag en onzeker. Hij wankelde, maar bleef komen. Voordat hij hem bereikte, opende hij zijn bek en stootte een lang, diep geloei uit. Een dikke straal bloed uit zijn opengereten longen stroomde uit zijn bek en hij viel op zijn knieën. Daarna rolde hij langzaam op zijn zij.

'*Olé*'! schreeuwde graaf Otto maar deze keer klonk zijn stem niet spottend en toen Leon hem aankeek, zag hij een nieuw respect in de ogen van de man.

Manjoro liep langzaam naar de stier toe. Hij boog zich voorover en pakte het heft van de assegaai die tussen de schouderbladen van de stier uitstak met beide handen vast. Hij richtte zich op, leunde naar achteren en trok het bebloede staal uit de wond. Daarna groette hij Leon met de speer. 'Ik prijs u. Ik ben er trots op dat ik uw broeder ben.'

73

Toen ze terug waren in het kamp, maakte graaf Otto van het ontbijt een viering van zijn moed en vaardigheid als schutter. Hij zat aan het hoofd van de tafel eieren met ham naar binnen te schrokken en koffie met een grote scheut cognac naar binnen te gieten terwijl hij Eva vergastte op een zeer gekleurde beschrijving van de jacht. Hij noemde Leon terloops aan het eind van zijn lange relaas. 'Toen er nog één oud, blind dier op zijn poten stond, mocht Courtney dat van me hebben. Natuurlijk had ik het al zo zwaar verwond dat het geen echte uitdaging meer was, maar ik moet hem nageven dat hij het op een zeer kundige manier heeft gedood.'

Op dat moment werd zijn aandacht getrokken door een plotselinge activiteit voor de tent. Hennie du Rand was bij de vilders die achter in een paard-en-wagen stapten. Ze waren gewapend met bijlen en slagersmessen. 'Wat doen die mensen, Courtney?'

'Ze gaan uw dode buffels halen.'

'Waarvoor? De koppen zijn waardeloos, zoals je me al hebt verteld, en het vlees zal zo oud en taai zijn dat het oneetbaar is.'

'Wanneer het gerookt en gedroogd is, zullen de dragers en andere werklieden het met smaak opeten. In dit land wordt vlees zeer gewaardeerd.'

Graaf Otto veegde zijn mond met zijn servet af en stond op. 'Ik ga mee om te kijken.'

Dit was weer een van de eigenaardige besluiten die typerend voor hem waren, maar toch was Leon erdoor verrast. 'Natuurlijk, ik ga met u mee.'

'Dat hoeft niet, Courtney. Blijf jij maar hier, dan kun je zorgen dat de Vlinder bijgetankt wordt voor de vlucht terug naar Nairobi. Ik neem Fräulein von Wellberg mee. Ze zou zich anders hier in het kamp maar vervelen.'

Ik zou graag mijn best willen doen om haar te amuseren als ik de kans kreeg, dacht Leon, maar hij hield die gedachte voor zich. 'Zoals u wilt, graaf,' zei hij.

Hennie was geïmponeerd doordat er zo'n illuster gezelschap met hem meereed in de oude auto, ook al was het maar een kort ritje naar de kadavers van de buffels. Toen hij achter het stuur ging zitten, stelde graaf Otto hem op zijn gemak door hem een sigaar aan te bieden. Na een paar trekjes was Hennie zo ontspannen geraakt dat hij de vragen van de graaf samenhangend kon beantwoorden, in plaats van met een verlegen gemompel.

'Zo, Du Rand, ik hoorde dat je een Zuid-Afrikaan bent. Klopt dat?'

'Nee, meneer, ik ben een Boer.'

'Is dat iets anders?'

'Ja, dat is heel iets anders. Zuid-Afrikanen hebben Brits bloed. Mijn bloed is zuiver. Ik behoor tot een uitverkoren volk.'

'Dat klinkt mij in de oren alsof je de Britten niet erg mag.'

'Ik mag sommigen van hen. Ik mag mijn baas, Leon Courtney. Hij is een goede *Sout Piel*.'

'*Sout Piel*? Wat is dat?'

Hennie keek aarzelend naar Eva. 'Dat is mannenpraat, meneer. Niet geschikt voor de oren van een jongedame.'

'Maak je geen zorgen. Fräulein von Wellberg spreekt geen Engels. Vertel me wat het is.'

'Het betekent "zoute penis", meneer.'

Graaf Otto begon bij voorbaat al te grijnzen omdat hij een goede grap verwachtte. 'Zoute pik! Leg me dat eens uit.'

'Ze staan met de ene voet in Londen en met de andere in Kaapstad en hun pik bungelt in de Atlantische Oceaan,' zei Hennie.

Graaf Otto liet een welgemeende schaterlach horen. '*Sout Piel*! Ja, ik vind 'm leuk. Het is een goede grap.' Zijn lach stierf weg en daarna pikte hij het gesprek weer op bij het punt waarop het een andere wending had genomen. 'Dus je mag de Britten niet. Heb je in de oorlog tegen hen gevochten?'

Hennie dacht zorgvuldig over de vraag na terwijl hij de oude auto over een bijzonder ruw deel van de weg manoeuvreerde. 'De oorlog is voorbij,' zei hij ten slotte op vlakke en neutrale toon.

'Ja, hij is voorbij, maar het was een wrede oorlog. De Britten hebben jullie boerderijen in brand gestoken en jullie vee gedood.'

Hennie antwoordde niet, maar er verscheen een sombere uitdrukking in zijn ogen.

'Ze hebben jullie vrouwen en kinderen in kampen gezet. Velen zijn daar overleden.'

'Ja, dat is waar,' fluisterde Hennie. 'Velen zijn overleden.'

'Nu is het land geruïneerd en er is geen voedsel voor de kinderen en de mensen van jouw volk zijn de slaven van de Britten. Daarom ben je daar weggegaan, om aan de herinneringen te ontsnappen.'

Hennies ogen stonden vol tranen. Hij veegde ze met een eeltige duim weg.

'Bij welk commando heb je gevochten?'

Hennie keek hem voor het eerst recht aan. 'Ik heb niet gezegd dat ik bij een commando hoorde.'

'Laat me eens raden,' zei graaf Otto. 'Misschien hoorde je bij Smuts.'

Hennie schudde met een uitdrukking van diepe afkeer zijn hoofd. 'Jannie Smuts is een verrader van zijn volk. Hij en Louis Botha zijn overgelopen naar de vijand. Ze verkopen ons geboorterecht aan de Britten.'

'Ah!' riep graaf Otto uit met de houding van iemand die het antwoord op zijn vraag al kent. 'Je haat Smuts en Botha. Dan weet ik bij welk commando je hebt gezeten. Het moet dat van Koos de la Rey zijn geweest.' Hij wachtte niet op antwoord. 'Vertel me eens wat voor man generaal Jacobus Herculaas de la Rey was, Du Rand? Ik heb gehoord dat hij een geweldige soldaat was. Beter dan Louis Botha en Jannie Smuts bij elkaar. Is dat waar?'

'Hij was geen gewone man.' Hennie staarde naar de weg voor hem. 'Voor ons was hij een god.'

'Als er ooit opnieuw een oorlog zou uitbreken, zou je De la Rey dan weer volgen, Hennie?'

'Ik zou hem door de poorten van de hel volgen.'

'Zouden de anderen van je commando hetzelfde doen?'

'Ja. Allemaal.'

'Zouden ze De la Rey graag weer willen zien? Zou jij hem nog een keer de hand willen schudden?'

'Dat is onmogelijk,' antwoordde Hennie.

'Bij mij is alles mogelijk. Ik kan alles laten gebeuren. Praat hier met niemand over, zelfs niet met je *Sout Piel*-baas die je mag. Dit moet onder ons blijven. Binnenkort neem ik je mee om generaal de la Rey te ontmoeten.'

Eva zat tussen hen in geklemd. Het was duidelijk dat ze niet lekker zat en dat ze zich al snel was gaan vervelen bij het gesprek in een taal die ze niet verstond. Graaf Otto wist dat ze alleen Duits en Frans sprak.

74

Leon tankte de Vlinder bij uit een van de tweehonderdlitervaten die Gustav in de grote Meerbach-truck uit Nairobi naar Kamp Tandala had gebracht. Intussen stuurde hij Manjoro en Loikot naar de top van de heuvel boven het kamp om naar de geruchtenmachine van de Masai te luisteren en nieuws te verzamelen dat voor hem interessant zou kunnen zijn. Een paar keer keek hij op van zijn werk om naar de schrille stemmen in de verte te luisteren die van heuveltop naar heuveltop naar elkaar riepen. De *choengaji* gebruikten een soort verbaal steno en hij kon een paar losse woorden verstaan, maar de hele uitwisseling van de verhalen kon hij niet volgen.

Niet lang nadat hij de laatste van de vier brandstoftanks van de Vlinder had bijgevuld en zijn handen waste in de waskom voor zijn tent, kwamen de beide Masai de heuvel af. Ze vertelden hem de paar interessante dingen die ze te horen hadden gekregen.

Er werd gezegd dat Loesima bij de volgende volle maan, zoals gebruikelijk was in deze tijd van het jaar, op de Lonsonjo een vergadering zou voorzitten van de stamoudsten van de Masai-stammen. Ze zou daarbij een witte koe aan de voorouders offeren. Het welzijn van de stam hing af van de eerbiediging van deze rituelen. Er was ook gezegd dat er een overval was geweest van een strijdgroep van Nandi's. Ze waren ervandoor gegaan met drieëndertig stuks eersteklas vee van de Masai, maar de op wraak beluste *morani's* hadden hen op de oever van de Tishimi ingehaald. Ze hadden alle dieren teruggepakt en de lijken van de veedieven in de rivier gegooid. De krokodillen hadden dit bewijsmateriaal opgeruimd. Op dit moment deed de districtsresident een onderzoek in Narosoera, maar het leek erop dat iedereen in het hele gebied plotseling aan geheugenverlies leed. Niemand wist iets over gestolen vee of vermiste Nandi-krijgers.

Er was verder verteld dat vier leeuwen, allemaal jonge mannetjes, uit de richting van Keekorok in de Rift Valley waren afgedaald. Ze hadden van het grote, dominante mannetje een pak slaag gehad en waren verstoten uit de troep waarin ze geboren waren: hij duldde geen concurrentie als het om paren met de vrouwtjes ging. Twee nachten geleden hadden de jonge leeuwen zes vaarzen gedood uit een *manjatta* ten westen van de Lonsonjo. De *morani's* waren opgeroepen om zich in dit dorp, dat Sonjo heette, te verzamelen. Ze zouden deze vier vee dodende leeuwen eens een hardhandig lesje in manieren geven.

Leon was blij met dit nieuws. Graaf Otto had te kennen gegeven dat hij heel graag een ceremoniële jacht wilde bijwonen en het was een gelukkig toeval dat er net een gehouden zou worden. Hij stuurde Manjoro naar Sonjo dat de leeuwenjagers onderdak bood, om de lokale hoofdman te vragen of de *wazoengoe* de jacht als toeschouwers mochten bijwonen. Manjoro had honderd shilling bij zich om de hoofdman over te halen.

Tegen de tijd dat graaf Otto met Hennie, na het slachten van de kadavers van de buffels, in de Vauxhall terugkeerde, had Leon de paarden gezadeld en de muilezels bepakt met voldoende voorraden voor de expeditie naar Sonjo. Toen zijn cliënt uitstapte, vertelde Leon hem het goede nieuws.

Graaf Otto was verheugd. 'Snel, Eva! We moeten onze rijkleding aantrekken en direct vertrekken. Ik wil de show niet missen.'

Ze spoorden de paarden aan tot een handgalop en legden bijna dertig kilometer af voordat het te donker werd om de grond voor hen uit te kunnen zien. Toen stegen ze af en ontzadelden. Ze aten een koud avondmaal en sliepen in de openlucht. De volgende ochtend waren ze alweer op pad voordat het helemaal licht was.

Toen ze de volgende dag iets voor de middag het dorp Sonjo naderden, hoorden ze getrommel en gezang. Manjoro was uit het dorp gekomen om hen op te wachten en hij zat neergehurkt naast het pad. Hij stond op en liep de paarden tegemoet. 'Alles is geregeld, M'bogo. De hoofdman van het dorp heeft erin toegestemd om de jacht uit te stellen tot u aankomt. Maar u moet u haasten. De *morani's* worden rusteloos. Ze willen graag hun speren in bloed dopen en eer vergaren. De hoofdman kan hen niet veel langer aan de lijn houden.'

De *morani's* hadden zich verzameld in het midden van de veekraal; het was een elitegroep die was uitgekozen door de stamoudsten en het waren de beste en dapperste mannen. Het waren vijftig jongemannen die roodleren kilts droegen die waren versierd met ivoren kralen en huisjes van de porseleinslak. Hun naakte bovenlichamen glommen van het vet en de rode oker. Aan hun kapsel met de kronkelende vlechten was veel tijd besteed. Ze waren mager en hadden lange armen en benen, hun harde spieren waren sierlijk, hun gezichten waren knap en havikachtig en hun glinsterende ogen hadden een bloeddorstige uitdrukking en toonden hun verlangen om met de jacht te beginnen.

Ze hadden zich in één gelid opgesteld en stonden schouder aan schouder. Aan het hoofd stond een oudere *morani,* een ervaren krijger die vijf leeuwenstaarten in zijn kilt droeg, een voor elke Nandi die hij in een tweegevecht had gedood. Zijn strijdhoed was gemaakt van de huid van de kop van een leeuw met zwarte manen, wat verder bewijs van zijn moed en kracht was. Hij had de leeuw in zijn eentje met de assegaai gedood. Aan een riempje om zijn nek hing een fluit die was gemaakt van de hoorn van een rietbok.

Een paar honderd oudere mannen stonden met hun vrouwen en kinderen langs de palissade om naar het dansen te kijken. De vrouwen klapten in hun handen en maakten jodelende geluiden. Toen de drie blanken de *manjatta* binnenreden, kreeg het tromgeroffel een nog woester en bezetener ritme. De trommelaars sloegen op de holle houtblokken en joegen de krijgers op tot een vechtrazernij tot ze in de leeuwendans losbarstten. Ze zongen en sprongen met stijve benen hoog de lucht in terwijl ze gromden als leeuwen wanneer ze weer op de grond terechtkwamen. Toen blies de leider een schril bevel op zijn fluit en de groep begon, nog steeds in een rij achter elkaar, de veekraal te verlaten. Met gelijke tussenafstanden vormden ze een lange slang die de grazige heuvel af kronkelde terwijl het zonlicht fonkelend op hun assegaaien weerkaatste. Op hun schouder droegen ze hun lange schild van ongelooide huid waarop een groot zwart en okeren oog was geschilderd waarvan de pupil glinsterend wit was.

'Waarom hebben ze een oog op hun schild, Otto?' vroeg Eva.

'Beantwoord de vraag, Courtney.'

'De *morani's* zeggen dat ze een aanval van de leeuwen uitlokken. Kom, we mogen niet achteropraken. Als het gebeurt, zal het heel snel gebeuren.' De ruiters volgden de lange, kronkelende rij krijgers.

'Hoe weten ze waar ze de prooi moeten zoeken?' vroeg graaf Otto.

'Ze hebben verkenners die de leeuwen in de gaten houden,' antwoordde Leon. 'Maar de leeuwen zullen niet ver weg zijn. Ze hebben zes stuks vee gedood en ze vertrekken niet voordat ze al dat vlees opgegeten hebben.'

Manjoro rende naast Leons stijgbeugel. Hij zei iets en Leon boog zich in het zadel naar voren om naar hem te luisteren. Toen hij zich oprichtte, zei hij tegen graaf Otto: 'Manjoro zegt dat het dode vee in een ondiep bekken achter de volgende heuvel ligt.' Hij wees voor zich uit. 'Als we een omtrekkende beweging naar rechts maken en een positie op de heuvel innemen, hebben we er een uitstekend zicht op.' Hij leidde hen het pad af en ze liepen in handgalop in een wijde cirkel om voor de rij *morani's* te komen. Ze bereikten het uitkijkpunt toen de kop van de lange rij krijgers de rug van de heuvel beklom en aan de afdaling in het bekken begon.

Manjoro had hun een goede raad gegeven. Toen ze op de heuveltop intoomden, hadden ze een prachtig uitzicht op het grazige dal. De rottende kadavers van het vee lagen vol in het zicht en hun buiken waren opgeblazen door de gassen. Sommige waren gedeeltelijk verslonden, maar andere leken onaangeroerd.

De rij krijgers veranderde nu van formatie. Toen ze een van tevoren afgesproken plek bereikten, sloeg iedere *morani* de tegenovergestelde richting in van de man voor hem. Als een groep goed gechoreografeerde dansers splitste de rij zich in tweeën. De twee rijen waaierden uiteen om een lus te vormen die het grazige bekken zou omcirkelen. Nadat de leider scherp op zijn fluit had geblazen, liepen de voorste krijgers van de beide rijen naar elkaar toe. De manoeuvre was snel voltooid. Een muur van schilden en speren omringde het bekken.

'Ik zie de leeuwen niet,' zei Eva. 'Weten jullie zeker dat ze niet ontsnapt zijn?'

Voordat een van de beide mannen kon antwoorden, stond een leeuw in het volle zicht op. Hij had plat op de grond gelegen en zijn huid had de perfecte kleur om niet tegen het door de zon verschroeide, bruine gras af te steken. Hoewel hij jong was, was hij groot en lang. Zijn manen waren kort en dun; eigenlijk zat er hier en daar alleen wat donzig rood haar. Hij grauwde naar de *morani's* en zijn lippen trokken zich terug van zijn lange, glinsterende hoektanden.

Ze beantwoordden zijn groet: 'We zien je, boosaardig dier. We zien je, moordenaar van ons vee.'

Het geluid van vijftig stemmen alarmeerde de andere leeuwen. Ze stonden uit hun schuilplaatsen in het korte gras op, hurkten diep en keken met hun topaasgele ogen woedend naar de kring van schilden. Hun staarten zwiepten nerveus heen en weer en ze grauwden en gromden van angst en woede. Ze waren jong en hadden zoiets als dit nog nooit meegemaakt.

De leider blies weer op zijn fluit en de *morani's* begonnen het refrein van het leeuwenlied te zingen. Daarna bewogen ze zich, nog steeds zingend, met zijn allen tegelijk schuifelend en stampend naar voren. Langzaam sloten ze de vier leeuwen in zoals een python zich om zijn prooi kronkelt. Eén leeuw deed een korte schijnaanval op de muur en de *morani's* schudden met hun schilden en riepen: 'Kom dan! Kom dan! We zijn klaar om je te verwelkomen!'

De leeuw remde zijn aanval abrupt af en bleef met stijve voorpoten staan. Hij keek woedend naar de mannen, draaide zich toen snel om en rende terug naar zijn broers. Ze liepen nerveus en grommend door elkaar heen, zetten dreigend hun manen op, deden korte uitvallen naar de muur van schilden, braken die vervolgens af en keerden om.

'De leeuw met de rode manen zal de eerste zijn die echt aanvalt.' Terwijl graaf Otto zijn mening gaf, zette de grootste van de vier leeuwen een snelle, vastberaden aanval in en hij rende recht op de schilden af. De oudere *morani's*, de man met het hoofddeksel van zwarte manen, blies luid op zijn fluit. Toen wees hij met zijn speer naar een man in de rij die recht in de lijn van de aanval van de leeuw stond. Hij schreeuwde de naam van de man: 'Katchikoi!'

De krijger die uitgekozen was, sprong hoog de lucht in uit dankbaarheid dat hem deze eer te beurt was gevallen, maakte zich toen uit de rij mannen los en rende de aanvallende leeuw met lange, veerkrachtige passen tegemoet. Zijn kameraden moedigden hem aan met een woest, steeds luider wordend gejodel. De leeuw zag hem aankomen en zwenkte, grommend bij elke pas, naar hem toe. Hij leek op een bruingele streep die laag tegen de grond naar voren kroop terwijl zijn zwarte staart tegen zijn flanken sloeg. Zijn glinsterende gele ogen waren strak op Kotchikoi gericht.

Toen ze bij elkaar kwamen, veranderde de *morani* de hoek van zijn aanval. Hij draaide zich opzij zodat de leeuw gedwongen was hem van rechts aan te vallen en hij zijn speerarm kon gebruiken. Toen liet hij zich achter zijn schild op één knie zakken. De punt van zijn assegaai was op de borst van de leeuw gericht en het dier rende recht op het staal in. Het lange, zilverkleurige blad verdween als bij toverslag met zijn volle lengte in het bruingele lichaam. Katchikoi liet het heft los en liet het blad in de borst van de leeuw zitten. Hij bracht het schild van ongelooide huid omhoog en de leeuw knalde er recht tegenaan. Hij probeerde geen weerstand te bieden aan de kracht en de snelheid van de sprong van de grote leeuw, maar liet zich achterovervallen en rolde zich op tot een bal terwijl hij het schild boven zich hield. Hoewel de assegaai hem doorboord had, waren de kracht en de woede van de leeuw nog even groot. Hij rukte met zijn beide voorpoten aan het schild en de gele klauwen trokken er diepe groeven in. Hij gromde afschrikwekkend en hij probeerde in het schild te bijten, maar het leer was ijzerhard opgedroogd en zijn hoektanden kregen er geen greep op.

De jachtmeester blies kort op zijn bokkenhoorn en vier van Katchikois kameraden verlieten de kring van krijgers en renden naar voren. Daarna gingen ze uit elkaar zodat er twee aan elke kant van de leeuw kwamen te staan. De leeuw concentreerde al zijn inspanningen op Katchikoi, dus hij zag hen pas toen ze hem al omringd hadden. Hun assegaaien gingen herhaaldelijk op en neer en ze dreven de lange bladen diep in de vitale organen van de leeuw. Het dier stootte een machtig gegrom uit dat de ruiters op de heuvel duidelijk konden horen, toen zakte hij in elkaar en rolde van het schild. Hij strekte zich uit en bleef roerloos liggen.

Katchikoi sprong overeind, greep het heft van zijn assegaai vast, zette een voet op de borst van de leeuw en trok het blad eruit. Zwaaiend met zijn bebloede speer leidde hij zijn vier kameraden terug in de kring van krijgers. Ze werden begroet met geheven speren en juichkreten die tegen de hemel leken te weerkaatsen. Toen bewoog de kring van *morani's* zich weer naar voren en werd het net om de overgebleven drie leeuwen onverbiddelijk strakker aangetrokken. Toen de kring zich samentrok, vormden de krijgers een solide muur waarbij de randen van hun schilden elkaar overlapten.

De drie leeuwen renden in het midden van de kring heen en weer om een ontsnappingsmogelijkheid te zoeken. Ze vielen aan, braken hun aanval af en renden met hun staart tussen hun poten terug. Ten slotte verzamelde er een al zijn moed en zette de aanval door. De *morani* die hem tegemoet ging, dreef het blad van zijn assegaai diep in het lichaam van het dier, maar toen hij zich met de leeuw boven op hem achterover liet vallen, sloeg het dier zijn klauwen om de rand van het schild en rukte het uit de handen van de krijger, zodat diens hoofd en naakte bovenlichaam onbeschut waren. Terwijl zijn klauwen de borst van de man openreten, sperde de dodelijk gewonde leeuw zijn bek wijd open en sloeg zijn kaken om het hoofd van de man. Hij beet tot de lange hoektanden elkaar raakten en verbrijzelde de schedel zoals een notenkraker een walnoot kapot knijpt. De kameraden van de dode man namen woedend wraak en regen de leeuw aan hun speren.

De andere twee leeuwen vielen snel achter elkaar het voorste gelid van krijgers aan die over de dieren heen walsten als een oceaangolf over een rots. Ze stierven grauwend onder de speren en terwijl ze met hun gehaakte klauwen vertwijfeld en zonder succes naar de krijgers uithaalden, werden de vlijmscherpe bladen in hun lichaam gestoken.

Zijn besnijdenisbroeders tilden het opengereten lichaam van de dode *morani* van het gras op en legden hem op zijn schild. Daarna tilden ze hem met volledig gestrekte armen hoog in de lucht en droegen hem naar huis terwijl ze zijn lof zongen. Toen ze langs de ruiters op de heuvel liepen, hief graaf Otto zijn gebalde vuist op in een groet aan het lijk. De *morani's* bedankten hem met geheven assegaaien en een wild geschreeuw.

'Dat was een man die een mannendood is gestorven.' Hij sprak op een plechtige, intense toon die Leon nog niet eerder van hem had gehoord en daarna verzonk hij in stilzwijgen. Ze waren alle drie diep geroerd door deze ongehoorde tragedie. Toen vervolgde graaf Otto: 'Wat ik hier vandaag heb gezien, maakt dat de hele ethiek van de jacht waarin ik heb geloofd eerloos lijkt. Hoe kan ik mezelf als een echte jager zien tot ik tegenover zo'n schitterend dier heb gestaan met alleen een speer in mijn hand?' Hij draaide zich in het zadel om en keek Leon indringend aan. 'Dit is geen verzoek, Courtney, dit is een bevel. Bezorg me een leeuw, een volwassen leeuw met zwarte manen. Ik zal hem te voet doden. Geen geweren, alleen het dier en ik.'

75

Ze kampeerden die nacht in de *manjatta* van Sonjo. Ze lagen wakker en luisterden naar de trommels die een klaaglijk ritme sloegen voor de *morani* die bij de jacht was gedood en naar het geweeklaag van de vrouwen en het gezang van de mannen.

In het duister voor zonsopgang reden ze weer uit. Toen de zon boven de helling van de Rift Valley uit kwam, schonk hij de oostelijke hemel een vlammende grootsheid door de lucht goudkleurig en vuurrood te schilderen. De zon verblindde hen en verwarmde hun lichaam zodat ze hun overjas uittrokken en in hemdsmouwen verder reden. Op de een of andere manier was deze zonsopgang een passende epiloog van de leeuwenjacht. Hun zintuigen werden erdoor geprikkeld en hun humeur verbeterde zodat ze overal om hen heen schoonheid zagen en ze zich verwonderden over kleine dingen die ze de vorige dag niet opgemerkt zouden hebben: het azuurblauwe juweel van de borst van een ijsvogel die voor hen uit over het pad schoot, de gratie van een arend die tegen de achtergrond van de in goud gedrenkte hemel op uitgestrekte wieken hoog de lucht in zeilde, een gazellelam dat op zijn voorpoten onder de buik van zijn moeder knielde en gretig met zijn snuit tegen haar uiers stootte terwijl de melk over zijn snuit liep. De ooi die met haar glinsterende, zachte ogen onbevreesd naar hen keek toen ze langskwamen.

De stemming had zich ook van Eva meester gemaakt. Ze wees met haar rijzweep en riep vrolijk: 'O, Otto, zie je dat kleine diertje daar dat in het gras rondsnuffelt als een oude man die zijn leesbril kwijt is? Hoe heet dat?'

Hoewel ze zich tot graaf Otto richtte, had Leon het gevoel dat ze het moment alleen met hem deelde en hij antwoordde: 'Dat is een honingdas, Fräulein. Hoewel hij er zachtaardig uitziet, is hij een van de felste dieren van Afrika. Hij kent geen angst. Hij is ontzettend sterk. Zijn pels is zo taai dat hij tegen bijensteken kan en dat de klauwen en tanden van veel grotere dieren er geen vat op krijgen. Zelfs leeuwen lopen in een boog om hem heen. Als je hem lastigvalt, doe je dat op eigen risico.'

Eva keek hem even met haar violette ogen aan en wendde zich toen met een lief lachje tot graaf Otto. 'In al die dingen lijkt hij op jou. Voortaan zal ik aan je denken als mijn honingdas.'

Tegen wie van hen sprak ze? vroeg Leon zich af. Bij deze vrouw kon een man nooit ergens zeker van zijn. Ze gedroeg zich altijd op een manier die raadselachtig of dubbelzinnig was.

Voordat hij de vraag had beantwoord, was ze naar voren gegaloppeerd en wees ze, staande in de stijgbeugels, naar de zuidelijke horizon. 'Kijk eens naar die berg daar!' De vorm van de platte top in de verte werd geaccentueerd door de opgaande zon. 'Dat moet de berg zijn waar we overheen zijn gevlogen, de berg waarop de Masai-profetes woont.'

'Ja, Fräulein, dat is de Lonsonjo,' beaamde Leon.

'O, Otto, hij is zo dichtbij!' riep ze,

Hij grinnikte. 'Voor jou is hij dichtbij omdat je erheen wilt. Voor mij is hij een zware dag rijden hiervandaan.'

'Je hebt beloofd dat je me ernaartoe zou meenemen!' Haar stem klonk dof van teleurstelling.

'Dat heb ik inderdaad gedaan,' gaf hij toe. 'Maar ik heb niet gezegd wanneer.'

'Doe dat dan nu. Wanneer?' vroeg ze. 'Wanneer, lieve Otto?'

'Nu niet. We moeten direct terug naar Nairobi. Deze vertraging viel al buiten de planning. Ik heb belangrijke zaken af te handelen. Deze Afrikaanse safari is niet alleen een plezierreis.'

'Natuurlijk niet.' Ze vertrok haar gezicht. 'Je bent altijd met zaken bezig.'

'Hoe zou ik het me anders kunnen veroorloven om jou als vriendin te hebben?' vroeg graaf Otto met opgelegde humor. Leon wendde zich af om niet te laten zien dat hij boos werd om de onvriendelijke opmerking, maar Eva leek het grapje niet gehoord te hebben of misschien kon het haar niet schelen. Graaf Otto vervolgde: 'Misschien moet ik hier grond kopen. Het lijkt erop dat er wel ruimte voor investeringen is in een nieuw land met zulke rijke hulpbronnen.'

'En als je zaken afgehandeld zijn, neem je me dan mee naar de Lonsonjo?' hield Eva aan.

'Je geeft het ook niet snel op, hè?' Graaf Otto schudde quasi-wanhopig zijn hoofd. 'Goed dan. Ik zal een afspraak met je maken. Zodra ik mijn leeuw met de assegaai heb gedood, neem ik je mee naar die heks.'

Opnieuw veranderde Eva's stemming subtiel. Haar blik was gesluierd en haar uitdrukking was gesloten en koel. Net toen Leon het gevoel had dat hij een glimp van haar ware ik kon opvangen, was ze weer afstandelijk en onpeilbaar geworden.

Ze lieten de paarden op het middaguur rusten en zadelden af in een bosje statige peulmahoniebomen naast een kleine door riet omringde poel in een rivier zonder naam. Na een uur zadelden ze op om verder te rijden, maar toen ze naast haar merrie stond, riep Eva geïrriteerd: 'De veiligheidsgesp van mijn rechterstijgbeugel is geblokkeerd. Als ik zou vallen, zou ik meegesleept worden.'

'Kijk er even naar, Courtney,' beval graaf Otto, 'en zorg dat het niet meer gebeurt.' Leon gooide Loikot zijn teugels toe en liep snel naar Eva toe. Ze ging een stukje opzij zodat hij bij de leren riem van de stijgbeugel zou kunnen, maar ze stond dicht naast hem toen Leon zich vooroverboog om de gesp te onderzoeken. Ze werden allebei aan de blik van graaf Otto onttrokken door het lichaam van het paard. Leon zag dat ze gelijk had: de veiligheidsgesp was geblokkeerd. Hij was open geweest toen ze die ochtend uit Sonjo waren vertrokken – hij had hem zelf gecontroleerd. Toen raakte Eva zijn hand aan en zijn hart miste een slag. Ze moest er zelf mee hebben geknoeid als excuus om hem een ogenblik voor zichzelf te hebben. Hij keek haar van opzij aan. Ze was zo dichtbij dat hij haar adem op zijn wang voelde. Ze had geen parfum op, maar ze was zo warm en lief als een met melk gevoed jong katje. Een ogenblik keek hij diep in de violette ogen en zag hij de vrouw achter het prachtige masker.

'Ik moet naar de berg. Er is daar iets voor me.' Ze fluisterde zo zacht dat hij het zich verbeeld kon hebben. 'Hij zal me er nooit mee naartoe nemen. Dat moet jij doen.' Ze aarzelde heel even en zei toen: 'Alsjeblieft, honingdas.' De oprechte smeekbede en de nieuwe koosnaam die ze hem had gegeven, deed de adem in zijn keel stokken.

'Wat is er aan de hand, Courtney?' riep graaf Otto. Hij was altijd op zijn hoede en had iets aangevoeld.

'Ik ben boos omdat de gesp was geblokkeerd. Het had gevaarlijk voor Fräulein von Wellberg kunnen zijn.' Leon haalde zijn mes tevoorschijn en wrikte met het lemmet de gesp open. 'Het is nu in orde,' verzekerde hij Eva. Ze waren nog steeds afgeschermd door de merrie, dus durfde hij de rug van de hand die op het zadel lag te strelen. Ze trok hem niet terug.

'Opstijgen! We moeten verder,' beval graaf Otto. 'We hebben hier genoeg tijd verspild. Ik wil vandaag terugvliegen naar Nairobi. We moeten de airstrip bereiken terwijl er nog voldoende daglicht is voor de vlucht.'

Ze reden hard, maar de zon lag rood en bloedend op de horizon als een stervende *morani* op zijn schild, toen ze ten slotte de ladder naar de cockpit van de Vlinder beklommen. Leon was weliswaar onervaren, maar zelfs hij wist dat graaf Otto onvoldoende rekening had gehouden met de veiligheidsmarges voor het opstijgen. Dit hele seizoen zou de schemering maar kort duren. Het zou binnen een uur donker zijn.

Toen ze de wand van de Rift Valley overstaken, vlogen ze net hoog genoeg om de laatste zonnestralen op te vangen, maar de aarde beneden hen was al in ondoordringbare, paarse schaduw gehuld. Plotseling was de zon verdwenen, uitgedoofd als een kaars, en er was geen avondrood.

Ze vlogen in het donker verder tot Leon, ver voor hen uit, het kleine groepje lichten zag dat de stad markeerde, onbeduidend als vuurvliegen in de donkere onmetelijkheid van het land. Het was volkomen donker toen ze eindelijk boven het poloveld waren aangekomen. Graaf Otto gaf herhaaldelijk gas en nam vervolgens gas terug terwijl hij rondcirkelde. Plotseling lichtten de koplampen van de twee Meerbach-trucks beneden hen aan weerskanten van het vliegveldje op en beschenen de grazige landingsbaan. Gustav Kilmer had de motoren van de Vlinder gehoord en was zijn geliefde baas te hulp gesneld.

Geleid door het licht van de koplampen zette graaf Otto het vliegtuig, zo zacht als een broedende hen die zich op een nest eieren laat zakken, aan de grond.

76

Leon geloofde dat het bezoek aan Percy's Kamp in de Rift Valley en de jacht op de buffels in de doornstruiken betekenden dat de safari serieus was begonnen. Hij veronderstelde dat de graaf eindelijk gereed was om eropuit te trekken. Deze veronderstelling was onjuist.

De tweede ochtend na hun terugkeer uit Percy's Kamp en de nachtelijke landing op het poloveld zat graaf Otto aan het hoofd van de ontbijttafel in Kamp Tandala met een stapeltje van een stuk of tien enveloppen voor hem. Het waren allemaal antwoorden op de officiële brieven van het ministerie van Buitenlandse Zaken in Berlijn die Max Rosenthal bij alle belangrijke personen in Brits Oost-Afrika bezorgd had.

Graaf Otto vertaalde uittreksels van de brieven voor Eva die tegenover hem zat en elegant aan stukjes fruit knabbelde. Het leek alsof de hogere kringen van Nairobi een man als graaf Otto von Meerbach dolgraag in hun midden wilden hebben. Zoals elke andere grensstad had Nairobi weinig excuus nodig om feest te vieren en hij was het beste excuus dat de mensen daar in de schoot geworpen kregen sinds de opening van de Muthaiga Country Club, nu drie jaar geleden. Elke brief bevatte een uitnodiging.

De gouverneur van de kolonie gaf ter ere van hem een speciaal diner in Government House. Lord Delamere gaf een officieel bal in zijn nieuwe Norfolk Hotel om hem en Fräulein von Wellberg in het land te verwelkomen. De toelatingscommissie van de Muthaiga Country Club had graaf Otto tot erelid benoemd en gaf ook een bal om hem als lid in te wijden. De bevelvoerend officier van Zijne Majesteits strijdkrachten in Brits Oost-Afrika was niet te overtreffen: brigadegeneraal Penrod Ballantyne nodigde hem uit voor een banket in de regimentsmess. Lord Charlie Warboys had het paar uitgenodigd voor een vier dagen durende wrattenzwijnenjacht op zijn landgoed van twaalfduizend hectare aan de rand van de Rift Valley. De Nairobi Polo Club had graaf Otto een volledig lidmaatschap aangeboden en hem gevraagd om op de eerste zaterdag van de volgende maand in een wedstrijd tegen de King's African Rifles in hun eerste team te spelen.

Gaaf Otto was verrukt door de furore die hij had gemaakt. Leon hoorde hem elke uitnodiging met Eva bespreken en hij besefte dat hun vertrek uit Nairobi tot een tijdstip in de verre toekomst uitgesteld zou worden. De Duitser nam alle uitnodigingen aan en hij verstuurde zijn eigen uitnodigingen voor spectaculaire diners, banketten en bals die hij zou geven in het Norfolk, de Muthaiga Club of Kamp Tandala. Leon begreep nu waarom hij zulke enorme voorraden voedsel en drank met de SS Silbervogel hiernaartoe had laten verschepen.

De meesterzet van de graaf was echter dat hij een open dag hield. Dit verwarmde alle harten in de kolonie en bezorgde hem direct de reputatie dat hij een verdomd goeie vent was. Hij deed een openbare uitnodiging uitgaan voor een picknick op het poloveld. Bij deze bijeenkomst zouden geselecteerde gasten, zoals de gouverneur, Delamere, Warboys en brigadegeneraal Ballantyne als passagier in een van zijn vliegtuigen een vlucht boven de stad mogen maken. Daarna oefende Eva haar invloed uit en haalde hem over om de uitnodiging ook te laten gelden voor iedere jongen en ieder meisje tussen de zes en twaalf: zij zouden ook allemaal een vlucht mogen meemaken.

De hele kolonie raakte door het dolle heen. De dames waren vastbesloten om van de open dag het Afrikaanse equivalent van Ascot te maken. Van een eenvoudige picknick groeide de dag uit tot een soort festiviteit waarbij de koning aanwezig zou zijn. Lord Warboys doneerde drie ossen die boven kolen aan het spit geroosterd zouden worden. Ieder lid van het Vrouweninstituut ging in de weer met haar oven en bakte taarten en pasteien. Lord Delamere nam het bier voor zijn rekening: hij stuurde een spoedtelegram naar de brouwerij in Mombassa en kreeg de verzekering dat een grote hoeveelheid bier binnen een paar dagen naar Nairobi op weg zou zijn. Het nieuws van de uitnodiging verspreidde zich in het achterland en kolonistenfamilies op de afgelegen boerderijen laadden hun wagens ter voorbereiding van de tocht naar Nairobi.

Er waren maar vier naaisters in de stad en ze waren onmiddellijk volgeboekt. De openluchtkappers in Main Street hadden het druk met het bijknippen van baarden en haar. De jongensschool en de kloosterschool voor meisjes kregen een vrije dag en het gerucht deed in de klassen de ronde dat ieder kind dat een vlucht maakte ter herinnering daaraan van graaf Otto een perfect op schaal gemaakt model van de Vlinder ten geschenke zou krijgen.

Leon werd meegezogen in al deze koortsachtige activiteiten. Graaf Otto concludeerde dat hij een tweede piloot nodig had om de hordes gretige kinderen die voor een vlucht in de rij zouden staan, af te werken. Hij zou zelf de volwassen gasten vliegen, maar over het vooruitzicht om de cockpit te vullen met hun kroost was hij niet bijster enthousiast. Zoals hij binnen Leons gehoorsafstand tegen Eva opmerkte, hield hij alleen op een abstract niveau van kinderen en niet van kinderen in levenden lijve die luidruchtig en lastig waren.

'Ik heb je beloofd dat ik je zou leren vliegen, Courtney.'

Leon was verrast. Dit was voor het eerst sinds de buffeljacht dat de graaf dit onderwerp ter sprake bracht en hij had gedacht dat deze zijn belofte gemakshalve was vergeten. 'Dus we gaan onmiddellijk naar de airstrip, Courtney. Vandaag leer je vliegen!'

Leon zat naast graaf Otto in de cockpit van de Hommel en luisterde aandachtig naar diens beschrijving van de functies en de werking van de wijzerplaten en instrumenten, de kranen en de schakelaars, de hendels en de knoppen. Hij had al praktische kennis opgedaan van de indeling van de cockpit, hoe ingewikkeld die ook was, door goed naar graaf Otto te kijken. Toen graaf Otto naar Leon luisterde terwijl deze alles herhaalde wat hij zojuist had geleerd, knikte hij grinnikend. 'Ja! Je hebt goed naar me gekeken wanneer ik vloog. Je bent slim, Courtney. Dat is goed!'

Leon had niet verwacht dat de graaf een goede instructeur zou zijn en hij was aangenaam verrast door diens geduld en aandacht voor details. Ze begonnen met het starten en uitzetten van de motoren en gingen toen snel verder met taxiën met zijwind, rugwind en tegenwind. Leon kreeg voeling met de bediening van het controlepaneel, de instrumenten en de reactie van het grote vliegtuig erop, zoals met de teugels en de stijgbeugels van een paard. Toch was hij verbaasd toen graaf Otto hem een vlieghelm toewierp. 'Zet maar op.' Ze waren naar de andere kant van het poloveld getaxied en hij schreeuwde boven het geronk van de motoren uit: 'Neus in de wind!' Leon gaf volledig stuurboordroer en liet de twee bakboordmotoren razen. Hij had zich het gebruik van tegengestelde stuwkracht om het vliegtuig te manoeuvreren al eigen gemaakt. De Hommel draaide moeiteloos en stak zijn neus in de wind.

'Wil je vliegen? Vlieg dan!' schreeuwde graaf Otto in zijn oor.

Leon wierp hem een geschokte en ongelovige blik toe. Het was te vroeg. Hij was er nog niet klaar voor. Hij had nog wat meer tijd nodig.

'*Gott im Himmel*!' bulderde graaf Otto. 'Waar wacht je nog op? Vlieg!'

Leon haalde diep adem en stak zijn hand naar de batterij gashendels uit. Hij opende ze geleidelijk en wachtte tot hij hoorde dat het geronk van de motoren synchroon liep. Als iemand die een bus wil halen, ging de Hommel eerst over op een sukkeldrafje, daarna op een looppas en ten slotte op een sprint. Leon voelde dat de stuurknuppel in zijn handen tot leven kwam. Hij voelde de lichtheid van de aanstaande vlucht in zijn vingers, in zijn voeten op de roerstangen en in zijn geest. Het was een gevoel van absolute macht en controle. Zijn hart begon te zingen in het geruis van de wind. De neus zwenkte opzij en hij trok hem weer recht met een lichte aanraking van het roer. Hij voelde hoe het vliegtuig lichtjes onder hem stuiterde. Het wil vliegen, dacht hij. We willen allebei vliegen!

Naast hem maakte graaf Otto een klein gebaar en Leon begreep wat het betekende. De stuurknuppel trilde tussen zijn vingers en hij duwde hem zachtjes naar voren. Achter hem kwam het enorme staartvlak los van het grazige oppervlak en de Hommel reageerde dankbaar op de vermindering van de weerstand. Hij voelde de versnelling en toen graaf Otto het volgende teken gaf, trok hij de stuurknuppel al naar achteren, De wielen stuiterden nog een paar keer en toen vlogen ze. Hij bracht de neus omhoog en richtte hem in de klimstand op de horizon. Ze stegen steeds hoger. Hij wierp een blik over de zijwand van de cockpit en zag de aarde wegzakken. Hij vloog. Zijn handen waren de enige handen op de stuurknuppel en alleen zijn voeten bedienden de roerstangen. Hij vloog echt. Hij steeg vol vreugde hoger en hoger.

Naast hem knikte graaf Otto goedkeurend en gaf hem toen het teken dat hij vlak moest gaan vliegen en daarna naar links en rechts moest overhellen. Met de stuurknuppel en het roer liet Leon het vliegtuig overhellen en het gehoorzaamde dociel.

Graaf Otto knikte weer en verhief zijn stem zodat Leon hem zou kunnen verstaan: 'Sommigen van ons zijn geboren met de wind in ons haar en het licht van de sterren in onze ogen. Jij zou best eens een van ons kunnen zijn, Courtney.'

Volgens zijn instructies beschreef Leon een wijde cirkel en ging toen in een rechte lijn met de landingsbaan vliegen. Hij had nog niet geleerd om langzamer te gaan vliegen en tegelijkertijd te dalen. Hij had de neus omhoog moeten houden en het vliegtuig snelheid moeten laten verliezen doordat het onder zijn eigen gewicht naar beneden zakte. In plaats daarvan drukte hij de neus omlaag en dook met een veel te grote snelheid op het vliegveld af. De Hommel vloog nog toen hij met een klap de grond raakte en hij schoot van de grazige landingsbaan omhoog. Leon was gedwongen om de gashendels wijd open te zetten en weer een rondje te vliegen. Naast hem lachte graaf Otto. 'Je moet nog veel leren, Courtney. Probeer het nog maar een keer.'

Bij de volgende nadering deed hij het beter. Door zijn grote vleugeloppervlak had de Hommel een lage overtreksnelheid. Hij kwam negen meter boven de omheining met een snelheid van veertig knopen binnen. Leon hield de neus omhoog en liet het vliegtuig naar de grond zakken. Het landde met een schok die zijn tanden deed klapperen, maar het stuiterde niet en graaf Otto lachte weer. 'Goed zo! Veel beter! Doe het nog maar een keer.'

Leon kreeg het snel onder de knie. Bij de volgende drie pogingen ging het elke keer beter en de vierde keer was het een perfecte driepuntslanding waarbij het onderstel en het staartwiel tegelijk de grond raakten.

'Uitstekend!' schreeuwde graaf Otto. 'Taxi maar naar de hangar!'

Leon was in een roes door het succes. Zijn eerste lesdag was een triomf en hij wist dat hij kon verwachten dat hij in de komende dagen vooruit zou blijven gaan.

Toen hij de Hommel voor de hangar keerde, stak hij zijn hand uit naar de brandstofkraan om de motoren uit te zetten, maar graaf Otto verhinderde dat. 'Nee! Ik stap uit, maar jij niet.'

'Dat begrijp ik niet,' zei Leon. 'Wat wilt u dat ik doe?'

'Ik heb beloofd je vliegen te leren en dat heb ik gedaan. Ga nu maar vliegen, Courtney, of stort neer. Het maakt mij niet uit. Graaf Otto von Meerbach klom over de zijwand van de cockpit en verdween. Leon bleef achter en zou na in totaal drie lesuren aan zijn eerste solovlucht beginnen.

Het vereiste een geestelijke en lichamelijke inspanning om zichzelf te dwingen zijn hand uit te steken en de gashendel vast te pakken. Hij was in paniek. Hij was alles vergeten wat hij zojuist had geleerd. Hij begon aan het opstijgen met de wind in zijn rug. Het vliegtuig bleef rijden en bouwde zo geleidelijk snelheid op dat hij het pas een paar seconden voordat het de omheining zou raken in de lucht wist te krijgen. Hij vloog met maar een meter tussenruimte over de omheining heen, maar in elk geval vloog hij. Hij keek over zijn schouder en zag dat graaf Otto voor de hangar stond met zijn vuisten op zijn heupen en met zijn hoofd achterover. Zijn hele lichaam was verkrampt van het lachen.

'Geweldig gevoel voor humor heb je, Von Meerbach. Je verwondt opzettelijk een paar buffels en stuurt een volslagen beginneling de lucht in om zich te pletter te vliegen. Als je maar kunt lachen!' Maar zijn woede was vluchtig en bijna direct vergeten. Hij vloog in zijn eentje.

De aarde en de hemel waren alleen van hem.

De hemel was helder op één enkele zilverkleurige wolk na die niet groter leek dan zijn hand. Hij liet het vliegtuig klimmen en vloog er overhellend naartoe. De wolk leek bijna zo massief als de aarde en hij vloog er dicht overheen. Daarna keerde hij en kwam terug, maar deze keer raakte hij de zilverkleurige wolk met zijn wielen aan, alsof hij erop landde. 'Spelen met wolken,' juichte hij. 'Brengen de engelen en de goden zo hun tijd door?' Hij liet zich door de wolk heen zakken en was een paar seconden verblind door de zilverkleurige nevel. Daarna schoot hij eruit het zonlicht in en hij lachte van plezier. Hij dook steeds verder naar beneden en het uitgestrekte, bruine land kwam snel op hem af. Hij trok het vliegtuig recht terwijl zijn wielen over de boomtoppen scheerden. De uitgestrekte Athivlakte opende zich voor hem en hij dook nog dieper naar beneden. Negen meter boven de aarde en met een snelheid van honderdvijftig kilometer per uur vloog hij over de boomloze woestenij. De kuddes wilde dieren schoten in paniek onder zijn wielen uiteen. Hij vloog zo laag dat hij de punt van zijn bakboordvleugel omhoog moest brengen om een botsing met de uitgestrekte nek van een galopperende mannetjesgiraffe te voorkomen. Hij klom weer en draaide naar de Ngongheuvels. Vanaf een afstand van drie kilometer kon hij de strodaken van Kamp Tandala zien. Hij vloog er zo laag overheen dat hij de gezichten kon herkennen van het personeel, dat verbaasd naar hem omhoogstaarde. Hij zag Manjoro en Loikot. Hij leunde over de zijwand van de cockpit en zwaaide naar hen. Ze dansten en maakten bokkensprongen en zwaaiden uitbundig naar hem terug.

Hij zocht een blank gezicht tussen de zwarte gezichten en niet zo maar een, maar een speciaal gezicht en hij was teleurgesteld toen hij haar niet zag. Hij draaide terug naar de landingsbaan en scheerde over de toppen van de Ngongheuvels toen hij het paard zag. Het liep recht voor hem op een heuveltop en het was de grijze merrie waar ze het liefst op reed. Toen zag hij dat ze naast het hoofd van het paard stond. Ze droeg een lichtgele blouse en een strohoed met brede rand. Ze keek op naar het naderende vliegtuig, maar gaf geen blijk van enthousiasme.

Natuurlijk, ze weet niet dat ik het ben. Ze denkt dat het graaf Otto is. Leon glimlachte voor zich uit en daalde naar haar toe. Hij schoof zijn vliegbril omhoog en leunde over de zijwand van de cockpit. Hij was zo dichtbij dat hij zag op welk moment ze hem herkende. Ze gooide haar hoofd achterover en hij zag haar glinsterende tanden toen ze lachte. Ze griste de hoed van haar hoofd en zwaaide ermee toen hij over haar heen raasde, zo dichtbij dat de merrie steigerde en haar hoofd geschrokken in haar nek wierp. Hij stelde zich voor dat hij zelfs de kleur van Eva's ogen kon zien.

Terwijl hij omhoogklom, draaide hij zich in zijn stoel om en keek naar haar. Ze zwaaide nog steeds. Hij wilde haar in de cockpit naast zich hebben. Hij wilde haar kunnen aanraken. Toen herinnerde hij zich de blocnote in het kastje naast hem. Graaf Otto had er een bladzijde van gebruikt om een instructie te verduidelijken. Er zat een potlood aan een touwtje aan vast. Hij hield de blocnote tussen zijn knieën en krabbelde er snel op terwijl hij met zijn andere hand het vliegtuig bleef besturen. 'Vlieg met me naar de Lonsonjo. Das.' Hij scheurde de bladzijde uit en vouwde het papier tot een klein vierkantje op. In het kastje waarin de blocnote werd bewaard, lag ook een bal van vuurrode berichtenlinten die elk bijna twee meter lang waren. Hij trok er een uit. Het ene uiteinde was verzwaard met een klompje lood ter grootte van een musketkogel en aan het andere zat een klein zakje met een knoopje. Hij stopte de opgevouwen bladzijde erin, sloot het en keerde vervolgens.

Ze stond nog op de heuveltop, maar ze was nu opgestegen. Ze zag de Hommel aankomen en ging in de stijgbeugels staan. Hij berekende haastig de hoogte en de snelheid en liet het lint toen over de zijwand van de cockpit vallen. Het rolde uit in de schroefwind en dwarrelde naar beneden.

Eva liet de merrie keren en galoppeerde naar het vallende lint toe. Toen hij het vliegtuig in een strakke cirkel liet keren, zag hij dat ze het lint had gevonden en van haar paard sprong. Ze opende het zakje, haalde het briefje eruit, las het en zwaaide, heftig knikkend, met haar beide handen boven haar hoofd. Haar tanden glinsterden toen ze lachte.

77

Graaf Otto von Meerbachs open dag op het vliegveld kreeg geleidelijk meer prestige, tot de festiviteit elke andere belangrijke gebeurtenis in de geschiedenis van de kolonie leek te overschaduwen, met inbegrip van de aankomst van de eerste trein vanaf de kust en het bezoek van Theodore Roosevelt, de voormalige president van de Verenigde Staten van Amerika.

Zoals een van de grappenmakers aan de lange bar van de Muthaiga Country Club opmerkte: 'De ex-president deelde geen gratis vluchten in een vliegtuig uit.'

Tegen zonsopgang van de grote dag was het poloveld omringd door een kleine stad van tenten. De meeste herbergden de kolonistenfamilies die uit het achterland waren gekomen, maar de andere waren buffettenten vanwaaruit lord Delamere de mensen van gratis bier en limonade voorzag en het Vrouweninstituut chocolade- en appeltaart uitdeelde.

De kok uit het Norfolk Hotel hield toezicht op het roosteren van de ossen aan het spit boven brandende kolen. De band van de KAR stemde zijn instrumenten in afwachting van de aankomst van de gouverneur. Groepen kleine jongetjes en zwerfhonden stroopten het veld af op zoek naar lekkere hapjes en een kans om kattenkwaad uit te halen. De buffettenten liepen als een trein en er werd drie tegen een gewed dat de biervoorraad te klein zou zijn om het einde van de dag te halen. Gutav Kilmers monteurs waren druk bezig met het afstellen van de motoren van de vliegtuigen en het bijvullen van de brandstoftanks. Kinderen stonden in de rij voor de beloofde vluchten en gilden van opwinding wanneer een van de motoren brulde.

Inmiddels had Leon in totaal twaalf uur met de Hommel gevlogen en graaf Otto verzekerde bezorgde ouders dat hun kroost volkomen veilig zou zijn met zo'n ervaren piloot in de cockpit. Eva nam het op zich om de hordes kinderen in het gareel te houden. Ze ronselde hun moeders en de bestuursleden van de Polo Club om haar te assisteren. Sommige spraken een beetje Duits of Frans en ze leken elkaar allemaal goed te begrijpen. Elke keer dat Leon haar in de loop van de ochtend zag, had ze een klein kind op haar heup en hingen er een stuk of zes aan haar armen en haar rok.

Dit was een andere vrouw dan graaf Otto's raadselachtige metgezellin. Haar moederinstinct was gewekt en haar gezicht straalde en haar ogen glansden. Ze lachte snel en ongedwongen wanneer ze de kleintjes de cockpit van de Hommel in tilde waar Hennie du Rand en Leon ze van haar aanpakten en ze vervolgens op de banken vastbonden. Wanneer de cockpit bijna tot barstens toe was gevuld met kleine mensjes, startte Leon de motoren en gilden de kinderen het uit van verrukte angst. Aan de zijlijn van het veld zette de KAR-band een pittige militaire mars in. Daarna taxiede de Hommel het veld op en volgde graaf Otto in de Vlinder die waardigere en beroemdere passagiers aan boord had. De twee vliegtuigen stegen in formatie op, maakten twee rondjes boven de stad en keerden dan naar het veld terug om te landen. Eva stond klaar bij de ladder van de Vlinder en hielp de kinderen naar de grond. Hennie en Max Rosenthal deelden de modelvliegtuigen uit en daarna werd de volgende groep kinderen aan boord getild.

Leon was gefascineerd door de nieuwe kant die hij aan Eva ontdekte. Ze had de luiken geopend zodat ze haar warmte en haar vrouwelijke vermogen om aardig en liefdevol te zijn, kon tonen. De kinderen herkenden dit in haar en werden door haar aangetrokken als mieren door een suikerpot. Het scheen Leon toe dat Eva zelf een kind was geworden, volkomen gelukkig en spontaan. De rijen kinderen leken met het verstrijken van de dag niet korter te worden en de meeste van haar assistenten hadden er moeite mee om het in de hitte vol te houden, maar Eva was onvermoeibaar. Leon zag hoe ze in het stof neerknielde en de door het zweet vochtige strengen haar wegblies die voor haar ogen waren gevallen terwijl ze een klein meisje schoonmaakte dat luchtziek was geworden. Haar schoenen waren stoffig en op haar rok zaten de afdrukken van vieze vingers, maar haar gezicht glansde van het zweet en geluk.

Leon keek in het rond. Graaf Otto was voor de volgende ronde met de Vlinder opgestegen met als passagiers brigadegeneraal Penrod Ballantyne en de manager van Barclays Bank. Gustav Kilmer stond met zijn rug naar hen toe bij de hangar en verwijderde de stop van het zoveelste vat brandstof. Voorlopig zouden ze niet in de gaten worden gehouden.

'Eva!' riep hij.

Ze bracht de kinderen terug naar hun moeders en kwam naast het vliegtuig staan waar ze deed of ze zich bezighield met de kinderen die op hun beurt wachtten. Ze sprak tegen Leon zonder hem aan te kijken. 'Je houdt ervan om gevaarlijk te leven. Je weet dat we in het openbaar niet met elkaar moeten praten.'

'Ik moet elke kans grijpen om je even voor mezelf te hebben.'

'Wat wilde je me vertellen?' Haar uitdrukking was zachter geworden, maar ze wendde haar blik snel af.

'Je bent heel goed met de kleintjes,' zei hij. 'Van zo'n chique dame als jij had ik dat niet verwacht.'

Weer keek ze hem aan. Ze glimlachte en haar glanzende ogen hadden een eerlijke uitdrukking die niets verborg. 'Als je denkt dat ik een chique dame ben dan ken je me niet goed.'

'Ik denk dat je wel weet wat ik voor je voel.'

'Ja, Das, dat weet ik. Je bent niet goed in het bewaren van geheimen.' Ze lachte.

'Is er geen enkele manier waarop we alleen met elkaar kunnen zijn? Ik heb je zo veel te vertellen.'

'Gustav houdt ons in de gaten. We hebben al te lang gepraat. Ik moet gaan.'

Halverwege de middag werden de rijen kinderen steeds korter en Leon was uitgeput. Hij was zo vaak opgestegen en geland dat hij de tel was kwijtgeraakt. Het was allemaal niet even perfect gegaan, maar hij had de Hommel in elk geval geen duidelijke schade toegebracht en hij had geen klachten van zijn kleine cliënten gehad. Hij keek vermoeid naar de rij. Er waren nog maar vijf kinderen over, dus dit zou vandaag zijn laatste vlucht worden.

Toen trok iets zijn aandacht. Iemand zwaaide naar hem vanachter de omheining. Het duurde even voordat hij de man herkende en het zou misschien nog langer hebben geduurd als er niet een groepje kleine meisjes in sari's achter hem had gestaan.

'Wel heb ik jou daar!' Leon fleurde onmiddellijk op. 'Het zijn meneer Goolam Vilabjhi en zijn cherubijntjes.' Toen zag hij dat het kleinste cherubijntje huilde en dat de andere keken alsof hun hart elk moment kon breken. Hij stond in de cockpit op en wenkte hen. Ze liepen in een compacte groep naar het toegangshek van het veld, maar een van de bestuursleden van de Polo Club die als ordehandhaver optrad, bewaakte dat om ongewenste elementen buiten te houden. Het was een grote, vlezige man met een bierbuik en een zeer rood, door de zon verbrand gezicht. Leon kende hem als een kolonist die onlangs uit Engeland was gekomen met een concessie voor ruim vijftienhonderd hectare. Hij had zich lord Delameres gratis bier kennelijk goed laten smaken. Hij had meneer Vilabjhi hoofdschuddend tegengehouden. De wanhoop op de gezichten van de kinderen was meelijkwekkend.

Leon sprong uit de cockpit en liep naar het hek, maar hij was te laat. Eva was hem voor. Ze vloog op de man af als een jack russell op een rat en hij trok zich haastig terug. Ze pakte twee van de meisjes bij de hand en Leon rende naar haar toe om de anderen te verzamelen. Hij sprak over hun hoofden heen tegen haar. 'Wanneer hebben we een kans om samen te zijn?'

'Geduld, Das. Alsjeblieft. Hou er nu over op. Gustav let weer op ons.' Ze duwde het laatste kind de ladder op en de cockpit in en liep naar meneer Vilabjhi die bezorgd bij het hek stond te wachten. Toen Leon na de vlucht op het veld landde, was ze nog steeds in een ernstig gesprek met hem verwikkeld.

Iedere man in de kolonie is door haar gefascineerd en ik sta helemaal achter in de rij. Het verraste Leon zelf dat hij zo intens jaloers was.

78

De Damesavond in de regimentsmess van de KAR was ook een overweldigend succes, behalve dan voor Leon. Hij stond aan de bar en zag Eva met Penrod dansen. Zijn oom zag er prachtig uit in zijn gala-uniform en hij danste gracieus. Eva danste licht en was mooi in zijn armen. Haar glanzende haar was opgestoken en haar schouders waren bloot. De kleur van haar jurk was een subtiele schakering van violet die haar ogen en de satijnzachte huid van haar decolleté accentueerde. Haar boezem was vol en welgevormd en haar armen waren lang en glad. Haar huid glansde en ze had een blos op haar wangen toen ze om een van Penrods kwinkslagen lachte. Terwijl ze langswervelden, ving Leon flarden van hun gesprek op. Ze spraken Frans en Penrod was op zijn charmantst en hoffelijkst.

De oude rotzak! dacht Leon bitter. Hij is oud genoeg om haar grootvader te zijn, maar ik acht hem tot alles in staat. Toen Eva naar Penrod glimlachte, zag hij de schittering in haar ogen en haar glinsterende, spierwitte tanden. Ze is geen haar beter dan hij. Kan ze de verleiding weerstaan om iedere man die in haar leven voorbijkomt onder haar bekoring te brengen?

De avond sleepte zich eindeloos voort. De grappen van zijn medeofficieren kraakten van ouderdom, de toespraken waren saai, de muziek luid en onwelluidend en zelfs de whisky smaakte zuur. Het was warm en de lucht in de zaal was verstikkend. Hij voelde zich opgesloten. Het muurbloempje met wie hij zijn plicht deed, had een slechte adem en hij bracht haar naar haar omvangrijke, hoopvolle moeder terug. Daarna vluchtte hij dankbaar naar buiten.

De lucht was zoet, de hemel was helder en de sterren waren schitterend. De Schorpioen stond op zijn kop met zijn angel geheven, gereed om toe te steken. Leon stopte zijn handen in zijn zakken en slenterde somber rond over het exercitieterrein. Toen hij de ronde had gemaakt en terugliep naar de mess, zag hij een klein groepje mannen op de veranda staan. Ze rookten sigaren en Leon hoorde een bekende, schetterende stem vanuit het midden van de groep oreren. Hij kreeg bijna onmiddellijk antwoord van een andere stem die hem bijna even erg irriteerde als de eerste. Froggie Snell en die kruiperige hielenlikker Eddy Roberts, dacht hij geërgerd. Net nu ik me beter begon te voelen, zie ik de laatste twee mensen op de wereld die ik zou willen ontmoeten.

Gelukkig had de danszaal een achteringang en hij liep stilletjes langs de zijmuur van het gebouw die dichtbegroeid was met trompetklimop.

Toen hij de hoek omsloeg, flakkerde vlakbij in het donker een lucifer op en hij zag een stel tussen de bladeren en bloemen van de klimop staan. De vrouw stond met haar rug naar hem toe. Ze had de lucifer aangestoken en hield hem omhoog voor de man die zich over de vlam heen boog om zijn sigaar aan te steken. Hij richtte zich op en blies wimpels van rook de lucht in. De lucifer brandde nog steeds en in het licht ervan zag Leon dat de man Penrod was. De man noch de vrouw was zich van zijn aanwezigheid bewust.

'Dank u,' zei Penrod in het Engels. Toen zag hij Leon en er verscheen een lichtelijk geschrokken uitdrukking op zijn gezicht. 'Het is Leon!' riep hij uit.

Een vreemde opmerking, dacht Leon. Het klonk eerder als een waarschuwing dan als een vriendelijke begroeting. De vrouw draaide zich snel naar hem om, nog steeds met de brandende lucifer in haar hand. Ze liet hem vallen en zette haar voet erop om hem te doven, maar hij had de uitdrukking op haar gezicht gezien. Zij en Penrod gedroegen zich als een paar samenzweerders.

'Meneer Courtney, u laat me schrikken. Ik hoorde u niet aankomen.'

Ze sprak in het Frans, maar waarom? vroeg hij zich af. Nog maar een paar seconden geleden had Penrod in het Engels tegen haar gesproken. 'Neem me niet kwalijk. Ik stoor jullie.'

'Helemaal niet,' zei Penrod. 'De lucht in de zaal is benauwend. Die kleine ventilators werken totaal niet. Fräulein von Wellberg had er last van en wilde even een frisse neus halen. En ik wilde even een sigaar roken.' Hij schakelde op het Frans over toen hij zich tot Eva richtte. 'Ik vertelde mijn neef dat u zich niet lekker voelde door de hitte en de bedompte lucht.'

'Ik voel me nu weer helemaal goed,' antwoordde ze in dezelfde taal en hoewel Leon haar gezicht niet kon zien, klonk ze weer volkomen kalm.

'We hadden het over de band en zijn muzikale repertoire,' zei Penrod. 'Fräulein von Wellberg vindt dat zijn uitvoering van Strauss op een tribale strijddans lijkt en ze geeft de voorkeur aan de manier waarop hij de polka speelde.'

Het lijkt me dat u te veel praat, oom, dacht Leon enigszins bitter. Er is hier iets heel vreemds gaande. Hij deed nog even mee met hun nietszeggende gesprek en boog toen voor Eva. 'Excuseert u me, alstublieft, Fräulein, maar ik ben niet zo sterk als u beiden. Ik ga naar huis om te slapen. Gaan u en de graaf na het bal terug naar Kamp Tandala of logeert u vannacht in het Norfolk Hotel?'

'Ik heb begrepen dat Gustav ons na het bal met de jachtauto naar het kamp terugbrengt,' antwoordde Eva.

'Goed. Ik heb mijn personeel opdracht gegeven om alles voor uw terugkeer in gereedheid te brengen. Als u iets nodig hebt, hoeft u het hun alleen maar te laten weten. Ik neem aan dat u en graaf Otto morgenochtend willen uitslapen. Het ontbijt zal geserveerd worden wanneer u het bestelt.' Hij knikte naar Penrod. 'Hoewel de plicht luid en duidelijk roept, merk ik toch dat het vlees snel zwakker wordt, oom. Nog een paar verplichte dansen en ik zal helemaal afgepeigerd zijn wanneer ik naar bed ga.'

'Ik zal je een eervolle vermelding geven, jongen. Je hebt de eer van het regiment hoog gehouden. De manier waarop je met Charlie Warboys' dochter rondhopste was een lust voor het oog. Je bent gewogen en niet te licht bevonden.'

'Heel aardig van u om dat te zeggen, oom.' Hij liet hen achter, maar toen hij bij de deur van de zaal kwam, keek hij nog even om. Ze waren alleen nog twee donkere gedaanten en hij kon hun gezicht niet zien, maar uit de manier waarop ze zich naar elkaar toe bogen en de concentratie die uit de stand van hun hoofd sprak, leidde hij af dat ze het niet meer hadden over de wijze waarop de band de polka speelde, maar over iets veel belangrijkers.

Wat voeren jullie in je schild? Wie ben je echt, Eva von Wellberg?

Hoe dichter ik bij je kom, hoe ongrijpbaarder je wordt. Hoe meer ik over je aan de weet kom, hoe minder ik van je weet.

79

Leon werd wakker van het geluid van de jachtauto die over de weg vanaf de stad aan kwam rijden en van de stem van de graaf die uit volle borst het drinklied uit de bierhallen, 'Ik heb mijn hart in Heidelberg verloren', zong. Hij ging rechtop zitten, stak een lucifer aan en keek op Percy's zilveren jagershorloge dat op het nachttafeltje lag. Het was zes voor vier in de ochtend. Hij hoorde dat de auto in het kamp tot stilstand kwam en dat de portieren werden dichtgeslagen. Daarna hoorde hij graaf Otto's stem die goedenacht naar Gustav schreeuwde en Eva's lach. Leon voelde een steek van jaloezie en hij mompelde voor zich uit: 'Zo te horen heb je 'm goed geraakt. Je zou voorzichtiger moeten zijn als je met Delamere gaat drinken. Ik hoop dat je morgenochtend een verschrikkelijke kater hebt. Je verdient het, rotzak die je bent.'

Hij zou teleurgesteld worden. Graaf Otto verscheen iets na achten in de kantinetent en hij zag er opgewekt en uitgerust uit. Het wit van zijn ogen was zo helder als dat van een baby. Hij schreeuwde tegen Ishmael dat hij koffie moest brengen en toen de dampende beker voor hem neergezet was, deed hij er een scheut cognac bij. 'Van drinken krijg ik een enorme dorst. Die gekke Engelsman Delamere wist op het laatst geen mensen meer te bedenken om op te toosten, dus tegen het einde van de avond toostten we op zijn lievelingspaard en zijn jachthond. Die man is echt gek. Hij zou voor zijn eigen bestwil opgesloten moeten worden. Dat zou trouwens voor iedereen beter zijn.'

'Als ik het me goed herinner, was het niet lord Delamere die midden op de dansvloer op zijn hoofd stond en ondersteboven een glas cognac dronk,' zei Leon.

'Nee, dat was ik,' gaf graaf Otto toe. 'Maar ik was door Delamere uitgedaagd. Ik had geen keus. Wist je trouwens dat hij door een leeuw gebeten is toen hij jonger was. Daardoor loopt hij mank.'

'Iedereen in de kolonie kent dat verhaal.'

'Hij probeerde de leeuw te doden met een mes.' Graaf Otto schudde treurig zijn hoofd. 'Hij is gek! Hij zou echt opgesloten moeten worden.'

'Vertel me eens, graaf Otto, moet je niet even gek zijn om te proberen een leeuw met een assegaai te doden?'

'*Nein*! Helemaal niet. Een mes is dom, maar een speer is uitermate logisch!' Graaf Otto dronk zijn koffie op en zette de beker met een klap op de tafel. 'Ik ben je dankbaar dat je me eraan herinnert, Courtney. Ik heb genoeg van die schooljongensgrappen, zoals die gekke Delamere ze noemt. Ik heb toosts op de hele wereld uitgebracht en met iedere dikke Britse matrone in de kolonie gedanst. Ik heb met hun kotsende kinderen in mijn prachtige vliegtuigen rondgevlogen. Kortom, ik ben tegen iedereen aardig en beleefd geweest en ik heb aan mijn sociale verplichtingen jegens de gouverneur en de burgers van deze kolonie voldaan. Nu wil ik de wildernis in om serieus te gaan jagen.'

'Ik ben blij dat te horen, meneer. Net als u heb ik al een tijdje genoeg van Nairobi.'

'Mooi! Je kunt direct vertrekken. Roep die twee lange heidenen van je en vlieg de Hommel naar de jachtgebieden. Verspreid het nieuws dat ik de grootste leeuw zoek die ooit uit Masai-land gekomen is onder alle stammen in de hele Rift Valley. Ik loof een beloning van twintig stuks vee uit voor de hoofdman wiens mensen hem voor me vinden. Ga nu weg en kom pas terug wanneer je goed nieuws voor me hebt, Courtney. Denk eraan, hij moet groot zijn en hij moet manen hebben die zo zwart zijn als de helhond.'

'Ik vertrek onmiddellijk, graaf, maar mag ik mijn koffie nog even opdrinken voordat ik ga.'

'Weer een goede Engelse grap. Ja, hij is leuk. Nu zal ik een goede Duitse grap vertellen. Vind die leeuw voor me, anders schop ik je verrot tot je veel erger mank loopt dan Delamere. Dat is pas echt een leuke grap, hè?'

Toen Eva een uur later de kantinetent binnenkwam, zat graaf Otto alleen aan de lange tafel met een stapel documenten voor zich. Hij was verdiept in een document dat het wapen met de zwarte adelaar van het Duitse ministerie van Oorlog droeg en hij maakte aantekeningen in zijn blocnote. Hij schoof het opzij en keek naar haar op toen ze in de ingang van de tent stond met het ochtendlicht achter haar. Ze droeg sandalen en een lichte zomerjurk met een prachtig bloemmotief die haar er zo bekoorlijk deed uitzien als een schoolmeisje. Haar haar was net gewassen en in een waterval van zwarte golven over haar rug geborsteld. Ze had haar lippen niet gestift. Ze ging achter hem staan en sloeg een arm om zijn schouder. Hij pakte haar hand, trok de vingers open en kuste haar palm. 'Hoe kun je zo mooi zijn?' vroeg hij. 'Voel je je niet schuldig omdat iedere andere vrouw bij je in de buurt vergeleken met jou saai en lelijk is?'

'Voel jij je niet schuldig omdat je zo gemakkelijk en overtuigend kunt liegen?' Ze kuste hem vol op de mond, giechelde toen en maakte zich van hem los toen hij zijn hand naar haar borsten uitstak. 'Je moet me eerst te eten geven, lieve graaf Otto.'

Ishmael was gereed voor haar. Hij droeg zijn mooiste vuurrode fez met een zwart kwastje en zijn witte *kanza* was pas gewassen en stijf gestreken. Zijn tanden glinsterden toen hij glimlachte. 'Goedemorgen, memsahib. Moge uw dag gevuld zijn met de geur van rozen en met de smaak van zoete vruchten, zoals deze.' Hij sprak Frans toen hij een bord met plakjes mango, banaan en papaja voor haar neerzette.

'*Merci beaucoup*, Ishmael. 'Waar heb je zo goed Frans leren spreken?'

'Ik heb jarenlang voor de consul in Mombassa gewerkt, memsahib.' Ishmael straalde. Ze had al het personeel in Kamp Tandala onder haar bekoring gebracht.

'Wegwezen, jij grijnzende ongelovige,' kwam graf Otto tussenbeide. 'Mijn koffie is koud. Breng me een verse pot.' Zodra Ishmael verdwenen was, veranderde zijn gedrag en hij werd serieus en zakelijk. 'Ik heb Courtney geloosd. Ik heb hem naar de jachtgebieden gestuurd om de leeuw te zoeken waarover we het zo vaak hebben gehad. Hij zal uit de buurt zijn zolang als nodig is om de echte zaken af te handelen. Ondanks zijn argeloze gedrag en innemende persoonlijkheid vertrouw ik hem niet. Hij is naar mijn smaak veel te slim. Gisteravond droeg hij een legeruniform. Dat was mijn eerste aanwijzing dat hij op de reservistenlijst van het Britse leger staat. Ik heb ook van Delamere gehoord dat brigadegeneraal Ballantyne zijn oom is. Zijn banden met het Britse leger zijn sterk. Voortaan moeten we omzichtiger met hem omgaan.'

'Natuurlijk, Otto.' Ze ging naast hem zitten en richtte haar aandacht op het bord met fruit.

'Er is gisteren een telegram uit Berlijn gekomen. Ze hebben mijn ontmoeting met Von Lettow geregeld voor de zeventiende,' vervolgde hij. 'Het is een lange vlucht naar Arusha, maar ik kan het me niet permitteren om lang weg te blijven. Er zijn te veel mensen die ons in de gaten houden. Pak wat van je mooie kleren in, Eva. Ik wil trots op je kunnen zijn.'

'Is het echt nodig dat ik meega, graaf Otto? Ik moet daar allemaal mannenpraat aanhoren en dat is zo vervelend. Ik zou liever hier blijven om wat te schilderen.' Ze prikte een plakje rijpe mango aan haar vork.

Haar houding van lichte ongeïnteresseerdheid in zijn zakelijke beslommeringen en de staatszaken waarbij hij betrokken was, was een pose die ze in haar lange omgang met hem had geperfectioneerd. Het wierp veel meer vruchten af dan als ze echt geprobeerd zou hebben om informatie uit hem los te krijgen. Weer was haar geduld ruim beloond. Voor het eerst sinds ze uit Wieskirche waren vertrokken, had hij Von Lettow Vorbeck genoemd. Ze wist dat dit het ware doel van hun expeditie in Afrika was. Dit lag ten grondslag aan alle komedie en uiterlijk vertoon.

'Ja, *Liebling*. Je weet dat ik je altijd bij me wil hebben.'

'Wie zijn er verder nog behalve Von Lettow? Zijn er ook andere vrouwen?'

'Dat betwijfel ik. Von Lettow is vrijgezel. Het is mogelijk dat gouverneur Schnee er is, maar hij en Von Lettow kunnen het niet met elkaar vinden; dat denk ik in elk geval. We komen daar niet voor de gezelligheid bijeen. De belangrijkste persoon bij de bijeenkomst zal de Zuid-Afrikaanse Boer Koos de la Rey zijn. Hij is de spil waar alles om draait.'

'Misschien ben ik maar een dom meisje, zoals jij zo vaak zegt, maar is dit niet een heel ingewikkelde manier om elkaar te ontmoeten? Zou het niet veel gemakkelijker zijn geweest als die Boerengeneraal gewoon naar Berlijn gekomen was – of hadden wij anders niet met een comfortabel lijnschip als de Admiral naar Kaapstad kunnen varen?'

'In Zuid-Afrika wordt De la Rey nauwlettend in de gaten gehouden. Hij was een van de Boerengeneraals die hard en bitter tegen de Britten hebben gevochten. Sinds de wapenstilstand heeft hij geen geheim gemaakt van zijn anti-Britse gevoelens. Bij elk contact tussen hem en onze regering zouden in Londen alarmbellen gaan rinkelen. Deze bespreking moet buiten zijn eigen land plaatsvinden. Tien dagen geleden is hij in het diepste geheim voor de Zuid-Afrikaanse kust door een van onze onderzeeboten opgepikt en naar Dar es Salaam gebracht. Na onze bespreking zal hij via dezelfde route worden teruggebracht.'

'Intussen ben jij in een aangrenzend land op safari. Er is niets waardoor iemand zou kunnen vermoeden dat jullie ooit contact met elkaar hebben gehad. Ik zie nu in dat het een handige samenzwering is.'

'Ik ben blij dat het je goedkeuring kan wegdragen.' Hij glimlachte sarcastisch.

'Deze hele zaak moet erg belangrijk voor je zijn dat je er zo veel tijd in gestoken hebt, terwijl je had kunnen jagen.'

'Dat is ook zo.' Hij knikte ernstig. 'Neem dat maar rustig van me aan.'

Haar intuïtie waarschuwde haar dat ze voorlopig ver genoeg was gegaan. Ze zuchtte en fluisterde: 'Heel belangrijk en dodelijk saai. Als ik met je meega, koop je dan een mooi cadeau voor me wanneer we in

Duitsland terug zijn?' Ze tuitte haar lippen, knipperde met haar lange, donkere wimpers en werkte geraffineerd met haar ogen. Dit was meer in overeenstemming met het personage dat ze had opgebouwd om hem te behagen. Het was het soort oppervlakkige reactie die hij van haar verwachtte. In de tijd dat ze samen waren, had ze nauwkeurig uitgedacht hoe ze elk probleem dat tussen hen ontstond moest aanpakken en hoe ze het beste aan zijn verwachtingen kon voldoen. Ze begreep precies wat hij van haar wilde. Hij wilde haar niet als gezelschapsdame of als iemand die hem intellectueel stimuleerde – er waren genoeg anderen die dat konden. Hij wilde haar als ornament, als een ongecompliceerde en meegaande schoonheid, als iemand die zijn dierlijke hartstochten kon opwekken en kundig kon bevredigen. Hij wilde haar als een aangenaam bezit dat de afgunst en bewondering van andere mannen en vrouwen wekte, een versiering die zijn eigen positie en maatschappelijk aanzien versterkte. Zodra ze vermoeiend zou worden, zou hij haar net zo gemakkelijk afdanken als een paar schoenen die hem te krap zaten. Ze was zich er volkomen van bewust dat honderden andere mooie vrouwen haar plaats maar al te graag zouden innemen. Het was een maatstaf voor haar kundigheid als courtisane dat hij haar zo lang aan zijn zijde had gehouden.

'Het zal het mooiste geschenk worden dat we in heel Berlijn kunnen vinden,' stemde hij vlot in.

'Zal ik de Jean Patou-jurk meenemen die je in Parijs voor me hebt gekocht? Wat denk je dat generaal Von Lettow Vorbeck daarvan zal vinden?'

'Als hij één blik op je werpt wanneer je die jurk draagt, dan zal hij waarschijnlijk in elk beschaafd land voor zijn gedachten achter de tralies worden gezet.'

Graaf Otto grinnikte, verhief toen zijn stem en schreeuwde: 'Ishmael!'

'Laat bwana Hennie halen!' beval graaf Otto zodra Ishmael verscheen. 'Zeg dat hij onmiddellijk moet komen.'

Binnen een paar minuten verscheen Hennie voor de flap van de tent. Hij had een bezorgde uitdrukking op zijn bruine, verweerde gezicht. Hij hield zijn besmeurde hoed voor zijn borst en draaide hem tussen zijn met smeervet bevlekte vingers rond.

'Kom binnen, Hennie. Blijf daar niet staan.' Graaf Otto begroette hem met een vriendelijke glimlach en keek daarna Eva aan. 'Vergeef ons, *Liebling*. Je weet dat Hennie geen Duits spreekt, dus zullen we Engels spreken.'

'Maak je over mij alsjeblieft geen zorgen, Otto. Ik heb mijn vogelboek en mijn verrekijker. Ik amuseer me wel.' Ze boog zich voorover om hem te kussen toen ze langs zijn stoel liep. Daarna ging ze voor de tent zitten waar ze een goed uitzicht had op het vogelbadje en de tafel met voer die Leon speciaal voor haar had neergezet. Lawaaiige zwermen zangvogels verzamelden zich eromheen: vuurvogeltjes, prachtvinken, wevervogels en kanaries.

Hoewel ze binnen gehoorsafstand zaten, negeerde ze het gesprek tussen de beide mannen in de kantinetent en ze concentreerde zich op het vastleggen van de vormen en kleuren van de kleine juweelachtige vogels in haar schetsboek.

Graaf Otto vergat haar bijna direct en richtte zijn volle aandacht op Hennie. 'Hoe goed ken je Arusha en het gebied eromheen, Hennie?'

'Ik heb daar twee jaar voor een houtbedrijf gewerkt. Het kapte bomen op de lagere hellingen van de Meroe. Ik heb het gebied goed leren kennen.'

'Er staat een militair fort aan de Oesa, hè?'

'Ja. Het is een lokaal oriëntatiepunt. De mensen noemen het fort het Poedersuikerkasteel. Het is spierwit geschilderd, de muren hebben tinnen en er staan torentjes op. Het ziet eruit als iets uit een plaatjesboek van een kind.'

'Daar vliegen we heen. Denk je dat je het vanuit de lucht kunt vinden?'

'Ik heb nog nooit in een vliegtuig gezeten, maar ik weet zeker dat zelfs een blinde dat gebouw vanaf een afstand van vijfenzeventig kilometer kan zien.'

'Mooi. Zorg dat je morgenochtend bij het eerste licht gereed bent om te vertrekken.'

'Ik kan nauwelijks geloven dat ik in een van uw vliegtuigen ga vliegen, meneer.' Hij grijnsde. 'Ik kan helpen met het onderhoud en het bijtanken.'

'Maak je daar geen zorgen over. Gustav regelt dat allemaal. Dat is niet de reden waarom je meegaat. Ik heb je nodig om me aan een oude vriend van je voor te stellen.'

80

De zon stond nog onder de horizon toen de Vlinder van het poloveld opsteeg. Het was koud en iedereen in de cockpit was ingepakt in een dikke overjas. Graaf Otto vloog pal naar het zuiden op een hoogte van drieduizend voet en niet lang nadat ze de Rift Valley waren overgestoken, schoot de zon met verrassende snelheid boven de horizon uit en verlichtte het grote bergmassief van de Kilimanjaro dat, hoewel het meer dan honderdvijftig kilometer ver weg was, de zuidelijke horizon domineerde.

Eva zat alleen op de achterbank van de cockpit, buiten het zicht van graaf Otto die voorin achter het controlepaneel zat. Ze zat ineengedoken in haar zware loden jas achter het windscherm. Haar haar was bedekt door haar helm en haar ogen door haar getinte vliegbril. Gustav en Hennie zaten voor in de cockpit en gingen op in het uitzicht. Niemand keek naar haar om. Meestal waren alle ogen op haar gericht en het was vreemd om ongezien te zijn. Ze hoefde eindelijk eens een keer geen toneel te spelen. Eindelijk kon ze haar emoties, die ze altijd onder controle hield, de vrije loop laten.

Aan de stuurboordkant van de cockpit had ze een weids uitzicht over het grote bruine gebied, de uitgestrekte Rift Valley. De immense ruimte versterkte haar eenzaamheid en gaf haar het gevoel dat ze klein en onbeduidend was. Ze werd overweldigd door het gevoel dat ze volkomen afgesneden was van zinvolle contacten met andere mensen. Ze was ten prooi aan diepe wanhoop en ze begon te huilen. Het was voor het eerst dat ze tranen vergoot sinds ze zes lange jaren geleden op die koude novemberdag aan het graf van haar vader had gestaan en zijn kist in de aarde had zien zakken. Sindsdien was ze alleen geweest. Het was te lang.

Verborgen achter de helm en de bril huilde ze stilletjes en heimelijk. Deze plotselinge zwakheid maakte haar doodsbang. In alle jaren waarin ze gedwongen was geweest om een leven van illusie en desillusie te leiden, om dubbel spel te spelen, was ze nooit door dit soort gevoelens bevangen. Ze was altijd sterk geweest. Ze had altijd een groot plichtsbesef gehad en ze was altijd vastberaden geweest. Maar nu was er iets veranderd en ze wist niet wat het was.

Toen voelde ze dat het vliegtuig scherp overhelde en ze zag hoog boven haar een berg verschijnen. Ze had zich zo diep in zichzelf teruggetrokken dat ze even dacht dat het een zinsbegoocheling was. De berg was zo etherisch dat hij op een zilverkleurige wolk leek te zweven. Ze wist dat het niet echt kon zijn. Was het een baken van hoop midden in haar eenzaamheid? Was het haar toevluchtsoord in de hemel waar ze zich kon verbergen voor de troep wolven die haar achtervolgden? Gedachten die even onwerkelijk en bizar waren als de droomberg schoten door haar hoofd.

Toen besefte ze met een schok dat het geen zinsbegoocheling was. Het was de Lonsonjo. De wolken waarop hij leek te zweven, waren een dichte zilverkleurige mistbank aan de voet ervan. Terwijl ze ernaar keek, begon hij op te lossen in de warmte van de rijzende zon en werd het massief van de Lonsonjo onthuld.

Ze voelde dat de wanhoop van haar ziel gleed als de oude huid van een slang en de kracht vloeide in haar terug. Ze begreep de verandering die zich zo plotseling en zo compleet van haar meester maakte. Tot nu toe had ze gedacht dat alleen haar kracht haar op de uitgezette koers hield, maar nu wist ze dat het berusting was. Er had geen andere weg voor haar opengestaan. Maar nu was dat veranderd. Het was geen wanhoop die haar zo plotseling overweldigd had, maar hoop. Een hoop die zo sterk was dat alles erdoor overstegen werd.

'De hoop die uit liefde voortkomt,' fluisterde ze voor zich uit. Ze had hiervoor nog nooit van een man kunnen houden. Ze had nog nooit een man kunnen vertrouwen. Ze had nog nooit een man toegelaten tot de geheime, goed bewaakte delen van haar leven. Daarom was het gevoel zo vreemd voor haar geweest. Daarom had ze het niet direct geweten. Nu had ze een man gevonden die haar de moed gaf om te durven hopen. Tot nu toe had ze hem weerstaan, want ze kende hem net zo oppervlakkig als hij haar. Maar nu was haar weerstand afgebrokkeld. Ze had hem binnengelaten. In weerwil van zichzelf had ze zich aan hem overgegeven. Voor het eerst in haar leven had ze iemand haar vertrouwen en haar onvoorwaardelijke liefde geschonken. Ze voelde dat haar nieuwe hoop haar tranen droogde en haar vastberadenheid deed toenemen. 'Das, o, Das! Ik weet dat de weg die we samen moeten afleggen lang en zwaar zal zijn. Onze weg zal bezaaid zijn met valstrikken en valkuilen. Maar ik weet even zeker dat we samen de top van onze berg zullen bereiken.

81

Graaf Otto vloog verder door de hoge ravijnen van de lucht, terwijl de eeuwige sneeuwvelden en glanzende gletsjers van de Kilimanjaro hoog boven hen uittorenden en hun schaduw over hen heen wierpen. De Vlinder slingerde wild heen en weer door de wind die om de drie uitgedoofde vulkanische toppen van de berg wervelde. Toen bevrijdde het vliegtuig zich van de invloed van de berg en zweefde het zonlicht in. Maar recht voor hen was een andere bergketen en de Meroe verschilde heel sterk van het grote massief dat ze achter zich hadden gelaten. Eva stelde zich voor dat de Kilimanjaro de man en de Meroe de vrouw was. De Meroe was lager en bedekt met dichte, groene bossen in plaats van ruw rotsgesteente en ijs.

Hennie du Rand gebaarde naar graaf Otto om de nieuwe koers aan te geven. De graaf helde scherp over langs de lagere hellingen van de Meroe en vloog verder langs het stadje Arusha dat aan de voet van de berg verscholen lag. Daarna wees Hennie recht vooruit en ze zagen allemaal de witte glinstering van de gekanteelde muren van Fort Oesa boven de rivier. Toen ze dichterbij kwamen, konden ze op de middelste toren de in de lichte bries opbollende vlag zien met de tweekoppige keizerlijke adelaar van Duitsland op een rode, gele en zwarte achtergrond.

Graaf Otto vloog langs de witte muren en de geüniformeerde figuren op de kantelen keken naar hen op. Een stafauto reed door de hoofdpoort naar buiten en zette, een sluier van stof achter zich aan slepend, koers naar het open terrein langs de Oesa. De graaf knikte tevreden: de auto was een van de laatste modellen uit zijn fabriek. Er zaten twee mannen op de achterbank.

Zoals graaf Otto had verzocht, was er, ter voorbereiding van hun komst, parallel aan de rivieroever een strook grond vrijgemaakt. De aarde was zo ruw als die van een geploegd veld en ontwortelde bomen lagen langs de rand ervan schots en scheef opgestapeld. Aan de andere kant van de strook zweefde een windzak aan de top van een hoge mast. Het landingsterrein was precies zo aangelegd als hij in zijn telegrammen aan kolonel Von Lettow Vorbeck had bedongen. Hij landde licht en liet de Vlinder uitrijden tot de plek waar de stafauto was geparkeerd. Een geüniformeerde Duitse officier stond naast het open voorste portier van de auto met een gelaarsde voet op de treeplank.

Zodra graaf Otto via de ladder naar beneden was geklommen, kwam de officier naar voren om hem te begroeten. Hij was lang en mager, maar breedgeschouderd en hij droeg een grijze veldtuniek en een met vilt beklede tropenhelm. Hij droeg de rood-met-gouden insignes van een officier op zijn kraag en het IJzeren Kruis, eerste klasse, om zijn nek. Zijn kortgeknipte snor was doorspekt met grijs en zijn blik was direct en doordringend.

'Graaf Otto von Meerbach?' vroeg hij terwijl hij keurig salueerde. 'Ik ben kolonel Von Lettow Vorbeck.' Zijn stem was bruusk en afgemeten en gewend om bevelen te geven.

'Inderdaad, kolonel. Na al onze correspondentie ben ik blij dat ik u nu in levenden lijve ontmoet.' Graaf Otto schudde hem de hand en bestudeerde zijn gezicht aandachtig. Voordat hij uit Berlijn was vertrokken, had hij een speciaal bezoek aan het legerhoofdkwartier op Unter den Linden gebracht en toegang gekregen tot Von Lettows legerdossier. Het was een indrukwekkend document. Er was waarschijnlijk geen enkele andere officier van dezelfde rang die zo veel bij gevechtshandelingen betrokken was geweest als hij. In China had hij deelgenomen aan de campagne tegen de Boksers. In het Duitse Zuidwest-Afrika had hij gevochten onder Von Trotha tijdens diens meedogenloze genocide op de Herero's. Zestigduizend mannen, vrouwen en kinderen waren uitgeroeid, meer dan de helft van de hele stam. Daarna had Von Lettow het bevel gekregen over de *Schutztruppe* in Kameroen voordat hij hier in Duits Oost-Afrika dezelfde verantwoordelijkheid kreeg.

'Kolonel, mag ik u aan Fräulein von Wellberg voorstellen?'

'Aangenaam, Fräulein.' Von Lettow Vorbeck salueerde weer, klakte toen met zijn hakken en boog toen hij het portier van de stafauto openhield, zodat Eva achterin kon gaan zitten. Ze lieten Hennie en Gustav achter om voor de Vlinder te zorgen en reden naar het fort.

Graaf Otto kwam direct ter zake. Hij wist dat de kolonel een directe aanpak zou verwachten en waarderen. 'Is onze gast uit het zuiden veilig aangekomen, kolonel?'

'Hij wacht in het fort op u.'

'Wat vindt u van hem? Doet hij zijn naam eer aan?'

'Moeilijk te zeggen. Hij spreekt geen Duits of Engels, alleen Afrikaans. Ik vrees dat het niet gemakkelijk zal worden om met hem te communiceren.'

'Daar heb ik rekening mee gehouden. Een van de mannen die ik meegebracht heb, is een Afrikaner. Hij heeft zelfs onder De la Rey in Zuid-Afrika tegen de Britten gevochten. Hij spreekt ook vloeiend Engels. Ik weet dat u dat ook doet, kolonel. De communicatie met hem zal geen problemen opleveren.'

'Uitstekend! Dat zal het allemaal beslist gemakkelijker maken.' Von Lettow Vorbeck knikte terwijl ze door de poort de binnenhof op reden. 'U en Fräulein Wellberg zullen na de reis wel een bad willen nemen en een poosje willen uitrusten. Kapitein Reitz zal u naar de kamers brengen die voor u in gereedheid zijn gebracht. Om vier uur, dat is over twee uur, zal kapitein Reitz terugkomen en u naar De la Rey brengen.'

Zoals Von Lettow had beloofd, klopte kapitein Reitz precies om vier uur op de deur van hun gastensuite.

Graaf Otto keek op zijn horloge. 'Hij is punctueel. Ben je klaar, Eva?' Punctualiteit was iets wat hij van iedereen om hem heen verwachtte, ook van Eva. Hij bekeek haar van top tot teen, van haar glanzende haar tot haar mooie, kleine voeten. Ze zag er fantastisch uit en ze wist hoe mooi ze was.

'Ja, graaf Otto. ik ben klaar.'

'Dat is de jurk van Patou. Hij staat je geweldig.' Hij riep kapitein Reitz die binnenkwam en eerbiedig salueerde. Hennie du Rand stond achter hem in de deuropening. Hij droeg een schoon overhemd, had zich geschoren en zijn haar met pommade strak naar achteren gekamd.

'Je ziet er keurig uit, Hennie,' zei Eva. Hij sprak voldoende Duits om haar te verstaan en hij bloosde onder zijn bruine huid van genoegen.

'Als u klaar bent, wilt u me dan alstublieft volgen, meneer?' vroeg Reitz en ze volgen hem door de betegelde gang naar de wenteltrap die naar de kantelen leidde. Daar, op het terras, wachtte Von Lettow op hen onder een canvas zonnescherm. Hij zat aan een zware teakhouten tafel waarop een assortiment aan dranken en versnaperingen was uitgestald.

Aan het uiteinde van de kantelen stond een lange man in een zwarte jas. Zijn rug was naar hen toe gekeerd en hij had zijn handen erop verstrengeld. Hij keek over de rivier heen uit naar de kolossale Meroe die in de mistige verte opdoemde.

Von Lettow Vorbeck stond op om hen te verwelkomen en nadat hij beleefd had geïnformeerd of hun verblijf naar wens was, nam hij Hennie geïnteresseerd op.

'Dit is Du Rand, de man over wie ik u heb verteld.' Graaf Otto stelde hen aan elkaar voor. 'Hij heeft onder De la Rey gevochten.' Toen hij zijn naam hoorde noemen, draaide de in het zwart geklede man die aan het uiteinde van de kantelen stond zich naar hen om. Hij was in de zestig en zijn met grijs doorschoten haar had zich teruggetrokken van zijn hoge, gewelfde voorhoofd. De huid ervan was wit en glad op de plaats waar het door zijn hoed tegen de zon was beschermd. Zijn overgebleven haar hing tot op zijn schouders en de donkere stof van zijn jas was bespikkeld met schilfers roos. Zijn baard was dicht, vol en ongetemd. Zijn neus was groot en de streep van zijn mond was grimmig en onverzettelijk. Zijn diepliggende ogen waren even doordringend en fanatiek als die van een Bijbelse profeet. In zijn rechterhand droeg hij zelfs een kleine bijbel die hij in zijn jaszak stopte toen hij naar graaf Otto toe kwam.

'Dit is generaal Jacobus Herculaas de la Rey,' stelde Von Lettow hem voor, maar voordat De la Rey bij hen was gekomen, rende Hennie naar voren om hem te onderscheppen en hij liet zich voor hem op één knie zakken.

'Generaal Koos! Ik smeek u om me uw zegen te geven.'

De la Rey bleef staan en keek op hem neer. 'Kniel niet voor me. Ik ben geen priester en ik ben geen generaal meer. Ik ben een boer. Sta op, man!' Toen bekeek hij Hennie wat beter. 'Ik ken je gezicht, maar je naam ben ik vergeten.'

'Du Rand, generaal. Hennie du Rand.' Hennie straalde van genoegen omdat De la Rey hem zich herinnerde. 'Ik was bij u bij de strijd om Nooitgedacht en Ysterspruit.' Dit waren twee van de opmerkelijke overwinningen die de Boeren tijdens de oorlog op de Britten hadden behaald. Bij Ysterspruit had De la Reys vliegende commando zulke enorme voorraden op de Britten buitgemaakt dat het kleine Boerenleger erdoor was versterkt en de wil en de middelen had gekregen om nog een jaar door te vechten.

'Ja, ik herinner je me. Jij was degene die ons naar de oversteekplaats in de rivier heeft geleid na het gevecht bij Langlaagte toen de Britten ons omsingeld hadden. Je hebt het commando die nacht gered. Wat doe je hier, man?'

'Ik ben hier om u de hand te schudden, generaal.'

'En dat zal me een genoegen zijn,' antwoordde De la Rey en hij greep Hennies hand krachtig vast. Het was duidelijk te zien waarom zijn mannen zo'n ontzag en eerbied voor hem hadden. 'Waarom ben je uit de republiek Oranjevrijstaat weggegaan, Hennie?'

'Omdat het niet langer een republiek was en omdat de staat niet langer vrij was. Ze hebben er een deel van een ander land van gemaakt dat ze het Britse imperium noemen,' antwoordde Hennie.

'Het zal weer een republiek worden. Kom je dan bij me terug? Ik heb goede vechters zoals jij nodig.'

Voor Hennie kon antwoorden, stapte graaf Otto naar voren. 'Zeg alsjeblieft tegen de generaal dat ik zeer vereerd ben dat ik zo'n dappere soldaat en patriot mag ontmoeten.' Hennie nam snel zijn rol van vertaler aan. Eerst stelde hij hen aan elkaar voor en daarna ging hij naast De la Rey onder het zonnescherm zitten.

In het begin gedroeg zowel Von Lettow als de generaal zich stijfjes en onhandig omdat Eva aan de vergadertafel zat. Graaf Otto verontschuldigde zich. 'Ik hoop dat u er geen bezwaar tegen hebt dat Fräulein von Wellberg bij onze beraadslagingen aanwezig is. Ik sta voor haar in. Niets van wat hier gezegd wordt, zal ze ooit aan iemand anders doorvertellen. Fräulein is een schilderes van naam. Met uw permissie, heren, en als herinnering aan zo'n historisch conclaaf heb ik haar gevraagd om portretten van u te maken, terwijl we praten.' Von Lettow en De la Rey knikten. Eva bedankte hen met een glimlach, legde toen haar schetsboek en potlood op tafel en ging aan de slag.

Graaf Otto wendde zich weer tot De la Rey. 'U hebt Hennie du Rand om voor u te vertalen, generaal. Kolonel Von Lettow en ik spreken allebei vloeiend Engels, dus dat is de taal die we zullen gebruiken. Ik hoop dat u daarmee akkoord gaat.' Toen Hennie dit vertaald had, boog De la Rey zijn hoofd en graaf Otto vervolgde: 'Eerst wil ik een brief van de minister van Buitenlandse Zaken in Berlijn presenteren waarin ik geïntroduceerd word en waarin mijn bevoegdheid wordt bevestigd.' Hij overhandigde Hennie de brief.

Hennie las hem hardop voor. De la Rey luisterde aandachtig en zei toen: 'Ik zou niet aan zo'n verschrikkelijke overzeese reis zijn begonnen als ik niet had geweten wie u was, graaf Otto. Duitsland was een trouwe bondgenoot en een goede vriend van mijn volk tijdens de oorlog met de Britten. Dat zal ik nooit vergeten. Ik zie u nog steeds als een vriend en een bondgenoot.'

'Dank u, generaal. U bewijst mijn land en mij een grote eer.'

'Ik ben een eenvoudig man, graaf. Ik houd ervan als mensen open en eerlijk praten. Vertelt u me eens waarom u me hier hebt uitgenodigd.'

'Ondanks de grote moed en vastberadenheid waarmee het Afrikaner volk heeft gevochten, heeft het een vreselijke nederlaag geleden en diepe vernederingen moeten ondergaan.' De la Rey zei niets, maar er verscheen een sombere, treurige uitdrukking in zijn ogen. Graaf Otto zweeg even en vervolgde toen: 'De Britten zijn een oorlogszuchtig en roofzuchtig volk. Ze hebben het grootste deel van de wereld veroverd of onder hun invloed gebracht en nog steeds is hun honger naar nieuwe veroveringen niet gestild. Hoewel wij Duitsers een vredelievend volk zijn, zijn we ook trots en erop voorbereid om ons tegen agressie te verdedigen.'

De la Rey luisterde naar de vertaling. 'We hebben veel gemeen,' zei hij. 'We waren bereid om stelling te nemen tegen tirannie. Het is ons duur komen te staan, maar ik en velen zoals ik hebben er geen spijt van.'

'De tijd waarin u zo'n besluit weer zult moeten nemen, komt snel dichterbij. Strijden met eer of capituleren met schaamte en schande.

Duitsland zal dezelfde verschrikkelijke keus moeten maken.'

'Het lijkt erop dat het lot van onze volken met elkaar verbonden is, maar Groot-Brittannië is een verschrikkelijke vijand. Zijn marine is de machtigste ter wereld. Als Duitsland gedwongen zou worden de strijd met de Britten aan te gaan, wat zou dan uw strijdplan zijn? Zou de keizer een leger sturen om uw kolonies in Afrika te verdedigen?'

'Daar bestaan verschillende meningen over. Het overheersende standpunt in Duitsland is dat onze kolonies in de Noordzee verdedigd moeten worden en niet op hun eigen grond.'

'Onderschrijft u dat standpunt, graaf? Zou u uw Afrikaanse kolonies en uw bondgenoten in de steek laten?'

'Laten we, voor ik die vraag beantwoord, naar de feiten kijken. Duitsland heeft beneden de Sahara twee kolonies in Afrika ten zuiden van de evenaar, een aan de zuidwestkust en de andere hier aan de oostkust. Ze liggen allebei duizenden kilometers van Duitsland vandaan en zijn door een grote afstand van elkaar gescheiden. Op het ogenblik zijn de strijdkrachten die ze verdedigen klein. In Duits Zuidwest-Afrika zijn ongeveer drieduizend militairen en zevenduizend kolonisten van wie de meesten op de reservistenlijst van het leger staan of militaire training hebben gehad. Hier in Duits Oost-Afrika zijn de aantallen vergelijkbaar.' Graaf Otto keek Von Lettow Vorbeck aan. 'Klopt dat, kolonel?'

'Ja, ze zijn ongeveer hetzelfde. Ik heb tweehonderdzestig blanke officieren en tweeënhalfduizend *askari's* onder mijn bevel. Bovendien is er een politiemacht van vijfenveertig blanke officieren en iets meer dan tweeduizend politie-*askari's* die zal helpen als het tot een oorlog mocht komen.'

'Het is een meelijwekkend kleine strijdmacht om zo'n uitgestrekt gebied mee te verdedigen,' bracht de graaf naar voren. 'Omdat de Britse Koninklijke Marine de oceanen rondom het continent beheerst, is de kans te verwaarlozen dat we deze twee kleine legers versterkingen kunnen sturen en dat we ze kunnen bevoorraden.'

'Het is een ontmoedigend vooruitzicht,' beaamde Von Lettow. 'We zouden gedwongen worden om onze toevlucht te nemen tot dezelfde guerrillatactieken die jullie Boeren in Zuid-Afrika tegen hen hebben gebruikt.'

'Dat zou allemaal ingrijpend kunnen veranderen als Zuid-Afrika in de oorlog de kant van Duitsland zou kiezen,' zei graaf Otto zacht. Hij en Von Lettow Vorbeck keken De la Rey indringend aan.

'Niets hiervan is volkomen nieuw voor me. Ik heb over deze zaken ook heel lang nagedacht en veel van mijn oude strijdmakkers geraadpleegd.' De la Rey streelde peinzend zijn baard. 'Maar Smuts en Botha zijn naar de Britten overgelopen. Ze hebben de teugels van de macht in hun greep. Een stevige, maar geen ijzeren greep. Een groot deel van de Zuid-Afrikaanse bevolking is van Britse afkomst en loyaal aan Groot-Brittannië.'

'Hoe zit het met het Zuid-Afrikaanse leger?' vroeg graaf Otto. 'Hoe groot is het en wie voert het bevel erover?'

'De hogere officieren zijn zonder uitzondering Afrikaners en ze hebben allemaal tegen de Britten gevochten,' antwoordde De la Rey. 'Dat geldt ook voor Smuts en Botha die naar de Britten zijn overgelopen. Maar er zijn er velen die hun voorbeeld niet hebben gevolgd.'

'De oorlog is bijna veertien jaar geleden beëindigd,' zei Von Lettow Vorbeck. 'Er is sindsdien veel veranderd. Alle vier de oude Zuid-Afrikaanse republieken zijn opgegaan in de Zuid-Afrikaanse Unie. De Boeren hebben twee keer zo veel macht en invloed als voorheen. Zullen ze hier tevreden mee zijn of zullen ze alles op het spel zetten door de kant van Duitsland te kiezen? Zijn de Boeren de oorlog niet beu? Ze maken nu deel uit van het Britse imperium. Zouden Smuts en Botha hun oude kameraden zo ver kunnen krijgen dat ze zich van Duitsland afkeren?' Von Lettow en graaf Otto wachtten tot de oude Boer zou antwoorden.

'Daar kunt u gelijk in hebben,' zei hij ten slotte. 'Misschien heeft de tijd sommige wonden van het Afrikaanse volk geheeld, maar de littekens zijn er nog. Maar ik loop nu op de zaken vooruit. Laten we eerst eens naar het bestaande Zuid-Afrikaanse leger kijken, de Verdedigingsmacht van de Unie, zoals het nu genoemd wordt. Het is een indrukwekkend leger van zo'n zestigduizend goed uitgeruste mannen. Het is heel goed in staat om heel zuidelijk Afrika te beheersen, van Nairobi en Windhoek tot Kaap de Goede Hoop. Onder wat voor regering ook, zal het leger de zeeroutes en de havens van het hele continent beheersen. Het zal de enorme goudvelden van Witwatersrand, de diamantmijnen van Kimberley en de nieuwe staal- en wapenfabreken in Transvaal onder controle hebben. Als Zuid-Afrika zijn lot met Duitsland verbindt, zal Groot-Brittannië onder enorme druk komen te staan. Het zal een groot leger uit Europa naar Zuid-Afrika moeten verschepen om het land te heroveren en de Koninklijke Marine zou alles op alles moeten zetten om het te verdedigen en te bevoorraden. Zuid-Afrika zou best eens de doorslag kunnen geven bij de uitkomst van zo'n oorlog.'

'Als u zou besluiten weer tegen de Britten ten strijde te trekken, wat zouden uw oude kameraden dan doen? We weten dat Botha en Smuts de Britten zouden steunen, maar hoe zit het met de andere oude commandoleiders? Zouden ze uw kant of Botha's kant kiezen?'

'Ik ken deze mannen,' zei De la Rey zacht. 'Ik heb samen met hen gevochten en in hun hart gekeken. Het is lang geleden, maar ze zijn de verschrikkelijke dingen die de Britten hun, hun vrouwen en kinderen en het land waarvan we houden, hebben aangedaan nog niet vergeten. Ik weet dat ze samen met mij weer tegen de vijand ten strijde zullen trekken en voor mij is Groot-Brittannië nog steeds de vijand.'

'Ik hoopte dat u dat zou zeggen, generaal. Ik heb van de keizer en mijn regering de volledige bevoegdheid gekregen om u zo veel wapens, voorraden en geld toe te zeggen als u nodig hebt.'

'Die dingen zullen we allemaal nodig hebben.' zei De la Rey, 'vooral in het begin, voordat we de macht aan Botha hebben kunnen ontworstelen en voordat we de wapenarsenalen van het leger en de kluizen van de Reserve Bank in Pretoria, waar het geld is, veroverd hebben.'

'Vertel me wat u nodig hebt, generaal. Ik zal zorgen dat Berlijn het u geeft.'

'We hebben geen voedsel of uniformen nodig. Wij zijn de boeren die de gewassen telen, dus we kunnen onszelf voeden. We zullen, net als voorheen, in onze werkkleding vechten. We hebben geen kleine wapens nodig. Iedereen heeft nog steeds zijn Mauser.'

'Wat hebt u dan nodig,' hield graaf Otto aan.

'Om te beginnen zal ik honderdvijftig zware machinegeweren en vijftig loopgraafmortieren nodig hebben, plus de munitie en de granaten ervoor. Laten we zeggen een miljoen kogels en vijfhonderd mortiergranaten. Verder zullen we medicijnen nodig hebben…' Graaf Otto maakte in steno aantekeningen in zijn blocnote terwijl De la Rey opsomde wat hij nodig had.

'Zware kanonnen?' opperde Von Lettow.

'Nee. Onze eerste aanvallen zullen het van het verrassingselement en snelheid moeten hebben. Als die succesvol zijn, zullen we de wapenarsenalen van het leger veroveren en zal de zware artillerie in onze handen vallen.'

'Wat hebt u nog meer nodig?'

'Geld,' antwoordde De la Rey simpelweg.

'Hoeveel?'

'Twee miljoen pond in gouden soevereinen.'

Een minuut lang waren ze allemaal met stomheid geslagen door de enormiteit van het bedrag waarom De la Rey vroeg.

Toen zei graaf Otto. 'Dat is heel veel geld.'

'Dat is de prijs voor het rijkste land op het zuidelijk halfrond. Het is de prijs voor een leger van zestigduizend goed getrainde en in de strijd geharde mannen. Het is de prijs voor de overwinning op de Britten. Vindt u echt dat hij te hoog is, graaf?'

'Nee!' Graaf Otto schudde nadrukkelijk zijn hoofd. 'Als u het zo stelt, is het een billijke prijs. Ik zal zorgen dat u de volle twee miljoen krijgt.'

'We zullen aan al dat geld en al die wapens niets hebben als ze niet bij onze bases in Zuid-Afrika afgeleverd worden.'

'Vertelt u me maar hoe we dat moeten doen.'

'U kunt het niet naar binnen smokkelen via de grote havens, zoals die van Kaapstad en Durban. De douanecontrole is te streng. Zuid-Afrika grenst echter aan uw kolonie in het zuidwesten. De beide landen zijn verbonden door een goede spoorlijn. De directie en de werknemers van de Zuid-Afrikaanse Spoorwegen zijn bijna uitsluitend Afrikaners. We kunnen erop vertrouwen dat ze met onze zaak sympathiseren. Een alternatieve route zou zijn om de spullen hiervandaan per boot over het Tanganjikameer naar het gebied van de kopermijnen in Rhodesië te brengen en ze daarvandaan naar het zuiden te vervoeren, ook per spoor.'

Von Lettow Vorbeck keek ernstig. 'Het zou weken of zelfs maanden duren om de voorraden via deze routes bij u te brengen. Er zou voortdurend het gevaar dreigen dat de zending door de vijand ontdekt en onderschept wordt. Het is te riskant.' De beide mannen keken graaf Otto vragend aan.

'Hoe kunt u de voorraden bij ons afleveren?' vroeg De la Rey. Ze wachtten hoopvol op zijn antwoord.

Eva ging onverstoorbaar door met tekenen. Kennelijk had ze geen woord van de bespreking verstaan, maar graaf Otto keek even naar haar en vervolgens naar Hennie. Hij fronste licht zijn voorhoofd en zweeg nog een poosje, terwijl hij met zijn vingers op de tafel trommelde en diep nadacht. Toen leek hij een besluit te hebben genomen. 'Het is te doen en we zullen het doen, daarop geef ik u mijn woord, generaal. Ik zal alles wat u nodig hebt afleveren waar u het wilt hebben. Maar van nu af aan moeten we strikte geheimhouding in acht nemen. Ik zal alleen u en kolonel Von Lettow in een later stadium op de hoogte brengen van de methode die we voor de aflevering zullen gebruiken. Op dit moment moet ik u vragen me te vertrouwen.'

De la Rey staarde hem met zijn smeulende, fanatieke ogen aan en graaf Otto beantwoordde zijn blik kalm. Ten slotte pakte De la Rey het vel papier met het briefhoofd met de adelaar op dat nog voor hem op tafel lag. 'Dit is de garantie van uw keizer en uw regering. Het is voor mij niet voldoende om mijn volk opnieuw naar een holocaust te leiden.'

Graaf Otto en Von Lettow Vorbeck bleven hem sprakeloos aanstaren. Het hele plan leek op het punt te staan om in duigen te vallen.

Toen vervolgde De la Rey: 'U hebt me een andere garantie gegeven, graaf. U hebt me uw woord gegeven. Ik ken u als een man die bergen heeft verzet. Uw prestaties zijn legendarisch. Ik weet dat u een man bent die zelfs weigert te denken aan de mogelijkheid van mislukking.' Hij zweeg weer, misschien om zijn gedachten te ordenen. 'Ik ben een bescheiden man, maar op één eigenschap van me ben ik trots. Ik ben trots op mijn vermogen om paarden en mensen te beoordelen. U hebt me uw woord gegeven en nu geef ik u het mijne. Op de dag dat de gesel van de oorlog Afrika weer teistert, zal ik voor u klaarstaan met een leger van zestigduizend man achter me. Geef me uw hand, graaf. Vanaf deze dag ben ik uw bondgenoot tot in de dood.'

82

De laatste vier dagen had Leon van zonsopgang tot de schemering met de Hommel ter hoogte van de boomtoppen over de uitgestrekte savanne gevlogen. Manjoro en Loikot zaten, waakzaam als rondcirkelende aasgieren, voor in de cockpit en speurden ingespannen het terrein onder hen af. Ze hadden vele leeuwen gevonden, waarschijnlijk meer dan tweehonderd, vrouwtjes en welpen, jonge mannetjes en oude tandeloze solitaire mannetjes. Maar Kichwa Moezoeroe had tegen hen gezegd: 'Hij moet groot zijn en zijn manen moeten zo zwart zijn als de helhond.' Tot dusver hadden ze geen enkele leeuw gevonden die ook maar enigszins aan die beschrijving voldeed.

Op de vierde dag had Manjoro de zoektocht in Masai-land willen opgeven en naar het Northern Front District willen vliegen, dat wilde gebied tussen het Turkanameer en Marsabit. 'Daar zullen we onder elke acaciaboom leeuwen vinden. Leeuwen die groot en woest genoeg zijn om zelfs Kichwa Moezoeroe tevreden te stellen.'

Loikot had zich fel verzet. Hij had Leon verteld over een paar legendarische leeuwen die een enorm territorium hadden tussen het Natronmeer en de westwand van de Rift Valley. 'Ik ken die leeuwen goed. In de jaren dat ik mijn vaders vee hoedde, heb ik ze vaak gezien. Het is een tweeling, broers die op dezelfde dag uit dezelfde leeuwin zijn geboren. Dat was in het seizoen van de sprinkhanenplagen toen ik nog een kind was. Jaar na jaar heb ik ze groter, sterker en moediger zien worden. Ze zijn nu in de kracht van hun leven. Er is in het hele land geen leeuw die zich met ze kan meten. Ze hebben honderd stuks vee gedood, misschien wel meer,' had Loikot verteld. 'Ze hebben achttien van de *morani's* gedood die op ze gejaagd hebben. Geen enkele man heeft het met succes tegen de dieren opgenomen want ze zijn te woest en te sluw. Sommige *morani's* geloven dat het geestleeuwen zijn die zich in een gazelle of een vogel kunnen veranderen wanneer ze horen dat de jagers achter ze aan zitten.'

Manjoro had hem uitgelachen, met zijn ogen gerold en met een wijsvinger op zijn slaap getikt om aan te geven hoe gek Loikot was. Maar Leon had hem gesteund, dus de laatste paar dagen hadden ze het uitgestrekte, bruine grasland afgespeurd. Ze hadden grote kuddes buffels gezien en vele duizenden kleinere dieren die op de vlakte leefden, maar de leeuwen daar waren heel jong of heel oud en de speer niet waardig.

Toen ze die avond rondom het kampvuur zaten, probeerde Loikot hun tanende enthousiasme op peil te houden. 'Ik zeg u dat deze leeuwen de hoofdmannen zijn van alle leeuwen in de vallei. Er zijn geen andere die groter, woester en sluwer zijn. Dat zijn de leeuwen waarnaar Kichwa Moezoeroe ons op zoek heeft laten gaan, M'bogo.'

Manjoro hoestte, spuwde toen in het vuur en keek hoe zijn klodder slijm in de vlammen kookte en borrelde voordat hij zijn mening gaf.

'Ik heb vele dagen naar dat verhaal van je geluisterd, Loikot. Er is één deel dat ik ben gaan geloven en dat is dat die leeuwen waarover je het hebt zich in vogels kunnen veranderen. Dat moeten ze gedaan hebben. Ze hebben zich in kleine spreeuwen veranderd en zijn weggevlogen. Ik denk dat we deze vogelleeuwen moeten vergeten en naar Marsabit moeten gaan om een echte leeuw te vinden.'

Loikot kruiste beledigd zijn armen voor zijn borst en keek Manjoro hooghartig aan. 'Ik zeg je dat ik ze met eigen ogen heb gezien. Ze zijn hier. Als we blijven, zullen we ze vinden.' Ze keken Leon aan om te horen wat hij zou besluiten.

Terwijl hij zijn koffie opdronk en het koffiedik in het vuur gooide, dacht Leon over de keus na. Ze hadden weinig brandstof over, nog maar genoeg voor een paar dagen. Als ze naar het noorden zouden vliegen, zouden ze extra voorraden over de weg moeten vervoeren. Dat zou vele dagen kosten en graaf Otto was geen geduldig man. Hij nam een besluit. 'Nog één dag, Loikot. Als we die leeuwen van je morgen niet vinden, vertrekken we naar Marsabit.'

Ze stegen voor zonsopgang op en hervatten de zoektocht op de plek waar ze de vorige avond waren opgehouden. Een uur later en dertig kilometer van de airstrip bij Percy's Kamp vandaan, zag Leon een reusachtige kudde buffels die vanaf de oever van het meer waar de dieren hadden gedronken, terugstroomde over de savanne. Het moesten meer dan duizend dieren zijn. De grote stieren vormden op een kluitje de voorhoede en de koeien, kalveren en jongere dieren kwamen er, verspreid over bijna anderhalve kilometer grasland, achteraan. Hij helde over en vloog ernaartoe. Hij wist dat troepen leeuwen zulke grote kuddes vaak volgden om de zwakke dieren en de achterblijvers eruit te pikken.

Plotseling begon Loikot voor in de cockpit opgewonden handgebaren te maken en Leon leunde naar voren om te zien waarom hij zo geagiteerd was. Een paar buffels waren van de kudde gescheiden geraakt en liepen er ongeveer vierhonderd meter achter. Ze staken een met goudkleurig gras begroeide open plek over en liepen naast elkaar. Alleen hun rug was boven het gras uit zichtbaar en daaraan zag Leon dat het stieren waren. Ze hadden een zwaar, zwart lichaam, maar ze waren jong en Leon vroeg zich af waarom Loikot zich zo druk over deze dieren maakte.

Terwijl Leon ze bestudeerde, kwam het paar het lange gras uit en liep een weide met korter gras op. Leon voelde dat al zijn zenuwen tot het uiterste gespannen raakten. Het waren geen buffels, maar leeuwen. Nog nooit eerder had hij leeuwen van zo'n omvang en met die kleur gezien. De vroegeochtendzon stond achter de dieren en accentueerde hun koninklijke, statige loop. Hun manen waren diepzwart en ruig als een hooiberg en de bries blies er een rimpeling in toen ze bleven staan en naar het naderende vliegtuig omhoogkeken.

Leon nam gas terug en liet de Hommel dalen tot de landingswielen over de grond scheerden. Toen hij recht op de leeuwen af vloog, zetten ze hun manen op en sloegen met stijgende opwinding met hun lange, zwarte staart tegen hun flanken. De ene liet zich op de grond zakken en drukte zich plat tegen het korte gras terwijl de andere zich omdraaide en in een logge, zwaaiende draf naar een bosje dichte struiken aan de rand van de open plek liep. Leon vloog laag over het ineengedoken dier heen en keek in zijn gele ogen die hem met een onverzoenlijke blik aanstaarden. Daarna vloog hij op de tweede leeuw af. Toen het dier het vliegtuig hoorde naderen, ging het over in een galop met krachtig bewegende schouders en een heen en weer zwaaiende buik die gevuld was met het vlees van zijn prooi. Weer draaide hij zijn grote kop met de zwarte manen omhoog en grauwde naar Leon toen hij over hem heen schoot.

Leon liet het vliegtuig geleidelijk stijgen en keerde terug naar de landingsbaan bij het kamp. Het was twintig minuten vliegen naar het kamp, maar hij wilde landen om een actieplan met de beide Masai te bespreken. Manjoro leek te zijn vergeten dat hij zich eerder tegen het doorgaan met de zoektocht had verzet en hij lachte en stampte met evenveel overgave op de vloer als Loikot.

Die leeuwen zijn een goede reden voor uitbundige vreugde. Je kunt je assegaai maar beter slijpen, graaf Otto von Meerbach. Je zult hem nodig hebben, dacht Leon en hij lachte in de wind. Hij kwam sterk in de verleiding om te keren en nog een blik op die schitterende dieren te werpen. Hij wist echter dat het onverstandig was om ze opnieuw te storen. Als ze zo sluw en behoedzaam waren als Loikot had gezegd, zou hij ze gemakkelijk van de grazige savanne de bossen op de helling van de Rift Valley in kunnen drijven waar ze moeilijker te vinden zouden zijn.

Laat ze maar, dacht hij. Laat ze maar tot rust komen tot ik die gekke Von Meerbach hier kan krijgen om met ze af te rekenen.

Toen Leon landde en de Hommel over de landingsbaan beneden Percy's kamp liet taxiën, waren de twee Masai nog steeds de ontdekking van de leeuwen aan het vieren. Toen Leon de motoren had uitgezet, schreeuwde Loikot vrolijk: 'Ik heb het je toch gezegd, Manjoro?' en hij antwoordde direct zelf: 'Ja, ik heb het je gezegd! Maar geloofde je me, Manjoro? Nee, dat deed je niet! Wie van ons tweeën is nu dom en koppig? Ben ik dat, Manjoro? Nee, dat ben ik niet! Wie van ons is de grote jager en degene die de leeuwen gevonden heeft? Ben jij dat, Manjoro? Nee, het is Loikot!' Hij nam een nobele, heroïsche houding aan en Manjoro bedekte quasi-verslagen zijn gezicht met zijn handen.

'Je bent de beste spoorzoeker van Afrika en weergaloos mooi, Loikot,' zei Leon, 'maar nu heb ik werk voor je. Je moet naar je leeuwen terugkeren en bij ze blijven tot ik Kichwa Moezoeroe voor de jacht naar je toe breng. Je moet ze van dichtbij volgen, maar niet van zo dichtbij dat je ze laat schrikken en ze verjaagt.'

'Ik ken die leeuwen. Ze zullen me niet ontgaan,' bezwoer Loikot hem. 'Ik hou ze in het oog.'

'Wanneer ik terugkom en je het geluid van motoren hoort, moet je een smeulend vuur aanleggen. De rook zal me naar je toe leiden.'

'Ik zal de leeuwen in het oog hebben en het geluid van de motoren in mijn oor,' snoefde Loikot.

Leon richtte zich tot Manjoro. 'Wie is de hoofdman in het gebied waarin we vandaag de leeuwen hebben gevonden?'

'Hij heet Massana en zijn *manjatta* is bij Temboe Kikoeoe, de Plaats van de Grote Olifant.'

'Je moet naar hem toe gaan, Manjoro. Zeg hem dat er op allebei zijn leeuwen een premie staat van twintig stuks vee. Maar zeg hem ook dat we een *mzoengoe* bij hem zullen brengen die op de traditionele manier zal jagen. Massana moet vijftig van zijn *morani's* verzamelen voor de jacht, maar Kichwa Moezoeroe zal de prooi in zijn eentje doden.'

'Ik begrijp het, M'bogo, maar ik denk niet dat Massana het zal begrijpen. Een *mzoengoe* die met een assegaai op een leeuw jaagt? Dat is iets ongehoords. Massana zal denken dat Kichwa Moezoeroe gek is.'

'Manjoro, jij en ik weten dat Kichwa Moezoeroe zo gek is als een wildebeest met de snotworm in zijn hersenen. Zeg maar tegen Massana dat hij zich geen zorgen moet maken om Kichwa Moezoeroes geestelijke toestand. Zeg hem dat hij beter aan de twintig stuks vee kan denken. Wat denk je, Manjoro? Zal Massana ons bij de jacht helpen?'

'Voor twintig stuks vee zou Massana zijn vijftien vrouwen en hun dochters verkopen en misschien ook nog zijn moeder. Natuurlijk zal hij ons helpen.'

'Is er dicht bij deze *manjatta* een plek waar ik met het vliegtuig kan landen?' vroeg Leon. Manjoro peuterde peinzend in zijn neus voordat hij antwoordde. 'Er is een droge zoutpan dicht bij het dorp. Hij is vlak en er groeien geen bomen.'

'Laat me die zoutpan maar zien,' beval Leon. Ze stegen weer op en Manjoro wees hem de weg ernaartoe. Het was een enorme, glinsterende, witte vlakte die vanaf een afstand van vele kilometers duidelijk zichtbaar was.

Toen ze dichterbij kwamen, galoppeerde er een kudde spiesbokken overheen en Leon zag opgelucht dat hun hoeven niet door de witte korst heen drongen. Sommige van deze zoutpannen waren levensgevaarlijk. Vaak was er onder de breekbare korst diep drijfzand verborgen dat zo zacht als havermoutpap en zo plakkerig als lijm was. Hij zette de Hommel voorzichtig neer en liet de wielen net de grond aanraken zodat hij onmiddellijk weer zou kunnen opstijgen als hij voelde dat het landingsgestel in de modder wegzakte. Toen het oppervlak het gewicht van het vliegtuig bleek te houden, liet hij het vliegtuig helemaal landen. Hij taxiede naar de rand van de pan en keerde, maar hij zette de motoren niet uit. 'Hoe ver is het hiervandaan naar de *manjatta*?' schreeuwde hij boven het lawaai uit naar Manjoro.

'Het is dichtbij.' Manjoro wees voor zich uit. 'Sommige van de dorpelingen komen er al aan.' Een groepje vrouwen en kinderen rende tussen de bomen door naar hen toe.

'En hoe ver is het naar de plek waar we de leeuwen hebben achtergelaten, o, grote jager?' vroeg Leon aan Loikot. Loikot beschreef met zijn speer een klein deel van de hemel waarmee hij twee uur van de baan van de zon bedoelde. 'Mooi. Dus hier ben je dicht bij de *manjatta* en de leeuwen. Ik laat jullie hier allebei achter. Wacht tot ik terugkom. Wanneer ik terugkom, zal ik Kichwa Moezoeroe bij me hebben.'

Leon liet de twee Masai op de zoutpan achter en steeg weer op. Hij cirkelde nog één keer boven de pan rond voordat hij koers zette naar Nairobi. De Masai zwaaiden naar hem en hij zag dat ze uit elkaar gingen: Loikot draafde weg om het spoor van de leeuwen op te pikken en Manjoro liep de vrouwen uit Massana's dorp tegemoet.

83

Toen Leon met zijn nadering van het poloveld in Nairobi begon, keek hij ongerust uit naar de Vlinder. Hij vreesde dat graaf Otto weer was vertrokken voor een van zijn mysterieuze, onvoorspelbare uitstapjes en pas na vele dagen zou terugkeren. Tegen die tijd zou Loikot de leeuwen misschien uit het oog hebben verloren.

'Godzijdank!' riep hij uit toen hij de Vlinder met zijn felle rode en zwarte kleuren aan de andere kant van het poloveld voor de hangar zag staan. Gustav en zijn assistenten werkten aan de motoren. De jachtauto was echter nergens te bekennen, dus in plaats van te landen vloog hij een rondje boven Kamp Tandala en hij zag dat de auto voor graf Otto's privéverblijf geparkeerd stond. Toen Leon nog een keer over het kamp heen vloog, kwam de graaf met naakt bovenlichaam zijn tent uit terwijl hij een overhemd aanschoot.

Leon voelde een scherpe steek van jaloezie en wrok. Natuurlijk heeft hij Eva daar bij hem, dacht hij. Ze moet de kost verdienen. Het idee maakte hem misselijk. Graaf Otto zwaaide nonchalant naar hem en liep toen naar de jachtauto. Leon keerde naar het poloveld, maar hij proefde de bittere smaak van woede en jaloezie op zijn tong.

Stel je niet aan, Courtney! Je weet dat Eva von Wellberg geen Vestaalse maagd is. Ze heeft sinds hun aankomst elke nacht onder hetzelfde muskietennet geslapen als hij, hield hij zichzelf voor toen hij het vliegtuig in één lijn met het poloveld bracht. Toen hij met een zijwaartse beweging over de omheining vloog, zag hij haar in de schaduw van de geruite vleugel van de Vlinder achter haar ezel in de schaduw zitten en zijn hart begon sneller te kloppen. Tot dat moment was ze voor hem verborgen geweest achter de romp. Het was belachelijk, maar hij was opgelucht omdat de graaf alleen in het privéverblijf was geweest.

Toen hij het vliegtuig aan de grond zette en naar de hangar taxiede, sprong Eva vanachter haar ezel op en kwam impulsief naar hem toe hollen. Zelfs op deze afstand zag hij het verlangen in haar glimlach. Toen leek ze zich te realiseren dat Gustav haar in de gaten hield. Ze beheerste zich en liep in een ingetogener tempo door. Ze wachtte op hem toen hij de ladder tegen de romp zette en naar beneden klom. Hij keek over de hoofden van de andere mannen naar haar en zag dat ze nerveus en in verwarring was. Hij was eraan gewend dat ze altijd kalm en beheerst was, maar nu leek ze op een gazelle met de geur van een jagende luipaard in haar neus. Haar opwinding stak hem aan, maar hij wist zijn gevoelens voldoende te verbergen om achteloos naar haar te knikken. 'Goedendag, Fräulein,' zei hij beleefd en toen richtte hij zich tot Gustav. 'Stuurboordmotor nummer twee draait ongelijkmatig en blaast blauwe rook uit.'

'Ik ga er direct naar kijken,' zei Gustav en hij schreeuwde naar zijn assistenten wat hij ging doen.

Toen zijn hoofd onder de motorkap verdween, waren Leon en Eva alleen. 'Er is iets met je gebeurd; er is iets veranderd,' zei hij zachtjes tegen haar. 'Je bent anders, Eva.'

'En jij hebt een goed opmerkingsvermogen. Alles is veranderd.'

'Wat is er dan? Heb je problemen met graaf Otto?'

'Niet met hem. Dit gaat om iets tussen ons.'

'Problemen?' Hij staarde haar aan.

'Geen problemen. Juist het tegenovergestelde. Ik heb een besluit genomen.' Haar stem was zacht en hees, maar toen glimlachte ze.

Haar glimlach was het mooiste dat hij ooit had gezien. 'Dat begrijp ik niet,' zei hij.

'Ik ook niet, Das.'

Dat ze die naam gebruikte, was te veel voor hem. Hij deed een stap naar haar toe en strekte zijn hand uit. Ze deinsde met een ruk terug. 'Nee, raak me niet aan. Als je dat doet, sta ik niet voor mezelf in. Ik zou dan best iets doms kunnen doen.' Ze wees naar het stof dat door de jachtauto opgeworpen werd toen hij naar hen toe reed. 'Otto komt eraan. We moeten voorzichtig zijn.'

'Ik kan zo niet langer verdergaan,' waarschuwde hij haar.

'Ik ook niet,' antwoordde ze. 'Maar voorlopig moeten we bij elkaar uit de buurt blijven. Otto is niet gek. Hij zal zien dat er iets tussen ons gebeurd is.' Ze wendde zich af en liep naar Gustav toe die, balancerend op een vleugel, onder de motorkap tuurde.

Toen hij met de jachtauto door het hek van de omheining reed, riep graaf Otto: 'Dus je bent terug, Courtney. Je bent lang genoeg weg geweest. Waar was je? In Kaapstad? Caïro?'

Door het korte gesprek met Eva was Leon in een uitgelaten en roekeloze stemming geraakt. 'Nee, meneer. Ik was naar die vervloekte leeuw van u aan het zoeken.'

Graaf Otto zag dat Leon uitgelaten was. Zijn gezicht lichtte op en zijn duelleerlitteken werd roze van verwachting. 'Heb je hem gevonden?'

'Anders zou ik niet terug zijn gekomen.'

'Is hij groot?'

'Het is de grootste leeuw die ik ooit heb gezien. En de andere is nog groter.'

'Dat begrijp ik niet. Hoeveel leeuwen zijn er dan?'

'Twee,' zei Leon. 'Twee reusachtige beesten.'

'Wanneer kunnen we vertrekken om achter ze aan te gaan?'

'Zodra Gustav de motor van de Hommel heeft nagekeken.'

'Zo lang kan ik niet wachten. De tanks van de Vlinder zijn vol, al onze uitrustingsstukken zijn ingeladen en het vliegtuig is gereed om op te stijgen. We vertrekken nu! Onmiddellijk!'

84

Graaf Otto bestuurde de Vlinder toen ze opstegen van de airstrip bij Percy's Kamp waar Leon was geland om bij te tanken na de vlucht uit Nairobi. Hij zette koers naar het zuiden, naar de *manjatta* van Massana. Eva zat naast hem. Ishmael zat neergehurkt op de vloer met zijn dierbare keukenbundel naast zich terwijl Leon, Gustav en Hennie op een kluitje voor in de cockpit zaten.

Ze hadden iets meer dan vijfentwintig minuten gevlogen toen Leon aan bakboord een rookpluimpje zag dat recht omhoog in de windstille middaghitte opsteeg. Loikot! Leon wist al dat hij het was, voordat hij de slanke gestalte naast het rookvuur zag staan. Loikot wapperde met zijn *sjoeka* om zich ervan te verzekeren dat ze hem zouden zien en wees toen met zijn speer naar de gekartelde contour van een kleine heuvel niet ver voor hem uit. Hij gaf de verblijfplaats van de prooi aan.

Leon beoordeelde de veranderde situatie snel. De jachtgoden waren vriendelijk voor hen geweest. Tijdens zijn afwezigheid moesten de leeuwen in de richting van Massana's *manjatta* zijn getrokken. Ze waren er nu vele kilometers dichterbij dan toen hij ze voor het eerst had gezien. Hij keek naar de verre helling van de Rift om zich te oriënteren en zag toen de spookachtige zoutpan waar hij de twee Masai nog maar drie dagen geleden had achtergelaten. De pan lag bijna halverwege tussen de *manjatta* en de heuvel waar de leeuwen zich nu ophielden. Het kon niet beter, dacht Leon, en hij trok zich snel terug om met graaf Otto te praten. 'Loikot heeft me aangegeven dat de leeuwen zich tussen de rotsen op dat heuveltje schuilhouden.'

'Wat is de dichtstbijzijnde plek waar ik kan landen?'

'Ziet u die zoutpan daar?' Leon wees ernaar. 'Als u ons daar neerzet, zijn we dicht bij de prooi en bij het dorp waar de *morani's* zich voor de jacht verzamelen.'

Massana's *manjatta* was groter dan de meeste andere dorpen in de vallei. Meer dan honderd hutten stonden in een grote cirkel rondom de veekraal. Graaf Otto cirkelde laag boven de nederzetting rond. Een donkere massa mensen had zich in de centrale veekraal verzameld. Hoewel Leon Manjoro in het gewoel van in *sjoeka's* geklede dorpelingen niet zag, had deze zijn werk gedaan en Massana overgehaald om zijn *morani's* te verzamelen voor de grote jacht.

Nu hij er zeker van was dat alles voor hen in gereedheid was, vroeg Leon graaf Otto om naar de zoutpan te keren. De graaf landde en taxiede naar de bomen langs de westrand ervan voordat hij de motoren uitzette.

'We kamperen hier een tijdje,' zei Leon, 'zodat we ons geïnstalleerd hebben voordat de *morani's* aankomen.' De uitrusting voor een kamp was in het vrachtruim van de Vlinder geladen. Het duurde niet lang voordat Leon het opgeslagen had. Hij zette de tenten op in de schaduw onder de vleugels van het vliegtuig. Ishmael zette zijn keuken- en kooktent op een veilige afstand van het vliegtuig op en al snel serveerde hij koffie met gemberkoekjes.

Leon dronk zijn beker leeg en keek omhoog naar de hemel om de tijd te bepalen. 'Loikot kan elk moment arriveren,' zei hij tegen graaf Otto en hij had de woorden nauwelijks uitgesproken of Loikot kwam al tussen de bomen uit draven.

Leon liep de schaduw uit en ging hem tegemoet om hem te begroeten. Hij wilde wanhopig graag Loikots verslag horen, maar hij wist dat de jongeman zich niet liet opjagen. Hoe gewichtiger het nieuws was, hoe langer Loikot erover deed om het te vertellen. Eerst nam hij een snuifje terwijl hij op één been staand op zijn speer leunde. Daarna bleek dat ze het erover eens waren dat het drie dagen geleden was sinds ze elkaar hadden gezien, een lange tijd, dat het warm was voor de tijd van het jaar en dat het waarschijnlijk voor zonsondergang zou gaan regenen, wat goed zou zijn voor de weidegronden.

'En Loikot, machtige jager en vermetele spoorzoeker, hoe zit het met je leeuwen? Heb je ze nog steeds in het oog?'

Loikot schudde mistroostig zijn hoofd.

'Ben je ze kwijt?' vroeg Leon boos. 'Heb je ze laten ontsnappen?'

'Nee! Het is waar dat de kleinste leeuw is verdwenen, maar ik heb de grootste leeuw nog steeds in het oog. Ik heb hem nog geen drie uur geleden gezien. Hij is alleen en heeft zich om aan de hitte te ontkomen, teruggetrokken op de top van de heuvel die ik u aangewezen heb.'

'We hoeven de verdwijning van de andere leeuw niet te betreuren,' troostte Leon hem. 'Een leeuw in zijn eentje zal gemakkelijker zijn om op te jagen. Twee leeuwen samen is er misschien een te veel.'

'Waar is Manjoro?' vroeg Loikot.

'Nadat we jou hebben achtergelaten, zijn we over de *manjatta* van Massana gevlogen. De *morani*-jagers hadden zich daar verzameld, maar ze moeten al op weg hiernaartoe zijn. De *manjatta* is hier niet ver vandaan. Ze zullen hier spoedig zijn.'

'Ik ga terug om mijn leeuw in het oog te houden,' zei Loikot. 'Wanneer het donker is, legt hij misschien een grote afstand af. Ik kom morgenochtend vroeg terug.'

Het was nog geen twee uur voor zonsondergang toen ze gezang hoorden en mensen door het open bos naar de rand van de zoutpan zagen komen waar ze hun kamp hadden opgeslagen. Manjoro liep voorop en hij werd gevolgd door de lange rij *morani's* die hun schild en assegaai droegen en getooid waren met al hun jachtversierselen.

Ze werden gevolgd door honderden mannen, vrouwen en kinderen. Ze waren afkomstig uit alle *manjatta's* in een straal van vijfenzeventig kilometer. Als een zwerm prachtige zonnevogels volgden de ongehuwde meisjes het regiment van begerenswaardige *morani's*. Tegen de tijd dat de zon was ondergegaan, had deze mensenmassa zijn tenten rondom de Vlinder opgeslagen en de avondlucht vulde zich met de geuren van de kookvuren. Er heerste een koortsachtige opwinding en het gezang en het vrolijke gelach van de jonge mensen ging de hele nacht door.

De volgende ochtend kwam Loikot voordat het licht was terug van zijn verkenningsexpeditie. Hij vertelde dat de leeuw in het licht van de maan een jonge koedoekoe had gegrepen en nog steeds van het kadaver aan het eten was. 'Hij zal zijn prooi niet verlaten,' zei Loikot met grote stelligheid.

De jagers wachtten met stijgende verwachting tot de zon zou opgaan. Ze zaten zich rondom de vuren op te doffen, hun haar te kappen, hun assegaaien te slijpen en de pezen van hun schilden strak te trekken. Toen de eerste zonnestralen de klippen op de wand van de vallei raakten, blies de jachtmeester op zijn fluit ten teken dat de jacht zou beginnen. Ze sprongen op van hun slaapmatten en stelden zich op de witte zoutvlakte in het gelid op. Ze begonnen te dansen en te zingen, eerst zachtjes, maar met steeds grotere overgave naarmate hun opwinding toenam.

De jonge meisjes vormden een kring om hen heen. Ze begonnen jodelende geluiden te maken, met hun voeten te stampen, met hun heupen te schokken, in hun handen te klappen en met hun hoofden op en neer te deinen. Ze schudden hun borsten met hun handen op en neer, wiebelden met hun mollige, ronde billen voor de mannen en spoorden hen aan. De *morani's* begonnen te zweten terwijl ze dansten. Hun ogen werden glazig van bloeddorst en opwinding.

Plotseling kwam graaf Otto de tent uit die in de schaduw van de brede vleugels van de Vlinder was opgezet en hij beende de witte vlakte op. Toen ze hem zagen, steeg een gebrul uit de gelederen van de *morani's* op. Hij was gekleed in de rode *sjoeka* van de Masai. Het bovenste deel ervan was met een riem om zijn middel gebonden en het achterpand was over zijn ene schouder geslagen. De huid van zijn bovenlichaam en ledematen was bloot en wit als de vleugel van een zilverreiger. Het haar op zijn borst en onderarmen glansde als koperdraad. Zijn schouders en borst waren breed en zijn armen en benen waren hard en gespierd, maar zijn buik was vol en begon uit te puilen en zacht te worden door zijn leeftijd en het goede leven.

De jonge meisjes gierden van het lachen en klemden zich, door het dolle van plezier, aan elkaar vast. Ze hadden nooit verwacht dat een blanke *mzoengoe* zich als een Masai zou kleden. Ze zwermden, nog steeds giechelend, naar hem toe en verzamelden zich om hem heen. Ze raakten zijn melkwitte huid aan en streelden verwonderd zijn roodgouden lichaamshaar. Toen begon graaf Otto te dansen. De meisjes stapten achteruit en al snel giechelden ze niet meer. Ze gaven met handgeklap het ritme voor hem aan en moedigden hem met schrille, opgewonden kreten aan.

Graaf Otto danste met buitengewone gratie voor zo'n grote man. Hij sprong hoog op, stampte op de grond en stak met de assegaai in zijn rechterhand in de lucht. Hij zwaaide met het schild van ongelooid leer dat hij op zijn linkerschouder droeg. De knapste en brutaalste meisjes kwamen om de beurt naar voren om tegenover hem te dansen. Ze strekten hun lange kraanvogelachtige nek uit en ratelden met de kragen van kralensnoeren om hun hals. Hun borsten glansden van het vet en de rode oker en met elke stijfbenige sprong wipten ze verleidelijk op en neer. De lucht, die vol hing met het stof dat hun snelle voeten deden opstuiven, rook muskusachtig door hun zweet en de spanning van het vooruitzicht op bloedvergieten, dood en zinnelijk genot was bijna tastbaar.

Leon leunde tegen de romp van de Vlinder en leek zijn volle aandacht te schenken aan deze vol overgave uitgevoerde, oeroude rituele dans. Maar bijna op armlengte van hem vandaan zat Eva, met bungelende benen, op de rand van de vleugel van de Vlinder. Vanuit deze hoek kon hij haar gezicht bestuderen zonder dat het opviel. Behalve een lichte geamuseerdheid toonde Eva geen emotie. Weer verbaasde Leon zich over haar vermogen om haar ware gevoelens compleet te verbergen.

Graaf Otto was haar man en zij was duidelijk zijn vrouw, maar toch nam hij deel aan een schaamteloos seksueel ritueel met tientallen aantrekkelijke, halfnaakte en opgewonden jonge vrouwen. Als ze zich vernederd en beledigd voelde door zijn lompe gedrag, liet ze het niet merken, maar Leon ziedde van plaatsvervangende woede.

Bijna alsof ze zijn blik voelde, keek ze hem vanaf de vleugel aan. Haar uitdrukking was kalm en haar blik verried niets. Maar toen ze elkaar even recht aankeken, gunde ze hem een blik in de geheime, goed bewaakte delen van haar ziel. Er straalde zo'n overduidelijke liefde voor hem uit haar violette ogen dat zijn adem stokte. Hij werd zich onmiddellijk bewust van de omvang van de verandering die zich bij hen had voltrokken. Wat er ook hiervoor was gebeurd, ze waren nu met elkaar verbonden. Verder was niets belangrijk. Terwijl ze in elkaars ogen keken, zwoeren ze elkaar stilzwijgend een eed van trouw die onherroepelijk was.

Het moment werd afgebroken doordat er op een fluit werd geblazen en er vervolgens een luid gejuich uit de kelen van de *morani's* opsteeg. De jagers stelden zich in een colonne op. Loikot nam zijn plaats in het voorste gelid in om hen naar de plaats te leiden waar de leeuw zich ophield. Terwijl ze nog steeds het leeuwenlied zongen, volgden de *morani's* hem tussen de bomen door met het glanzende witte lichaam van graaf Otto in hun midden. De toeschouwers dromden achter hen aan. Gustav en Hennie werden door de menigte opgeslokt en meegevoerd.

Leon en Eva bleven alleen achter. Hij liep naar haar toe. 'Als we het doden van de leeuw willen zien, moeten we ons haasten.'

'Help me naar beneden,' zei ze. Ze bracht haar armen omhoog en boog zich naar hem toe. Hij legde zijn handen om haar slanke leest en toen hij haar neerzette, drukte ze zich heel even tegen hem aan. Hij rook haar bijzondere parfum en voelde haar warme buik tegen de zijne. Ze las zijn emoties in zijn ogen en voelde door hun kleren heen dat zijn lid stijf werd. 'Ik weet het, Das. ik weet heel goed wat je voelt. Ik voel het ook, maar we moeten nog een tijdje geduld hebben. Binnenkort! Binnenkort, dat beloof ik je.'

'O, god!' kreunde hij. 'Otto, de leeuw. Als hij nu eens...'

Haar ogen werden groot van echte angst. 'Nee, zeg het niet!' Ze legde een vinger op zijn lippen. 'Je mag niet wensen dat dat gebeurt. Het zou ons ongeluk brengen.' Toen ze haar vinger van zijn lippen haalde en haar hand liet zakken, zag hij dat Manjoro stilletjes naar hem toe was gekomen en nu naast hem stond. Hij had het Holland-geweer in de ene en de munitie in de andere hand.

'Dank je, mijn broeder,' zei Leon toen hij ze aanpakte.

'Graaf Otto heeft gezegd dat er bij deze jacht geen geweren gebruikt mochten worden,' bracht Eva hem in herinnering.

'Kun je je voorstellen wat er zou gebeuren als hij die leeuw verwondt en het dier tussen al die mensen terechtkomt?' vroeg Leon grimmig. 'Hij moet zelf weten of hij een pact met de duivel wil sluiten, maar dat mag in geen geval ten koste van al die vrouwen en kinderen gaan.' Hij klapte het geweer open en terwijl hij het met twee dikke koperen patronen laadde, vroeg hij: 'Kun je rennen in die rok en met die laarzen?'

'Ja.'

'Laat dat dan maar eens zien.' Hij pakte haar arm vast en ze renden achter de colonne *morani's* aan die snel uitliep op de menigte toeschouwers.

Het verbaasde Leon hoe goed Eva hem kon bijhouden. Ze tilde haar gabardine rok tot boven haar kniehoge laarzen op en rende met de gratie en de lichtvoetigheid van een opgeschrikte hinde. Hij pakte haar arm vast om haar op de ruwere ondergrond te ondersteunen en gaf haar een duwtje in de rug op de steile helling van een ravijn. Ze passeerden de achterblijvers en toen ze de hoofdgroep van de jagers ingehaald hadden en niet ver achter de voorste krijgers liepen, blies de jachtmeester weer op zijn fluit. De *morani's* splitsten zich soepeltjes op in hun tweehoornige strijdformatie.

'Ze hebben de leeuw ingehaald.' Leon hijgde van inspanning.

'Hoe weet je dat? Kun je dat zien?'

'Hiervandaan niet, maar zij wel. Te oordelen naar de manier waarop ze optrekken, moet de leeuw zich ophouden in dat dichte struikgewas aan de voet van de heuvel.' Hij wees voor zich uit naar een wirwar van rotsen en zilverbladstruiken.

'Waar is Otto?' Ze hapte naar adem en leunde even tegen hem aan om uit te rusten. Haar voorhoofd was vochtig en glansde van het zweet en hij genoot van haar warme, vrouwelijke geur.

'Hij loopt helemaal vooraan. Wat zou je anders van hem verwachten.' Leon wees en ze zag zijn witte lichaam dat sterk opviel in het eerste gelid van donkere krijgers dat zich als een gepantserde vuist om de uitstekende rotsachtige heuvel sloot.

'Kun je de leeuw al zien?' Haar toon was angstig.

'Nee, daarvoor moeten we dichterbij zijn.' Hij pakte haar arm vast en ze begonnen weer te rennen. Toen de eerste rij *morani's* nog maar honderdvijftig passen voor hen uit was, bleef Leon abrupt staan. 'O, lieve god. Daar is hij! Daar is de leeuw.' Hij wees.

'Waar? Ik zie hem niet.'

'Daar. Hoger op de heuvel.' Hij sloeg een arm om haar schouders en draaide haar ernaartoe. 'Dat enorme zwarte ding op de hoogste rots. 'Dat is hem! Luister! De *morani's* dagen hem uit.'

'Ik zie nog...' Maar toen kwam de leeuw overeind en zette zijn manen op. Haar adem stokte. 'Ik keek recht naar hem. Ik dacht dat het een reusachtige steen was. Ik had me niet gerealiseerd dat hij zo groot zou zijn. Ik dacht dat het een gigantische steen was.'

De leeuw zwaaide zijn enorme kop heen en weer en bekeek de horde vijanden die hem omringde. Hij grauwde en ontblootte zijn tanden. Zelfs vanaf deze afstand zagen Leon en Eva duidelijk de glinstering van zijn hoektanden en hoorden ze zijn rommelende gegrom.

Toen hij het maanbleke lichaam van graaf von Meerbach midden in de gelederen zag, liet hij zijn kop zakken en drukte zijn oren plat tegen zijn kop. Hij was kwaad omdat hij van zijn prooi was verjaagd. Hij had geen verdere provocatie nodig dan de aanblik van dat vreemde lichaam. Hij grauwde weer, lanceerde toen zijn aanval en kwam met grote sprongen over de helling van de heuvel naar beneden, recht op graaf Otto af.

Een uitdagend geschreeuw steeg op uit de gelederen van de *morani's* en ze trommelden op hun schild om de leeuw op te hitsen.

Toen hij de grond aan de voet van de heuvel bereikte, vlakte zijn lichaam door de snelheid en de kracht van zijn aanval af en zakte tot laag bij de grond, terwijl het stof van onder zijn enorme poten opstoof en hij bij elke pas gromde.

Zonder een moment te aarzelen hief graaf Otto zijn schild en hield het hoog terwijl hij het grote dier tegemoet rende. Leon en Eva stonden met een ruk stil en zagen het, met een gevoel van onvermijdelijkheid, gebeuren. Eva klemde Leons hand vast en hij voelde dat haar nagels zijn vlees tot bloedens toe binnendrongen. 'De leeuw gaat hem doden!'

fluisterde ze, maar op het laatste nippertje kwam graaf Otto met de timing en de coördinatie van een getraind atleet in beweging. Hij liet zich op één knie zakken en beschermde zich met het strijdschild. Tegelijkertijd bracht hij de assegaai in zijn rechterhand omhoog en richtte de punt ervan op de aanvallende leeuw. De speer boorde zich met zijn hele lengte recht in de borst van het dier, zo diep dat graaf Otto's rechterhand waarin hij het heft vasthield, in het ruwe, zwarte haar van de manen verdween. Het hart van de leeuw was zuiver aan het vlijmscherpe staal geregen. Hij sperde zijn muil open toen hij brulde en uit zijn keel spoot een fontein van bloed die Otto von Meerbachs hoofd en schouders besproeide. Met de speer nog steeds in zijn hart wankelde de leeuw achteruit, strompelde toen in een kringetje rond en zakte op het gras in elkaar terwijl alle vier zijn poten in de lucht trapten. Hij was perfect gedood.

Graaf Otto gooide het schild neer, sprong triomfantelijk brullend overeind en wervelde rond in een derwisjdans. Zijn gezicht was verwrongen onder het glinsterende bloed van de leeuw. Een stuk of tien *morani's* renden naar voren om met hun assegaai in het kadaver te steken. Graaf Otto ging, bezitterig brullend, voor hen staan om hen van zijn prooi vandaan te houden. Hij rukte zijn speer uit de borst van de leeuw en schudde ermee naar de krijgers toen ze zich naar voren drongen. Hij dreef hen terug terwijl hij in hun gezicht schreeuwde, met zijn vuisten in razende woede op zijn borst sloeg en hen met zijn geheven speer bedreigde. Ze schreeuwden woedend naar hem terug en trommelden met hun speer op hun schild. Ze wilden in de glorie delen en eisten hun recht op om hun speren in het bloed van de leeuw te wassen. Graaf Otto deed een uitval naar een van hen, maar de *morani* was snel genoeg om de steek met zijn schild af te weren. Graaf Otto schreeuwde van woede en wierp de assegaai naar hem. De krijger bracht zijn schild omhoog, maar het blad ging door het ongelooide leer heen en sneed de bloedvaten in zijn pols open. Zijn vrienden brulden van woede.

'Lieve god! Hij is gek geworden,' zei Eva hijgend. 'Iemand zal gedood worden. Hij of de Masai. Ik moet hem tegenhouden.' Ze wilde naar voren lopen.

'Nee, Eva. Ze zijn allemaal gek van bloeddorst. Je kunt hen niet tegenhouden. Je zult alleen maar het gevaar lopen dat je zelf gewond raakt.' Hij greep haar arm vast.

Ze probeerde zich los te trekken. 'Ik heb hem al vaker weten te kalmeren. Hij luistert wel naar me...' Ze probeerde zich weer los te trekken, maar nu sloeg hij zijn linkerarm om haar schouders en bracht het geweer in zijn rechterhand omhoog. Ze was hulpeloos in zijn greep, hoe sterk ze ook was en hoe ze ook tegenstribbelde.

'Het is te laat, Eva,' siste hij in haar oor en terwijl hij het zware geweer vasthield alsof het een pistool was, wees hij met de loop over de hoofden van graaf Otto en de gewonde *morani*. 'Kijk daar, boven op de heuvel.'

Ze deed wat hij zei en zag de tweede leeuw, de vermiste tweelingbroer die op de top van de heuvel stond. Hij was groot, nog groter dan het dier dat Graaf Otto had gedood, maar zijn manen stonden rechtop van woede zodat hij dubbel zo groot leek. Hij kromde zijn rug, sperde zijn bek open en hield hem dicht bij de grond toen hij een luid en oorverdovend gebrul uitstootte. Het kabaal van de toeschouwers en het tumult van graaf Otto en de krijgers die zich op de strijd voorbereidden, verstomde direct tot een dodelijke stilte. Alle hoofden waren naar de top van de heuvel en het dier dat daar stond gedraaid.

De twee leeuwen waren drie dagen geleden uit elkaar gegaan toen de oudste was weggelokt door een onweerstaanbare geur in de koele bries voor zonsopgang. Het was de geur van een volwassen, krolse leeuwin. Hij had zijn jongere broer verlaten en was haastig vertrokken om op de door de wind gedragen uitnodiging in te gaan.

Hij had de leeuwin een uur na zonsopgang gevonden, maar een nadere leeuw paarde al met haar, een jongere, sterkere en vastberadener minnaar. Ze hadden brullend en met hun ontblote hoektanden en klauwen naar elkaar bijtend en uithalend met elkaar gevochten. De oudere leeuw was gewond geraakt en hij was verjaagd met een diepe jaap over zijn ribben en een beet in zijn schouder die tot op het bot was doorgedrongen. Hij was strompelend van pijn en vernedering teruggekomen om zich bij zijn broer te voegen. De twee leeuwen waren even na het opgaan van de maan herenigd en de gewonde broer had gegeten van het kadaver van de koedoe die door het andere dier was gedood. Daarna had hij zich teruggetrokken onder een rotsig uitsteeksel aan de zijkant van de heuvel waar hij was gaan liggen om uit te rusten en zijn wonden te likken.

Hij had te veel pijn gehad en was te stijf geweest om te reageren op de aanval van de *morani's*, maar door het woedende gebrul en de geluiden van de doodsstrijd van zijn broer was hij uit zijn schuilplaats gekomen.

Nu keek hij neer op het slagveld waar het lijk van zijn broer lag. Hij kende de menselijke gevoelens van verdriet, droefheid en verlies niet, maar woede kende hij wel en een verschrikkelijke allesverterende woede jegens de wereld en de nietige wezens voor hem maakte zich van hem meester. De gestalte van graaf Otto was het dichtst bij hem en diens lichtgekleurde lichaam werd het brandpunt van de woede van de leeuw. Hij sprong naar voren en rende de helling af.

Een angstig gejammer steeg uit de gelederen van de vrouwen op en ze schoten uiteen als een zwerm kippen voor een neerschietende slechtvalk. De *morani's* waren volledig overrompeld: het ene moment waren ze met graaf Otto aan het vechten en het volgende moment verscheen de leeuw alsof hij door de magische krachten van de graaf was opgeroepen.

Tegen de tijd dat ze zich voldoende hersteld hadden om deze nieuwe dreiging het hoofd te bieden, had de leeuw de afstand tot graaf Otto bijna overbrugd. Leon duwde Eva achter zich en schreeuwde tegen haar: 'Blijf hier. Kom niet dichterbij!' Toen rende hij naar voren om zijn cliënt te beschermen. Hij en de *morani's* waren te laat.

Op het laatste moment gooide graaf Otto zijn armen omhoog in een futiele poging om zichzelf te beschermen, maar de leeuw ramde hem met zijn volle snelheid en zijn enorme gewicht. De graaf werd achterovergeworpen met het dier boven op zich. Het sloeg zijn voorpoten in een verpletterende omhelzing om hem heen en dreef zijn klauwen als vleeshaken diep in zijn rug. Tegelijkertijd reten zijn achterpoten het onderlichaam en de dijen van graaf Otto open. Ze trokken diepe wonden in het vlees en haalden zijn buik open. De leeuw lag nu gehurkt op hem en viel zijn gezicht en keel aan, maar graaf Otto stak zijn onderarm in de opengesperde bek in een poging om de aanval af te weren. De leeuw beet erin en terwijl Leon naderbij kwam, hoorde hij dat het bot werd versplinterd. De leeuw beet weer en ditmaal verbrijzelde hij graaf Otto's rechterschouder. Als een jong katje dat met een bol wol speelt, klauwde hij met zijn achterpoten en trok hij zijn lange gele klauwen door de dijen en de buik van de graaf.

Leon haalde de veiligheidspal van het geweer over en ramde de lopen in het oor van de leeuw. Op hetzelfde moment haalde hij beide trekkers over. De kogels boorden zich door de schedel heen en kwamen door het andere oor naar buiten waarbij ze het grootste deel van de hersenen meenamen. De leeuw plofte op zijn zij en viel van graaf Otto af.

Leon boog zich met tuitende oren door de knal van het geweer over graaf Otto heen en staarde met ongeloof en afgrijzen naar de schade die het dier in slechts een paar seconden had aangericht. Hij kon zich er niet direct toe zetten om graaf Otto aan te raken: hij zat onder het bloed en nog meer bloed gutste uit de gruwelijke wonden in zijn arm en schouder. Het stroomde ook uit de diepe japen in zijn dijen en uit zijn opengereten buik.

'Leeft hij nog?' Eva had zijn instructie om weg te blijven genegeerd. 'Leeft hij of is hij dood?'

'Een beetje van allebei, denk ik,' zei Leon somber, maar haar stem had hem uit de inertie gewekt waarin hij door zijn afgrijzen was vervallen. Hij overhandigde het geweer aan Manjoro die naar hem toe was gerend, liet zich toen op zijn knieën naast het lichaam van zijn cliënt zakken, trok zijn jachtmes uit de schede en begon de met bloed doorweekte *sjoeka* weg te snijden.

'Goeie god, hij heeft hem aan flarden gescheurd. Je moet me helpen. Weet je iets van eerstehulp?' vroeg hij aan Eva.

'Ja,' zei ze en ze knielde naast hem neer. 'Ik heb er les in gehad.' Haar toon was kalm en zakelijk. 'Eerst moeten we het bloeden stelpen.'

Leon haalde het laatste stuk van graaf Otto's gescheurde *sjoeka* weg en sneed er stroken van om als verband te gebruiken. Samen legden ze tourniquets om de verbrijzelde arm en de opengehaalde dijen aan. Daarna bonden ze drukkussentjes om de andere diepe wonden die de hoektanden van de leeuw hadden achtergelaten.

Leon keek naar Eva's handen terwijl ze snel en netjes werkte. Ze liet geen weerzin blijken, hoewel ze tot aan haar ellebogen onder het bloed zat. 'Je weet wat je doet. Waar heb je dat geleerd?'

'Ik zou jou dezelfde vraag kunnen stellen,' kaatste ze terug.

'Ik heb de beginselen in het leger geleerd,' antwoordde hij.

'Ik ook.'

Hij staarde haar verbaasd aan. 'Het Duitse leger?'

'Eens vertel ik je misschien mijn levensverhaal, maar nu moeten we doorwerken.' Ze veegde haar bebloede handen af aan haar rok terwijl ze beoordeelde wat ze hadden gedaan. Ze schudde haar hoofd. 'Hij overleeft de verwondingen misschien – hij is sterker dan de meesten – maar hij zal waarschijnlijk sterven aan infectie en gangreen,' zei ze.

'Je hebt gelijk. De tanden en klauwen van een leeuw zijn dodelijker dan gifpijlen. Ze zijn aangekoekt met verrot vlees en opgedroogd bloed, een broedplaats van bacteriën. Dokter Joseph Listers kleine vriendjes. We moeten hem direct naar Nairobi brengen, zodat dokter Thompson hem in een warm jodiumbad kan leggen.

'We kunnen hem niet verplaatsen voordat we wat aan de wonden in zijn buik hebben gedaan. Als we hem nu optillen, vallen zijn darmen eruit. Kun je die wonden hechten?' vroeg ze.

'Nee, ik weet niet hoe dat moet,' zei Leon. 'Dat is een klus voor een arts. We doen er gewoon een verband omheen en dan moeten we er maar het beste van hopen.' Ze bonden stukken van de *sjoeka* om zijn buik. Leon keek naar Eva en wachtte tot ze emotie zou tonen. Ze leek niet te rouwen. Had ze wel gevoelens voor hem? Ze leek met professionele afstandelijkheid te werken en ze meed zijn blik, dus hij kon er geen zekerheid over krijgen.

Ten slotte konden ze graaf Otto op een strijdschild leggen. Zes *mora*-

ni's tilden het op en droegen het in looppas in de richting van de zoutpan waar de Vlinder stond te wachten.

Onder het toeziend oog van Manjoro tilden ze de geïmproviseerde brancard de cockpit in en Leon bevestigde hem aan de ringbouten in de vloer. Daarna keek hij op naar Eva. Bleek en verfomfaaid zat ze tegenover hem neergehurkt en haar rok zat onder het bloed en het stof.

'Ik denk niet dat hij het redt, Eva. Hij heeft te veel bloed verloren. Maar misschien kan dokter Thompson een van zijn wonderen verrichten, als we hem op tijd in Nairobi krijgen.'

'Ik ga niet met je mee,' zei Eva zacht.

Hij staarde haar stomverbaasd aan. Het kwam niet alleen door de woorden zelf, maar ook door de taal waarin ze uitgesproken werden. 'Je spreekt Engels,' zei hij. 'Dat is een Noord-Engels accent,' zei hij. De lyrische tongval klonk hem zoet in de oren.

'Ja.' Ze glimlachte treurig. 'Ik kom uit Northumberland.'

'Dat begrijp ik niet.'

Ze streek het haar uit haar ogen en schudde haar hoofd. 'Nee, Das, dat kun je ook niet begrijpen. O, god, er is zo veel dat je niet van me weet en dat ik je niet kan vertellen... nog niet.'

'Vertel me dan één ding. Wat voel je echt voor Otto von Meerbach? Hou je van hem, Eva?'

Haar ogen werden groot en daarna donker van afschuw. 'Of ik van hem hou?' Ze stootte een kort, bitter lachje uit. 'Ik haat hem uit de grond van mijn hart.'

'Waarom ben je dan hier met hem? Waarom gedraag je je tegenover hem alsof je wel van hem houdt?'

'Je bent een soldaat, Das, net als ik. Je weet wat plichtsbesef en vaderlandsliefde van je kunnen vragen.' Ze haalde diep adem. 'Maar ik heb er genoeg van. Ik kan zo niet verdergaan. Ik ga niet met je mee naar Nairobi. Als ik dat doe, zal ik nooit meer kunnen ontsnappen.'

'Aan wie probeer je dan te ontsnappen?'

'Aan degenen die mijn ziel in bezit hebben.'

'Waar ga je naartoe?'

'Dat weet ik niet. Naar een geheime plek waar ze me niet kunnen vinden.' Ze pakte zijn hand vast. 'Ik rekende op jou, Leon. Ik hoopte dat jij een plek voor me zou kunnen vinden waar ik me kan verbergen. Een plek waarnaar we samen zouden kunnen vluchten.'

'En hoe moet het dan met hem?' Hij gebaarde naar het met bloed besmeurde lichaam dat tussen hen in op de vloer lag. 'We kunnen hem niet achterlaten om te sterven en hij zal zeker sterven als we niet snel iets doen.'

'Nee,' beaamde ze. 'Ondanks mijn gevoelens jegens hem kunnen we dat niet doen. Zoek een plek voor me waar ik me kan verbergen en laat me daar achter. Kom me zo snel mogelijk halen. Dat is mijn enige kans om mijn vrijheid terug te krijgen.'

'Je vrijheid? Ben je dan nu niet vrij?'

'Nee, ik ben een gevangene van de omstandigheden. Je denkt toch niet dat ik ervoor heb gekozen om te worden wat ik nu ben, wat zij van me hebben gemaakt?'

'Wat ben je dan? Wat ben je geworden?'

'Ik ben een hoer en een bedriegster geworden, een leugenaarster en een valsspeelster. Ik zit gevangen tussen de kaken van een monster. Eens was ik net als jij, eerlijk en onschuldig. Zo wil ik weer worden. Ik wil zijn zoals jij. Wil je me hebben? Beschadigd en bezoedeld als ik ben. Wil je me hebben?'

'O, god, Eva, er is niets wat ik liever wil. Ik hou al van je sinds ik je voor het eerst zag.'

'Stel me dan nu geen vragen meer. Ik smeek het je. Verberg me hier in de wildernis. Breng Otto naar Nairobi. Als daar mensen, wie het ook zijn, naar me vragen, vertel hun dan niet waar ik ben. Vertel hun simpelweg dat ik verdwenen ben. Laat Otto in het ziekenhuis achter. Als hij het overleeft, zullen ze hem terugsturen naar Duitsland. Maar je moet naar me terugkomen, zodra je kunt. Wil je dat doen? God weet dat je er geen reden voor hebt, maar wil je me vertrouwen?'

'Je weet dat ik je vertrouw,' zei hij zacht en toen schreeuwde hij: 'Manjoro! Loikot!' Ze wachtten vlakbij. De orders die hij voor hen had, waren kort en zakelijk. Hij had er nog geen minuut voor nodig. Hij richtte zich weer tot Eva. 'Ga met hen mee,' zei hij. 'Doe wat ze zeggen. Je kunt hen vertrouwen.'

'Dat weet ik, maar waar nemen ze me mee naartoe?'

'Naar de Lonsonjo. Naar Loesima,' antwoordde hij en hij zag de bezorgde uitdrukking uit haar violette ogen verdwijnen.

'Naar onze berg,' zei ze. 'O, Leon, ik heb altijd geweten dat de Lonsonjo een speciale betekenis voor ons had.'

Intussen had Manjoro het valies gevonden waarin Eva haar persoonlijke bezittingen bewaarde. Hij trok het uit het luik van de laadruimte achter in de cockpit en gooide het naar beneden, naar Loikot, die naast de romp stond. Daarna sprong hij over de zijwand van de cockpit. Voorlopig waren Leon en Eva alleen. Ze staarden elkaar zwijgend aan. Hij strekte zijn handen uit om haar aan te raken en ze viel gracieus in zijn armen. Ze klemden zich aan elkaar vast alsof ze probeerden hun lichamen tot één geheel te laten versmelten. Haar lippen trilden tegen zijn wang toen ze fluisterde: 'Kus me, schat. Ik heb zo lang gewacht. Kus me nu.'

Ze drukten hun lippen op elkaar, eerst licht als twee vlinders die elkaar vliegend raken, maar toen werd hun kus intenser en hij duwde zijn tong bij haar naar binnen zodat hij haar eesentie kon proeven en de warmte van haar tong en de roze geurige uithoeken van haar mond kon voelen. Die eerste kus leek tegelijkertijd een ogenblik en een eeuwigheid te duren. Toen maakten ze zich moeizaam van elkaar los en staarden elkaar vol ontzag aan.

'Ik wist dat ik van je hield, maar tot dit moment besefte ik niet hoeveel,' zei hij zacht.

'Dat weet ik, want ik voel het ook,' antwoordde ze. 'Voor dit moment heb ik nooit geweten hoe het is om iemand volkomen te vertrouwen en met mijn hele hart van iemand te houden.'

'Je moet gaan,' zei hij. 'Als je nog een minuut langer blijft, kan ik er niet voor instaan dat ik je laat gaan.'

Ze rukte haar blik van de zijne los en keek uit over de zoutpan naar de *morani's* en de dorpelingen die naar hen toe stroomden. Sommigen van hen droegen de kadavers van de twee leeuwen die met hangende kop aan dikke takken hingen.

'Gustav en Hennie komen eraan,' zei ze. 'Ze mogen me niet zien vertrekken en niet weten waar ik naartoe ga.' Ze kuste hem nog een keer snel en maakte zich toen van hem los. 'Ik wacht tot je naar me terugkomt en elke seconde zal een eeuwigheid duren en een kwelling zijn.' Toen sprong ze met een ruisende en wapperende rok uit de cockpit. Met Manjoro en Loikot aan weerskanten van haar rende ze naar de bomen, door de romp van het vliegtuig afgeschermd voor de blikken van Gustav en Hennie. Toen ze de bomen bereikten, bleef Eva staan en keek om. Ze zwaaide en verdween toen in het bos. Hij was verbaasd door het gevoel van eenzaamheid dat zich van hem meester maakte nu ze weg was en hij deed bewust moeite om het gevoel van zich af te zetten en zich voor te bereiden op het gesprek met Gustav die nu de cockpit in klom.

Gustav liet zich naast graaf Otto's lichaam op zijn knieën zakken. 'O, mijn god, mijn goeie god!' riep hij. 'Hij is dood.' Oprechte tranen stroomden over zijn verweerde wangen. 'Alstublieft, God, spaar hem! Ik hield meer van hem dan van mijn eigen vader.' Kennelijk was Gustav het bestaan van Eva von Wellberg vergeten.

'Hij is niet dood,' zei Leon bruusk, 'maar hij zal snel sterven als we nu de motoren niet starten zodat ik hem naar een dokter kan brengen.'

Gustav en Hennie gingen onmiddellijk aan de slag en binnen een paar minuten pruttelden alle vier de motoren. Terwijl ze warmdraaiden, bliezen ze blauwe rook uit die de geur had van de wonderolie die aan de brandstof was toegevoegd. Leon draaide de neus van de Vlinder tegen de wind in en wachtte tot de motoren regelmatig zouden lopen. Toen schreeuwde hij naar Gustav en Hennie: 'Hou hem op zijn plaats!'

Ze hurkten naast de geïmproviseerde brancard waarop graaf Otto lag neer en pakten het schild stevig vast. Leon duwde de gashendel helemaal naar voren. De motoren begonnen te ronken en het vliegtuig reed naar voren. Toen hij was opgestegen en over de bomen heen vloog, keek hij over de zijwand om Eva te zoeken en hij zag haar. Zij en de beide Masai hadden al een flinke afstand afgelegd en ze waren al vierhonderd meter voorbij de rand van de zoutpan. Ze holde een stukje achter de anderen aan. Ze bleef staan en keek omhoog, trok haar hoed van haar hoofd en zwaaide ermee naar hem. Haar haar viel over haar schouders en ze lachte. Hij wist dat ze lachte om hem te bemoedigen. Zijn hart kromp ineen door haar moed en haar kracht, maar hij durfde niet terug te zwaaien omdat het misschien Gustavs aandacht op de kleine gedaante beneden zou vestigen. De Vlinder vloog verder en klom naar de wand van de Rift Valley.

Het was laat in de middag en de zon ging al onder toen Leon de Vlinder op het poloveld in Nairobi aan de grond zette. Het was verlaten, want niemand verwachtte hen. Hij taxiede naar de hangar waar de jachtauto geparkeerd was en zette de motoren uit. Daarna tilden ze met zijn drieën de brancard over de zijwand heen en lieten graaf Otto naar de grond zakken.

Leon onderzocht hem kort. Hij bespeurde geen ademhaling en de huid van de Duitser was dodelijk bleek en vochtig en voelde koud aan. Hij vertoonde geen tekenen van leven. Leon was opgelucht dat zijn wens dat de man zou sterven zo snel in vervulling was gegaan, maar hij voelde zich daar tegelijkertijd schuldig over. Maar toen raakte hij graaf Otto's nek onder het oor aan en hij voelde dat de halsslagader zwakjes en onregelmatig klopte. Hij legde zijn oor op de borst van de man en hoorde de lucht zwakjes sissend zijn longen in en uit gaan.

Ieder normaal mens zou al lang dood zijn geweest, maar deze rotzak was zo taai als de huid van het achterwerk van een olifant, dacht hij bitter. 'Haal de jachtauto,' zei hij tegen Gustav. Ze legden de brancard op de achterbank waar Gustav en Hennie hem stevig vasthielden terwijl Leon voorzichtig naar het ziekenhuis reed en de voren en hobbels in de weg omzeilde.

Het ziekenhuis was een klein bakstenen gebouw dat tegenover de nieuwe anglicaanse kerk stond. Het herbergde een kliniek, een rudimentaire operatiekamer en twee kleine, lege ziekenzalen. Het hele gebouw was verlaten en Leon haastte zich naar het huisje aan de achterkant ervan.

Dokter Thompson en zijn vrouw zaten te eten, maar ze lieten hun maaltijd direct staan en liepen snel met Leon mee naar het ziekenhuis. Mevrouw Thompson was de enige verpleegkundige in de hele kolonie en ze nam het heft direct in handen. Onder haar toezicht droegen Gustav en Hennie graaf Otto de kliniek in en tilden hem van de brancard op de onderzoektafel. Terwijl de dokter de geïmproviseerde verbanden wegsneed, sleepten ze een badkuip van gegalvaniseerd ijzer naar binnen en vulden dat met heet water waarin mevrouw Thompson een kwart flesje geconcentreerd kaliumjodide leegde. Daarna tilden ze graaf Otto's gebroken lichaam van de tafel en lieten hem in het dampende bad zakken.

De pijn was zo ondraaglijk dat hij uit de donkere mist van zijn coma werd gerukt. Hij krijste en spartelde terwijl hij probeerde zich uit het bijtende ontsmettingsmiddel te slepen. Ze hielden hem genadeloos neergedrukt zodat het jodium in de diepe, verschrikkelijke wonden kon intrekken. Ondanks zijn antipathie tegen de man, vond Leon het hartverscheurend om hem zo te zien lijden. Hij liep naar de deur en glipte stilletjes de kliniek uit en de zoete avondlucht in. Tegen de tijd dat hij het poloveld bereikte, was de zon al onder. Paulus en Ludwig, twee van de Meerbach-monteurs, waren daar voor hem aangekomen: ze hadden gehoord dat de Vlinder was geland en waren naar het poloveld gekomen om te vragen wat er was gebeurd. Leon vertelde hun in het kort dat graaf Otto ernstig gewond was nadat hij door een leeuw was aangevallen. 'Ik moet teruggaan. Ik weet niet wat er met Fräulein von Wellberg is gebeurd. Ze is daar alleen. Ze zou in gevaar kunnen zijn. De brandstoftanks van de Vlinder zijn bijna leeg. Hoe zit het met de Hommel?'

'We hebben de tanks bijgevuld nadat u bent geland,' zei Ludwig.

'Help me met het starten van de motoren.' Leon liep naar het vliegtuig toe en de monteurs liepen achter hem aan,

'U kunt in het donker niet vliegen!' zei Ludwig.

'Over twee nachten is het volle maan en hij gaat binnen een uur op. Dan zal het zo licht zijn als overdag.'

'En als het dan bewolkt wordt?'

'Niet in deze tijd van het jaar,' zei Leon. 'Hou nu op met dat gezeur. Help me met het starten.' Hij klom in de cockpit en begon met de startroutine, maar halverwege hield hij op en hield zijn hoofd schuin om naar de galopperende hoefslagen te luisteren die over de weg uit de stad naderden. 'Verdomme,' mompelde hij. 'Ik hoopte dat ik ertussenuit zou kunnen knijpen zonder onwelkome aandacht te trekken. Wie is dat?' Hij hurkte achter het luikhoofd van de cockpit neer en zag de donkere vorm van een paard met ruiter uit het duister tevoorschijn komen. Hij zuchtte toen hij de lange, gezette gestalte in het zadel herkende, ook al kon hij het gezicht nog niet zien. 'Oom Penrod!' riep hij.

De ruiter toomde in. 'Leon? Ben jij dat?'

'In hoogsteigen persoon.' Leon probeerde zijn stem niet berustend te laten klinken.

'Wat is er aan de hand? Ik zat met Hugh Delamere in de Muthaiga Club te eten toen we het vliegtuig hoorden aankomen. Bijna onmiddellijk daarna deden er aan de bar allerlei geruchten de ronde. Iemand had gezien dat Von Meerbach op een brancard het ziekenhuis binnen was gedragen. Hij zei dat er een ongeluk was gebeurd, dat graaf Otto door een leeuw was gebeten en dat Fräulein von Wellberg dood of vermist was. Ik ben naar het ziekenhuis gegaan, maar ik kreeg te horen dat dokter Thompson aan het opereren was en niet met me kon praten. Toen realiseerde ik me dat er maar twee mensen in de kolonie zijn die kunnen vliegen en omdat Von Meerbach daartoe duidelijk niet in staat was, moest jij degene zijn die met het vliegtuig was aangekomen. Ik ben hiernaartoe gekomen om je te zoeken.'

Leon lachte spijtig. Het was niet gemakkelijk om brigadegeneraal Ballantyne te slim af te zijn. 'U bent een genie, oom.'

'Dat zegt iedereen altijd tegen me. Ik wil een volledig rapport van je hebben, jongen. Wat voer je in vredesnaam in je schild? Wat is er echt met Von Meerbach gebeurd en waar is het lieftallige Fräulein?'

'Sommige van de geruchten die u hebt gehoord, zijn juist, oom. Ik heb Von Meerbach vanuit het veld hiernaartoe gebracht. Hij is ernstig verwond door een leeuw, zoals u hebt gehoord. Ik heb hem bij de dokter achtergelaten. Ik denk niet dat hij het zal redden. Hij is te zwaar gewond.'

'Hoe heb je dit kunnen laten gebeuren, Leon?' Penrods toon verraadde zijn woede. 'Bij god, al mijn harde werk is nu voor niets geweest.'

'Hij wilde de leeuw per se met de assegaai doden, op de manier van de Masai. De leeuw had hem al te pakken voordat ik een kans had om het te voorkomen.'

'De man is een idioot,' snauwde Penrod, 'en jij bent niet veel beter. Je had hem nooit in zo'n situatie mogen laten komen. Je wist hoe belangrijk het was, je wist dat we hoopten een heleboel van hem aan de weet te komen. Verdomme! Je had hem moeten tegenhouden. Je had op hem moeten passen alsof hij een baby was.'

'Een grote, stoute baby met een eigen wil, oom. Dat zou niet gemakkelijk zijn geweest.' Leons toon was scherp van woede.

Percy wisselde gladjes van tactiek. 'Waar is Von Wellberg? Ik hoop dat je haar niet ook aan de leeuwen hebt gevoerd.'

De schimpscheut maakte Leon kwaad, zoals Penrods bedoeling ook was. Het ware antwoord lag op zijn lippen, maar hij wist het met moeite binnen te houden. Eva's waarschuwing echode in zijn oren. *Als de mensen, wie het ook zijn, naar me vragen, vertel hun dan niet waar ik ben. Vertel hun simpelweg dat ik verdwenen ben.*

Wie het ook zijn. Was het haar bedoeling geweest dat die waarschuwing ook voor Penrod gold? Hij herinnerde zich het incident bij het regimentsdiner waar hij hen samen in de tuin had gezien. De vermoedens die hij toen had gekregen, moesten gefundeerd zijn. Eva zou zich nooit zo hebben laten verrassen als ze niet een speciale verstandhouding met elkaar hadden gehad. Toen herinnerde hij zich dat Eva had laten doorschemeren dat ze connecties met het leger had. Penrod was de bevelhebber van de strijdkrachten in de kolonie. Het begon in zijn hoofd allemaal op een vage manier vorm te krijgen.

Ik zit gevangen tussen de kaken van een monster, had ze gezegd. Was Penrod het monster? Als dat zo was, dan had Leon op het punt gestaan om haar te verraden. Hij haalde diep adem en zei op besliste toon: 'Ze is verdwenen, oom.'

'Hoe bedoel je in godsnaam "verdwenen"?' blafte Penrod.

Zijn snelle, scherpe reactie bevestigde Leons vermoedens.

Penrod had een centrale rol in een duister mysterie.

Je bent een soldaat, Das, net als ik. Je weet wat plichtsbesef en vaderlandsliefde van je kunnen vragen.

Ja, hij was een soldaat, en nu stond hij hier tegen zijn meerdere te liegen. Hij was al een keer schuldig bevonden aan het niet gehoorzamen van een meerdere en plichtsverzuim. Nu pleegde hij hetzelfde halsmisdrijf, maar deze keer deed hij het opzettelijk en weloverwogen. Net als Eva zat hij gevangen tussen de kaken van een monster.

'Kom op, jongen, voor de draad ermee. Hoe bedoel je "ze is verdwenen"? Mensen verdwijnen niet zomaar.'

'Tijdens de aanval van de leeuw probeerde ik Von Meerbach te beschermen. Hij was degene die echt in gevaar was, niet...' hij had bijna 'Eva' gezegd, maar hij slikte het bijtijds in... 'niet de dame. Ik zei tegen haar dat ze uit de buurt moest blijven en ik rende met de Masai naar voren. In de verwarring heb ik haar uit het oog verloren. Toen de leeuw Von Meerbach tegen de grond gegooid had en hem aan het openrijten was, dacht ik er alleen maar aan hoe ik hem kon oplappen en bij dokter

Thompson brengen. Ik dacht pas weer aan Fräulein von Wellberg toen ik al in de lucht was en tegen die tijd was het te laat om te keren en haar te gaan halen. Ik vertrouwde erop dat Manjoro en Loikot haar zouden vinden en voor haar zouden zorgen. Ik denk dat ze haar in veiligheid hebben gebracht, maar ik ga nu het risico nemen om in het donker door de vallei te vliegen om me ervan te verzekeren dat alles goed met haar is.'

Penrod stuurde zijn paard tot dicht bij de romp van het vliegtuig en keek boos omhoog naar Leon die zeker wist dat duidelijk op zijn gezicht te lezen stond dat hij schuldig was. Hij zegende de duisternis die zijn gezicht voor Penrods onderzoekende blik verborg.

'Luister naar me, Leon Courtney! Als haar iets overkomt, zul je je tegenover mij moeten verantwoorden. Goed, dit zijn mijn orders. Let goed op. Je gaat terug naar de plek waar je Eva von Wellberg in de rimboe hebt achtergelaten en je haalt haar terug. Daarna breng je haar bij mij – rechtstreeks bij mij en bij niemand anders. Is dat duidelijk?'

'Absoluut, oom.'

'Als je me teleurstelt, zal ik je de betekenis van de woorden "pijn" en "lijden" leren. Wat Freddie Snell je aangedaan heeft, zal in vergelijking daarmee een aai over je bol zijn. Je bent gewaarschuwd.'

'Dat ben ik inderdaad, oom. Als u nu zo vriendelijk zou willen zijn om een eindje verderop te gaan staan om uit de schroefwind van de propellers te blijven, dan vertrek ik nu om uw orders te gehoorzamen.'

Ludwig reed met de grote truck naar de andere kant van het poloveld en zette hem zo neer dat de landingsstrook door de koplampen werd verlicht. Toen Leon over het veld raasde, zag hij Penrod, die door het licht van de koplampen in silhouet afgetekend was, voorovergebogen op zijn paard zitten. Hij kon de woede van zijn oom bijna voelen.

Zodra hij boven de toppen van de blauwe gombomen aan het einde van het veld uit was zette hij koers naar Percy's Kamp. Toen hij hoogte kreeg, leek de maan gretig over de zwarte horizon te snellen om hem bij te lichten. Vanaf een afstand van ruim twintig kilometer was de heuvel boven het kamp verguld door het maanlicht en daarop oriënteerde hij zich het laatste deel van de vlucht. Om Max Rosenthals aandacht te trekken, cirkelde hij drie keer boven het kamp rond waarbij hij beurtelings gas gaf en gas terugnam. Bij de laatste ronde zag hij beneden hem dat de koplampen van een auto aangezet werden en dat het voertuig daarna over het ruwe pad naar de landingsbaan reed. Max begreep wat er van hem werd verwacht en hij zette de auto aan het einde van de landingsbaan, zodat Leon zich op het licht van de koplampen kon oriënteren.

Zodra Leon was geland, gooide hij zijn plunjezak uit de cockpit, pakte het Holland-geweer en de patroongordel uit het kastje waarin Manjoro ze had achtergelaten. Hij klom naar beneden en haastte zich naar de truck.

'Max, ik wil vier van je beste paarden hebben en een van de paardenknechten moet met me meegaan. We berijden allebei een paard en voeren de reservepaarden aan leidsels mee.'

'*Jawohl*, baas. Waar gaat u naartoe? Wanneer wilt u vertrekken?'

'Maak je geen zorgen over waar ik naartoe ga en ik wil onmiddellijk vertrekken.'

'*Himmel*! Het is elf uur 's avonds. Kunt u niet wachten tot morgenochtend?'

'Ik heb haast, Max.'

'Ja, daar lijkt het wel op.'

Leon haastte zich naar zijn tent, gooide een paar onontbeerlijke spullen in zijn plunjezak en liep toen naar de plaats waar de paarden getuierd waren. Daar stonden de paarden al klaar, maar in plaats van vier paarden, zoals hij had bevolen, waren er vijf dieren. Leons frons maakte plaats voor een grijns toen hij de man herkende die op de zwarte muilezel zat. 'Moge de profeet je met zegeningen overladen.' begroette hij hem.

Ishmaels witte tanden glinsterden in het maanlicht. 'Ik wist dat u zonder mij zou verhongeren, *effendi*.'

Ze reden de rest van de nacht snel door en verwisselden twee keer van paard. Bij zonsopgang zagen ze de schimmige, blauwe Lonsonjo laag op de verre horizon voor hen uit liggen. Tegen de middag vulde hij de hele oostelijke hemel, maar voor Leon was dit een onbekend uitzicht op de berg. Hij was nog nooit vanuit deze richting naar de berg gereisd. Nu liet de Lonsonjo zijn ruigere, oostelijke helling zien, de helling waar hij en Eva overheen gevlogen waren met graaf Otto achter de stuurknuppel van de Vlinder.

Inmiddels hadden ze bijna dertien uur gereden sinds ze uit Percy's Kamp waren vertrokken en hij had veel van de paarden gevergd. Hoewel hij zijn ongeduld om met Eva herenigd te worden nauwelijks kon bedwingen, kon hij niet meer van de paarden en de mannen eisen. Hij moest de mannen laten uitrusten en de paarden laten grazen en drinken. Ze zadelden naast een kleine waterpoel af, kluisterden de paarden en lieten ze toen gaan om te grazen.

Terwijl ze daarmee bezig waren, zette Ishmael koffie en sneed koud wildbraad en ingelegde uien in plakken waarmee hij hompen ongedesemd brood belegde. Toen ze gegeten hadden, sliep Leon tot de avond viel. Ze zadelden op en reden het donker in. In de koele nachtlucht liepen de paarden extra snel en bij het ochtendgloren torende de berg boven hen uit. Leon staarde vol ontzag naar de klippen omhoog: de hoge wand was bedekt met felkleurig korstmos. Hij zag de zilverachtige glans van vallend water in een van de smalle ravijnen die de reusachtige bergwand doorkliefden. Hoewel vanuit deze lage gezichtshoek de donkere, ronde poel verborgen was, besefte hij dat dit de waterval moest zijn waarop hij en Eva vanuit de lucht neergekeken hadden.

Leon wist van Loikot dat er een pad naast de waterval was dat tot de top van de berg omhoogliep en dat de Masai van plan waren om Eva via deze route naar Loesima te brengen. Maar hij was nog te ver weg om het pad te kunnen zien, zelfs met de verrekijker. Hij concentreerde zich op het schatten van de richting waaruit de anderen zouden komen en de afstand die ze nog van hen verwijderd waren in de hoop dat hij hen zou kunnen onderscheppen voordat zijzelf aan hun klim begonnen. Het was echter waarschijnlijker dat ze al op het pad voor hem waren.

Hoe dan ook, hij wist dat Eva dichtbij was en hij fleurde helemaal op. Ishmael en de paardenknecht konden hem niet bijhouden toen hij zijn paard aanspoorde. Binnen een uur toomde hij scherp in, zwaaide zich uit het zadel en hurkte neer naast een van de wildpaden die kriskras door de savanne liepen. Drie paar menselijke voetafdrukken waren kort geleden in het fijne zand achtergelaten. Manjoro had vooropgelopen: Leon zou de manke loop altijd herkennen, want de Masai sleepte duidelijk licht met zijn teen. Loikot kwam daarna met zijn lange, soepele passen en Eva sloot de rij.

'O, mijn schat!' fluisterde Leon toen hij een van haar keurige, smalle voetafdrukken aanraakte. 'Zelfs je kleine voeten zijn mooi.'

De sporen liepen recht naar de berg. Hij steeg weer op en volgde ze in handgalop. Het pad klom omhoog over het eerste deel van de helling die met elke pas steiler werd. De klip was zo hoog dat hij de hemel leek te vullen en de wolken die erboven zweefden, gaven Leon het onaangename gevoel dat de berg op hem zou instorten.

Al snel werd het pad zo steil dat Leon moest afstijgen en het paard aan de teugels moest meevoeren. Met tussenpozen pikte hij de sporen op die Eva's laarzen hadden achtergelaten, wat hem aanmoedigde om zo snel mogelijk te blijven klimmen.

Doordat de helling zo steil was, kon hij maar een klein stukje van het pad voor zich zien, maar hij liep door terwijl de rest van de groep achter hem aan ploeterde en snel achteropraakte. Hij bereikte een vlakker deel van de bergwand en toen hij boven aankwam, staarde hij verwonderd voor zich uit.

Voor hem lag de ronde poel. Hij was veel groter dan hij vanuit het vliegtuig had geleken, maar hij viel in het niet bij de reusachtige klip erboven en de razende, witte stortvloed van de waterval. Er kwam zo veel water naar beneden dat het draaikolken van koele lucht veroorzaakte die om het rotsgesteente heen wervelden.

Toen hoorde hij een stem, vaag en bijna overstemd door het lawaai van het neerstortende water. Het was haar stem en zijn hart begon sneller te kloppen van vreugde. Verlangend speurde hij de klippen aan weerszijden van de poel af, want de echo's waren bedrieglijk en hij wist niet uit welke richting ze riep. 'Eva!' schreeuwde hij tegen de klippen en de zwakker wordende echo's leken de spot met hem te drijven.

'Leon! Liefste!' Deze keer was het duidelijker uit welke richting ze riep. Hij draaide zich naar de linkerkant van de poel en wierp zijn hoofd in zijn nek. Hoog boven hem zag hij beweging en daarna zag hij dat ze op een richel stond die schuin tegen de wand van de klip omhoogliep. Terwijl hij naar haar keek, begon ze naar hem af te dalen en ze rende met de snelheid en lenigheid van een klipdas over de verraderlijke ondergrond.

'Eva!' schreeuwde hij. 'Ik kom eraan, schat!' Hij liet de teugels van zijn paard los en klauterde haar over de berghelling tegemoet. Hij zag nu ook de twee Masai boven haar op het pad. Zelfs vanaf deze afstand kon hij de verbazing op hun gezichten zien, terwijl ze naar dit bijzondere tafereel keken. Hij en Eva bereikten het begin van de richel bijna tegelijkertijd, maar hij stond onder de rand en zij erop, bijna twee meter boven zijn hoofd.

'Vang me, Das!' riep ze en vol vertrouwen in zijn kracht wierp ze zich over de rand. Hij ving haar op, maar door haar gewicht en snelheid zakte hij op zijn knieën. Hij boog zich over haar heen en drukte haar beschermend tegen zijn borst. Ze lachten allebei.

'Ik hou van je, gekke meid!'

'Laat me nooit meer gaan!' zei ze en hun lippen vonden elkaar.

'Nooit!' zei hij in haar zoete mond.

Toen ze zich veel later van elkaar losmaakten om adem te halen, zagen ze dat Manjoro en Loikot Eva over het pad naar beneden waren gevolgd. Ze zaten nu vlak boven hen op de richel neergehurkt met een verrukte grijns naar hen te kijken.

'Ga ergens anders mensen lastigvallen,' beval Leon. 'Jullie zijn hier niet welkom. Neem mijn paard en rijd de berg af tot jullie Ishmael tegenkomen. Zeg hem dat hij aan de voet een kamp moet opslaan. Wacht op ons. Wij slapen vannacht hier.'

'*Ndio*, bwana,' antwoordde Manjoro.

'En hou op met dat gegiechel.'

'*Ndio*, bwana.'

Manjoro's stem klonk gedempt doordat hij zijn lachen probeerde te houden toen hij naar beneden klauterde, maar Loikot bleef op de richel boven hem zitten. Plotseling piepte hij met een falsetstem in een poging om Eva te imiteren naar Manjoro: 'Vangi mea, Dazz', en hij wierp zich van de richel zoals Eva had gedaan. Hij knalde met zo'n kracht tegen Manjoro aan dat hij hem omverkegelde. Ze rolden brullend en gierend van het lachen in elkaars omarming de helling af. 'Vangi mea!' schreeuwden ze. 'Vangi mea, Dazz.'

Leon en Eva konden zich niet beheersen en ze barstten weer in lachen uit. Uiteindelijk hervond Leon zijn stem: 'Ga weg, idioten!' beval hij. 'Ga uit mijn ogen. Ik wil jullie allebei heel lang niet meer zien!'

Ze wankelden de helling af en moesten nog steeds zo lachen dat ze elkaar overeind moesten houden.

'Vangi mea!' gierde Manjoro.

'Houfanje, geki mede!' Loikot sloeg zich op de wangen en schudde zijn hoofd. 'Houfanje!' herhaalde hij en hij sprong een meter de lucht in.

'Dat was zonder twijfel het grappigste incident dat ooit in de geschiedenis van Masai-land zal worden vastgelegd. We zullen in de stammythologie worden opgenomen,' zei Leon toen de beide mannen over het pad verdwenen. Hij tilde haar op en ze sloeg haar armen om zijn nek. Hij droeg haar naar een platte richel naast de poel en ging, met haar op schoot, zitten. 'Je weet niet hoe ik ernaar verlangd heb om je zo vast te houden,' fluisterde hij.

'Mijn hele leven,' antwoordde ze. 'Zo lang heb ik gewacht tot dit zou gebeuren.'

Hij streelde haar gezicht en volgde de boog van haar wenkbrauwen met zijn vingertoppen. Daarna begroef hij zijn vingers in haar haren, vulde zijn handen met de dikke, glanzende lokken en genoot van elk facet van haar schoonheid, als een vrek die zijn verzameling gouden munten koestert. Ze leek zo kwetsbaar en tenger dat hij bang was dat hij haar pijn zou doen of haar zou laten schrikken. Haar schoonheid boezemde hem ontzag in. Ze leek in niets op de andere vrouwen die hij had gekend. Ze gaf hem het gevoel dat hij tekortschoot en haar onwaardig was.

Ze begreep zijn dilemma. Zijn schuchterheid wekte bij haar opnieuw tedere gevoelens die ze al heel lang niet meer had ervaren. Maar ze verlangde wanhopig naar hem en ze kon niet wachten. Ze wist dat zij de leiding moest nemen.

Hij voelde dat ze zijn overhemd losknoopte en dat haar ene hand door de opening naar binnen gleed en zijn borstspieren begon te strelen. Hij huiverde van genot. 'Je bent zo hard, zo sterk,' fluisterde ze.

'En jij bent zo zacht en teer,' antwoordde hij.

Ze leunde een stukje naar achteren zodat ze in zijn ogen kon kijken. 'Ik ben niet breekbaar, mijn Das. Ik ben van vlees en bloed, net als jij. Ik wil hetzelfde als jij.' Ze nam zijn oorlel tussen haar tanden en knabbelde er zachtjes op. Hij voelde dat hij kippenvel in zijn nek kreeg. Toen ze haar tong diep in zijn oor stak, huiverde hij van verrukking.

'Ik heb gevoelige plekjes, net als jij.' Ze pakte zijn hand en legde hem op haar borst. 'Als je me hier en hier aanraakt en zo en zo doet dan merk je het vanzelf wel.'

Hij voelde de haakjes en de oogjes onder zijn vingers en maakte de bovenste los. Hij deed het beschroomd en verwachtte een berisping, maar ze trok haar schouders naar achteren zodat haar borsten opzwollen en hij er met zijn onderzoekende vingers beter bij kon.

'Wat ben je toch slim! Je hebt een van mijn plekjes gevonden zonder dat ik je erbij heb hoeven helpen.'

Haar woorden en de toon waarop ze ze uitsprak, wekten een koortsachtig ongeduld bij hem. Hij wierp zijn remmingen en voorzichtigheid af, trok haar blouse open en stak zijn hand naar binnen. Haar borsten waren warm en zijdezacht en hij voelde de tepels harder worden en rimpelen. Haar ademhaling ging sneller toen ze fluisterde: 'Ze zijn van jou, schat. Alles wat ik heb is van jou.'

Ze trok zich een stukje terug en bewoog zich zó dat haar borsten lichtjes langs zijn gezicht streken. Ze trok haar blouse en haar zijden beha uit en was tot aan haar middel naakt. Weer liet ze haar borsten tegen zijn gezicht zwaaien en hij nam een van haar tepels in zijn mond. Haar adem stokte en ze leunde achterover in zijn omarming. Toen pakte ze twee handen vol haar op zijn achterhoofd vast en trok zijn mond naar de andere tepel.

'Vergeef me, schat, maar ik kan niet langer wachten,' riep ze. Haar toon was bijna wanhopig toen ze zich van zijn schoot wriggelde en voor hem neerknielde. Haar blote borsten waren zwaar en vol en ze streken even langs zijn gezicht toen ze aan zijn riem trok. Toen ze de gesp los had en zijn gulp had opengemaakt, kwam hij een klein stukje omhoog zodat ze zijn broek tot aan zijn knieën omlaag kon trekken. Toen ze haar lange rok tot aan haar onderste ribben ophees – ze droeg er niets onder – zag hij dat haar middel fluitvormig was, zoals de hals van een Griekse vaas en welvend in de golving van haar heupen overging. De huid van haar buik was parelmoerachtig en smetteloos. Haar dijen waren krachtig, maar welgevormd en ertussenin nestelde zich haar vrouwelijke schaamhaar dat donker was en weelderig krulde in zijn prachtige overdaad. Ze sloeg één been over hem heen en besteeg hem alsof hij een paard was. Toen haar dijen uiteengingen, ving hij door het donkere gordijn van haar heen een glimp op van haar open vagina die getuit was en vochtig van de sappen van haar wellustige opwinding. Toen liet ze hem, met één handige stoot van haar heupen, helemaal bij zich naar binnen glijden en ze schreeuwden het samen uit alsof ze pijn hadden.

Het gebeurde voor hen allebei zo snel en zo intens dat ze geen woord konden uitbrengen en zich amper konden bewegen. Ze klemden zich aan elkaar vast als de overlevenden van een vernietigende aardbeving of tyfoon. Het duurde een poosje voordat ze terugkeerden van de verre grenzen van hun geest en lichaam waar ze in hun extase naartoe gevoerd waren.

Eva sprak het eerst: 'Ik heb me nooit kunnen voorstellen dat het zo kon zijn.' Ze legde haar hoofd op zijn borst om naar zijn hart te luisteren. Hij streelde haar haren en ze sloot haar ogen. Ze vielen in slaap en werden wakker van het geblaf van een troep bavianen hoog op de wand van de klip en het geluid weerkaatste door de kloof. Ze ging langzaam rechtop zitten en streek het haar uit haar gezicht. Het was nog nat van het zweet en haar wangen waren rood. 'Hoe lang hebben we geslapen?' Ze knipperde met haar ogen.

'Is dat belangrijk?' vroeg hij.

'Het is heel belangrijk. Ik wil geen moment van de tijd die we samen hebben aan slaap verspillen.'

'We hebben de rest van ons leven nog.'

'Ik bid God dat dat zo is, maar deze wereld is zo wreed.' Ze keek verloren en bedroefd. 'Laat me alsjeblieft nooit in de steek.'

'Nooit,' zei hij fel en toen ze glimlachte, gloeiden de violette lichtjes in haar ogen.

'Je hebt gelijk, Das. We zullen voor altijd gelukkig zijn. Ik weiger om droevig te zijn op deze heerlijke dag. De wereld krijgt ons nooit te pakken.' Ze sprong overeind en maakte een pirouette op de richel. 'Deze dag zal nooit voorbijgaan,' zong ze en terwijl ze danste, wierp ze haar kleren af en verspreidde ze over de richel.

'Wat doe je, schaamteloze sloerie?' Hij lachte verrukt terwijl ze naakt in het zonlicht voor hem danste. Haar lichaam was prachtig, jong en perfect geproportioneerd, en haar bewegingen waren soepel en gracieus.

'Ik ga met je zwemmen in onze magische poel,' riep ze. 'Trek die stoffige, oude kleren uit en kom mee.' Ze hield op met dansen en keek aandachtig toe terwijl hij op één been op en neer wipte om zijn laarzen uit te trekken.

'De hele boel schudt en slingert wanneer je dat doet,' merkte ze op.
'Dat gebeurt bij jou ook.'
'Die van mij zijn niet zo mooi en nuttig als de jouwe.'
'O ja, dat zijn ze wel.' Hij gooide zijn broek neer en kwam achter haar aan. 'Ik zal je wel eens laten zien hoe nuttig die van jou echt zijn.' Ze gilde quasigeschrokken, rende naar de rand van de richel en bleef daar net lang genoeg staan om er zeker van te zijn dat hij haar nog achternazat. Toen verstrengelde ze haar handen boven haar hoofd en dook de poel in. Ze raakte het water als een pijl, met haar benen precies in het verlengde van haar lichaam, zodat er bijna geen plons te horen was toen ze onder water verdween. Ze dook diep en haar beeld trilde onder de rimpeling van het water. Toen schoot ze zo snel naar boven dat haar witte lichaam tot haar navel boven het oppervlak uit kwam. Daarna zakte ze terug met haar haren plat over haar schouders, als de pels van een otter.
'Het is koud! Ik wed dat je er niet in durft. Daar ben je te veel een mietje voor,' schreeuwde ze.
'Die weddenschap verlies je en ik kom er al aan om me te laten uitbetalen.'
'Dan zul je me eerst te pakken moeten krijgen.' Ze lachte en zwom naar de andere kant van de poel waarbij ze schuim achter zich omhoogtrapte.
Hij dook het water in en zwom met lange, krachtige crawlslagen achter haar aan. Hij had haar al ingehaald voordat ze halverwege de andere kant was en hij pakte haar van achteren vast. 'Betalen!' zei hij en hij draaide haar naar zich om. Ze sloeg haar armen om zijn nek en drukte haar lippen op de zijne. Kussend zonken ze diep onder het oppervlak weg en ze kwamen proestend, hoestend en lachend weer boven. Ze had haar lange benen om zijn middel en haar armen om zijn nek geslagen. Ze tilde zich uit het water en gebruikte haar gewicht om zijn hoofd onder water te duwen. Daarna wrong ze zich uit zijn greep en schoot weg. Ze keek pas naar hem om toen ze de andere kant van de poel had bereikt. De waterval raasde in twee aparte stromen naar beneden en liet een gebied met rustig water ertussenin vrij. In het midden van deze oase van rust kwam één rots met zijn gladde, zwarte top die door het water was gepolijst boven het oppervlak uit. Ze hees zich erop en ging, met haar benen in het water bungelend, zitten. Met beide handen streek ze haar natte haren uit haar ogen en daarna keek ze in het rond om Leon te zoeken. Eerst lachte ze, maar toen ze hem nergens zag, werd ze bezorgd. 'Das! Leon, waar ben je?' riep ze.
Hij was haar gevolgd toen ze naar de andere kant van de poel zwom, maar toen ze de zwarte rots naderde, had hij diep ademgehaald en was

hij als een eend ondergedoken waarbij zijn benen hoog de lucht in zwaaiden zodat hun gewicht zijn lichaam onder water duwde. Toen hij eenmaal onder water was, zwom hij verder naar beneden. Hij had zich voorgesteld dat de poel bijna bodemloos was, want hij had niet gezien dat het water aan de rand ervan overliep. Het enorme watervolume dat via de waterval in de poel terechtkwam, moest op een andere manier wegvloeien. Hij zwom verder naar beneden tot de bodem onder hem verscheen. Zelfs op deze diepte was het water zo helder dat hij kon zien dat de bodem bedekt was met rotsstenen die van de klippen moesten zijn gevallen.

Zijn trommelvliezen deden nu pijn door de druk en hij hield op met zwemmen om er een eind aan te maken. Hij kneep zijn neus dicht en blies lucht door de buizen van eustachius naar buiten. Zijn oren piepten en ploften en toen de pijn wegtrok, zwom hij verder. Toen hij de bodem bereikte, zag hij dat er tussen de rotsstenen een bizarre verzameling van Masai-artefacten verspreid lag: oude assegaaien en bijlen, bergen aardewerkscherven, kralen halskettingen en armbanden, kleine uit hardhout of ivoor gesneden beeldjes, primitieve sieraden en andere artefacten die zo oud en verrot waren dat hij ze niet kon herkennen. Het waren allemaal offers die de Masai in de loop van de eeuwen aan hun stamgoden gebracht hadden.

Hij had inmiddels bijna al zijn zuurstof verbruikt, dus keek hij nog een laatste keer rond en loste daarbij het mysterie van de afwezigheid van overvloeiing op. In de wand onder de waterval zat een aantal bijna horizontale openingen die er waarschijnlijk in de oudheid door kokende lava en gas uit de vulkaan onder de berg in waren geslagen. Door deze donkere en sinistere gangen vloeide het overtollige water uit de poel af en werd hij op een constant niveau gehouden. Zijn longen smeekten om zuurstof en hij zwom naar het oppervlak. Toen het licht sterker werd, zag hij boven zich een paar lange, welgevormde vrouwenbenen onder het oppervlak bungelen. Hij zwom door tot hij eronder was, greep de enkels vast en trok haar boven op hem de poel in. Ze kwamen weer boven en klemden zich naar lucht happend aan elkaar vast.

Eva hervond haar stem eerder dan hij: 'Harteloos zwijn dat je bent! Ik dacht dat je verdronken of door een krokodil verslonden was. Hoe kun je zo'n wrede grap met me uithalen?'

Ze zwommen terug naar de plek waar ze hun kleren hadden achtergelaten.

'We willen niet dat je een dodelijke kou vat,' zei Leon. Toen ze naakt op de richel stond, droogde hij haar af met zijn overhemd.

Ze hield haar handen boven haar hoofd en draaide rond zodat hij bij de moeilijke plekjes zou kunnen. 'Wat hebt u een grote ogen, meneer. U bent veel meer aan het kijken dan aan het afdrogen en uw eenogige vriend daar beneden ook. Ik zou jullie allebei een blinddoek moeten laten dragen,' zei ze toen ze zich had omgedraaid en recht tegenover hem stond.

'Wie is hier nu harteloos?' vroeg hij.

'Ik niet!' riep ze. 'Laat me jullie allebei bewijzen wat een goed hart ik heb.' Ze stak haar hand uit en pakte zijn vriend stevig maar teder vast. In de eerste goddelijke waanzin van hun hartstocht waren ze onverzadigbaar.

85

Het was bijna donker toen ze hand in hand het pad af liepen. Zodra ze boven aan het dal kwamen dat de poel verborg, zagen ze ver beneden hen het kampvuur branden. Toen ze het bereikten, zagen ze dat er voor hen een houtblok voor de vlammen was neergezet die als zitplaats voor hen moest dienen. Toen ze waren gaan zitten, verscheen Ishmael met twee grote bekers koffie met gecondenseerde melk.

Eva snoof de lucht op. 'Wat een heerlijke geur, Ishmael.'

Hij liet niet blijken dat hij verbaasd was omdat ze voor het eerst Engels in plaats van Duits of Frans sprak. 'Het is een casserole van groene duiven, memsahib.'

'Ishmaels hemelse versie daarvan,' voegde Leon eraan toe. 'De maaltijd hoort gegeten te worden met ontbloot hoofd en op een gebogen knie.'

'Ik ben zo uitgehongerd dat ik me wel op beide knieën wil laten zakken. Het moet door het zwemmen komen, of door iets anders, dat ik zo'n honger heb,' zei ze.

Direct nadat ze hadden gegeten, werden ze overweldigd door een heerlijk gevoel van vermoeidheid. Manjoro en Loikot hadden een hutje met een rieten dak voor hen gebouwd, ruim uit de buurt van hun eigen hutten, en Ishmael had een matras van vers gesneden gras voor hen neergelegd en dat bedekt met dekens. Erboven had hij Leons muskietennet gehangen. Ze trokken hun kleren uit en Leon blies het stompje kaars uit voordat ze onder het net kropen.

Het is hier zo veilig en intiem en gezellig,' fluisterde ze. Hij lag achter haar en omarmde haar. Ze duwde haar ronde, warme billen tegen zijn buik zodat hun lichamen tegen elkaar pasten als twee lepels. De weerkaatsing van het kampvuur liet schaduwen op het net boven hun hoofd dansen en het duet van twee dwergooruilen in de takken van de boom boven hen was zowel klaaglijk als slaapverwekkend.

'Ik ben in mijn hele leven nog nooit zo aangenaam uitgeput geweest,' fluisterde ze.

'Te uitgeput?'

'Dat bedoelde ik niet, domoor.'

86

Toen ze bij zonsopgang wakker werd, zag ze dat Leon in kleermakerszit naast haar zat. 'Je hebt naar me zitten kijken!' zei ze beschuldigend.

'Ik beken,' zei hij. 'Ik dacht dat je nooit wakker zou worden. Kom mee.'

'Het is middernacht, Das!' protesteerde ze.

'Zie je dat grote glanzende ding dat tussen de kieren in het dak door naar je gluurt? Dat heet de zon.'

'Waar wil je om deze belachelijke tijd naartoe?'

'Naar je magische poel om te zwemmen.'

'Waarom zeg je dat dan niet meteen?' vroeg ze en ze sloeg de deken open.

Het water was koud en glad als zijde op hun lichaam. Daarna gingen ze naakt in het vroege zonlicht zitten om op te drogen. Toen hun lichaam van de warmte was doordrongen, laaide hun hartstocht op en vrijden ze weer. Daarna zei ze ernstig: 'Ik dacht dat het nooit beter zou kunnen worden dan gisteren, maar vandaag is dat toch gebeurd.'

'Ik wil je iets geven wat je er altijd aan zal herinneren hoe gelukkig we op deze dag waren.' Leon stond op en dook van de richel.

Ze zag hem steeds kleiner en vager worden terwijl hij naar beneden zwom en ten slotte verdween hij in de diepte. Hij bleef zo lang onder water dat ze ongerust begon te worden, maar toen zag ze hem tot haar opluchting naar boven komen. Hij schoot boven het oppervlak uit en schudde met een snelle hoofdbeweging het natte haar uit zijn ogen. Hij zwom naar de oever onder haar en klom op de richel. Toen hield hij een halssnoer van ivoren kralen aan een leren riempje omhoog.

'Het is prachtig!' Ze klapte in haar handen.

'Tweeduizend jaar geleden, toen de koningin van Sheba hier langskwam, heeft ze dit geofferd aan de goden van de poel. Nu geef ik het aan jou.' Hij deed haar het halssnoer om en bond het in haar nek vast.

Ze keek naar de kralen die tussen haar borsten lagen en streelde ze alsof ze levende wezens waren. 'Is de koningin van Sheba hier echt langsgekomen?' vroeg ze.

'Bijna zeker niet.' Hij lachte naar haar. 'Maar het klinkt goed.'

'Ze zijn prachtig, zo glad en exquise.' Ze draaide er een tussen haar vingers rond. 'O, ik wou dat ik een spiegel had.'

Hij bracht haar naar het einde van de richel en ging met zijn arm om haar middel naast haar staan. 'Kijk eens naar beneden,' zei hij. Zwijgend en ernstig keken ze naar hun spiegelbeeld in het gladde wateroppervlak. Ten slotte vroeg Leon zacht: 'Wie is dat meisje in het water? Ze heet niet Eva von Wellberg, hè?' Er verscheen een droevige uitdrukking op haar gezicht en haar ogen werden vochtig doordat ze op het punt stond om te gaan huilen. 'Het spijt me heel erg. Ik heb je beloofd dat ik je niet verdrietig zou maken.'

'Nee! Ze schudde haar hoofd. 'Het is terecht dat je dat vraagt. We hebben samen onze kleine droom beleefd, maar nu is het tijd om de werkelijkheid onder ogen te zien.' Ze wendde zich van hun spiegelbeeld in de poel af en keek naar hem op. 'Je hebt gelijk, Leon. Mijn naam is niet Eva von Wellberg – Von Wellberg was de meisjesnaam van mijn moeder. Ik heet Eva Barry.' Ze pakte zijn hand. 'Kom bij me zitten, dan vertel ik je alles wat je over Eva Barry wilt weten.' Ze leidde hem terug over de richel en ze gingen in kleermakerszit tegenover elkaar zitten.

'Ik moet je waarschuwen dat het een platvloers en smerig verhaal is. Ik kan je niet veel vertellen waarop ik trots ben en er is heel weinig dat jou troost zal bieden, maar ik zal proberen om het voor ons allebei zo pijnloos mogelijk te maken.' Ze haalde diep adem en vervolgde toen: 'Ik ben tweeëntwintig jaar geleden geboren in een dorpje in Yorkshire dat Kirkby Lonsdale heet. Mijn vader was een Engelsman, maar mijn moeder was een Duitse. Ik heb de taal met de paplepel ingegoten gekregen. Tegen de tijd dat ik twaalf was, sprak ik bijna net zo goed Duits als Engels. Dat was het jaar dat mijn moeder overleed aan een verschrikkelijke nieuwe ziekte die de artsen kinderverlamming of poliomyelitis noemden. De ziekte verlamde haar longen en ze stikte. Binnen een paar dagen na haar dood kreeg mijn vader dezelfde ziekte en zijn benen kwijnden weg. Hij zat de rest van zijn leven in een rolstoel.'

Eerst sprak ze weloverwogen, maar daarna stroomden de woorden van haar lippen in korte, ademloze zinnen. Eén keer begon ze te huilen. Hij nam haar in zijn armen en knuffelde haar. Ze drukte haar gezicht tegen zijn borst en haar tranen voelden warm aan op zijn huid.

Hij streelde haar haar. 'Ik wilde je niet van streek maken. Je hoeft het me niet te vertellen. Stil nu maar. Het is in orde, schat van me.'

'Ik moet het je vertellen, Das. Ik moet je alles vertellen, maar houd me alsjeblieft dicht tegen je aangedrukt terwijl ik het doe.'

Hij tilde haar op en droeg haar naar een plek in de schaduw uit de buurt van de waterval zodat haar stem niet door het geraas ervan overstemd zou worden. Hij ging met haar op zijn schoot zitten alsof ze een klein meisje was. 'Als je het moet doen, vertel het me dan maar,' zei hij.

'Papa heette Peter, maar ik noemde hem Krullenbol, omdat hij geen haar op zijn hoofd had.' Ze glimlachte door haar tranen heen. 'Hij was de mooiste man van de wereld, ondanks zijn slechte benen en zijn kale hoofd. Ik hield zo veel van hem dat ik niet wilde dat iemand anders hem zou verzorgen. Ik deed alles voor hem. Ik was een slim kind en hij wilde dat ik naar de universiteit van Edinburgh zou gaan om mijn talenten te ontwikkelen, maar ik wilde hem niet in de steek laten. Ondanks zijn geruïneerde lichaam, was hij buitengewoon intelligent. Hij was een technisch genie. In zijn rolstoel bedacht hij revolutionaire mechanische principes. Hij richtte een klein bedrijf op en nam twee technici in dienst om hem te helpen zijn modelontwerpen te bouwen. Maar hij had nauwelijks geld genoeg over om eten voor ons te kopen wanneer hij het salaris voor de technici en de materiaalkosten had betaald. Zonder geld waren de patenten waardeloos. Met geld hadden ze misschien omgezet kunnen worden tot iets van echte waarde.'

Ze zweeg, drong haar tranen terug en veegde haar natte neus aan zijn borst af. Het was zo'n kinderlijk gebaar dat hij diep ontroerd was. Hij kuste haar boven op haar hoofd en ze nestelde zich tegen hem aan. 'Je hoeft niet verder te gaan,' zei hij.

'Ja, ik moet verdergaan. Als ik ooit iets voor je wil betekenen, heb je er recht op om al deze dingen te weten. Ik wil nooit meer iets voor je verborgen houden.' Ze haalde diep adem. 'Op een dag kwam er een man in het geheim naar Krullenbols werkplaats. Hij zei dat hij advocaat was en dat hij een schatrijke cliënt vertegenwoordigde, een financier, die fabrieken bezat die stoommachines en rollend materieel, auto's en vliegtuigen maakte. De cliënt had papa's geregistreerde ontwerpen in het patentbureau in Londen gezien en hun potentiële waarde herkend. Hij stelde een gelijkwaardig partnerschap voor. Papa zou zijn intellectuele eigendommen inbrengen en deze man het geld. Papa tekende een overeenkomst met hem. De financier was een Duitser, dus het contract werd in het Duits opgesteld. Hoewel zijn vrouw een Duitse was, begreep papa niet meer dan een paar simpele woorden in het contract. Hij was een zachtaardig, lichtgelovig genie, geen zakenman. Ik was een kind van zestien en papa had het nooit met mij over het contract gehad voordat hij het tekende. Dat had hij wel moeten doen, want ik had het hem kunnen voorlezen. Ik regelde al onze uitgaven en ik was goed geworden met geld. Misschien besefte hij dat ik hem afgeraden zou hebben het te tekenen als ik van het contract had geweten en papa had een hekel aan ruzie. Hij koos altijd de weg van de minste weerstand en in dit geval kwam dat erop neer dat hij me er gewoon niets over vertelde.' Ze zweeg en zuchtte en daarna vermande ze zich zichtbaar om door te kunnen gaan.

'De naam van papa's nieuwe partner was graaf Otto von Meerbach. Alleen was hij geen partner, maar eigenaar van het bedrijf. In korte tijd kwam papa erachter dat hij door het contract te tekenen het bedrijf en alle patenten die het in bezit had voor een meelijwekkend laag bedrag aan Von Meerbach had verkocht. Een van papa's patenten leidde rechtstreeks tot de ontwikkeling van de Meerbach-rotatiemotor en een ander tot een revolutionair differentieel systeem voor zware voertuigen. Papa probeerde een advocaat te vinden om hem te helpen zijn rechtmatige eigendom terug te krijgen, maar het contract was waterdicht en geen enkele advocaat wilde zijn vingers aan de zaak branden.

Met het geld van de verkoop van het bedrijf deden we niet lang. Hoewel ik op alles beknibbelde en zo zuinig mogelijk was, slokten de kosten van papa's medicijnen het op. Dokters en medicijnen... ik had nooit geweten dat ze zo duur waren. Dan waren er nog de kosten voor de huur, kolen en warme kleren voor papa. De bloedcirculatie in zijn benen was slecht en hij voelde de kou heel erg, maar kolen waren zo duur. 's Winters was hij altijd ziek. Een paar maanden had hij een baan in de fabriek, maar hij was zo vaak ziek dat ze hem ontsloegen. Hij kon geen ander werk krijgen. Rekeningen, rekeningen en nog eens rekeningen.

Twee dagen na mijn zestiende verjaardag kreeg papa een van zijn aanvallen. Ik ging snel de dokter halen. We waren hem al meer dan twintig pond schuldig, maar dokter Symmonds weigerde nooit te komen wanneer papa hem nodig had. Toen we de kamer in kwamen waar we woonden, zagen we dat papa met zijn oude geweer zelfmoord had gepleegd. Ik had daarvoor al heel vaak geprobeerd het geweer van de hand te doen om voedsel te kunnen kopen, maar hij wilde het niet kwijt. Pas toen ik naast zijn hoofdloze lichaam stond, begreep ik waarom hij het zo halsstarrig wilde houden. Dat fantastische brein van hem was over de hele muur achter zijn rolstoel gespat. Later, toen de begrafenisondernemer hem had weggehaald, moest ik de vlekken wegschrobben.'

Ze snikte geluidloos en haar lichaam schokte. Hij kon de woorden niet vinden om haar te troosten, maar hij drukte zijn lippen boven op haar hoofd en hield haar vast tot de storm ging liggen. 'Zo is het genoeg, Eva. Dit vergt te veel van je.'

'Nee, Das. Het werkt louterend. Ik heb het allemaal jarenlang opgekropt. Nu heb ik iemand die ik het kan vertellen. Ik voel nu al hoe weldadig het is dat ik het gif eindelijk kan laten wegvloeien.' Ze trok zich terug en hij zag de pijn in haar ogen. 'O, het spijt me. Ik ben egoïstisch. Ik realiseerde me niet wat dit met jou doet. Ik hou nu op.'

'Nee, als het je helpt, moet je je hart luchten. Ga door. Het is voor ons allebei moeilijk, maar dit is een manier waarop ik je kan leren kennen en begrijpen.'

'Je bent mijn steun en toeverlaat geworden.'

'Vertel me de rest.'

'Er is niet veel meer te vertellen. Ik was alleen en de begrafenis slokte al het geld op dat ik overhad. Ik had geen geld meer om de huur te betalen. Ik wist me geen raad meer. Ik nam een baan in de fabriek aan voor twee shilling per dag. Papa had een vriend met wie hij schaakte en hij en zijn vrouw namen me in huis. Ik betaalde hun wat ik kon en ik hielp zijn vrouw met de kinderen.

Op een dag kwam er een onbekende vrouw op bezoek. Ze was heel elegant en mooi. Ze zei dat ze een jeugdvriendin van mijn moeder was, maar dat ze elkaar uit het oog waren verloren. Ze had pas kort geleden mijn tragische verhaal gehoord en ze had besloten omwille van de nagedachtenis van mijn moeder voor me te zorgen. Ze was zo lief en vriendelijk dat ik zonder vragen te stellen met haar meeging.

Ze heette mevrouw Ryan en ze had een schitterend huis in Londen. Ik kreeg een eigen kamer en ze gaf me nieuwe kleren. Ik had een huisonderwijzer en een dansleraar. Twee keer per week kwam er een vrouw langs om me les te geven in etiquette. Ik had een paardrij-instructeur en mijn eigen paard, een schattig klein merrieveulen dat Hyperion heette. Het vreemdste was dat mevrouw Ryan me zo volhardend mijn Duits liet oefenen. Ze was meedogenloos. Ik had een reeks leraren Duits en werkte zes dagen per week twee uur per dag met hen. Ik las alle Duitse kranten hardop voor en besprak ze met mijn leraren. Ik las boeken over de geschiedenis van de Duitse staat vanaf de tijd van het heilige Romeinse

Rijk tot het heden hardop voor. Ik deed hetzelfde met de werken van Sebastian Brant, Johann von Goethe en Nietsche. Al binnen het eerste jaar van deze intensieve studie had ik gemakkelijk voor een ontwikkelde, geboren en getogen Duitse kunnen doorgaan.

Mevrouw Ryan was als een moeder voor me. Ze wist heel veel over mij en mijn familie en ze vertelde me een heleboel dingen over hen die ik niet wist. Ze wist hoe ze papa zijn bedrijf afgetroggeld hadden en ze vertelde me over Otto von Meerbach. We hadden het vaak over hem. Ze zei dat hij papa even zeker had vermoord als wanneer hij zelf de trekker van het geweer overgehaald zou hebben. Hoewel ik hem nooit gezien had, begon ik een brandende haat jegens hem te koesteren en mevrouw Ryan voedde het vuur van mijn haat subtiel. Ze had een belangrijke baan bij de overheid. Pas veel later kreeg ik er enig idee van wat haar werk inhield, maar we hadden het er vaak over hoe bevoorrecht we waren als onderdanen van zo'n nobele monarch en als burgers van het machtigste en grootste imperium dat de wereld ooit had gekend. We zouden elke gelegenheid moeten aangrijpen om de koning en het imperium te dienen. We zouden onszelf moeten trainen om tegemoet te kunnen komen aan elk beroep dat hij op ons zou kunnen doen. We zouden bereid moeten zijn om elk offer te brengen dat ons plichtsbesef en onze vaderlandsliefde van ons eiste.

Ik nam haar woorden ter harte en werkte nog harder dan ze van me vroeg. Ik kreeg nooit de gelegenheid om mannen te ontmoeten, behalve dan de bedienden, mijn huisonderwijzers en mijn leraren, dus ik wist niet dat ik heel mooi was en dat de meeste mannen me onweerstaanbaar zouden vinden.' Ze zweeg en schudde spijtig haar hoofd. 'O jee. Vergeef me alsjeblieft, Das. Dat klinkt vreselijk onbescheiden.'

'Nee, het is de simpele waarheid. Je bent onbeschrijflijk mooi. Ga alsjeblieft verder, Eva.'

'Schoonheid en lelijkheid zijn eigenschappen die op toeval berusten. Alleen vergaat schoonheid op den duur en wordt dan een vorm van lelijkheid. Ik hecht geen waarde aan mijn schoonheid, maar anderen deden dat wel. Het was een van de drie redenen waarom ze mij hadden uitgekozen. De tweede was mijn intelligentie.'

'En wat was de derde?'

'Er was me een verschrikkelijk onrecht aangedaan en ik was belust op wraak.'

'Ik vind dat op een vreselijk sinistere manier fascinerend. Ik krijg er kippenvel van.'

'Voor mijn negentiende verjaardag maakte mijn kleermaakster een schitterende baljurk voor me. Mevrouw Ryan stond naast me toen ik hem voor de eerste keer paste. Samen keken we naar mijn spiegelbeeld in de manshoge spiegel. Ze zei: "Je bent heel mooi, Eva. Je bent alles geworden waarop we gehoopt hadden." De manier waarop ze het zei, had iets treurigs en berouwvols. Ik besteedde er toen weinig aandacht aan omdat ik er natuurlijk geen idee van had wat ze van plan waren. Toen glimlachte ze en de treurigheid verdween. "Morgenavond geef ik een verjaardagsfeest voor je," zei ze.' Eva lachte. 'Het was een heel vreemd verjaardagsfeest. Mevrouw Ryan en ik gingen met een taxi naar Whitehall, naar een van die schitterende overheidsgebouwen. Er wachtten vier mannen op ons. Ik had me voorgesteld dat er tientallen jonge mensen zouden zijn, maar er waren alleen die vier oude mannen – de jongste was minstens veertig. Drie van hen droegen een prachtig militair uniform. Het moeten heel hoge officieren zijn geweest, want ze droegen glinsterende decoraties, sterren en medailles. De vierde man was mager en hij zag er streng uit. Mevrouw Ryan stelde hem voor als meneer Brown. Hij was de enige burger in de groep. Hij droeg een zwarte jas en een hoog boord.

We aten aan een ronde tafel in het midden van een grote kamer waar reusachtige kroonluchters aan het plafond hingen. De gelambrizeerde muren waren behangen met grote schilderijen van oorlogstaferelen. Ik herinner me dat er een bij was van Nelson die op het dek van de Victory bij Trafalgar stierf en een ander was van Wellington en zijn officieren bij Quatre Bras terwijl ze naar de aanval van Napoleons huzaren keken. Er speelde een band in de galerij en de officieren dansten om de beurt met me. Terwijl ze dat deden, ondervroegen ze me alsof ik in het beklaagdenbankje zat.

Ik kan me niet herinneren wat we aten, want ik was zo nerveus dat ik totaal geen eetlust meer had. Een bediende schonk champagne in mijn glas, maar mevrouw Ryan had me gewaarschuwd en ik raakte het niet aan. Aan het einde van de maaltijd beraadslaagden de mannen met elkaar, maar ze spraken zo zacht dat ik het gesprek niet kon volgen. Ze leken tot overeenstemming te zijn gekomen, want ze knikten en leken buitengewoon tevreden met zichzelf. De avond eindigde met een toespraak van meneer Brown over plichtsbesef en opofferingsgezindheid. Dat was het einde van mijn verjaardagsfeest.

Twee dagen later ontmoette ik meneer Brown weer, deze keer in minder luxe omstandigheden. We zaten in een muf kantoor in een ander deel van Whitehall dat vol stond met dossiers met oude kranten. Hij was vriendelijk en vaderlijk. Hij vertelde me dat ik het voorrecht had om uitgekozen te zijn voor een uiterst delicate taak die cruciaal was voor de belangen en de veiligheid van ons geliefde Groot-Brittannië. De onweerswolken van de oorlog verzamelden zich boven het continent, zei hij, en spoedig zouden de naties door vlammen verzwolgen worden. Ik begreep niet wat dit met mij te maken had en zijn retoriek had een afstompend effect op me tot hij de naam Otto von Meerbach noemde. Mijn aandacht was onmiddellijk gewekt. Hij suggereerde dat ik in een positie was om de koning en het imperium een gedenkwaardige dienst te verlenen en dat ik tegelijkertijd wraak zou kunnen nemen voor het vreselijke onrecht dat Otto von Meerbach mij en mijn vader had aangedaan. Ik hoefde hem alleen maar over te halen om me informatie te geven die cruciaal was voor de Britse militaire belangen.'

Ze lachte weer, maar deze keer echt geamuseerd. 'Kun je het je voorstellen, Das? Ik was zo naïef en onnozel dat ik geen flauw idee had hoe ik hem zover zou moeten krijgen om me zijn geheimen te vertellen. Ik vroeg het meneer Brown rechtstreeks en hij keek geheimzinnig en wisselde een blik met mevrouw Ryan. 'Als je ermee instemt om te doen wat we van je vragen, zal dat je geleerd worden,' zei hij.

'Ik herinner me precies wat ik hem antwoordde: "Natuurlijk wil ik het doen. Ik wilde alleen weten hoe ik het moet doen."' Ze zweeg, ging rechtop zitten en keek Leon ernstig aan met die violette ogen die hij zo prachtig vond. 'Bijna een jaar nadat ik dat contract met de duivel sloot, concludeerden ze dat ik de rol die ze voor me uitgekozen hadden perfect zou kunnen vervullen. Ik leerde alles wat er over graaf Otto te weten viel, behalve natuurlijk de geheimen die ik hem zou moeten ontfutselen. Ik wist inmiddels dat hij vervreemd was van zijn vrouw met wie hij zeventien jaar getrouwd was, maar omdat ze allebei vrome katholieken waren, konden ze niet scheiden. Het was dus uitgesloten dat ik gedwongen zou worden om met hem te trouwen wanneer hij eenmaal voor mijn onweerstaanbare charmes zou zijn gevallen.' Ze lachte zonder humor om haar zelfspot. Meneer Brown en mevrouw Ryan zorgden ervoor dat ik met graaf Otto von Meerbach in contact kwam. Via een van de militaire attachés bij de Britse ambassade in Berlijn werd geregeld dat ik uitgenodigd werd in zijn jachtverblijf in Wieskirche. Ik had geleerd wat mijn plicht was en die heb ik gedaan,' zei ze op vlakke toon, maar, als een dauwdruppel op het kroonblad van een viooltje, hing er een traan aan haar onderste wimpers. 'Ik was maagd toen ik Otto von Meerbach leerde kennen en in mijn geest was ik dat tot gisteren nog steeds. Ik wil verder niet in detail treden, lieve Das, en zelfs als ik dat wel zou willen doen, zou je ze niet willen horen.'

Ze zwegen een poosje tot Eva zich niet meer kon inhouden. 'Veracht je me nu je dit allemaal van me weet?'

Haar stem was gedempt en ze had een bedroefde uitdrukking op haar gezicht. Hij strekte zijn handen naar haar uit, omvatte haar gezicht en keek in haar ogen, zodat ze zou kunnen zien dat datgene wat hij haar ging zeggen de waarheid was. 'Niets wat je hebt gedaan of ooit zal doen, zal voor mij reden zijn om je te verachten. Je hebt me in je ziel toegelaten en ik heb daar alleen maar goedheid en schoonheid gezien. Je moet ook onthouden dat ik geen heilige ben. Jij hebt me zelf gezegd dat we allebei soldaten zijn. Ik heb mannen gedood omdat ik dat als mijn plicht beschouwde en net als jij heb ik veel andere dingen gedaan waar ik me voor schaam. Dat doet er allemaal niet meer toe. Het enige wat er toe doet, is dat we nu samen zijn en dat we van elkaar houden.' Hij veegde met zijn duim de traan teder weg.

Ten slotte glimlachte ze. 'Je hebt gelijk. We houden van elkaar en we hebben elkaar. Dat is het enige wat telt.'

87

De begrafenisstoet strekte zich over heel Unter Den Linden uit. Toen het hoofd ervan het Brandenburg Paleis bereikte, was de staart ervan nog uit het zicht op de boulevard. Het was een natte, grauwe dag en de rouwenden stonden tien rijen dik aan weerskanten van de weg in de motregen. Ze waren stil en alleen het gehuil van een vrouw was te horen. Een drummer sloeg de Doodsmars. Een volledig cavalerie-eskadron leidde de stoet: de paardenhoeven kletterden op het plaveisel en het bleke licht weerkaatste dof op de bladen van hun getrokken sabels. Eva stond in de voorste rij rouwenden. Ze droeg lange, zwarte, leren handschoenen en een hoed met zwarte struisvogelveren. Een zwarte voile bedekte haar ogen en de bovenste helft van haar gezicht.

Keizer Wilhelm II reed op zijn zwarte strijdros voor het affuit waarop de kist lag. Hij droeg een glanzende punthelm met een gouden ketting als kinband en zijn zwarte mantel waaierde vanaf zijn schouders uit over de romp van zijn paard. Zijn gelaatsuitdrukking was intens bedroefd. Het affuit werd voortgetrokken door een span schitterende zwarte paarden. De kist die erop lag was enorm groot en gemaakt van doorzichtig kristal zodat graaf Otto von Meerbachs lijk voor de rouwenden duidelijk zichtbaar was. Hij was gekleed als een Romeinse keizer en droeg een kroon van laurierbladeren op zijn hoofd. In allebei zijn grote, harige vuisten hield hij een assegaai waarvan de bladen over zijn borst gekruist waren. Iets wat volkomen uit de toon viel, was dat hij een Cubaanse sigaar tussen zijn tanden had geklemd.

Eva was vervuld van een intense vreugde en een gevoel van diepe opluchting. Otto was dood. De nachtmerrie was voorbij en ze was vrij om naar Leon toe te gaan. Otto opende in de kristallen kist een oog, keek haar recht aan en blies een perfecte rookkring. Ze begon te lachen – ze kon er niet meer mee ophouden – en haar klokkende lach weergalmde over Unter Den Linden.

Keizer Wilhelm draaide zich in het zadel om en keek haar aan. Toen stuurde hij zijn paard naar voren en boog zich naar haar toe om haar te berispen. 'Word wakker, Eva!' zei hij streng. 'Word wakker. Je droomt!'

'Otto is dood,' antwoordde ze. 'Alles komt nu in orde. Ze zullen me moeten laten gaan. Ik zal vrij zijn. Het is voorbij.'

'Word wakker, schat,' zei de keizer. Hij leunde uit het zadel, pakte haar schouder vast en schudde haar stevig door elkaar. Het feit dat hij de keizer van Duitsland was en dat ze verscheidene keren aan het hof aan hem was voorgesteld, was geen reden om zich zo familiair te gedragen. Ze was diep beledigd. Hoe durfde hij haar 'schat' te noemen.

'Ik ben Leons schat, niet de uwe,' zei ze tuttig en ze ging rechtop zitten. Leon had de kaars aangestoken zodat het in de hut op de Lonsonjo licht genoeg was om zijn gezicht, dat hij vlak voor het hare had gebracht, te kunnen zien. Het had een bezorgde uitdrukking. 'Otto is dood,' zei ze.

'Je droomde, Eva.'

'Ik heb hem gezien, lieve Das. Hij is echt dood.' Ze zweeg even om over haar bewering na te denken. 'Zelfs als mijn droom fantasie was en hij nog ergens leeft en ademt, is hij voor mij dood. Hij betekent niets meer voor me. Ik haat hem zelfs niet meer. Nu ik bij jou liefde heb gevonden, is er in mijn leven geen plaats meer voor onvruchtbare gevoelens als haat en wraakzucht.'

Ze strekte haar armen naar hem uit en hij omhelsde haar en hield haar stevig tegen zich aangedrukt. 'Samen zullen we al deze lelijkheid in iets moois veranderen,' beloofde hij.

'Ik wil dat je me naar Loesima Mama brengt,' fluisterde ze. 'De eerste keer dat je haar naam noemde, had ik het gevoel dat ik haar al kende. Ik heb het vreemde gevoel dat ik spiritueel met haar verbonden ben. Op de een of andere manier weet ik dat zij de sleutel tot ons geluk in handen heeft.'

'We gaan vandaag naar haar toe, zodra het licht genoeg is om het pad naar de top te nemen.'

88

Manjoro en Loikot waarschuwden Leon dat het laatste deel te steil en te smal was voor de paarden, dus stuurde hij Ishmael en de paardenknecht terug naar de voet van de berg met orders om naar de zuidkant te trekken en de paarden via de gemakkelijker en bekendere weg naar boven te brengen.

Toen ze verdwenen waren, begonnen Leon, Eva en de beide Masai het pad naast de waterval te beklimmen. Met elke stap werd de beklimming moeilijker. Op sommige plaatsen waren ze gedwongen om de wand van de berg te traverseren op richels die zo smal waren dat er maar een van hen tegelijk over kon lopen en ze werden voortdurend aan een grotere hoogte blootgesteld. De waterval was grotendeels verborgen achter rotsgesteente, maar een paar keer, wanneer ze om een uitstekend deel van de rots heen moesten manoeuvreren, zagen ze een schouwspel dat hun de adem benam. De stortvloed leek in zilverkleurige gordijnen van water om hen heen te wervelen waardoor hun zintuigen in verwarring raakten. De rotswand en de richel onder hun voeten waren glibberig door een laag slijmerige algen. Hun klim werd steeds zwaarder.

De zon bereikte zijn hoogtepunt toen ze op het plateau van de top aankwamen. Manjoro en Loikot zochten onder een van de bomen de schaduw op en wierpen zich op de grond om uit te rusten en een snuifje te nemen. Leon leidde Eva aan de hand naar de rand van de afgrond. Daar gingen ze samen zitten en lieten hun voeten over de rand bungelen. Leon pakte een vuistgrote kiezelsteen op die was afgebroken van de richel waarop ze zaten en liet hem over de rand vallen. Ze keken gefascineerd toe terwijl hij negentig meter naar beneden viel zonder de rotswand aan te raken. Het plonsje waarmee hij het oppervlak van de poel raakte, was nauwelijks zichtbaar in het woelige water. Ze zwegen allebei, want woorden leken overbodig te midden van zo veel schoonheid. Ten slotte riep Manjoro hen en ze stonden onwillig op en liepen van de afgrond vandaan.

'Hoe ver is het naar Loesima Mama's *manjatta*?' vroeg Leon.

'Niet ver,' antwoordde Loikot. 'We zijn er voor zonsondergang.'

'Een wandelingetje van maar een kilometer of dertig.' Leon glimlachte. 'Kom, we gaan.' De beide Masai vonden het overwoekerde pad feilloos en zetten een gemakkelijk te volgen tempo in. Voor één keer was er geen haast en de drie mannen konden van de omgeving genieten die heel sterk verschilde van die op de bodem van de Rift Valley. Het was

Eva's eerste bezoek aan de berg, dus het landschap en de vegetatie fascineerden haar. Ze genoot van de bloeiende orchideeën die in guirlandes aan de hoge takken van de regenwoudbomen hingen en ze lachte om de capriolen van de colobusapen die tegen hen tekeergingen wanneer ze langskwamen. Eén keer bleven ze staan om naar een kudde zware dieren te luisteren die, geschrokken van hun aanwezigheid, door het kreupelhout daverden.

'Buffels!' Leon beantwoordde haar onuitgesproken vraag. 'Er leven hier in de mist enorme beesten.'

Op een bepaald punt daalden ze af in een steile kloof en toen ze aan de andere kant naar boven geklommen waren, kwamen ze uit op een open tafelland dat zo vlak was als een poloveld en waarop geen bomen groeiden. Aan de ene kant van de klip was een afgrond van meer dan honderd meter diep. Een paar grote roodachtige antilopen stonden aan de rand van het bos aan de andere kant van de open plek. Roomkleurige strepen liepen over hun schouders en ze hadden grote trompetvormige oren. Hun enorme hoorns waren zwart en spiraalvormig en hadden scherpe witte punten. 'Wat zijn ze mooi!' riep Eva uit en op het geluid van haar stem glipten ze het bos in zonder een blad van het dichte struikgewas te verstoren. 'Wat waren dat voor dieren?'

'Bongo's,' antwoordde Leon. 'Het zeldzaamste en schuwste dier dat we hier kennen.'

'Ik wist niet dat alles in dat land van je zo mooi is.'

'Wanneer heb je dat ontdekt?' Hij lachte om haar enthousiasme.

'Ongeveer op hetzelfde moment dat ik besefte dat ik verliefd op je was.' Ze lachte ook. 'Ik wil nooit meer weg uit dit land. Kunnen we hier altijd blijven wonen, Das?'

'Wat een geweldig idee,' zei hij, maar ze zag dat hij afgeleid was.

'Wat is er?' vroeg ze.

'Dit.' Hij gebaarde met een arm naar de open plek voor hen. Daarna liep hij er van de ene naar de andere kant overheen terwijl hij zijn passen telde en de grond onder zijn voeten bestudeerde. Ze merkte op dat het kreupelhout nergens boven zijn knieën uit kwam. Plotseling kreeg ze het warm en ze voelde zich vermoeid. Ze vond een boomstronk, liet zich er dankbaar op zakken en veegde haar gezicht met haar halsdoek droog. Aan de andere kant van de open plek waren Leon en de twee Masai diep in gesprek en het was duidelijk dat ze dit ongewone stuk open grond bespraken. Na een tijdje kwam Leon bij haar terug. 'Wat heb je gevonden? Goud of diamant?' plaagde ze hem.

'Loikot zegt dat de Mkoeba Mkoeba, de grote god van de Masai, in de tijd van zijn grootvader misnoegd was. Om de stam voor zijn woede te waarschuwen, liet hij een bliksemschicht neerdalen. Sinds die dag groeien er hier geen bomen of grote planten meer.'

'En jij gelooft dat?' vroeg Eva.

'Natuurlijk niet,' antwoordde Leon, 'maar Loikot wel en daar gaat het om.'

'Waarom ben je zo gefascineerd door deze kale grond?'

'Omdat het een natuurlijke landingsbaan is, Eva. Als ik de Hommel tussen die hoge bomen aan het einde van de open plek een zijwaartse manoeuvre laat maken, zet ik hem hier even gemakkelijk aan de grond als ik een beboterd toastje met honing besmeer.'

'Waarom zou je dat in godsnaam willen, lieverd?'

'Dat is het enige wat me aan vliegen niet bevalt,' antwoordde hij. 'Elke keer dat je opstijgt, moet je erover nadenken waar je gaat landen. Ik heb er een gewoonte van gemaakt om elke mogelijke landingsbaan die ik in de wildernis tegenkom in mijn geheugen op te slaan. Ik zal hem misschien nooit nodig hebben, maar als ik hem ooit nodig heb, zal ik hem ook verdomd hard nodig hebben.'

'Maar boven op deze berg? Voer je je zoektocht niet een beetje te ver door? Je krijgt een kus van me als je me één goede reden kunt geven waarom je hier ooit met het vliegtuig zou willen landen.'

'Een kus? Nu heb je mijn interesse gewekt.' Hij zette zijn hoed af en krabde nadenkend op zijn hoofd. 'Eureka! Ik heb de reden gevonden!' riep hij uit. 'Ik zou je hier mee naartoe willen nemen voor een champagnepicknick tijdens onze huwelijksreis.'

'Kom je kus maar halen, slimme jongen!'

Toen ze de open plek verlieten, begon het te regenen, maar de druppels waren zo warm als bloed en ze namen niet de moeite om te schuilen. Een uur later hield het abrupt op met regenen en de zon brak weer door. Tegelijkertijd hoorden ze in de verte tromgeroffel.

'Wat een opwindend geluid.' Eva hield haar hoofd schuin om te luisteren. 'Het is de hartslag van Afrika. Maar waarom wordt er midden op de dag op de trommels geslagen?'

Leon keek even snel naar Manjoro en zei toen: 'Ze verwelkomen ons.'

'Hoe kunnen ze nu weten dat we er aankomen.'

'Loesima weet het.'

'Is dit weer een van je grapjes?' vroeg ze.

'Deze keer niet. Ze weet altijd wanneer we komen, soms zelfs voordat we het zelf weten.'

De trommels spoorden hen aan en ze verhoogden hun snelheid. De zon stond laag en was rokerig rood toen ze het bos uit kwamen en ze houtvuren en veekralen roken. Toen hoorden ze stemmen en geloei van de kuddes en ten slotte zagen ze de ronde daken van de *manjatta* en een menigte figuren in rode *sjoeka's* die hen tegemoetkwamen terwijl ze welkomstliederen zongen.

Ze werden opgeslokt door de menigte en door de lachende en zingende Masai meegevoerd naar het dorp. Toen ze de grote centrale hut naderden, bleven de anderen achter en lieten Leon en Eva alleen voor de hut staan.

'Woont ze hier?' vroeg Eva op een eerbiedige fluistertoon.

'Ja.' Hij pakte haar arm bezitterig vast. 'Ze zal ons eerst een poosje in spanning houden voordat ze haar entree maakt. Loesima houdt wel van een beetje toneel en theater.'

Terwijl hij dit zei, verscheen Loesima in de deuropening van de grote hut. Eva was volkomen verrast. 'Ze is zo jong en mooi. Ik dacht dat ze een lelijke oude heks zou zijn.'

'Ik zie u, Mama,' begroette Leon haar.

'Ik zie jou ook. M'bogo, mijn zoon,' antwoordde Loesima maar ze staarde met haar grote, hypnotiserende ogen naar Eva. Toen gleed ze met koninklijke gratie naar haar toe. Eva week geen centimeter toen Loesima voor haar bleef staan. 'Je ogen hebben de kleur van een bloem,' zei ze. 'Ik zal je Maoea noemen, wat "bloem" betekent.' Toen keek ze Leon aan. 'Ja, M'bogo.' Ze knikte. 'Dit is degene over wie we gesproken hebben. Je hebt haar gevonden. Dit is jouw vrouw. Vertel haar nu wat ik gezegd heb.'

Eva's gezicht lichtte op van vreugde toen ze de vertaling hoorde. 'Zeg haar dat ik ben gekomen om haar om haar zegen te vragen, Das.'

Dat deed hij.

'Die krijg je,' beloofde Loesima haar. 'Maar ik zie dat je geen moeder hebt, kind. Ze is weggenomen door een verschrikkelijke ziekte.'

De glimlach verdween van Eva's gezicht. 'Ze wist van mijn moeder!' fluisterde ze tegen Leon. 'Nu geloof ik alles wat je me over haar verteld hebt.'

Loesima strekte haar handen uit en nam Eva's gezicht tussen haar gladde, roze palmen. 'M'bogo is mijn zoon en jij zult mijn dochter zijn. Ik zal de plaats van je moeder innemen die naar haar voorouders is gegaan. Nu geef ik je de zegen van een moeder. Moge je het geluk vinden dat je tot nu toe is ontgaan.'

'U bent mijn moeder, Loesima mama. Mag ik u de kus van een dochter geven?' vroeg Eva.

Loesima's glimlach was zo lieflijk dat het halfduister erdoor verlicht leek te worden. 'Hoewel het in onze stam niet gebruikelijk is, weet ik dat dit de manier van de *mzoengoe* is om respect en genegenheid te tonen.

Ja, mijn dochter, je mag me kussen en ik zal je terugkussen.' Bijna verlegen liep Eva naar haar toe en liet zich door haar omhelzen. 'Je ruikt als een bloem,' zei Loesima.

'En u ruikt als de goede aarde na een regenbui,' antwoordde Eva na een pauze om Leons vertaling te horen.

'Je ziel is vol poëzie,' zei Loesima, 'maar je bent diep gekwetst en dodelijk vermoeid. Je moet uitrusten in de hut die we voor je gebouwd hebben. Misschien zullen je wonden hier op de Lonsonjo helen en zul je weer sterk worden.'

De hut waar Loesima's dienstmeisjes hen naartoe leidden was pas gebouwd. Hij rook naar de rook van de kruiden die verbrand waren om hem te zuiveren en naar de verse koeienmest waarmee de vloer was bepleisterd. Er stonden schalen met gestoofde kip, geroosterde groente en cassavemeel op hen te wachten en toen ze gegeten hadden, leidden de dienstmeisjes hen naar een bed van dierenhuiden met twee houten hoofdsteunen die naast elkaar stonden. 'Jullie zijn de eersten die hier slapen. Laat onze vreugde om uw komst ook uw vreugde zijn,' zeiden ze tegen hen voordat ze zich terugtrokken en hen alleen lieten.

89

De volgende ochtend kwamen de meisjes Eva halen en ze brachten haar naar de poel in de rivier die was gereserveerd voor de vrouwen. Toen ze zich gewassen had, doorvlochten ze haar haren met bloemen. Daarna brachten ze haar een schone, ongedragen *sjoeka* om haar eigen gescheurde en stoffige kleren te vervangen. Giechelend en haar haren strelend alsof ze een knap kind was, lieten ze haar zien hoe ze de *sjoeka* moest vouwen en omdoen als een Romeinse toga. Toen namen ze haar op haar blote voeten mee naar de grote raadboom waaronder Loesima wachtte. Leon was er al en met zijn drieën nuttigden ze een ontbijt van zure melk en *sorgum*-pap.

Toen ze hadden gegeten, praatten ze de rest van de ochtend met elkaar. Eva en Loesima zaten naast elkaar en keken naar elkaars gezicht en ogen en hielden af en toe elkaars hand vast. Ze waren zo met elkaar in harmonie dat Leons vertalingen bijna overbodig waren, want ze leken elkaar stilzwijgend te begrijpen op een niveau dat boven dat van spraak uitging.

'Je bent lange tijd alleen geweest,' zei Loesima op een bepaald moment.

'Ja, ik ben te lang alleen geweest,' beaamde Eva. Ze keek naar Leon en raakte zijn hand aan. 'Maar nu niet meer.'

'Eenzaamheid holt de ziel uit zoals water stenen afslijt.' Loesima knikte.

'Zal ik ooit weer alleen zijn, Mama?'

'Wil je weten wat de toekomst in petto heeft, Maoea?' vroeg ze.

Eva knikte. 'Uw zoon M'bogo zegt dat u kunt zien wat er voor ons ligt.'

'Hij is een man en mannen proberen alles eenvoudig te maken. De toekomst is niet simpel. Kijk omhoog!' Eva hief haar hoofd gehoorzaam op en keek naar de hemel. 'Wat zie je, mijn bloem?'

'Ik zie wolken.'

'Wat voor vorm en kleur hebben ze?'

'Er zijn vele vormen en kleuren en ze veranderen terwijl ik ernaar kijk.'

'Zo is het ook met de toekomst. Hij neemt vele vormen aan en verandert terwijl de wind van onze levens blaast.'

'Dus u kunt niet voorspellen wat er van mij en M'bogo zal worden?' Eva's teleurstelling was zo kinderlijk dat Loesima erom moest lachen.

'Dat heb ik niet gezegd. Soms gaan de donkere gordijnen open en krijg ik een glimp te zien van wat er voor ons ligt, maar ik kan niet alles zien.'

'Kijk alstublieft in mijn toekomst, Mama. Zeg me of u daar een glimp van geluk ziet,' vroeg Eva gretig.

'We zijn nog maar kort samen. Op dit moment weet ik nog weinig van je. Wanneer ik dieper in je ziel heb gekeken, zal ik je toekomst misschien beter kunnen schouwen.'

'O, Mama! Dat zou me zo gelukkig maken.'

'Denk je dat? Misschien ga ik zo veel van je houden dat ik je niet zal willen vertellen wat ik zie.'

'Dat begrijp ik niet.'

'De toekomst is niet altijd vriendelijk. Als ik dingen zie die je treurig en ongelukkig maken, zou je dat dan willen horen?'

'Ik wil alleen dat u me vertelt dat M'bogo en ik altijd bij elkaar zullen blijven.'

'Als ik zou zeggen dat dat niet zal gebeuren, wat zou je dan doen?'

'Dan zou ik sterven,' zei Eva.

'Ik wil niet dat je sterft. Je bent te mooi en te goed. Dus als ik zie dat jullie in de toekomst van elkaar gescheiden zullen worden, moet ik dan tegen je liegen om te voorkomen dat je sterft?'

'U maakt het erg moeilijk, Mama.'

'Het leven is moeilijk. Niets is zeker. We moeten de dagen die ons toegewezen zijn in dank aannemen en ervan maken wat we kunnen.' Toen ze Eva's gezicht bestudeerde, zag ze de pijn en ze kreeg medelijden met haar. 'Het enige wat ik je kan vertellen, is dat M'bogo en jij echt geluk zullen kennen zolang jullie bij elkaar zijn, want jullie harten zijn met elkaar verbonden als deze plant met deze boom.' Ze legde haar hand op een oude klimplant die zich als een python om de stam van de raadboom kronkelde. 'Zie je hoe de klimplant een deel geworden is van de boom? Zie je hoe de een de ander ondersteunt? Je kunt ze niet scheiden. Zo is het met jullie ook.'

'Als u ziet dat er gevaren voor ons liggen, waarschuwt u ons dan? Ik smeek het u, mama.'

Loesima haalde haar schouders op. 'Misschien als ik denk dat het in jullie voordeel is om het te weten. Maar nu heeft de zon zijn hoogtepunt bereikt. We hebben de hele ochtend gepraat. Ga nu, mijn kinderen. Neem wat er van de dag over is en wees samen gelukkig. Morgen praten we verder.'

Zo gingen de dagen voorbij en onder Loesima's zachtaardige begeleiding verdwenen Eva's angsten en onzekerheden geleidelijk en ze trad een rijk van geluk en tevredenheid binnen dat zo volmaakt was dat ze het bestaan ervan nooit had kunnen bevroeden.

'Ik wist dat we hiernaartoe moesten gaan, maar pas nu weet ik waarom. De dagen die we op de Lonsonjo hebben doorgebracht, zijn me dierbaarder dan diamanten. Wat er ook gebeurt, ze zullen ons altijd bijblijven,' zei ze tegen Leon.

90

Vijf dagen na hun aankomst in het dorp arriveerde Ishmael met de paarden via het zuidelijke pad vanaf de vlakte beneden. Zo lang had het geduurd voordat hij om de voet van de berg heen was getrokken. Hij was ontsteld toen hij zag dat Eva blootsvoets en in een *sjoeka* rondliep. 'Een grote, mooie dame als u hoort zich niet te kleden als een van deze ongelovige wilden,' berispte hij haar streng in het Frans.

'Deze *sjoeka* is heel comfortabel en bovendien zijn mijn oude kleren nu niet meer dan lompen,' zei ze.

Hij keek verdrietig. 'Ik elk geval kan ik u beschaafd voedsel voorzetten in plaats van die varkensdraf die de Masai eten.'

De dagen vlogen in zo'n dromerige roes voorbij dat ze hun tijdsbesef kwijtraakten. Als twee kinderen zwierven ze hand in hand door de betoverende bossen van de Lonsonjo. Bij elk klein wonder dat ze tegenkwamen – een kleine zonnevogel met een schitterende pluimage of een kever met monsterlijke hoorns en een schild dat klikkende geluiden maakte wanneer hij liep – raakten de zorgen die ze in de buitenwereld hadden verder op de achtergrond. Toen Leon haar voor het eerst ontmoette, had ze haar ware aard verborgen achter een masker van ernst. Ze had zelden geglimlacht en bijna nooit gelachen. Maar nu ze alleen en veilig op de berg waren, zette ze haar masker af en toonde ze haar ware ik. Voor Leon werd haar schoonheid honderd keer zo groot doordat ze lachte en glimlachte. Ze brachten zo veel mogelijk tijd met elkaar door. Zelfs de kortste scheiding was voor hen allebei pijnlijk. Wanneer Eva 's ochtends wakker werd, was haar eerste gedachte: Otto is dood en niemand weet waar we ons verbergen. We zijn veilig en niemand kan tussen ons in komen.

Zelfs toen Ishmaels zorgvuldig gehamsterde voorraad koffie uitgeput was, lachten ze toen hij hun het tragische nieuws vertelde. 'Het is jouw schuld niet, o beminde van de profeet. Het is een zonde die in het gouden boek niet achter jouw naam zal worden geschreven,' troostte Leon hem, maar Ishmael liep somber mompelend weg.

De mensen in het dorp keken vol genegenheid naar hen en ze glimlachten wanneer ze langsliepen. Ze brachten Eva kleine geschenken, zoals stukjes suikerriet, boeketten orchideeën, waaiers van mooie veren of kralenarmbanden die ze hadden geregen. Loesima genoot bijna evenveel van hun liefde als zijzelf. Ze bracht elke dag uren met hen door en deelde haar wijsheid en inzicht in het leven met hen.

De 'kleine regens' begonnen en 's nachts lagen ze, fluisterend en lachend en warm en veilig in hun liefde, in elkaars armen naar het geroffel op het dak van hun hut te luisteren. Toen de regens ophielden, besefte Leon dat het bijna twee maanden geleden was sinds ze het pad naast de waterval naar de top hadden beklommen. Toen hij haar dit vertelde, glimlachte ze ontspannen. 'Waarom vertel je me dit, Das? Tijd betekent niets voor me zolang we samen zijn. Wat gaan we vandaag doen?'

'Loikot weet aan de andere kant van de berg op de klippen niet ver van Sheba's waterval een broedplaats van adelaars te vinden. Generatie na generatie van de grote vogels hebben daar sinds mensenheugenis genesteld. Dit hele seizoen zullen er kuikens in het nest zijn. Wil je het bezoeken om naar de kleintjes te kijken?'

'O ja, alsjeblieft, Das!' Ze klapte in haar handen, zo opgewonden als een kind dat een verjaardagsfeestje wordt beloofd. 'Dan kunnen we op de terugweg naar de waterval gaan en weer in dat magische water zwemmen.'

'Het zal een hele tocht worden. We zullen een paar dagen weg zijn.'

'We hebben alle tijd van de wereld.'

Ze reisden in een gemakkelijk vol te houden tempo en deden er drie dagen over om de berg op zijn breedste punt over te steken, want de kloven waren diep en ruig, het bos was dicht en ze werden bij elke bocht in het pad door van alles en nog wat afgeleid. Maar ten slotte zaten ze op de rand van de afgrond naar twee adelaars te kijken die ver beneden hen elegant rondzweefden. Ze cirkelden om hun nest heen, riepen naar elkaar en hun jongen in het nest en brachten de kadavers van de aan hun klauwen bungelende prooien, zoals klipdassen, hazen, apen en vogels, naar de kuikens om ze te voeden.

Het adelaarsnest was echter verborgen door de uitstekende rotsrand waarop ze zaten. Eva was teleurgesteld. 'Ik wilde de kuikens zien. Loikot weet vast wel waar een uitkijkpunt te vinden is waarvandaan we in het nest kunnen kijken. Wil je het hem vragen, Das?' Ze luisterde ongeduldig naar de lange discussie in het Maa waarvan ze geen woord verstond.

Ten slotte draaide Leon zich naar haar om en schudde zijn hoofd. 'Hij zegt dat er een weg over de klip is, maar die is zwaar en gevaarlijk.'

'Vraag of hij ons de weg wil wijzen. Hij heeft ons hier helemaal naartoe gebracht met de belofte dat we de kuikens te zien zouden krijgen en ik hou hem aan zijn woord.' Loikot leidde hen langs de rand van de klip naar een opening in de rotswand. Hij legde zijn assegaai neer en kroop erin. De opening was net groot genoeg om Leons grotere lichaam door te laten. Hij zette het Holland-geweer tegen een boom en wriggelde zich de opening in. Eva stopte de rok van haar *sjoeka* tussen haar lange benen en volgde hem.

In het halfdonker daalden ze af in een bijna verticale, natuurlijke schacht die slechts werd verlicht door een zwakke reflectie van het licht van boven, maar het was net genoeg om de punten te zien die hun handen of voeten houvast konden bieden. Toen begon er geleidelijk van beneden licht naar binnen te sijpelen en uiteindelijk kropen ze door een smalle opening een open richel op. Via de schacht waren ze onder de uitstekende rotsrand uitgekomen. Ze konden echter het nest nog steeds niet zien, maar de adelaars hadden hen op de richel boven hun nest zien verschijnen. Ze krijsten van woede en schrik, vlogen dichter naar hen toe en keken met hun felle, gele ogen boos naar hen.

De richel was smal en gevaarlijk, dus liepen ze er voorzichtig, met hun rug naar de wand van de klip, overheen tot hij plotseling breder werd. Loikot ging plat op de grond liggen en tuurde over de rand. Hij grijnsde en wenkte Eva. Ze kroop voorzichtig naar voren tot ze naast hem lag en keek naar beneden. 'Daar zijn ze!' riep ze verrukt. 'O, Das, kom eens kijken.'

Hij ging naast haar liggen en legde een arm om haar schouder. Het nest was niet meer dan tien meter recht onder hen. Het was een enorm platform van gedroogde takken dat in een spleet in de rots was ingeklemd. De top ervan was schaalvormig en bedekt met groene bladeren en rietstengels. In het midden van de holte stonden twee jongen op wankele poten. Ze waren zo jong dat ze hun kop nauwelijks rechtop konden houden. Hun snavel was veel te groot in verhouding tot hun donzige, grijze lichaam en ze hadden de haak aan de punt ervan waarmee ze de harde schaal van het ei hadden kunnen openbreken, nog niet afgeworpen.

'Ze zijn zo heerlijk lelijk. Moet je die grote melkachtige ogen eens zien.' Eva lachte en dook geschrokken ineen toen de lucht om hun hoofd zich vulde met het geluid van grote vleugels. Krijsend van woede doken eerst het vrouwtje en daarna het mannetje met uitgestrekte klauwen naar hen om hun nest en de jongen erin te verdedigen.

'Houd je hoofd naar beneden,' waarschuwde Leon, 'anders trekken ze het er met die klauwen af. Blijf stilliggen. Beweeg je niet!' Ze drukten zich tegen de rotsachtige bodem van de richel. De woede en de intentie om te doden bij de adelaars verdwenen geleidelijk, toen ze beseften dat er geen direct gevaar voor hun broedsel dreigde. Ten slotte keerde het vrouwtje terug naar het nest en installeerde zich erop. Ze vouwde haar vleugels dicht en ging beschermend boven haar kuikens staan voordat ze ze onder haar borst duwde. Op de richel boven het nest bleven Leon en Eva geduldig en zonder zich te bewegen liggen. De vogels ontspanden zich nog meer tot ze ten slotte de aanwezigheid van de mensen negeerden en hun natuurlijk gedrag hervatten.

Het was een fascinerende ervaring om zo dicht bij zulke schitterende wilde dieren te zijn en te zien hoe ze voor hun jongen zorgden en ze voedden. Leon en Eva brachten de rest van de dag op de richel door. Toen uiteindelijk het daglicht begon te verdwijnen en het tijd was om te gaan, vertrokken ze onwillig. In de primitieve hut die Loikot en Manjoro voor de nacht voor hen hadden gebouwd, gingen ze onder de deken liggen.

'Ik zal deze dag nooit vergeten,' fluisterde Eva.

'Elke dag die we samen doorbrengen is onvergetelijk.'

'We gaan nooit uit Afrika weg, hè?'

'Het is ons thuis,' zei hij.

'Toen ik naar de adelaartjes keek, kreeg ik een heel vreemd gevoel.'

'Dat is een veel voorkomende aandoening bij vrouwen die bekendstaat als de kinderwens,' plaagde hij haar.

'We nemen zelf ook kinderen, hè, Das?'

'Bedoel je nu direct?'

'Dat zou ik niet weten,' zei ze, 'maar misschien kunnen we vast met oefenen beginnen. Wat vind jij?'

'Je bent een genie, schat. Laten we geen tijd meer verspillen aan nutteloos gepraat.'

91

Hun terugkeer in Loesima's dorp was een blijde thuiskomst. De herdersjongens hadden hen al van verre zien aankomen en het nieuws naar de dorpelingen geschreeuwd die hen met zijn allen tegemoetkwamen om hen met gezang en gelach te verwelkomen. Loesima wachtte op hen onder de raadboom. Ze omhelsde Eva en liet haar aan haar rechterkant plaatsnemen. Leon ging op de kruk aan haar andere kant zitten en vertaalde voor Eva wanneer hun intuïtieve begrip tekortschoot. Plotseling zweeg hij midden in een zin, hief zijn hoofd en snoof de lucht op. Wat is dat in vredesnaam voor een heerlijke geur?' vroeg hij aan niemand in het bijzonder.

'Koffie!' riep Eva. 'Heerlijke, fantastische koffie!' Ishmael kwam naar hen toe met twee bekers in de ene en een dampende pot koffie in de andere hand. Hij grijnsde triomfantelijk. 'Je bent een wonderdoener!' zei Eva in het Frans. 'Dat was het enige wat er nog aan mijn geluk ontbrak.'

'Ik heb ook een heleboel van uw mooie kleren en schoenen meegebracht zodat u niet langer de kleren van de ongelovigen hoeft te dragen.' Hij wees naar haar *sjoeka* met een grimas waaruit diepe afkeuring en afkeer spraken.

'Ishmael!' Leon was gealarmeerd en zijn stem klonk scherp. 'Ben je toen we weg waren naar Percy's Kamp gegaan om de koffie en de kleren van de memsahib te halen?'

'*Ndio*, bwana.' Ishmael grijnsde trots. 'Ik heb hard gereden op mijn muilezel en ik was in maar vier dagen heen en terug.'

'Heeft iemand je gezien? Wie waren er nog meer in het kamp?'

'Alleen bwana Hennie.'

'Heb je hem verteld waar we zijn?' vroeg Leon.

'Ja, hij vroeg het me.' Toen zag hij Leons uitdrukking en zijn gezicht versomberde. 'Heb ik iets verkeerds gedaan, *effendi*?'

Leon wendde zich af en hij moest moeite doen om de woede en de angst die zich van hem meester maakten te onderdrukken. Toen hij zich weer omdraaide, was zijn gezicht uitdrukkingsloos. 'Je hebt gedaan wat volgens jou juist was, Ishmael. De koffie is uitstekend. Ik denk niet dat je ooit lekkerdere koffie hebt gezet.' Maar Ishmael kende hem te goed om zich door zijn woorden te laten bedotten. Hij begreep niet wat hij verkeerd had gedaan, maar hij was overmand door schuldgevoel toen hij terugging naar de keukenhut.

Eva sloeg Leon gade. Haar gezicht was bleek en haar handen waren op haar schoot tot vuisten gebald. 'Er is iets verschrikkelijks gebeurd, hè?' Haar stem was zacht en kalm, maar haar ogen waren donker van bezorgdheid.

'We kunnen hier niet langer blijven,' zei Leon grimmig. 'Hij keek naar het westen waar de zon al aan de horizon stond. 'We zouden direct moeten vertrekken, maar het is al te laat. Ik wil niet het risico nemen om in het donker over het pad de berg af te dalen. We vertrekken morgen bij het eerste licht.'

'Wat is er, Das?' Eva pakte zijn hand vast.

'Terwijl wij bij het adelaarsnest waren, is Ishmael naar Percy's Kamp gegaan om voorraden te halen. Hennie du Rand was daar. Ishmael heeft hem verteld waar we zijn.'

‘Is dat zo erg? Hennie is toch een vriend? Hij zou ons toch geen kwaad willen doen?’

‘Niet opzettelijk, maar hij heeft geen idee in wat voor moeilijke omstandigheden we terecht zijn gekomen. We kunnen het risico niet nemen, Eva. Als graaf Otto nog leeft, zal hij achter je aan komen.’

‘Hij is dood, schat.’

‘Dat heb je gedroomd, maar we weten het niet zeker. Dan zijn er ook nog jouw bazen in Whitehall. Als zij erachter komen waar je bent, zullen ze je niet laten gaan. We moeten vluchten.’

‘Waarheen?’

‘Als we een van de vliegtuigen kunnen bereiken, kunnen we over de Duitse grens naar Dar es Salaam vliegen en daarvandaan een schip naar Zuid-Afrika of Australië nemen. Als we daar eenmaal zijn, kunnen we onze namen veranderen en verdwijnen.’

‘We hebben geen geld,’ wierp ze tegen.

‘Percy heeft me genoeg nagelaten. Ga je met me mee?’

‘Natuurlijk,’ antwoordde ze zonder te aarzelen. ‘Van nu af aan zal ik je overal naartoe volgen, waarheen je ook gaat.’

Leon glimlachte naar haar en zei simpelweg: ‘Mijn schat, mijn lieve schat.’ Toen wendde hij zich tot Loesima. ‘We moeten vertrekken, Mama.’

‘Ja,’ beaamde ze direct. ‘Dat heb ik voorzien, maar ik kon het je niet vertellen.’

Op de een of andere manier begreep Eva wat Loesima had gezegd. ‘Hebt u een blik achter het gordijn kunnen werpen, Mama?’ vroeg ze gretig.

Loesima knikte en Eva vervolgde: ‘Wilt u ons vertellen wat u hebt gezien?’

‘Het is niet veel en weinig ervan is wat je zou willen horen, mijn bloem.’

‘Ik wil het toch horen. Misschien hebt u ons iets te vertellen wat onze redding kan zijn.’

Loesima zuchtte. ‘Zoals je wilt, maar ik heb je gewaarschuwd.’ Ze klapte in haar handen en haar dienstmeisjes kwamen aanrennen en knielden voor haar neer. Ze kregen hun orders van Loesima en ze holden weg naar haar hut. Tegen de tijd dat ze terugkwamen met de parafernalia die Loesima bij haar voorspellingen gebruikte, was de zon ondergegaan en ging de korte schemering al over in het donker. De meisjes legden haar gereedschap vlak bij Loesima neer en staken toen het kleine vuur aan. Loesima opende een van de kleine leren zakjes en haalde er een handvol gedroogde kruiden uit. Terwijl ze een bezwering mompelde, gooide ze de kruiden in het vuur en ze brandden in een wolkje bittere rook op. Een van de meisjes bracht een aarden pot en zette die voor haar op het vuur. Hij was tot de rand gevuld met een vloeistof die de vlammen reflecteerde als een spiegel.

'Kom naast me zitten.' Ze wenkte Eva en Leon. Ze vormden een kring met haar om de pot. Loesima doopte een hoornen kopje in de vloeistof en bood hun dat om de beurt aan. Ze namen een slok van het bittere brouwsel en Loesima dronk de rest op.

'Kijk in de spiegel,' beval ze en ze staarden in de pot. Hun spiegelbeelden trilden op het oppervlak, maar verder zagen ze geen van beiden iets. De vloeistof begon te borrelen en te koken terwijl Loesima zachtjes zong. Haar ogen werden glazig toen ze in de opstijgende stoomwolken staarde. Toen ze ten slotte begon te spreken, klonk haar stem scherp en gespannen: 'Er zijn twee vijanden, een man en een vrouw. Ze willen de keten van liefde doorsnijden die jullie met elkaar verbindt.'

Eva slaakte een kreetje van pijn, maar daarna bleef ze stil.

'Ik zie dat de vrouw een zilveren vlag op haar hoofd heeft.'

'Mevrouw Ryan in Londen,' fluisterde Eva toen Leon dit voor haar had vertaald. 'Ze heeft een zilvergrijze streep voor in haar haar.'

'De man heeft maar één hand.'

Ze keken elkaar over de pot heen aan, maar Leon schudde zijn hoofd. 'Ik weet niet wie dat zou kunnen zijn. Vertel ons eens of deze twee vijanden in hun plannen zullen slagen, Mama.'

Loesima kreunde alsof ze pijn had. 'Ik kan niet verder zien. De lucht is gevuld met rook en vlammen. De hele wereld staat in brand. Het is vaag, maar ik zie een grote zilveren vis boven de vlammen die hoop op liefde en voorspoed brengt.'

'Wat voor vis is dit, Mama?' vroeg Leon.

'Verklaar uw visioen alstublieft voor ons,' smeekte Eva, maar Loesima's blik was weer helder en gericht.

'Er is niet meer,' zei ze spijtig. 'Ik heb je gewaarschuwd dat er weinig bij is dat je had willen horen, mijn bloem.' Ze strekte haar hand uit en gooide de aarden pot om waardoor de inhoud ervan op het vuur terechtkwam en het in een wolk van sissende stoom doofde. 'Ga nu slapen. Het zal misschien heel lang duren voordat jullie weer een nacht op de Lonsonjo zullen doorbrengen.'

92

Voordat ze naar hun hut gingen, gaf Leon de beide Masai en Ishmael orders om alle voorbereidingen te treffen om de volgende ochtend bij zonsopgang te kunnen vertrekken en dan met de gezadelde paarden klaar te staan.

Het was een rustige, stille nacht, maar ze sliepen onrustig. Wanneer ze wakker schrokken, strekten ze instinctief hun handen naar elkaar uit, overvallen door een ongerichte angst. Toen de vogels in het omringende bos met hun symfonisch koor de zonsopgang begonnen te begroeten, bedreven ze de liefde met een overgave die ze nog nooit hadden gekend. Het was een storm van passie en, nadat hij zijn climax had bereikt, bleven ze bevend, drijfnat van het zweet en met wild kloppend hart in elkaars armen liggen. Toen ze zich eindelijk van elkaar losmaakten, fluisterde Leon: 'Het is tijd om te gaan, liefste. Kleed je aan.'

Hij stond op en trok zijn kleren aan voordat hij naar de deur liep en hem opende. Hij liep gebukt door de deuropening en richtte zich op. Het bos om hem heen was donker. De Morgenster stond nog aan de hemel en prikte door de donkere, fluwelen hemel heen. De lucht was loodgrijs en druilerig. Eva kwam achter hem naar buiten en hij sloeg zijn arm om haar heen. Hij wilde net iets tegen haar zeggen toen hij de mannen zag. Even dacht hij dat het zijn eigen mannen waren, want ze voerden paarden mee.

Ze hadden in het donker aan de rand van het bos gewacht, maar nu kwamen ze naar hen toe en toen ze dichterbij waren, zag Leon dat ze met zijn zevenen waren. Vijf *askari's* en twee officieren. Ze droegen allemaal een slappe hoed en een kaki velduniform. De *askari's* droegen een geweer over hun schouder en de officieren waren alleen gewapend met een revolver. De hoogste officier bleef voor hen staan, maar hij negeerde Leon en salueerde naar Eva.

'Hoe hebt u ons gevonden, oom Penrod? Hebt u Percy's Kamp door iemand in de gaten laten houden die Ishmael hiernaartoe is gevolgd?'

Penrod knikte. 'Natuurlijk.' Hij richtte zich weer tot Eva. 'Goedemorgen, Eva. Ik heb een boodschap voor je van mevrouw Ryan en meneer Brown in Londen.'

Eva deinsde terug. 'Nee!' zei ze. 'Otto is dood en het is allemaal voorbij.'

'Graaf Otto von Meerbach is niet dood, maar ik geef toe dat het kantjeboord was. De dokter heeft zijn linkerarm moeten amputeren die door gangreen was weggerot en hij heeft verder al zijn wonden gehecht. De graaf was lange tijd volledig krankzinnig – eigenlijk tot heel recent. Maar hij is zo hard als graniet en zo taai als olifantshuid. Hij is nog heel zwak, maar hij vraagt naar je. Ik heb een of ander lulverhaal moeten ophangen om je afwezigheid te verklaren. Ik denk dat hij echt van je houdt en ik ben hier om je naar hem terug te brengen, zodat je het karwei dat je opgedragen is, kunt afmaken.'

Leon ging tussen hen in staan. 'Ze gaat niet terug. We houden van elkaar en we gaan trouwen zodra we terug zijn in de beschaafde wereld.'

'Luitenant Courtney, mag ik je eraan herinneren dat ik je bevelvoerend officier ben en dat de correcte aanspreekvorm "generaal" is. Ga nu onmiddellijk opzij.'

'Dat kan ik niet doen, generaal. Ik kan u haar niet terug laten brengen.' Leon kromde koppig zijn schouders.

'Kapitein!' snauwde Penrod over zijn schouder en de jongere officier stapte naar voren.

'Generaal!' zei hij. Leon herkende zijn stem, maar in zijn wanhoop duurde het even voordat tot hem doordrong dat het Eddy Roberts was, Froggy Snells loopjongen.

'Arresteer deze man.' Penrod had een grimmige uitdrukking op zijn gezicht. 'Als hij zich verzet, schiet je hem in de knie.'

'Ja, generaal!' jubelde Eddy. Toen hij zijn Webley-revolver uit de holster trok, liep Leon naar voren. Eddy stapte achteruit, spande de haan en bracht het wapen omhoog, maar voordat hij het op Leon kon richten, sprong Eva tussen hen in en spreidde haar armen. Nu was de revolver op haar borst gericht.

'Niet schieten, man!' schreeuwde Penrod. 'In godsnaam, doe de vrouw niets.' Eddy liet het wapen onzeker zakken.

Eva verplaatste haar aandacht onmiddellijk van Eddy naar Penrod. 'Wat wilt u van me, generaal?' Ze zag heel bleek, maar haar stem was koud en kalm.

'Alleen een paar minuten van je tijd.' Penrod pakte haar arm beet om haar weg te leiden, maar weer kwam Leon tussenbeide.

'Ga niet met hem mee, Eva. Hij zal je ompraten.'

Toen ze naar hem omkeek, zag hij dat haar ogen omfloerst waren en dat de glinstering erin was verdwenen. Zijn hart kromp ineen: ze was teruggegaan naar die plek waarheen niemand haar kon volgen, zelfs de man die van haar hield niet. 'Eva!' smeekte hij. 'Blijf bij me, schat.'

Ze liet niet blijken dat ze hem gehoord had en ze liet zich door Penrod meevoeren. Hij leidde haar naar de rand van de klip, zodat Leon geen woord van hun gesprek kon verstaan. Penrod torende met kop en schouders boven haar uit en hij had twee keer haar omvang. Eva leek een kind naast hem, terwijl ze ernstig naar hem opkeek en luisterde naar wat hij zei. Hij legde zijn beide handen op haar schouders en schudde haar zachtjes heen en weer met een ernstige uitdrukking op zijn gezicht. Leon kon zich nauwelijks beheersen. Hij wilde haar beschermen en verdedigen. Hij wilde haar in zijn armen nemen en haar voor altijd koesteren.

'Ja, Courtney, doe het!' zei Eddy Roberts op kwaadaardige toon. 'Geef me een excuus. Je bent er de vorige keer mee weggekomen, maar dat zal nu niet weer gebeuren.' De haan was gespannen, zijn vinger was om de trekker gekromd en het wapen was op Leons rechterbeen gericht. 'Doe het dan, rotzak die je bent! Geef me een excuus om je been eraf te schieten.'

Leon wist dat hij het meende. Hij balde zijn vuisten zo stijf dat zijn nagels in zijn handpalmen drongen en hij knarsetandde. Eva keek Penrod nog steeds aan, terwijl hij tegen haar praatte. Af en toe knikte ze uitdrukkingsloos en Penrod bleef op zijn charmantst en overtuigendst op haar inpraten. Ten slotte capituleerde Eva. Haar schouders zakten af en ze knikte. Penrod legde vaderlijk en bezorgd een arm om haar schouders en leidde haar terug naar de plek waar Leon stond onder bedreiging van Eddy's revolver. Ze keek niet naar hem en ze had een dode uitdrukking op haar gezicht.

'Kapitein Roberts!' zei Penrod. Hij keek ook niet naar Leon.

'Generaal!'

'Gebruik je handboeien om de gevangene in bedwang te kunnen houden.'

Eddy haakte de glanzende stalen boeien van zijn riem en sloeg ze om Leons polsen.

'Houd hem hier! Gebruik geen geweld, tenzij hij het verdient,' beval Penrod. 'Laat hem niet van de berg af tot je orders van me krijgt. Breng hem daarna onder gewapend escorte naar Nairobi. Laat hem daar met niemand spreken. Breng hem direct bij me.'

'Ja, generaal.'

'Kom mee, Eva.' Hij draaide zich naar haar om. 'We hebben een lange rit voor de boeg.' Toen ze naar de paarden liepen, riep Leon haar met een stem die oversloeg van wanhoop na: 'Je kunt niet weggaan, Eva. Je kunt me nu niet alleen laten. Alsjeblieft, schat.'

Ze bleef staan en keek hem met een matte, wanhopige blik in haar ogen aan. 'We waren twee dwaze kinderen die even in een fantasiewereld hebben geleefd. Het is nu voorbij. Ik moet gaan. Vaarwel, Leon.'

'O, god!' Hij kreunde. 'Hou je dan niet van me?'

'Nee, Leon. Het enige waar ik van hou, is mijn plicht.' Hij mocht niet weten dat haar hart brak toen ze wegliep, terwijl de leugen nog op haar lippen brandde.

93

Zodra Penrod en Eva de berg af waren gegaan, liet Eddy Roberts Leon door zijn *askari's* terug de hut in slepen waar hij met zijn benen aan weerskanten van de centrale paal die het dak ondersteunde, moest zitten. Daarna deed hij hem de boeien om zijn polsen af en sloeg ze om zijn enkels. 'Ik neem geen risico met je, Courtney. Ik weet dat je een vluchtgevaarlijke woesteling bent,' zei Eddy met sadistisch genoegen. Hij stond Ishmael toe om hem één keer per dag te bezoeken om hem een maaltijd te geven, de emmer waarin hij zijn behoeften deed weg te halen en daarna zijn billen te wassen alsof hij een baby was. Maar afgezien daarvan was Leon gedwongen om daar twaalf lange, vernederende dagen te zitten tot Penrods boodschapper het bergpad opkwam met een op geel papier geschreven briefje met orders voor Roberts. Daarna Liet Eddy Roberts hem door de *askari's* uit de hut halen en op zijn paard tillen. Zijn enkels waren zo gezwollen en rauw door de boeien dat hij nauwelijks kon lopen. Toch gaf Eddy zijn mannen bevel om zijn enkels onder de buik van het paard met een touw aan elkaar te binden.

Het was een onaangename reis door de Rift Valley naar de spoorlijn. Eddy maakte het hem extra moeilijk door achter hem te gaan rijden en Leons paard over het ruwe terrein tot draf aan te sporen. Met zijn gebonden enkels kon Leon niet met de gang van zijn paard mee bewegen en hij werd hevig door elkaar geschud.

Penrod was woedend toen twee *askari's* zijn neef bijna moesten dragen toen ze hem zijn kantoor in het hoofdkwartier van de KAR in Nairobi binnenbrachten. Hij kwam vanachter zijn bureau vandaan en hielp hem in een stoel. 'Het was niet mijn bedoeling dat je zo behandeld zou worden,' zei hij. Leon had hem nog nooit iets horen zeggen wat zo dicht in de buurt van een verontschuldiging kwam.

'Dat is helemaal niet erg. Ik veronderstel dat ik het onmogelijk voor u heb gemaakt om iets anders te doen dan me te laten vastbinden.'

'Je vroeg erom,' beaamde Penrod. 'Je hebt verdomd veel geluk gehad dat ik je niet direct heb laten doodschieten. De gedachte is bij me opgekomen.'

'Waar is Eva, oom?'

'Ze is nu waarschijnlijk ergens in het Suez-kanaal, al een heel eind op de terugweg naar Berlijn. Ik heb je pas laten halen toen het lijnschip uit Mombassa uitvoer.' Zijn uitdrukking werd zachter. 'Je bent uit de hele ellendige situatie gered, jongen. Ik denk dat ik je een grote dienst heb bewezen door je bij zinnen te brengen en haar voor je te lozen.'

'Dat moge zo zijn, oom, maar ik kan niet zeggen dat ik overloop van dankbaarheid.'

'Nu niet, misschien, maar dat komt later wel. Ze is een spion, wist je dat? Ze is sluw en zonder scrupules.'

'Nee, oom, ze is een Britse agente. Ze is een mooie, jonge vrouw met veel moed die meer dan haar plicht voor u en het vaderland heeft gedaan.'

'Er is een woord voor vrouwen als zij.'

'Als u dat woord uitspreekt, sta ik niet voor mijn daden in. Deze keer zult u me echt dood moeten schieten.'

'Je bent een idioot, Leon Courtney, een smoorverliefde puppy die niet in staat is om rationeel te denken.' Hij pakte de tuniek van zijn uniform die over de rugleuning van zijn stoel hing.

Terwijl hij hem dichtknoopte, zag Leon de insignes op de schouders, drie sterren en gekruiste zwaarden. 'Als u klaar bent met me te beledigen, kunt u me misschien toestaan om u te feliciteren met uw bliksemsnelle bevordering tot de rang van generaal-majoor.'

Leon had de spanning verbroken en Penrod aanvaardde het vredesaanbod. 'Sans rancune dan maar. We hebben allemaal gedaan wat we moesten doen. Bedankt voor je felicitatie, Leon. Wist je dat, terwijl jij op de Lonsonjo je wittebroodsweken doorbracht, de een of andere Servische gek aartshertog Franz Ferdinand van Oostenrijk-Hongarije heeft vermoord en dat de zware represailles van dat land tegen de Serven een kettingreactie van geweld hebben veroorzaakt? Half Europa is al in oorlog en keizer Wilhelm staat te trappelen om eraan mee te gaan doen. Het gebeurt allemaal zoals ik voorspeld heb. Een volledige oorlog binnen een paar maanden.' Hij zocht in zijn zakken naar zijn sigarettenkoker en stak een Player's op. 'Ik heb met "Bloody Bull" Allerby in de Boerenoorlog gevochten en nu heeft hij het opperbevel over het Egyptische leger. Ze zijn gereed om Mesopotamië binnen te trekken en hij heeft mij gevraagd om het bevel over zijn cavalerie op me te nemen. Ik vertrek volgende week naar Caïro. Je tante zal blij zijn dat ze me een paar dagen thuis heeft.'

'Doe haar alstublieft de groeten van me, oom. Wie neemt het hier in Nairobi van u over?'

'Dat is goed nieuws voor je. Je oude vriend en bewonderaar Freddie Snell is tot kolonel bevorderd en hij heeft de klus gekregen.' Hij zag Leons gezicht versomberen. 'Ja, ik weet wat je denkt. Maar ik kan je nog een laatste dienst bewijzen voordat ik vertrek. Hugh Delamere is bezig een vrijwilligerseenheid lichte cavalerie op te richten die losstaat van de KAR. Ik heb je van de reservisten naar die eenheid overgeplaatst om als verbindings- en inlichtingenofficier voor hem op te treden. Hij wil graag dat je verkenningsvluchten voor zijn eenheid gaat uitvoeren. Hij weet van je onenigheid met Snell en zal je tegen hem beschermen.'

'Heel aardig van hem. Maar er is een klein probleem. Ik heb geen vliegtuig voor die verkenningsvluchten.'

'Zodra keizer Wilhelm ons de oorlog verklaart, krijg je je vliegtuig. Je krijgt er zelfs twee. Hugh Delamere heeft een piloot van watervliegtuigen geleend van de Koninklijke Marine en hem naar Percy's Kamp gestuurd om de Hommel hierheen te brengen. Allebei de vliegtuigen van Von Meerbach staan veilig in de hangar bij het poloveld.'

'Ik geloof dat ik het niet helemaal begrijp. Heeft hij ze niet meegenomen toen hij vertrok?'

'Nee, hij heeft ze bij zijn ingenieur, Gustav Kilmer, achtergelaten om erop te passen. Zodra de oorlog uitbreekt, worden ze het eigendom van een buitenlandse vijand. Dan sluiten we Kilmer op in een concentratiekamp en vorderen we de vliegtuigen.'

'Dat is inderdaad goed nieuws. Ik ben verslaafd geraakt aan vliegen en ik vond het geen prettig vooruitzicht om het op te moeten geven. Zodra u met me klaar bent, ga ik naar Kamp Tandala om te kijken wat Max Rosenthal en Hennie du Rand in mijn afwezigheid hebben uitgespookt. Daarna ga ik maar het poloveld om me ervan te verzekeren dat Gustav het vliegtuig veilig opgeborgen heeft.'

'O, je zult Hennie du Rand niet in Kamp Tandala vinden. Hij is met Von Meerbach mee naar Duitsland gegaan.'

'Goeie god.' Leon was oprecht verbaasd. 'Hoe is dat zo gekomen?'

'De graaf vond hem zeker aardig. In elk geval is hij weg. Net zoals ik aanstaande vrijdag zal zijn. Ik verwacht je op het station om me uit te zwaaien.'

'Ik zou het voor geen goud willen missen, generaal.'

'Ik hoor daar iets dubbelzinnigs in.' Penrod stond op. 'Je kunt gaan.'

'Nog één vraag, als dat mag, generaal.'

'Ga je gang, maar ik denk dat ik al weet waar je vraag betrekking op heeft. Ik kan je niet beloven dat ik je antwoord geef.'

'Hebt u een manier om met Eva Barry boodschappen uit te wisselen, terwijl ze in Duitsland is?'

'Ah! Dus dat is de echte naam van de jongedame. Ik wist dat Von Wellberg een schuilnaam was. Je lijkt veel meer over haar te weten dan ik. Mijn excuses als dat ook dubbelzinnig is.'

'U hebt nog steeds mijn vraag niet beantwoord.'

'Nee, dat klopt. Zullen we het hierbij laten?'

94

Leon reed naar Kamp Tandala en toen hij Max Rosenthals tent binnenging, zag hij dat deze zijn plunjezak aan het pakken was. 'Ga je ons verlaten, Max?' vroeg Leon.

'De lokale bewoners beginnen een pogrom tegen ons. Ik heb geen zin om deze oorlog door te brengen in een Brits concentratiekamp, zoals Kitchener die in Zuid-Afrika heeft gebouwd, dus ga ik naar Duits gebied.'

'Heel verstandig,' zei Leon. 'De zaken gaan hier veranderen. Ik ga naar het poloveld om met Gustav over de twee vliegtuigen te praten. Als je daar morgenochtend bij het eerste licht bent, kan ik jullie misschien allebei een lift geven naar het zuiden, naar Arusha, waar het veilig voor jullie is.'

De schemering was al gevallen toen Leon naar de hoofdstraat van Nairobi reed, maar het was overal in de stad druk. Hij moest tussen een heleboel karren en wagens door zigzaggen die allemaal vol zaten met de gezinnen van kolonisten die van hun afgelegen boerderijen naar de stad kwamen. Het gerucht deed de ronde dat Von Lettow Vorbeck zijn troepen bij de grens had verzameld. Ze zouden gereed zijn om naar Nairobi op te trekken en onderweg zouden ze de boerderijen verbranden en plunderen. De mannen van generaal-majoor Ballantyne zetten op het exercitieterrein van de KAR tenten op om de vluchtelingen op te vangen. De vrouwen en kinderen waren zich al aan het installeren, terwijl de mannen naar het rekruteringskantoor in het gebouw van Barclays Bank togen waar Lord Delamere geschikte kandidaten selecteerde voor zijn irreguliere regiment lichte cavalerie.

Toen Leon langs de bank reed, stonden de vrijwilligers in opgewonden groepjes in de stoffige straat te discussiëren over de ophanden zijnde oorlog en de invloed die de strijd op het leven in de kolonie zou hebben. Hun paarden waren gezadeld en ze droegen jachtkleren. De meesten waren gewapend met jachtgeweren en ze waren gereed om uit te rijden om de strijd aan te binden met Von Lettow en zijn moordzuchtige *askari's*. Leon wist dat weinigen van hen militaire training hadden gehad. Hij glimlachte medelijdend. Arme stakkers. Ze denken dat het een soort jacht op parelhoenders wordt. Ze hebben zelfs nagedacht over de mogelijkheid dat de Duitsers zullen terugschieten.

Op dat moment rende een man het telegraafkantoor aan de overkant van de straat uit, terwijl hij met een geel formulier boven zijn hoofd zwaaide. 'Bericht uit Londen! Het is begonnen! Keizer Bill heeft Groot-Brittannië en het imperium de oorlog verklaard! Jullie kunnen roem vergaren, jongens.'

Er steeg een rauw gejuich op. Bierflessen werden hoog geheven en er werd geschreeuwd: 'Weg met die rotzak!'

Bobby Sampson stond te midden van een groep mannen van wie Leon de meeste kende. Hij maakte aanstalten om af te stijgen en zich bij hen te voegen toen er een gedachte bij hem opkwam. Hoe zal Gustav op deze oorlogsverklaring reageren? Wat voor orders heeft graaf Otto voor hem achtergelaten voor het geval dat deze situatie zich zou voordoen?

Hij spoorde zijn paard aan en stuurde het met zijn neus in de richting van het poloveld.

Het was donker toen hij er aankwam. Hij liet zijn paard vaart minderen tot een wandeltempo toen hij de hangar naderde. Het had eerder op de dag geregend en de grond was zacht. Het gras dempte het geluid van de hoeven van het paard en hij zag door de wand van geteerd dekzeil heen licht branden in de hangar. Eerst dacht hij dat binnen iemand rondliep met een lamp. Toen besefte hij dat het licht te roodachtig was en dat het flikkerde.

Brand!

Zijn slechte voorgevoel werd bewaarheid. Hij schopte zijn voeten uit de stijgbeugels en liet zich op de grond zakken. Geruisloos rende hij naar de deur en bleef daar staan om de situatie te beoordelen. Het vuur dat hij had gezien, was de vlam van een brandende fakkel die Gustav omhooghield. In het licht ervan zag Leon dat de beide vliegtuigen staart aan staart op hun gebruikelijke plaats in de hangar stonden. Ze hadden allebei hun eigen deur in de wand van de hangar zodat ze naar binnen en naar buiten gereden konden worden zonder dat het andere vliegtuig verplaatst hoefde te worden.

Gustav had de meeste van de zware pakkisten waarin de vliegtuigen vanuit Duitsland waren verscheept in stukken gehakt en het hout in een piramide onder de romp van de Vlinder opgestapeld. Zijn rug was naar Leon toe gekeerd en hij ging zo op in zijn voorbereidingen om de vliegtuigen te verbranden dat hij zich er niet van bewust was dat Leon achter hem in de deuropening stond. Hij had de brandende fakkel in zijn rechter- en een open fles schnapps in zijn linkerhand. Hij zat midden in een afscheidstoespraak voor de twee vliegtuigen.

'Wat ik nu ga doen, is het moeilijkste dat er ooit van me gevraagd is. Jullie zijn de voortbrengselen van mijn geest. Jullie zijn de creatie van mijn handen. Ik heb elke lijn van jullie prachtige rompen bedacht. Ik heb jullie met mijn eigen handen gebouwd. Ik heb lange dagen en nog langere nachten op jullie gezwoegd. Jullie zijn een monument voor mijn kunde en mijn genialiteit.' Hij zweeg met een snik, nam een grote slok schnapps en boerde toen hij de fles liet zakken. 'Nu moet ik jullie vernietigen. Een deel van me zal samen met jullie sterven. Ik wou dat ik de moed had om me op jullie brandstapel te werpen, want als jullie er niet meer zijn, zal mijn leven verwoest zijn.' Hij gooide de fakkel naar de stapel hout, maar door de schnapps mikte hij slecht. De fakkel vloog in een boog omhoog en liet een spoor van vonken achter. Hij raakte de propeller van de linkerbakboordmotor, stuitte ervan af en viel op de grond. Daarna rolde hij terug tot voor Gustavs voeten.

Leon rende naar hem toe. Hij ramde Gustav van achteren toen diens vingers zich om het handvat van de fakkel sloten. De Duitser sloeg tegen de grond en de fles schnapps viel in gruzelementen op de vloer van de hangar, maar op de een of andere manier wist Gustav de fakkel vast te houden.

Met verbazingwekkende lenigheid voor zo'n zware man rolde hij zich op zijn knieën en keek Leon woedend aan. 'Ik maak je af als je me tegen probeert te houden!' Hij gooide de fakkel weer naar de stapel hout en deze keer bleef hij op het hout hangen. Leon vroeg zich af of Gustav het met petroleum had doordrenkt, maar hoewel de vlam nog brandde, explodeerde het niet. Hij rende ernaartoe en probeerde de fakkel te bereiken voordat het hout vlam zou vatten.

Gustav kwam wankelend overeind en sneed hem de pas af. Hij stond met gespreide armen en met zijn hoofd laag naar voren gebogen om te voorkomen dat Leon de fakkel zou bereiken. Leon rende recht op hem af, maar voordat Gustav hem vast kon grijpen, gebruikte hij zijn voorwaartse snelheid om hem in het kruis te schoppen. Het tandje van zijn spoor reet het zachte vlees tussen Gustavs dijen open. Gustav schreeuwde en deinsde terug terwijl hij zijn gewonde geslachtsdelen met beide handen omklemde.

Leon duwde hem met zijn schouder opzij en hij bereikte het hout. Hij greep de fakkel vast en gooide hem naar de deur. Een van de planken van de pakkisten brandde. Hij trok hem los, gooide hem op de grond en stampte erop om de vlammen te doven.

Gustav sprong op zijn rug en sloeg een gespierde arm in een dodelijke houdgreep om Leons nek. Hij had zijn benen om Leons lichaam geslagen en bereed hem als een paard. Hij verstevigde zijn greep en Leon hapte naar lucht.

De tranen stroomden uit zijn ogen, maar hij zag toch dat een van de propellerbladen van de rotatiemotor op hoofdhoogte voor hem hing. Het was gemaakt van gelamineerd hout, maar de voorrand was bekleed met metaal en vlijmscherp. Hij draaide zich snel om zodat Gustav in één lijn met het blad kwam en rende toen achteruit. Het blad sneed Gustavs achterhoofd tot op het bot open waardoor hij verdoofd raakte. Zijn greep verslapte en Leon rukte zich los. Gustav strompelde in een kringetje rond terwijl het bloed uit de wond gutste. Leon balde zijn rechtervuist en gaf hem een kaakslag. Gustav ging neer en kwam languit op zijn rug terecht.

Happend naar adem keek Leon verwilderd om zich heen. De fakkel lag in de deuropening waar hij hem naartoe gegooid had. Hij brandde nog, maar de vlammen hadden niets om te verbranden. Maar gevaarlijker was dat hij de vlammen van de brandende plank niet helemaal had gedoofd voordat Gustav hem op zijn rug was gesprongen. De vlammen waren nu weer opgelaaid en ze brandden helder. Leon pakte de plank op en rende ermee naar de ingang. Hij gooide hem naar buiten en richtte toen zijn aandacht op de fakkel. Toen hij zich vooroverboog om hem op te pakken, hoorde hij een schuifelend geluid achter zich en hij dook opzij. Hij hoorde iets langs zijn rechteroor suizen en draaide zich bliksemsnel om.

Gustav had zich bewapend met een drie kilo zware moker die hij van de werkbank tegen de muur had gepakt. Daarna was hij op Leon afgestormd en had hij, met beide handen om de lange steel, naar Leons hoofd uitgehaald. Als Leon niet was weggedoken, zou hij zijn schedel verbrijzeld hebben. Door de kracht van de slag had Gustav zijn evenwicht verloren en voordat hij zich kon herstellen, greep Leon hem om zijn middel vast waardoor de hamer tussen hen in klem kwam te zitten. Ze draaiden in een dodelijke wals rond en verplaatsten hun gewicht en hun zwaartepunt om de ander beentje te lichten of van de grond te tillen.

Leon was tien centimeter langer, maar Gustav had hetzelfde gewicht en was één bonk spieren die gestaald waren door een leven van lichamelijke arbeid. De afstraffing die Leon hem had gegeven, zou een zwakkere tegenstander hebben uitgeschakeld, maar Gustavs veerkracht was angstaanjagend. Zijn kracht leek toe te nemen doordat de adrenaline die door zijn lichaam stroomde hem ongevoelig maakte voor de pijn van zijn verwondingen. Hij dreef Leon achteruit naar de deuropening waar de brandende fakkel lag. Leon voelde de hitte ervan op de achterkant van zijn benen. Toen maakte Gustav een draai en duwde zijn heup met kracht tegen zijn tegenstander aan. Leon was een moment uit zijn evenwicht en Gustav schopte met al zijn kracht tegen de fakkel die over de vloer stuiterde tot hij tegen de voet van de stapel hout botste. De hangar stond plotseling vol rook en er hing een brandlucht.

Als een luipaard die dol van woede is, wist Leon een verborgen reservoir van kracht aan te boren. Terwijl Gustav hem omklemd hield, verplaatste hij zijn gewicht, haakte zijn teen achter een van de hielen van de man en wierp zich naar voren. Gustav viel met een klap achterover op de grond met Leons volle gewicht boven op zich. De lucht werd met een luid sissend geluid uit zijn longen geperst. Leon maakte zich van hem los, sprong als een gymnast overeind en rende naar de stapel hout om de fakkel eraf te halen. Twee stukken hout brandden al, maar hij had net genoeg tijd om ze uit de stapel te trekken en opzij te gooien voordat Gustav hem weer aanviel. Hij zwaaide de moker met lange uithalen naar Leons gezicht en dwong hem achteruit te gaan. De Duitser hijgde terwijl hij lucht in zijn longen zoog. De achterkant van zijn overhemd was rood van het bloed uit de wond in zijn hoofdhuid en de voorkant van zijn broek was ook bebloed doordat Leon met de spoor zijn geslachtsdelen had opengehaald toen hij hem in het kruis schopte, maar Gustav voelde geen pijn meer. Hij zwaaide de hamer als een metronoom heen en weer en Leon was gedwongen om steeds verder achteruit te gaan om de zware, stalen kop te ontwijken.

Hij kwam abrupt tot stilstand toen hij door de wand van de hangar werd tegengehouden. Hij stond in de hoek tussen de wanden zodat hij geen uitwijkmogelijkheid meer had en hij wist dat Gustav hem klem had gezet. Gustav hief de moker met beide handen hoog op en hield hem toen even stil om de slag goed op Leons gezicht te kunnen richten. Leon wist dat hij de slag niet zou kunnen ontwijken. Er was gewoon niet genoeg ruimte om weg te kunnen duiken. Hij staarde in Gustavs ogen en probeerde hem met de kracht van zijn blik in toom te houden, maar door de schnapps en de pijn was de man in een beest veranderd. In zijn ogen viel geen greintje herkenning of medelijden te bespeuren.

Toen veranderde Gustavs uitdrukking subtiel. De razernij verdween uit zijn ogen en maakte plaats voor verbijstering. Hij opende zijn mond, maar voordat hij iets kon zeggen, spoot een dikke straal helderrood bloed over zijn lippen. De moker viel uit zijn handen en kletterde op de vloer van de hangar. Hij keek neer op zijn lichaam.

Het blad van de assegaai stak drie handbreedtes uit het midden van zijn borst. Hij schudde zijn hoofd alsof hij niet kon geloven wat hij zag. Toen begaven zijn benen het. Manjoro stond vlak achter hem en terwijl Gustav viel, trok hij het blad van de speer uit zijn lichaam. Het hart van de Duitser moest nog kloppen, want uit de gapende wond spoot een kleine fontein van bloed die verschrompelde toen Gustav stierf.

Leon staarde Manjoro aan terwijl er wilde speculaties in zijn hoofd opkwamen. Hij had Manjoro voor het laatst bijna een week geleden op de Lonsonjo gezien. Door welk gelukkig toeval was hij hier gekomen? Toen zag hij dat Loikot bij hem was en voordat hij hem kon tegenhouden, had deze zijn eigen assegaai in het roerloze lichaam gestoken.

Leon werd overmand door afgrijzen en angst. Wat de omstandigheden ook waren, ze hadden een blanke gedood. Als vergelding zouden ze aan de strop van de beul moeten bungelen. Het bestuur van een land waar vijftig keer zoveel stamleden als blanken woonden, zou zich niet kunnen permitteren om zo'n gruwelijk misdrijf over zijn kant te laten gaan. Het zou een te gevaarlijk precedent scheppen. Terwijl hij koortsachtig nadacht, vroeg Leon aan de twee Masai: 'Hoe zijn jullie hier gekomen?'

'Toen de soldaat u meenam van de Lonsonjo zijn we u gevolgd.'

'Jullie hebben mijn leven gered. De Boela Matari zou me gedood hebben, maar jullie weten wat er gaat gebeuren als de politie jullie te pakken krijgt.'

'Dat kan me niet schelen,' zei Manjoro waardig. 'Ze mogen met me doen wat ze willen. U bent mijn broeder. Ik kon niet werkeloos toezien terwijl hij u doodde.'

'Weet verder nog iemand dat jullie in Nairobi zijn?' vroeg Leon en ze schudden hun hoofd. 'Mooi. We moeten snel aan de slag.'

Met zijn drieën wikkelden ze Gustavs lijk in een lap zeildoek die ze uit het magazijn hadden gehaald en daarna bevestigden ze een krukas van vijfentwintig kilo aan zijn voeten. Ze bonden stukken henneptouw om het dekzeil, droegen het lijk naar de Vlinder en laadden het in het bommenruim in de romp. Vervolgens maakten ze snel de hangar schoon en verwijderden alle sporen van het gevecht en de brand. Ze haalden de in stukken gehakte pakkisten weg en gooiden ze op de houtstapel achter de Polo Club. Daarna spreidden ze verse aarde over de bloedvlekken uit, stampten de grond aan en sprenkelden er motorolie over om de aard van de vlekken te verbergen. Als er vragen over Gustavs verdwijning gesteld zouden worden, zou er worden aangenomen dat hij gevlucht was om aan arrestatie en opsluiting in een concentratiekamp te ontkomen.

Toen Leon zich ervan had verzekerd dat ze zo veel mogelijk van het bezwarende bewijsmateriaal hadden weggewerkt, reden ze de Vlinder de hangar uit en klom hij in de cockpit om met de startprocedure te beginnen. De twee Masai stonden klaar om aan de propellers te draaien. Toen verstijfden ze en ze staarden in het duister waarin ze het geluid van een paard in volle galop hoorden.

'Politie?' mompelde Leon. 'En ik heb het lijk van een vermoorde man aan boord. Dit kan narigheid betekenen.'

Hij hield zijn adem in en blies de lucht uit toen Max Rosenthal uit het donker tevoorschijn kwam en afsteeg. Hij kwam snel naar de Vlinder toe met een grote rugzak over zijn rug gezwaaid. 'U hebt me gezegd dat u me wilde helpen,' zei hij. Hij zag er opgejaagd en doodsbang uit. 'Ze hebben op het exercitieterrein net drie Duitsers doodgeschoten die ervan beschuldigd werden dat ze spionnen waren. U weet dat ik geen spion ben, meneer Courtney.'

'Maak je geen zorgen, Max. Ik breng je het land uit,' verzekerde Leon hem. 'Klim maar aan boord!'

Zodra de motoren waren gestart, klauterden de twee Masai de ladder op om zich bij Max in de cockpit te voegen en in het licht van de wassende maan zette Leon koers naar de grens met Duits Oost-Afrika. Drie uur later zagen ze voor hen uit het uitgestrekte zilverkleurige Natronmeer dat in het maanlicht glansde als een spiegel. Leon liet de Vlinder dalen tot ze over het oppervlak scheerden. Hij vloog naar het midden van het meer voordat hij de hendel overhaalde waarmee het bommenruim geopend werd. Daarna keek hij over de zijwand en zag hoe het in zeildoek gewikkelde lijk in het sodarijke water plonsde en wit schuim deed opspatten. Hij cirkelde nog een keer laag boven het water rond om te controleren of het lijk niet bleef drijven, maar de metalen ballast had het onder water getrokken en er was amper een rimpeling op het oppervlak te zien.

Hij keerde naar de oostelijke oever. Het Natronmeer overlapte de grens tussen de Duitse en de Britse kolonie. In dit droge seizoen lagen de stranden bloot en doordat het water rijk aan soda was, waren ze spierwit en de soda was stijf samengepakt. Leon zou veilig op een van de stranden kunnen landen. Het probleem was dat hij er een moest kiezen met een betrouwbare ondergrond. Hij vloog laag over een stuk strand heen dat er stevig en hard uitzag, keerde toen en landde voorzichtig. Het vliegtuig kwam in balans en begon vaart te minderen. Toen voelde hij met de schrik in het hart dat de wielen door de sodakorst heen zakten en in de zachte modder eronder wegzonken. Het vliegtuig stopte zo abrupt dat ze allemaal in hun veiligheidsriemen naar voren geslingerd werden.

Leon zette de motoren uit en ze klommen de ladder af naar het strand. Een snelle inspectie leerde hem dat het landingsgestel en de romp geen schade hadden opgelopen, maar de wielen zaten tot hun as vast in de modder. Leon liep om het vliegtuig heen om het oppervlak te testen. Ze hadden de pech gehad dat ze een kleine modderpoel in waren gereden. Vijftien meter voor hen uit was de grond stevig, maar het was uitgesloten dat de vier mannen het zware vliegtuig zo ver zouden kunnen duwen.

'Waar zijn we, Manjoro?'

De twee Masai bespraken de vraag voordat ze antwoordden.

'We zijn in het land van de Boela Matari. Terug naar de grens is het een halve dag lopen.'

'Zijn er Duitsers dicht in de buurt?'

Manjoro schudde zijn hoofd. 'De dichtstbijzijnde post is bij Longido.' Hij wees naar het zuidoosten. 'Het zal de soldaten meer dan een dag kosten om hier te komen.'

'Zijn er dorpen in de buurt waar we mannen kunnen vinden om ons te helpen?'

'*Ndio*, M'bogo. Minder dan een uur lopen langs de oever is een groot vissersdorp.'

'Hebben ze trekossen?'

Manjoro raadpleegde Loikot en ten slotte knikten ze allebei. 'Ja, het is een groot dorp en de hoofdman is rijk. Hij heeft vele ossen.'

'Ga zo snel als julie kunnen naar hem toe, mijn broeders. Zeg hem dat ik hem nog rijker zal maken als hij me een span ossen brengt om ons uit de modder te trekken. Hij moet ook touwen meebrengen.'

Leon en Max installeerden zich in de cockpit om te wachten, maar dichte wolken muskieten zoemden om hun hoofd en hielden hen tot zonsopgang wakker. Ten slotte hoorden ze stemmen en het geloei van ossen uit de richting waarin Manjoro en Loikot waren verdwenen. Toen kwam er een drom mensen en dieren over de oever naar hen toe. Manjoro liep voorop en draafde ver voor de anderen uit.

Leon sprong uit de cockpit en rende hem tegemoet.

'Ik heb twee spannen ossen meegebracht,' zei Manjoro toen ze elkaar bereikten en hij grijnsde van trots op zijn prestatie.

'Ik prijs je, Manjoro. Je hebt waardevol werk gedaan. Hebben ze touwen meegebracht?' vroeg Leon.

Manjoro's grijns verdween. 'Alleen korte, leren leidsels die de afstand over de modderpoel naar onze *indege* niet kunnen overbruggen,' antwoordde Manjoro. Hij probeerde verslagen te kijken, maar Leon had de twinkeling in zijn ogen gezien.

'Heeft een man met jouw wijsheid geen ander plan kunnen bedenken?' vroeg Leon.

Manjoro schonk hem zijn zonnigste glimlach.

'Wat heb je voor me meegebracht, broeder?'

'Visnetten!' riep hij en hij barstte in gegiechel uit.

'Dat is een heel goede grap,' zei Leon, 'maar vertel me nu de waarheid.'

'Dat is de waarheid.' Hij wankelde lichtjes door zijn overmatige plezier. 'U zult het zien, M'bogo, u zult het zien en dan zult me nog meer prijzen.'

De zesendertig ossen werden door een paar honderd vissers met hun vrouwen en kinderen over de oever van het meer gedreven. Op de rug van elke os was een enorme bruine bundel van een vormloos materiaal gebonden. Onder het strenge toezicht van Manjoro en Loikot werden de bundels afgeladen en op het strand uitgestald. Toen ze uitgerold werden, bleken het handgeweven netten van zestig meter lang te zijn. De mazen waren ruim tweeënhalve centimeter en de knopen waren netjes en stevig. Leon strekte een deel over zijn schouders uit en probeerde het met al zijn kracht kapot te trekken. De dorpelingen dansten en joelden, terwijl hij rood aanliep van inspanning.

'Kijk naar zijn gezicht!' zeiden ze tegen elkaar. 'Het heeft de kleur van een halskwab van een kalkoengier. Onze netten zijn de beste en sterkste van het land. Zelfs de grootste krokodillen kunnen ze niet scheuren.'

De netten werden naast elkaar uitgelegd en daarna zorgvuldig opgerold tot een lang, dik kabeltouw met een doorsnee van zestig centimeter, dikker en zwaarder dan de meertouwen van een oceaanboot. Groepen dorpelingen droegen het ene uiteinde naar het vliegtuig dat er met zijn gekantelde vleugels verloren en troosteloos bij stond. Leon wond het uiteinde van het touw om het landingsgestel en bevestigde het met de leren riemen die de dorpelingen hadden meegebracht. De spannen ossen werden achteruitgedreven tot de rand van de modderpoel en ingespannen met het andere uiteinde van het kabeltouw. Leon, Max en de twee Masai gingen bij de vleugelpunten van het vliegtuig staan om te voorkomen dat het gevaarlijk zou gaan wiebelen en met één vleugel in de modder zou blijven steken. Toen begonnen de ossen te trekken onder aanmoedigende kreten van de toeschouwers en het geknal van de zwepen van de menners. Het kabeltouw kwam uit de modder omhoog en werd strakgetrokken.

Een minuut lang gebeurde er niets, maar toen kwamen de wielen geleidelijk uit de modder omhoog en het vliegtuig reed droge grond op.

Toen de hysterische uitbarsting van vreugde en trots was weggeëbd, gaf Leon de hoofdman een genereus bedrag dat voldoende was om nog een paar ossen te kopen. Daarna nam hij afscheid van Max en hij keek hem na toen deze met zwierige pas en met zijn rugzak om naar de Duitse legerpost in Longido vertrok. Zodra hij in het struikgewas verdwenen was, startten Leon en de Masai de motoren van de Vlinder en klommen in de cockpit. Toen hij opgestegen was, zette Leon koers naar het noorden, naar Nairobi.

95

De volgende dagen waren koortsachtig druk. Leon meldde zich bij lord Delamere en aanvaardde zijn nieuwe baan als verbindings- en inlichtingenofficier. Ondanks al deze afleiding was Eva nooit lang uit zijn gedachten. Haar beeltenis verscheen onverwacht op willekeurige momenten van de dag voor zijn geestesoog.

Toen Penrod vertrok om aan zijn nieuwe taak in Egypte te beginnen was Leon op het station om hem uit te zwaaien. Hun relatie was aanmerkelijk bekoeld sinds Eva tussen hen was gekomen. Op dit laatste moment, toen ze op het perron stonden en de conducteur op zijn fluitje blies, kon Leon zich niet meer inhouden. Opnieuw vroeg hij zijn oom of er een manier was waarop hij met Eva in contact kon komen nu Duitsland en Groot-Brittannië in oorlog waren en alle normale communicatiekanalen afgesloten waren.

'Je moet die jongedame vergeten. Ik heb je al een keer van haar verlost en ik wil niet gedwongen worden om het nog een keer te doen. Ze zal je alleen maar narigheid en een gebroken hart opleveren,' antwoordde Penrod en hij stapte het balkon van zijn wagon op. 'Ik zal je tante de groeten van je doen. Dat zal ze leuk vinden.'

Bijna een week later verliet Leon lord Delameres kantoor in het gebouw van Barclays Bank. Toen hij door de deur wilde stappen, voelde hij dat er een kleine, zachte hand in de zijne werd gedrukt. Geschrokken draaide hij zijn hoofd opzij en hij keek in de grote, zwarte ogen van een van de dochters van meneer Vilabjhi. 'Latika! Mijn lieve schat!' zei hij.

'U weet nog hoe ik heet,' riep ze verrukt uit.

'Natuurlijk. We zijn toch vrienden?'

Pas toen herinnerde ze zich haar boodschap. Ze legde een tot een klein vierkantje opgevouwen vel papier in zijn hand. 'Mijn papa heeft gezegd dat ik u dit moet geven.'

Leon vouwde het open en las het snel. 'Ik moet u spreken. Latika kan u naar mijn winkel brengen, zodra u kunt komen. Ondertekend door meneer Goolam Vilabjhi.'

Latika trok aan zijn hand en hij liet zich door haar naar zijn paard leiden dat verderop in de straat aan de paal stond. Hij steeg op, leunde uit het zadel, tilde het kind onder haar oksels op en zette haar achter zich. Ze sloeg haar armen om zijn middel en ze reden de straat uit terwijl Latika extatisch gilletjes slaakte en wriggelde.

Toen ze de winkel van meneer Vilabjhi binnenkwamen, zag Leon dat zijn eigen kleine altaar toegewijd was onderhouden en nu nog meer memorabilia bevatte: foto's van hem in vlieguitrusting en krantenartikelen over de open dag op het poloveld.

Meneer Vilabjhi kwam snel uit de achterkamer om hem te verwelkomen en zijn vrouw bracht een blad met sterke Arabische koffie en snoepgoed. Ze werd gevolgd door al haar dochters, maar voordat ze zich konden ingraven, dreef hun vader hen naar buiten met liefdevolle kreten als: 'Wegwezen, ondeugende en luidruchtige vrouwspersonen!' Hij vergrendelde de deur achter hen en kwam daarna terug naar Leon. 'Ik heb een zeer dringende en urgente kwestie met u te bespreken waarbij ik uw wijze raad nodig heb.'

Leon nam een slokje koffie en wachtte tot hij verder zou gaan.

'Zoals u ongetwijfeld weet, heeft uw oom, de eminente generaal-majoor Ballantyne, me gevraagd om namens hem boodschappen te ontvangen van de mooie memsahib von Wellberg en die aan de juiste gezagsdrager door te geven.' Hij keek Leon vragend aan.

Leon stond op het punt te zeggen dat hij niets van deze regeling wist, maar toen besefte hij dat dat een vergissing zou zijn, dus knikte hij. 'Natuurlijk,' zei hij.

Meneer Vilabjhi keek opgelucht. 'De reden dat de generaal mij uitgekozen heeft, is dat ik een nicht heb die in Altnau woont, een klein stadje in Zwitserland aan de noordoever van de Bodensee. Aan de overkant van het meer ligt Wieskirche in Beieren. Daar staan het kasteel van de Duitse graaf en de hoofdvestiging van de Meerbach Motorenfabriek. Daar woont ook memsahib von Wellberg.' Meneer Vilabjhi had het discreet geformuleerd.

'Mijn nicht werkt bij de Zwitserse telegraafmaatschappij. Haar echtgenoot heeft een kleine vissersboot op het meer. De oever wordt niet zwaar bewaakt door de kwaadaardige Duitsers, dus kunnen ze 's nachts gemakkelijk het meer oversteken om een boodschap in Wieskirche op te pikken en vervolgens terug te keren en haar naar mij te telegraferen. Ik breng de boodschap dan naar generaal Ballantyne. Maar nu is de geachte generaal weg. Voordat hij vertrok, heeft hij me gezegd dat ik toekomstige boodschappen moest bezorgen bij de man die zijn baan in het hoofdkwartier van de KAR heeft overgenomen.'

'Ja, kolonel Snell,' zei Leon kalm, hoewel zijn hart sneller begon te kloppen bij het vooruitzicht dat hij boodschappen zou ontvangen die rechtstreeks van Eva afkomstig waren.

'Ach, ik vertel u natuurlijk niets nieuws, maar er is iets verschrikkelijks gebeurd.' Meneer Vilabjhi zweeg en rolde dramatisch met zijn ogen.

Leons hart kromp ineen van angst. 'Is er iets met memsahib von Wellberg gebeurd?' vroeg hij.

'Nee, allerminst, niet met de memsahib, maar met mij. Nadat de generaal was vertrokken, bracht ik het eerste bericht van mijn nicht naar het kantoor van kolonel Snell. Het werd me daar heel snel duidelijk dat de man een vijand van de generaal is. Nu hij naar Egypte is vertrokken, wil Snell aan niets meewerken wat door uw geëerde oom is opgezet. Ik denk dat het komt doordat successen op het conto van de generaal geschreven zullen worden en niet op dat van Snell zelf. Hij leek ook te weten dat u en ik vrienden zijn en hij beschouwt u als een vijand. Hij wist dat hij u zou treffen als hij mij zou beledigen en mijn geloofwaardigheid in twijfel zou trekken. Hij joeg me met kwetsende woorden weg.' Meneer Vilabjhi zweeg. Het was duidelijk dat hij diep gekwetst was tijdens zijn ontmoeting met Snell. Toen vervolgde hij bitter: 'Hij noemde me een "de duivel aanbiddende bruinjoekel" en zei dat ik niet meer bij hem aan hoefde te komen met mijn opschepperige geraaskal over geheime berichten.' De tranen welden in zijn donkere ogen op. 'Ik ben ten einde raad. Ik weet niet wat ik moet doen en daarom wend ik me tot u.'

Leon wreef peinzend over zijn kin en dacht koortsachtig na. Hij wist dat hij meneer Vilabjhi als bondgenoot nodig had als hij Eva ooit nog zou willen zien. Hij koos zijn woorden zorgvuldig. 'U en ik zijn trouwe onderdanen van koning George V, nietwaar?'

'Dat zijn we inderdaad, sahib.'

'Deze beestachtige man Snell mag dan een verrader zijn, maar u en ik zijn dat niet.'

'Nee! Nooit! We zijn waarachtige en vastberaden Engelsen.'

'In naam van onze vorst moeten we deze onderneming buiten Snell om voortzetten en tot een zegevierend einde brengen.' Leon had meneer Vilabjhi's bloemrijke taalgebruik overgenomen.

'Het verheugt me om zulke wijze woorden te horen, sahib. Ik hoopte al dat u dat zou zeggen.'

'Eerst moeten u en ik de boodschap lezen die Snell heeft geweigerd. Hebt u haar veilig bewaard?'

Vilabjhi sprong op vanachter zijn bureau en liep naar de ijzeren kluis in de muur. Hij haalde er een groot in rood leer gebonden kasboek uit. Onder het omslag was een van de duidelijk herkenbare enveloppen van de posterijen gestopt. Hij overhandigde hem aan Leon. De flap was verzegeld.

'Heb je hem niet geopend?'

'Natuurlijk niet. Het zijn mijn zaken niet.'

'Nu wel,' zei Leon en hij opende de envelop met zijn duimnagel. Hij haalde er het opgevouwen gele vel papier uit, vouwde het met trillende handen van opwinding open en spreidde het op het bureau uit. Toen zakte zijn schouders af van teleurstelling. Het vel papier stond vol met rijen en kolommen cijfers, geen letters.

'Verdomme! Het is in code,' klaagde hij. 'Hebt u de sleutel?'

Meneer Vilabjhi schudde zijn hoofd.

'Maar u weet natuurlijk wel hoe u een antwoord moet versturen.'

'Zeker, ik heb het contact met de memsahib via mijn nicht geregeld.'

96

Eva rende lichtvoetig de schitterende marmeren trap van het *Schloss* af. Haar rijlaarzen maakten geen geluid op de beklede traptreden. De gelambrizeerde muren waren behangen met schilderijen van Otto's voorouders van vele eeuwen en op elke overloop stonden wapenrustingen. In het begin had ze de bouwstijl en de inrichting deprimerend gevonden, maar nu vielen ze haar niet meer op. Toen ze op de onderste overloop aankwam, hoorde ze beneden stemmen. Ze bleef staan om te luisteren.

Otto was met minstens twee andere mannen in gesprek en ze herkende de stem van Alfred Lutz, de commodore van zijn vloot van bestuurbare luchtschepen en die van Hans Ritter, de hoofdnavigator, die met de graaf leek te discussiëren.

Otto's toon was luid en intimiderend. Sinds hij door de leeuw was aangevallen, was zijn toch al dominerende manier van optreden nog autoritairder geworden. Eva vond dat Ritter dit inmiddels hoorde te weten en erop zou moeten letten dat hij hem niet provoceerde. 'We vertrekken uit Wieskirche, vliegen over Bulgarije en Turkije, gaan vervolgens naar Mesopotamië waarvan onze strijdkrachten het noordelijke deel al bezet hebben. We landen daar om brandstof, olie en water bij te tanken. Daarvandaan gaan we door naar Damascus en steken vervolgens de Rode Zee over naar het Nijldal, Khartoum en Soedan.

Het klonk alsof Otto zijn uiteenzetting voor Lutz en Ritter illustreerde aan de hand van de grootschalige uitrolbare kaart aan de andere kant van de bibliotheek.

Hij vervolgde: 'Vanaf Soedan steken we de grote Afrikaanse meren over en vliegen verder door de Rift Valley naar Arusha waar Schnee en Von Lettow Vorbeck voorraden brandstof en olie voor ons hebben. Daarvandaan gaan we naar het Njasameer en Rhodesië. We nemen een strenge radiostilte in acht tot we boven het midden van de Kalahariwoestijn zijn. Pas dan nemen we radiocontact met Koos de la Rey op via ons relaisstation in de Walvisbaai aan de westkust van Zuid-Afrika.'

Ze had het bevredigende gevoel dat ze eindelijk iets bereikt had. Dit was cruciale informatie die ze tot nu toe niet binnen had weten te halen. Nu wist ze precies hoe Otto zijn lading wapens en goud naar de Zuid-Afrikaanse rebellen wilde vervoeren. Penrod had gesuggereerd dat ze per onderzeeër naar een onbewoond strand aan de westkust van Zuid-Afrika zouden worden gebracht. Niemand had aan een bestuurbaar luchtschip gedacht. Maar nu kende ze het hele plan en wist ze zelfs precies welke route Otto naar het Afrikaanse continent zou volgen. Met deze informatie zou ze Penrod alles geven wat hij nodig had, behalve de datum waarop de reis zou beginnen.

Ze schrok toen ze de deur van de bibliotheek hoorde opengaan en de stemmen luider en duidelijker werden. Voetstappen waarschuwden haar dat Otto en zijn vliegeniers de hal in kwamen. De vliegeniers groetten haar respectvol en Otto's gezicht lichtte op van genoegen.

'Ga je een ritje maken?' vroeg hij.

'Ik heb tegen de kok gezegd dat ik naar Friedrichshafen zou gaan om te kijken of de oude dame op de markt zwarte truffels heeft voor je avondeten. Ik weet hoeveel je daarvan houdt. Vind je het niet erg dat ik je een paar uur alleen laat, Otto? Ik stop misschien op de terugweg om een meergezicht te tekenen.'

'Helemaal niet, liefste. Ik ga trouwens met Lutz en Ritter naar de fabriek om de definitieve assemblage van het nieuwe luchtschip te controleren. Ik denk dat ik wel een tijdje wegblijf. Ik ga waarschijnlijk met commodore Lutz lunchen in de managerskantine. Maar maak geen plannen voor volgende week.'

'Ben je bijna klaar om met het luchtschip te vliegen?' Ze klapte met geveinsde opwinding in haar handen.

'Misschien, maar misschien ook niet,' plaagde hij haar met geforceerde humor. 'Maar ik wil graag dat je erbij bent wanneer we het luchtschip uit de hangar duwen voor zijn eerste vlucht. Ik denk dat je het buitengewoon spannend zult vinden.' Hij bracht zijn linkerarm omhoog en klikte de duim en wijsvinger open van de prothese die aan het einde van de stomp was bevestigd. Hij stopte een sigaar tussen de kaken van het metalen hulpmiddel en klemde hem met een zijwaartse draai van zijn pols op zijn plaats vast. Toen bracht hij de sigaar omhoog en stopte het uiteinde tussen zijn lippen. Lutz stak een lucifer aan en hield hem voor de graaf vast, terwijl deze rookwolken uitblies.

Eva onderdrukte een huivering van onbehagen. De kunsthand maakte haar bang. Hij was naar zijn eigen ontwerp door de ingenieurs in zijn fabriek gemaakt. Het was een bijzonder hulpstuk waarmee hij al verontrustend handig was geworden. Hij kon een fles wijn tussen de stalen vingers houden en wijn voor de gasten inschenken zonder een druppel te morsen, zijn jas dichtknopen, zijn tanden poetsen, speelkaarten geven en zijn schoenveters vastmaken.

Hij had een aantal andere hulpstukken laten maken om de stalen wijsvinger en duim te vervangen, waaronder een assortiment vechtmessen, een handgreep voor een polostok en een steun om de lade van een geweer stil te houden terwijl hij het wapen met zijn gebruikelijke nauwkeurigheid richtte. Het indrukwekkendst was echter de met ijzeren punten beslagen strijdknots. Met deze verschrikkelijke knots kon Otto een zware eikenhouten balk tot brandhout versplinteren. Ze had gezien hoe hij een paard met een gebroken been uit zijn lijden hielp door zijn schedel met een slag met de knots te verbrijzelen.

Otto kuste haar en leidde zijn gasten toen de buitentrap van het *Schloss* af en naar een glinsterend zwarte Meerbach-touringcar die op hen wachtte. Otto stuurde de chauffeur weg, nam het stuur in zijn stalen vuist en scheurde weg in de richting van de fabriek. Eva zwaaide naar hem tot hij uit het zicht was. Toen rende ze met een zucht van opluchting naar de voorhof waar een van de stalknechten al klaarstond met haar lievelingsmerrie. Zodra ze uit het zicht van het *Schloss* was, schopte ze haar hielen in de flanken van het paard en spoorde het aan tot een snelle galop over het ruiterpad dat door het bos naar het meer liep. Deze eenzame ritten waren haar enige mogelijkheid om aan het sombere, oude kasteel en Otto te ontsnappen.

Sinds ze Leon had leren kennen was het voor haar bijna onmogelijk geworden om haar zorgvuldig geoefende rol van de gehoorzame en liefhebbende maîtresse van de graaf vol te houden en zijn mateloze fysieke verlangens te bevredigen. Er waren nachten dat ze zich er nauwelijks van kon weerhouden om met haar nagels naar zijn van hartstocht glazige ogen te klauwen en zich uit het grote hemelbed te werpen, wanneer hij met zijn naakte, gespierde lichaam dat onder de felrode littekens zat die de klauwen van de leeuw hadden achtergelaten en met een gezwollen en verhit gezicht op haar lag te rammen terwijl zijn zweet op haar droop.

Ze kon niet veel langer doorgaan zonder dat ze een fout zou maken en hij zou ontdekken dat hij bedrogen was. Als dat gebeurde, zou zijn wraak genadeloos zijn. Ze was bang en verlangde ernaar om in Leons armen te liggen, beschermd door zijn liefde. Er was geen moment van de dag dat ze hem niet miste.

'Ik hou van hem, maar ik weet dat ik hem nooit meer zal zien,' fluisterde ze en de tranen werden door de snelheid van de galop van de merrie over haar wangen geblazen. Ten slotte verliet ze het pad en arriveerde ze op de plek waarvandaan ze haar favoriete uitzicht had over de Bodensee en ze tot aan de met sneeuw bedekte Zwitserse Alpen aan de overkant van het meer kon uitkijken. Ze stopte op het hoger gelegen terrein, veegde haar tranen weg en keek uit over het blauwe water. Er waren veel boten te zien, maar ze richtte haar aandacht op een kleine vissersboot die met gereefd grootzeil en kluiver voor de wind zeilde. Een man hing op het achterschip lui over het roer en een donker meisje in een felkleurige jurk zat in kleermakerszit op het voordek. Met een ondoorgrondelijke uitdrukking op haar gezicht keek ze over het water naar Eva. Hoewel ze elkaar van gezicht goed kenden, hadden ze nog nooit met elkaar gesproken en ze waren nog nooit zo dicht bij een echte ontmoeting geweest als nu. Eva wist niet hoe ze heette. Hun relatie was geregeld door Penrod Ballantyne en meneer Goolam Vilabjhi.

Het meisje draaide haar hoofd om en zei iets tegen de man op het achterschip. Hij trok het roer om en liet de vissersboot overstag gaan. Toen hij dwars op de wind kwam te liggen ontvouwde de blauwe, gespleten wimpel aan de masttop zich wapperend. Het was het teken dat er een boodschap voor Eva was. De boot draaide naar stuurboord en zette koers naar de Zwitserse oever van het meer.

Eva was opgelucht. De afgelopen weken had ze een antwoord verwacht op haar laatste bericht aan Penrod in Nairobi. Hoewel ze nog verbitterd was omdat hij haar van Leon had gescheiden, was Penrod de enige bondgenoot die ze in haar eenzame wereld had. Ze pakte de teugels op en liet de merrie langs de oever in de richting van Friedrichshafen draven. Het landgoed van Meerbach strekte zich meer dan dertig kilometer langs de oever uit.

Op een bepaald moment zag ze voor zich uit een hakhoutbosje dat tot dicht bij de rand van het water kwam en waarvan de bomen de grensmuur van het landgoed en het meer markeerden. Toen ze de muur bereikte, steeg ze af en opende het hek erin. De muur was een solide constructie van op elkaar gestapelde steenblokken. Otto had gesnoefd dat hij oorspronkelijk gebouwd was door de Romeinse legionairs van Tiberias. Ze bond de merrie aan het hek vast, klom op een van de steenblokken, legde haar schetsboek open op haar schoot en keek rond alsof ze het landschap bewonderde.

Toen ze zich ervan had overtuigd dat ze niet in de gaten werd gehouden, strekte ze haar hand naar beneden uit en tilde een met mos bedekte steen van zijn plek. In de holte eronder lag een opgevouwen vel dun rijstpapier dat het donkere meisje daar voor haar had neergelegd.

Eva legde de steen zorgvuldig terug, voordat ze het vel papier openvouwde. Ze schrok toen ze zag dat de boodschap niet gecodeerd was, maar in gewone taal was geschreven. Haar eerste gedachte was dat er een val voor haar was opgezet. Ze las de twee regels tekst snel door en haar adem stokte van verbazing. 'Oom weg stop. Wat voor code gebruik je vraagteken Das.'

Een grote vreugde maakte zich van haar meester. 'Das!' riep ze uit. 'Mijn lieve Das, je hebt me gevonden.' Hoewel hij een halve wereld van haar vandaan was, was ze niet meer helemaal alleen. Die wetenschap schonk haar nieuwe moed en gaf haar gewonde hart kracht. Ze stopte het velletje rijstpapier in haar mond, kauwde erop en slikte het door. Daarna begon ze, met moeite haar emoties beheersend, een schets van de oever van het meer te maken met de toren van de kerk van Wieskirche op de achtergrond. Toen ze ervan overtuigd was dat Otto niet een van zijn mannen achter haar aan gestuurd had om haar te bespioneren, scheurde ze een strookje van de onderkant van de bladzijde en schreef er in keurige blokletters op: MACMILLAN ENGELS WOORDENBOEK EDITIE JULI 1908 STOP EERSTE GROEP CIJFERS IS BLADZIJDE STOP TWEEDE GROEP CIJFERS IS KOLOM STOP LAATSTE GROEP CIJFERS IS WOORD VANAF DE BOVENKANT VAN DE BLADZIJDE STOP.' Ze stopte en zocht naar woorden om haar gevoelens adequaat te uiten. Ten slotte schreef ze: 'JE BENT VOOR ALTIJD IN MIJN HART.' Ze ondertekende het briefje niet. Ze vouwde het stukje papier op en legde het zorgvuldig in de holte onder de steen boven in de muur. Het meisje van de overkant van het meer zou het na het donker komen halen. Zij zou het bericht doorzenden naar meneer Goolam Vilabjhi en morgenavond zou Das het in Nairobi lezen. Ze bleef nog een tijdje over haar schetsboek gebogen zitten en deed of ze tekende, maar haar hart juichte.

'Terugkeren naar Afrika en naar de man van wie ik hou. Dat is alles wat ik wil. Alstublieft, lieve God, ontferm u over me,' bad ze hardop.

97

Leon vergaderde de hele ochtend met lord Delamere en diens andere officieren. De kleine man had zich met zijn hele hart op de oprichting en training van zijn kleine strijdgroep gestort. Hij had al tweehonderd soldaten gerekruteerd en uit eigen zak hun paarden en uitrusting betaald. Delamere stond in de hele kolonie bekend om zijn energie en enthousiasme, maar het was uitputtend om met hem op te trekken. Het had Delamere nog geen twee weken gekost om het regiment door intimidatie en vleierij zover te brengen dat het klaar was om te velde te trekken.

Nu wilde hij een vijand hebben om te bevechten en hij had zich tot Leon gewend om er een te vinden.

'Jij bent de enige piloot die we hebben, Courtney. Onze grens met de moffen is lang en de wildernis is dicht. Ik ben het met je eens dat we de bewegingen van Von Lettow en zijn *askari's* het best vanuit de lucht in de gaten kunnen houden. Dat is jouw werk. Ik vermoed dat hij zal proberen Nairobi te bereiken met geforceerde marsen door de Rift Valley vanaf de Duitse hoofdbasis in Arusha. Ik wil dat je regelmatig verkenningsvluchten uitvoert vanuit Percy's Kamp. Ik weet ook dat je een netwerk van *choengaji* van de Masai hebt dat voor je uitkijkt naar olifanten die jouw gebied binnenkomen. Je moet je jongens laten weten dat we voorlopig meer geïnteresseerd zijn in de moffen dan in ivoor.'

Tegen de middag was Leons notitieboekje half gevuld met Delameres orders en instructies. Delamere stuurde zijn officieren weg om te gaan lunchen en zei dat ze precies om twee uur terug moesten zijn. Twee uur was ruim voldoende tijd om naar de club te gaan om te lunchen en terug te zijn voordat Delamere hem zou laten geselen. Maar toen hij de straat op liep, stond Latika bij de paal voor de bank op hem te wachten. Ze voerde zijn paard suikerklontjes, wat ze allebei leuk leken te vinden.

'Hallo, schat. Kwam je mij opzoeken of mijn paard?'

'Papa heeft me gestuurd om u dit te geven.' Ze haalde een verzegelde, gele envelop uit de zak van haar schort en gaf die aan hem. Ze keek naar zijn gezicht terwijl hij de envelop opende en het telegram las. 'Is het een brief van iemand die van u houdt?' vroeg ze smachtend.

'Hoe weet je dat?'

'Houdt u ook van haar?'

'Ja, heel veel.'

'Vergeet niet dat ik ook van u hou,' fluisterde ze en hij zag dat ze bijna in tranen was.

'Dan vind je het vast niet erg als ik je op mijn paard naar huis breng.'

Latika drong haar tranen terug en vergat haar potentiële rivale. Terwijl ze achter hem zat, babbelde ze de hele weg naar huis vrolijk tegen hem.

'Meneer Goolam Vilabjhi kwam het trottoir op om hen te verwelkomen. 'Welkom! Welkom! Mevrouw Vilabjhi serveert haar wereldberoemde kipcurry met saffraanrijst voor de lunch. Ze zal boos en verdrietig zijn als u die niet proeft.'

Terwijl mevrouw Vilabjhi en haar dochters de laatste hand aan de lunchtafel legden, ging Leon voor de boekenkast staan en liet zijn blik over de boeken glijden. Toen maakte hij een tevreden geluid en pakte een exemplaar van MacMillans Engels Woordenboek van de bovenste plank. 'Mag ik dit een poosje lenen?' vroeg hij.

Meneer Vilabjhi raakte de zijkant van zijn neus met een vinger aan en keek veelbetekenend. 'Generaal Ballantyne had een exemplaar van dat boek op zijn bureau. Het was het eerste dat hij pakte wanneer ik hem een telegram uit Zwitserland bracht. Misschien heeft memsahib von Wellberg u de code gestuurd.' Toen bedekte hij zijn oren met zijn handen en zei: 'Maar vertel het me niet. Ik ben net als de aap die geen kwaad hoort. Wij geheim agenten moeten altijd discreet zijn.'

De curry was verrukkelijk, maar Leon die heel graag zijn antwoord aan Eva wilde opstellen, proefde er nauwelijks iets van. Zodra de meisjes de lege borden afruimden, zonderde hij zich af in meneer Vilabjhi's kantoor en had hij binnen twintig munten een boodschap gecodeerd die naar Eva gestuurd zou worden. Hij begon met een vurige liefdesbetuiging, verklaarde toen Penrods afwezigheid en vervolgde daarna: 'Nu mijn oom naar Caïro overgeplaatst is, weet ik niets van de lopende zaken stop Ik heb alle informatie nodig die je in bezit hebt stop Eeuwige liefde stop Das.'

Vier dagen later ontving hij Eva's antwoord. Hij ging in meneer Vilabjhi's kantoor zitten en gebruikte het woordenboek om het te decoderen. Ze had in het kort de informatie samengevat die ze had verzameld tijdens haar bezoek aan Duits Oost-Afrika met Otto en Hennie die daar een bespreking hadden met Von Lettow Vorbeck en Koos de la Rey. Ze vertelde over het complot om bij het uitbreken van de oorlog een opstand in Zuid-Afrika te beginnen en ze somde de materialen en voorraden op waar De la Rey om had gevraagd en die graaf Otto hem had toegezegd.

Toen hij de lijst doorlas, floot Leon zachtjes. 'Vijf miljoen Duitse marken in goud! Dat staat ongeveer gelijk aan twee miljoen pond sterling. Genoeg om heel het Afrikaanse continent te kopen, laat staan alleen de zuidpunt.' Hij leunde achterover in meneer Vilabjhi's stoel en vroeg zich af of zo'n stoutmoedig plan zou kunnen slagen. Hij herinnerde zich de diepgewortelde woede en bitterheid van Hennie du Rand en dacht: Er zijn tweehonderdduizend andere Boeren zoals hij, getrainde en in de strijd geharde soldaten. Als ze over de middelen beschikten, zouden ze het hele land in een paar dagen kunnen veroveren. Het complot zou beslist kunnen slagen, maar was er ook een manier om dat te voorkomen?

Meneer Goolam Vilabjhi verscheen in de deuropening. 'Er is zonet weer een boodschap aangekomen.' Hij kwam naar het bureau en legde de envelop voor Leon neer.

Leon werkte snel met het woordenboek en leunde toen in zijn stoel achterover. 'Een luchtschip! Niet per schip, maar met een groot luchtschip en mijn kleine schat heeft me de exacte route opgegeven die ze zullen volgen. Kon ze ons nu alleen nog maar vertellen wanneer ze van plan zijn te komen.'

98

Toen de gasten hadden ontbeten, leidde graaf Otto hen de trap van het *Schloss* af en naar de vijf reusachtige, zwarte Meerbach-limousines die op hen wachtten. Er waren vijf hoge officieren van het ministerie van Oorlog in Berlijn die allemaal vergezeld waren door hun vrouw. De vrouwen waren gekleed alsof ze naar de paardenrennen gingen met hun parasols en hoeden met veren. De mannen waren in uitgaanstenue: ze droegen een zwaard aan hun riem en hun borst was behangen met glinsterende medailles en met diamanten bezette ridderordes. De etiquette werd zo strikt nageleefd dat het tijd kostte om hen in de wachtende auto's te krijgen zonder inbreuk te maken op de militaire volgorde van rang, maar ten slotte kwam Eva in de derde auto te zitten met een admiraal van de vloot en zijn grote, paardachtige vrouw als gezelschap.

Het was een rit van vijfentwintig minuten naar de Meerbach-fabriek en toen graaf Otto, die achter het stuur van de voorste limousine zat, de hoofdpoort in de hoge prikkeldraadomheining naderde, claxonneerde hij en de poort zwaaide open. De bewakers presenteerden het geweer en bleven daarna stijf in de houding staan, terwijl het konvooi naar binnen reed.

Dit was Eva's eerste bezoek aan de citadel in het midden van het Meerbach-imperium dat zich uitstrekte over een gebied van bijna twaalf vierkante kilometer. De straten waren geplaveid met kinderhoofdjes en op het plein voor het administratieve hoofdkantoor spoot een schitterende marmeren fontein het water vijftien meter de lucht in. De drie loodsen die de vloot van luchtschepen herbergden, stonden in de verste hoek van het complex. Het verraste haar dat ze zo groot waren: ze waren zo hoog en ruim als gotische kathedralen.

Het was heerlijk zonnig en warm toen het gezelschap voor de hoge draaideuren van het centrale gebouw uitstapte en naar de rij fauteuils liep die voor hen waren klaargezet en die allemaal het wapen van het huis van Meerbach droegen. Toen ze plaatsgenomen hadden, liepen drie obers in witte jasjes langs de rij met zilveren bladen die vol stonden met kristallen glazen met champagne. Toen iedereen een glas in de hand had, beklom graaf Otto het podium en heette hen kort, maar krachtig welkom. Vervolgens zette hij zijn visie uiteen op de rol die zijn luchtschepen voorbestemd waren om in de beslissende jaren die voor hen lagen te spelen.

'Hun vermogen om lange perioden in de lucht te blijven is hun belangrijkste eigenschap. Non-stopvluchten over de Atlantische Oceaan zijn nu gemakkelijk te verwezenlijken. Als een van mijn luchtschepen vol passagiers of zelfs met een lading bommen van honderdtwintig ton in Duitsland opstijgt, kan het in nog geen drie dagen boven New York zijn en terugkeren zonder te hoeven bijtanken. De mogelijkheden zijn duizelingwekkend. Waarnemers zouden wekenlang boven het Engelse

Kanaal kunnen blijven hangen om de vijandelijke vloot in de gaten te houden en de positie ervan aan Berlijn door te geven.' Hij was een te slimme verkoper om zijn gehoor, dat voor de helft uit vrouwen bestond, met te veel technische details te vervelen. Hij schilderde op een groot doek met brede penseelstreken en levendige kleuren. Eva wist dat zijn toespraak zeven minuten zou duren, omdat hij lang geleden al uitgerekend had dat de gemiddelde toehoorder zich niet langer kon concentreren. Heimelijk nam ze met haar gouden, met diamanten bezette horloge de tijd op. Ze zat er maar veertig seconden naast.

'Waarde vrienden en geëerde gasten.' Hij draaide zich om naar de gigantische deuren van de loods en spreidde zijn armen als een dirigent die de aandacht van zijn orkest vraagt. 'Hier is dan de Assegaai!' De deuren rolden log open en de toeschouwers werden op een schitterende aanblik vergast. Zijn gasten stonden op en barstten los in een spontaan applaus terwijl ze met hun hoofd naar achteren omhoogstaarden naar het vijfendertig meter hoge bakbeest dat bijna tot het plafond reikte en de loods van wand tot wand vulde. Op de neus was in drie meter hoge vuurrode letters de naam Assegaai geschilderd. Graaf Otto had die naam gekozen ter herinnering aan zijn leeuwenjacht in Afrika. Het luchtschip was zorgvuldig 'afgewogen' zodat de lift van de met waterstof gevulde gascontainers het dode gewicht van de romp van ruim achtenzeventigduizend kilo exact compenseerde. De adem van de toeschouwers stokte van verbazing toen tien man het van de landingsbuffer tilden die onder de kiel door liep en waarop het rustte wanneer het aan de grond stond. De mannen zonken in het niet bij het luchtschip en leken zo klein als mieren die een enorme dode kwal droegen.

Langzaam droegen ze het door de hoge deuren het zonlicht in dat verblindend glinsterend op de romp weerkaatste. Langzaam werd de hele romp zichtbaar. De mannen manoeuvreerden het naar de stevige afmeertoren in het midden van het veld en bonden het met de neus eraan vast. Het lag daar als een gestrande walvis en het werd nu pas echt duidelijk hoe groot het was. Het luchtschip was meer dan twee keer zo lang als een voetbalveld, tweehonderddertig meter van de voor- tot de achtersteven. De vier enorme Meerbach-rotatiemotoren waren gemonteerd in bootvormige gondels die aan stalen armen onder de kiel hingen. Ze konden vanuit de hoofdcabine bereikt worden via de centrale loopgang die langs het hele luchtschip liep. Twee motoren hingen onder de boeg en de andere twee onder aan de achtersteven waar ze konden helpen om het schip tijdens de vlucht te sturen. Er liep een ladder over elke arm waarlangs de dienstdoende monteur van de loopgang kon afdalen om zijn post naast de motor in te nemen om onderhoud te plegen of te reageren op telegrafische signalen van de brug om veranderingen in de vermogensinstellingen aan te brengen. De propellers waren gemaakt van gelamineerd hout en de voorrand van de zes zware bladen was met koper bekleed.

De kiel deed dienst als een kanaal langs de romp waardoor bemanningsleden zich konden verplaatsen en waardoor brandstof, smeerolie, waterstof en water naar een plek geleid konden worden waar ze nodig waren.

De bedieningsgondel hing ver naar voren onder de neus. Vanhieruit werd het luchtschip gevlogen door de gezagvoerder en de navigator. De lange passagierscabine en de ruimen hingen onder het midden van het luchtschip waar hun gewicht gelijkmatig verdeeld was.

Nadat hij zijn gasten de tijd had gegeven om zijn creatie te bewonderen, nodigde graaf Otto hen uit om aan boord te gaan en ze verzamelden zich in de luxe lounge. Glazen uitzichtramen liepen langs de wanden van de lange ruimte. Ze gingen in de met leer beklede fauteuils zitten en de stewards serveerden nog meer champagne terwijl de gasten in drie groepen werden verdeeld. Daarna gaven graaf Otto, Lutz en Ritter hun een rondleiding waarbij ze hen op de belangrijkste kenmerken van het luchtschip wezen en vragen beantwoordden. Daarna keerden ze terug naar de lounge waar ze een lunch geserveerd kregen die bestond uit oesters, kaviaar en gerookte zalm die ze wegspoelden met meer champagne.

Toen ze klaar waren met eten, vroeg graaf Otto joviaal: 'Wie van u heeft eerder gevlogen?'

Eva was de enige die haar hand opstak.

'Dat zijn er niet veel!' Hij lachte. 'Vandaag gaan we dat veranderen.' Hij keek Lutz aan. 'Commodore, neem onze geëerde gasten alstublieft mee voor een korte vlucht over de Bodensee.' Ze dromden babbelend en lachend als kleine kinderen naar de uitzichtramen toen Lutz de motoren startte. De Assegaai leek tot leven te komen en trilde gretig aan zijn meerkabel. Toen steeg het luchtschip kalmpjes op en de meerkabels werden losgemaakt.

Lutz vloog met hen tot Friedrichshafen en keerde toen terug over het midden van het meer. Het water had een magische tint van azuurblauw en de sneeuw en de gletsjers van de Zwitserse Alpen glansden in het zonlicht. Daarna keerde het luchtschip naar de fabriek in Wieskirche terug en bleef drieduizend voet boven het veld hangen. Toen graaf Otto heel onverwacht uit de bedieningsgondel naar de lounge terugkwam, keken de gasten hem stomverbaasd aan: hij had een grote rugzak om die op zijn plaats gehouden werd door een ingewikkeld geheel van riemen.

'Dames en heren, u moet inmiddels gemerkt hebben dat de Assegaai een luchtschip vol verrassingen en wonderen is. Ik wil u er nog een laten zien. Het geval op mijn rug is vierhonderd jaar geleden bedacht door Leonardo da Vinci. Ik heb zijn idee overgenomen en het verwezenlijkt door het in een rugzak te stoppen.'

'Wat is het?' vroeg een vrouw. 'Het ziet er heel zwaar en oncomfortabel uit.'

'We noemen het een *Fallschirm*, maar de Fransen en de Britten kennen het als een parachute.'

'Wat doet het?'

'Precies wat de naam suggereert. Het breekt je val.' Hij wendde zich tot twee bemanningsleden en knikte. Ze schoven de instapdeuren open. De gasten die er het dichtstbij stonden, deinsden angstig van de open deuren terug.

'Vaarwel, lieve vrienden! Denk aan me wanneer ik er niet meer ben.' Otto rende door de cabine en wierp zich languit door de open deur. De vrouwen gilden en sloegen hun hand voor hun mond. Toen renden ze allemaal naar de uitzichtramen en ze keken vol afgrijzen naar beneden, naar graaf Otto's lichaam, dat snel kleiner werd toen hij naar de aarde viel. Toen schoot er plotseling een lange, witte wimpel uit de grote rugzak omhoog. Hij klapte open en nam de vorm van een monsterlijke paddenstoel aan. Graaf Otto's doodssprong kwam abrupt ten einde en als door een wonder bleef hij in de lucht hangen, alsof hij de natuurwetten tartte. Het afgrijzen van de toeschouwers maakte plaats voor verbazing en hun wanhopige kreten gingen over in gejuich en applaus. Ze zagen hoe de langzaam dalende gedaante de grond bereikte en in een slordige hoop bleef liggen, omhuld door de witte stof van de parachute. Graaf Otto krabbelde snel overeind en zwaaide naar hen.

Lutz zette de kleppen van de waterstoftanks van het luchtschip open en het daalde zo zachtjes als een borstveer van een hoog vliegende gans. Het kwam tot rust op de buffer onder de kiel en het grondpersoneel rende naar voren om de meerkabels aan de ankermast te bevestigen.

Toen de deuren van de cabine geopend werden, stond graaf Otto op de drempel om zijn gasten bij hun terugkeer op de aarde te verwelkomen. Ze verdrongen zich om hem heen om hem de hand te schudden en hem met lof te overladen. Toen stapten ze weer in de limousines en reden terug naar het *Schloss*, terwijl hun kreten van bewondering voor graaf Otto's buitengewone prestaties door het bos weergalmden.

Het diner was die avond een formele aangelegenheid in de grote eetzaal. Ze zaten aan de lange notenhouten tafel die, als hij uitgeschoven werd, plaats bood aan tweehonderdvijftig mensen en een orkest speelde lichte melodieën in de galerij. De muren waren gelambrizeerd met eikenhout dat het patina van de ouderdom had en ze waren behangen met portretten van graaf Otto's voorouders, jachttaferelen en trofeeën, waaronder rekken met hertengeweien en opstellingen van slagtanden van wilde zwijnen.

De mannen waren in gala-uniform met zwaarden en onderscheidingen. De dames die zijden of satijnen jurken en een verblindend scala aan juwelen droegen, zagen er prachtig uit. Fräulein von Wellberg overtrof de anderen verre in schoonheid en elegantie en Otto was ongebruikelijk attent voor haar. Menigmaal sprak hij over de hele lengte van de tafel heen tegen haar om haar te betrekken bij een anekdote, haar mening te vragen over een gespreksonderwerp of om haar iets te laten bevestigen. Toen de band een serie walsen van Strauss inzette, hield hij haar voor zichzelf als zijn danspartner. Voor zo'n grote, zware man was Otto opmerkelijk lichtvoetig en hij straalde een dierlijke kracht uit, zoals de grote Afrikaanse buffel. In zijn armen was Eva zo rank en gracieus als een rietstengel die buigt en heen en weer zwaait in een bries vanaf het meer. Hij was zich er volledig van bewust wat een aantrekkelijk paar ze vormden en hij genoot intens van het opzien dat ze overal op de dansvloer baarden.

Toen de avond ten einde liep, klonk er een kort trompetgeschal om de aandacht van het gezelschap te trekken. Daarna werden de bedienden en de band de zaal uit gestuurd. De butler deed de ramen dicht en sloot daarna de deuren achter zich toen hij zich ook terugtrok. Gewapende schildwachten stonden voor de geluiddichte deuren, maar het selecte gezelschap was nu alleen. Otto had de verleiding niet kunnen weerstaan om van deze gelegenheid gebruik te maken om zijn triomf te vieren. Hij wilde dat ze de volle omvang van zijn prestaties zouden kennen en hij wilde genieten van hun bewieroking.

Ten slotte stond de hoogste aanwezige officier, vice-admiraal Ernst von Gallwitz, op en hield een toespraak waarin hij hun gastheer voor zijn gastvrijheid bedankte en uitgebreid stilstond hij de technologische wonderen die ze in Wieskirche te zien hadden gekregen. Daarna zei hij op dit zorgvuldig, uitgekozen moment: 'De wereld en onze vijanden zullen spoedig een demonstratie te zien krijgen van de kracht en het potentieel van graaf Otto's wonderbaarlijke schepping. Omdat we onder vrienden zijn, kan ik u vertellen dat keizer Wilhelm II, onze geëerde leider, vanaf het allereerste begin een zeer sterke interesse heeft getoond in de ontwikkeling van deze buitengewone vliegmachine. Terwijl we ons voor het diner omkleedden, heb ik telefonisch verslag bij hem kunnen uitbrengen en hem op de hoogte gesteld van wat we hier vandaag hebben gezien. Het verheugt me dat ik u kan vertellen dat hij zijn onvoorwaardelijke goedkeuring geeft aan een stoutmoedig plan dat de vijand door zijn genialiteit zal verbijsteren. Graaf Otto mag van hem onmiddellijk van start gaan met de uitvoering ervan.'

Hij richtte zich tot graaf Otto die aan het hoofd van de tafel zat. 'Dames en heren, het is bepaald niet overdreven als ik u zeg dat de man die in ons midden is letterlijk de uitkomst van deze oorlog in zijn handen heeft. Hij staat op het punt te vertrekken op een heroïsche reis en als hij die met succes voltooit, zal ons een heel continent in de schoot geworpen worden en zullen we de vijand in totale verwarring achterlaten.'

Graaf Otto stond op om het applaus in ontvangst te nemen. Hij gloeide van trots, maar de korte toespraak waarin hij de admiraal bedankte was bescheiden en vol zelfspot. Ze bewonderden hem daarom des te meer.

Veel later, toen ze zich boven in Otto's privévleugel van het *Schloss* gereedmaakten om naar bed te gaan, hoorde Eva hem in zijn badkamer zingen en met tussenpozen zijn schaterlach opklinken.

Omdat ze wist waar zijn goede humeur toe zou leiden, trok Eva een van haar mooiste satijnen nachtjaponnen aan. Ze borstelde haar haren tot op haar schouders uit – ze wist dat hij daarvan hield – en zette haar wimpers aan met mascara waarmee ze haar gezicht handig iets gekwelds en treurigs gaf. Terwijl ze bezig was, fluisterde ze tegen haar spiegelbeeld: 'Je hebt er nog geen flauw vermoeden van, beste Otto, maar ik weet waar je naartoe gaat en ik ga met je mee terug naar Afrika... naar Afrika en Das.'

Toen Otto de slaapkamer binnenkwam, droeg hij een kamerjas die ze nog nooit gezien had. Dat was niet verbazend, want de klerenkasten in zijn kleedkamer waren zo volgestouwd met kleren dat er vier fulltime lijfknechten nodig waren om ze te onderhouden. De helft ervan had hij nog nooit gedragen. Deze kamerjas was goudkleurig met purper, had een vuurrode voering en hing bijna tot op de grond. Het was een flamboyant kledingstuk, maar hij droeg het met een natuurlijke zwierigheid. Hij was nog steeds vrolijk door de succesvolle dag en in een roes door de eerbewijzen en de waardering waarmee hij overladen was. Bij Otto leidde dit onvermijdelijk tot een verhoogd niveau van seksuele opwinding en ze zag de bobbel van zijn mannelijkheid onder zijn zijden kamerjas uitsteken toen hij naar haar toe kwam.

Eva stond midden in de kamer en liet haar hoofd treurig hangen. In het begin leek hij niet op te merken dat ze verdrietig was, maar toen hij haar in zijn armen nam en haar borsten begon te strelen, werd hij zich bewust van haar koele reactie en hij trok zich terug om haar gezicht te bestuderen. 'Wat is er, liefste?'

'Je gaat weer weg en deze keer weet ik dat ik je voor altijd kwijt zal raken. De vorige keer ben ik je bijna kwijtgeraakt aan die leeuw en daarna ben ik gevangengenomen door die wilde Nandi-krijgers. Nu gaat er iets even afschuwelijks gebeuren.' Ze liet haar violette ogen vollopen met tranen. 'Je kunt me niet weer alleen laten,' snikte ze. 'Alsjeblieft! Alsjeblieft! Ga niet weg.'

'Ik moet gaan.' Zijn stem klonk verbijsterd en onzeker. 'Je weet dat ik niet kan blijven. Het is mijn plicht en ik heb mijn woord gegeven.'

'Dan moet je me meenemen. Je kunt me niet achterlaten.'

'Je meenemen?' Hij leek zich totaal geen raad te weten. Hij had nog nooit over deze mogelijkheid nagedacht.

'Ja! O ja, alsjeblieft, Otto! Er is geen reden waarom ik niet me je mee zou gaan.'

'Je begrijpt het niet. Het wordt gevaarlijk,' zei hij, 'heel gevaarlijk.'

'Ik ben wel vaker in gevaar geweest terwijl ik bij jou was,' wierp ze tegen. 'Ik ben veilig wanneer ik bij jou ben, Otto. Ik zal hier veel meer gevaar lopen. De Britten zullen al snel vliegtuigen sturen om ons te bombarderen.'

'Wat een onzin!' zei hij honend. 'Alleen een luchtschip kan zo ver vliegen. De Britten hebben geen luchtschepen.' Maar hij stapte achteruit om zichzelf de gelegenheid te geven om zijn gedachten te ordenen.

Voor één keer was hij onzeker. In al die jaren had hij haar nooit echt durven vragen waarom ze zo lang bij hem was gebleven, afgezien van de materiële voordelen die dat voor haar had. Maar die zouden inmiddels hun glans wel verloren hebben. Er moest een andere, dwingender reden zijn. Hij had nooit willen weten wat die diepere reden was, omdat zijn mannelijkheid daardoor aangetast zou kunnen worden. Nu keek hij diep in haar ogen, voordat hij de vraag stelde die hem al zo lang op de lippen brandde. 'Je hebt het me nooit verteld en ik heb het je nooit durven vragen, maar wat voel je echt voor me, Eva, diep in je hart? Waarom ben je nog steeds bij me?'

Ze had geweten dat ze eens met die vraag geconfronteerd zou worden. Ze had zich voorbereid op het antwoord dat ze zou moeten geven en ze had het zo vaak gerepeteerd dat het volkomen oprecht en overtuigend klonk.

'Ik ben hier omdat ik van je hou en ik wil bij je blijven zolang je me wilt hebben.' Voor het eerst sinds ze hem kende, zag hij er op een kinderlijke manier kwetsbaar uit.

Hij zuchtte zachtjes, maar diep. 'Dank je, Eva. Je zult nooit weten hoeveel die woorden voor me betekenen.'

'Neem je me dan mee?'

'Ja.' Hij knikte. 'Er is geen reden waarom we, zolang we leven, ooit weer van elkaar gescheiden zullen zijn. Ik zou met je trouwen als dat mogelijk was, dat weet je.'

'Ja, Otto, maar we hebben afgesproken dat we het daar niet meer over zouden hebben,' herinnerde Eva hem. Athala, de vrouw met wie hij bijna twintig jaar getrouwd was en die de moeder van zijn twee zoons was, weigerde nog steeds om hun huwelijk te laten ontbinden – God wist dat hij vaak genoeg geprobeerd had om haar daartoe over te halen. Hij glimlachte en rechtte zijn schouders. Zijn gebruikelijke uitbundigheid en zelfverzekerdheid vloeiden zichtbaar in hem terug. 'Pak dan je koffer maar. En neem een mooie jurk mee voor de overwinningsparade,' zei hij. 'We gaan terug naar Afrika.'

Ze rende naar hem toe en ging op haar tenen staan om hem op de mond te kussen. Voor één keer boezemde zelfs de smaak van zijn sigaar haar geen afkeer in. 'Naar Afrika? O, Otto, wanneer vertrekken we?'

'Binnenkort, heel binnenkort. Zoals je vandaag hebt gezien, is het luchtschip gereed voor de strijd, de bemanningsleden zijn goed getraind en ze weten wat er van hen geëist wordt. Nu hangt alles alleen nog af van de maanfase en de weersvoorspellingen. Ritter zal dag en nacht navigeren en hij zal het licht van de volle maan nodig hebben. Op 9 september is het volle maan en we moeten tussen drie dagen voor en drie dagen na die datum vertrekken.'

99

Het grootste deel van de nacht lag Eva wakker en ze luisterde naar Otto's gesnurk dat af toe zo luid en heftig werd dat hij er zelf van wakker schrok, maar dan kreunde hij en viel weer in slaap. Ze was dankbaar voor deze laatste gelegenheid om na te denken over wat ze moest doen voordat ze op hun reis zouden vertrekken. Ze moest één laatste boodschap naar Leon sturen waarin ze bevestigde dat Otto met de Assegaai naar Afrika zou gaan en dat het luchtschip volgeladen zou zijn met wapens en goud voor de Boerenrebellen. Verder moest ze hem vertellen dat hij bijna zeker op zijn weg naar het zuiden langs de Nijl en door de Rift Valley zou vliegen. Wanneer ze hem zou vertellen op welke datum de Assegaai zou komen, zou het Leons plicht zijn om met alle mogelijke middelen te voorkomen dat het luchtschip zijn bestemming zou bereiken, ook wanneer dat zou betekenen dat hij het, als laatste redmiddel, met dodelijke kracht zou moeten aanvallen. Haar directe dilemma was echter of ze hem al dan niet zou moeten waarschuwen dat ze aan boord zou zijn. Als hij zou weten dat ze in het luchtschip zat, zou zijn bezorgdheid om haar veiligheid afbreuk doen aan zijn vastberadenheid. Op zijn minst zou het een nadelig effect hebben op zijn plichtsvervulling. Ze besloot het hem niet te vertellen: ze zouden er allebei maar het beste van moeten hopen wanneer ze elkaar hoog in de blauwe Afrikaanse lucht weer zouden ontmoeten.

100

Het uitbreken van de Eerste Wereldoorlog was niet door een pennenstreek of door een noodlottige uitspraak aangekondigd. Het was gebeurd als een treinbotsing waarbij wagon na wagon zonder te remmen tegen een enorme berg wrakken was aangeknald. Daartoe verplicht door verdragen om wederzijds hulp te geven, had eerst Oostenrijk Servië de oorlog verklaard, daarna had Duitsland Rusland en Frankrijk de oorlog verklaard en ten slotte, op 14 augustus 1914, had Groot-Brittannië Duitsland de oorlog verklaard. Het vuur en de rook die Loesima had voorspeld, hadden zich over de hele wereld verspreid. Opnieuw was de bevolking van het pas verenigde Zuid-Afrika verdeeld. Louis Botha was de voormalige bevelhebber van het oude Boerenleger en zijn wapenbroeder, generaal Jannie Smuts, had aan zijn zijde gevochten tegen de strijdkrachten van het Britse imperium. De meeste andere Boerenleiders haatten de Britten en waren er sterk voor om in het conflict de kant van Duitsland te kiezen. Slechts met een minieme meerderheid wist Louis Botha in het parlement de overwinning te behalen zodat hij een telegram naar Londen kon sturen waarin hij de Britse regering mededeelde dat ze al haar troepen in zuidelijk Afrika kon terugtrekken omdat hij en zijn leger de verdediging van de zuidelijke helft van het continent tegen Duitsland zouden overnemen. Dankbaar accepteerde Londen zijn aanbod en vervolgens vroeg de regering of Botha en zijn leger het aangrenzende Duits Zuidoost-Afrika konden binnenvallen om de radiostations in Luderitzbucht en Swakopmund tot zwijgen te brengen die een gestage stroom cruciale informatie naar Berlijn stuurden en alle bewegingen van de Britse marine in het zuidelijk deel van de Atlantische Oceaan nauwkeurig beschreven. Botha stemde onmiddellijk in, maar intussen dreigde er een opstand onder zijn mannen uit te breken.

Botha was maar een van de drie voormalige Boerenleiders en helden die bekendstonden als het Driemanschap. De andere twee waren Christiaan de Wet en Herculaas 'Koos' de la Rey. De Wet had zich al voor Duitsland uitgesproken en al zijn mannen volgden hem. Ze hadden hun toevlucht gezocht in hun versterkte kamp aan de rand van de Kalahariwoestijn en Botha had nog geen troepen gestuurd om hen te arresteren. Als hij dat zou doen, zou de opstand in volle hevigheid losbarsten en zouden de vraatzuchtige beesten van de burgeroorlog brullend uit hun kooien ontsnappen.

Hoewel De la Rey zich niet openlijk tegen Botha en Groot-Brittannië had gekeerd, twijfelde niemand eraan dat het alleen een kwestie van tijd was voordat hij dat zou doen. De mensen konden niet weten dat hij op nieuws uit Duitsland wachtte over de vlucht van de Assegaai vanuit Wieskirche. Dit nieuws zou uit Berlijn verzonden worden via de krachtige radio-installatie in Swakopmund in Duits Zuidoost-Afrika.

In Wieskirche werd het laatste deel van de lading aan boord van de Assegaai gebracht. Graaf Otto von Meerbach en commodore Alfred Lutz worstelden de hele nacht met de belading. Veel van de berekeningen waren een kwestie van giswerk en instinct: niemand had ooit in de zomermaanden met een luchtschip over de Sahara gevlogen. De luchttemperatuur kon dan variëren van vijfenvijftig graden Celsius op het middaguur tot nul graden om middernacht.

Het totale gasvolume van de Assegaai was 650.000 kubieke meter, maar het luchtschip zou dagelijks grote delen hiervan moeten ventileren ter compensatie van het gewicht van de brandstof die het verbruikte. Anders zou het zo licht worden dat het ongecontroleerd zo hoog de ruimte in zou stijgen dat de bemanning van de kou en door zuurstofgebrek zou omkomen. De tanks waren gevuld met 250.000 kilo brandstof, 2150 kilo olie en 11.250 kilo waterballast. De bemanning die uit tweeëntwintig mannen en één vrouw bestond en hun zeer beperkte persoonlijke bagage wogen 2100 kilo.

Theoretisch zou er een nuttige vracht van 16.530 kilo aan boord genomen kunnen worden, maar uiteindelijk besloot graaf Otto om 3200 kilo aan mortiergranaten achter te laten om ruimte te maken voor extra goud. Uiteindelijk zou dat het gewicht zijn dat de weegschaal ten gunste van hen zou doen doorslaan.

Alle munten waren geslagen van achttien karaats goud. Er waren ongeveer gelijke hoeveelheden Britse soevereinen als Duitse munten van tien mark. Het geld was eerst verpakt in canvas zakken die vervolgens in stevige munitiekisten waren gestopt waarvan de deksels zorgvuldig werden vastgeschroefd. Er waren in totaal 220 kisten en elke kist met munten woog 41 kilo. Dat was de gebruikelijke last van een Afrikaanse drager bij een safari. Historisch gezien werd de waarde van goud altijd uitgedrukt in Amerikaanse dollars en die stond al tientallen jaren vast op 21 dollar per troy ounce zuiver goud. Graaf Otto kon goed rekenen: de waarde van zijn lading zou afgerond vijf miljoen dollar zijn, wat, ondanks de huidige chaos op de wisselmarkten ten gevolge van het uitbreken van de oorlog, het equivalent was van twee miljoen pond sterling.

'Dat moet genoeg zijn om de Boeren voor lange tijd tevreden te stellen!' Hij hield persoonlijk toezicht op de arbeiders die de kisten in keurige rijen langs de wanden van de lounge van de Assegaai zetten en ze stuk voor stuk aan de ringbouten in de vloer bevestigden. Erbovenop liet hij de kisten met munitie en de kisten met Maxim-machinegeweren zetten.

Tegen de tijd dat de laatste kist was vastgebonden, was er voor de bemanning weinig ruimte meer over om in het luchtschip rond te lopen om hun werk te doen. In een poging om dit probleem te verlichten, gaf graaf Otto bevel om de wanden tussen de hutten te verwijderen en de kooien weg te halen. De bemanning zou gedwongen zijn om op het houten dek te slapen. Hij liet de kaartenkamer en de radiokamer uitbreken en richtte zich toen op de bedieningsgondel onder de boeg. Drie latrines werden gesloopt om extra ruimte te creëren: er bleef er maar een over voor drieëntwintig mensen. Er zou geen onderscheid worden gemaakt tussen de mannen en de vrouw, de officieren en de Laskaarse kok. De wasserij werd overbodig geacht en de kombuis werd gehalveerd. Een klein elektrisch fornuis zou voldoende zijn om soep te maken en koffie te zetten en elke morgen een pan met pap te koken, maar er zou geen ander warm voedsel worden bereid. Ze zouden poedermelk gebruiken en worst, koud vlees en scheepsbeschuit zouden hun menu moeten aanvullen. Hij stond niet toe dat er alcohol aan boord kwam: het zou een uitgebeend schip worden, ontdaan van alles behalve het allernoodzakelijkste.

Het laatste diner voor het vertrek was een banket dat gehouden werd in de loods van de Assegaai, onder de enorme zilverkleurige romp van het luchtschip. Op het laatste moment bracht een van de limousines, bestuurd door een geüniformeerde chauffeur, Eva van het *Schloss* naar de loods. Ze droeg haar vlieguitrusting met laarzen, handschoenen en een helm met een vliegbril. De chauffeur droeg haar valies dat haar enige bagage was. Voordat ze arriveerde, had de bemanning niet geweten dat ze mee zou gaan. Door haar schoonheid en charme was ze bij iedereen geliefd, dus ze werd hartelijk verwelkomd. Hennie du Rand had haar niet meer gezien sinds de terugreis uit Mombassa aan boord van de SS Admiral. Hoewel hij een ruwe, lompe man van het platteland was, boog hij voor haar en kuste haar hand. Zijn kameraden begonnen te joelen en hij bloosde als een schooljongen.

Eva was geroerd en ze voelde zich schuldig omdat ze hem misleid had door tijdens de bespreking met de Boerengeneraal te doen alsof ze niet verstond wat er gezegd werd.

Toen graaf Otto haar riep, voegde ze zich aan het hoofd van de tafel bij hem. Hij stelde haar voor als de mascotte van de expeditie. De bemanningsleden klapten in hun handen en juichten haar toe. Ze waren vrolijk en opgewonden en ze verlangden ernaar om te vertrekken op een reis waarvan ze wisten dat hij als een wapenfeit in de geschiedenis van het vliegen met een luchtschip beschouwd zou worden.

De borden werden hoog opgetast met Beierse delicatessen. Alleen de drank was schaars. Graaf Otto wilde dat zijn bemanningsleden een helder hoofd en een heldere blik hadden wanneer ze opstegen. De toosts werden uitgebracht met een licht bier waarin nauwelijks alcohol zat.

Om negen uur stond graaf Otto op. 'Goed, vrienden, het is tijd om naar Afrika te vertrekken.' Er klonk nog een uitbarsting van gejuich en daarna gingen de bemanningsleden haastig aan boord en namen hun gevechtsposten in. Het schip werd zorgvuldig gewogen en daarna naar de afmeermast gedragen. Graaf Otto nam in zijn primitieve radiokamer voor het laatst contact op met Berlijn en de keizer wenste hem persoonlijk een goede reis toe. Hij zette de zender uit en gaf commodore Lutz zijn orders voor het opstijgen. De Assegaai liet de neuskabel afglijden, steeg rustig de gouden zomerschemering in en richtte zich op een koers van 155 graden.

In de afgelopen paar weken hadden ze de vlucht gedetailleerd gepland, dus het was niet nodig om er nu over te discussiëren. Lutz wist precies wat graaf Otto van hem en de bemanning verwachtte. Zonder lichten te voeren, stegen ze naar hun maximale, veilige hoogte van tienduizend voet toen ze over de Bodensee vlogen. Vervolgens vlogen ze pal naar het zuiden en kruisten iets na middernacht een paar kilometer ten westen van Savona de kustlijn van de Middellandse Zee. Ze bleven naar het zuiden vliegen en hielden de lichten van de Italiaanse kuststeden aan bakboordzijde in het zicht.

Toen ze Sicilië overstaken, hadden ze een sterke rugwind, zodat ze snel land in zicht kregen, een naamloos, kaal deel van de Libische woestijn ergens ten westen van Benghazi. Bij zonsopgang ging Eva bij een van de voorste uitzichtramen van de lounge staan en keek naar hun gigantische schaduw die over de kammen en de duinen van het ruige, bruine terrein onder hen danste. Afrika! juichte ze inwendig. Wacht op me, schat. Ik kom naar je toe.

De hitte van het zonlicht dat op de rotsen weerkaatste, steeg naar hen op en vormde krachtige kolkingen die om het schip wervelden als de stromingen van een grote oceaan. Het luchtschip was nu lichter doordat de vier grote motoren zevenentwintighonderd kilo brandstof en olie hadden verbruikt, maar de zon verhitte de waterstof in de container zodat hun lift groter werd. Het luchtschip begon onverbiddelijk te stijgen en Lutz zag zich gedwongen om tweeënzestighonderd kubieke meter gas te ventileren, maar het schip bleef toch stijgen, tot de bemanning op een hoogte van vijftienduizend voet door zuurstofgebrek verzwakt begon te raken. Tegelijkertijd steeg de temperatuur ingrijpend en al snel werd er in de controlekamer tweeënvijftig graden Celsius gemeten. De motoren moesten uitgezet worden om ze te laten afkoelen en om verse olie door de systemen te kunnen pompen.

Ze vlogen nu in een hoek van zes graden naar beneden. De snelheid daalde van honderdtien tot vijfenvijftig knopen en de Assegaai reageerde niet goed op het roer. Toen haperde de voorste bakboordmotor en viel uit. Door dit plotselinge verlies aan vermogen raakte het luchtschip in een overtrokken vlucht en het daalde van dertienduizend naar zesduizend voet voordat het weer op het roer reageerde en rechttrok. Het was een alarmerende duik geweest en een deel van de lading was losgeschoten.

Zelfs graaf Otto was geschrokken van het grillige gedrag van de Assegaai in de oververhitte lucht en hij stemde zonder tegenspraak in met Lutz' suggestie om te landen, het schip voor de rest van de dag te verankeren en de reis in de avond voort te zetten. Lutz zag in de woestijn voor hen een uitstekende rotspunt waaraan ze de meerkabel zouden kunnen bevestigen en hij vloog voorzichtig naar beneden waarbij hij nog een grote hoeveelheid waterstof loosde.

Ze waren nog maar vijftien meter boven de woestijn toen een groep bereden mannen in wijde, witte boernoesen tussen de rotsen uit kwamen en door een wadi op hen af galoppeerden, terwijl ze met korte kromzwaarden zwaaiden en met geweren met een lange loop op de Assegaai schoten. Een kogel verbrijzelde het uitzichtraam waar graaf Otto naast stond, waardoor er een regen van glasscherven op hem neerdaalde. Hij vloekte geërgerd en liep naar het Maxim-machinegeweer dat voor in de gondel was opgesteld.

Hij schoof een patroonband in de lade en richtte het machinegeweer naar beneden. Hij vuurde een kort salvo af en het voorste gelid van de aanvallende Arabieren viel uit elkaar. Drie paarden sloegen tegen de grond en namen hun berijders mee. Hij zwaaide het machinegeweer naar rechts en vuurde weer. Nog vier paarden vielen met hun benen trappelend in het zand en de rest verdween spoorslags. Eva telde de slachtoffers. Zeven mannen waren geveld, maar twee paarden sprongen overeind en galoppeerden achter de andere aan.

'Ik denk niet dat ze terug zullen komen,' zei graaf Otto achteloos. 'Je kunt de wachtdienst tot zes uur achterwege laten, Lutz. Daarna starten we de motoren en vliegen we in de koelte van de avond verder.'

101

In het laatste telegram dat meneer Goolam Vilabjhi van zijn nicht in Altnau had ontvangen, stond maar één cijfergroep.

Toen Leon die gedecodeerd had, bleek dat ze hem, zoals ze had beloofd, de datum had toegestuurd waarop de Assegaai uit Wieskirche zou vertrekken. In haar vorige telegrammen had ze hem de naam die graaf Otto voor zijn luchtschip had gekozen en het ontwerpnummer gegeven. De Assegaai was een Mark ZL.71. Ze had de koers die hij van plan was tijdens zijn vlucht naar Zuid-Afrika te volgen al in grote lijnen weergegeven. Aan de hand hiervan had Leon kunnen berekenen wanneer het luchtschip boven de Rift Valley zou aankomen. Nu had hij alleen nog een actieplan nodig dat hem een kans bood, hoe klein ook, om het enorme luchtschip neer te halen, de bemanning gevangen te nemen en de lading te confisqueren. Nu Penrod weg was en hij van Frederick Snell geen enkele steun kon verwachten, stond Leon er alleen voor.

Hij had tekeningen gezien van het soort luchtschip waar hij het tegen moest opnemen. Toen graaf Otto, nadat hij door de leeuw was aangevallen, van Nairobi naar Duitsland was overgebracht, had hij in zijn privéverblijf in Kamp Tandala stapels boeken en tijdschriften achtergelaten. Het waren hoofdzakelijk technische publicaties en een ervan bevatte een lang, geïllustreerd artikel over de bouw en de bediening van een groot, bestuurbaar luchtschip. Er hadden ook beschrijvingen van de diverse types in gestaan, waaronder de Mark ZL.71. Leon haalde het boek tevoorschijn en bestudeerde het artikel zorgvuldig.

Het bevatte echter niets wat hem verder kon helpen of waaruit hij inspiratie kon putten en hij vond de beschrijvingen en de illustraties zelf uiterst ontmoedigend. Het luchtschip was zo groot en zo goed beschermd en het vloog zo snel en hoog dat er geen mogelijkheid leek te zijn om te voorkomen dat het zijn bestemming zou bereiken. Hij probeerde een vergelijking te bedenken voor de kleine Vlinder en dit monster van de lucht; een veldmuis naast een grote mannetjesleeuw wellicht, of een termiet naast een pangolin?

Hij dacht aan de voorspelling die Loesima had gedaan toen hij voor het eerst met Eva naar de Lonsonjo was gegaan om de zieneres te ontmoeten. Ze had het beeld opgeroepen van een grote, zilveren vis die door rook en vuur werd omhuld. Toen hij naar de illustraties van het luchtschip in het boek van graaf Otto keek, waren het grote vissenstaartvormige roer en algehele visvorm onmiskenbaar en hij twijfelde er niet aan dat dit was wat ze had voorzien. Hij vroeg zich af of ze hem nog meer kon vertellen, maar dat was onwaarschijnlijk. Loesima weidde nooit uit over een eenmaal gedane voorspelling. Ze vertelde je de essentie en daar moest je het verder maar mee doen.

Leon voelde zich eenzaam en in de steek gelaten. Hij had Eva verloren en hij wist dat er maar een minieme kans was dat hij haar ooit zou terugzien. Het leek alsof een vitaal onderdeel van zijn lichaam was weggesneden. Penrod was ook weg. Hij had nooit gedacht dat hij zijn oom zou missen, maar hij voelde het verlies intens. Hij had hulp en advies nodig en er was maar één persoon in zijn leven over die hem die zou kunnen geven.

Hij ging Manjoro, Loikot en Ishmael halen: 'We gaan naar de Lonsonjo,' zei hij tegen hen.

Binnen een half uur waren ze in de lucht en vlogen ze door de Rift Valley, op weg naar Percy's Kamp.

Toen ze landden, zag hij dat het kamp in wanorde was. Zowel Hennie du Rand als Max Rosenthal was een tijdje weg en Leon was zo afgeleid door Eva dat hij geen interesse in de dagelijkse gang van zaken in het kamp had gehad. Hij had dat overgelaten aan zijn ongetrainde personeel dat door niemand werd gecontroleerd.

Hij maakte zich niet echt zorgen om deze situatie. De toekomst was onzeker en het was hoogst onwaarschijnlijk dat er jachtgasten zouden komen voor de vijandelijkheden waren gestaakt en vermoedelijk zelfs niet in de jaren nadat de vrede was hersteld. Hij bleef net lang genoeg in het kamp om de paarden uit te zoeken en te bepakken voordat ze naar het grote blauwe silhouet van de berg aan de westelijke horizon reden. Zijn stemming werd beter met elke kilometer die ze er dichterbij kwamen.

Ze sloegen die avond hun kamp op aan de voet van de Lonsonjo. Hij ging bij de smeulende kolen van het kampvuur zitten en staarde omhoog naar het donkere massief dat afstak tegen de schitterende sterrenhemel van de Afrikaanse nacht. Hij bestudeerde de berg, zoals hij nog nooit eerder had gedaan. Voor het eerst zag hij hem als een potentieel slagveld waarboven zijn kleine Vlinder het binnenkort misschien zou moeten opnemen tegen de reusachtige Assegaai van graaf Otto.

Het had hem zorgen gebaard dat hij zou moeten wachten tot Loikots *choengaji* het luchtschip zagen aankomen, voordat hij kon opstijgen om het te onderscheppen. Hij zou heel sterk in het nadeel zijn. De Assegaai zou zich op zijn kruishoogte van tienduizend voet bevinden, dus zou hij hem over het massief van de Lonsonjo heen tegemoet moeten vliegen terwijl alle vier zijn motoren op vol vermogen draaiden, wat betekende dat hij de brandstofreserves van de Vlinder grotendeels opgebruikt zou hebben en het uiterste van het vliegtuig zou moeten vergen. En als de wind, de vochtigheid en de luchttemperatuur in het voordeel van de Assegaai zouden zijn, zou het luchtschip over hem heen vliegen en verdwenen zijn voordat Leon de Vlinder hoog genoeg in de lucht had kunnen krijgen.

Hij voelde zich ontmoedigd en gedeprimeerd bij het vooruitzicht van zo'n verschrikkelijke nederlaag en hij staarde boos naar de berg. Op dat moment werd de berg van achteren verlicht door een sidderend weerlicht ver in de Rift Valley vlak bij het Natronmeer. Het massief leek op de glacis van een vijandelijk kasteel, een obstakel dat hij moest overwinnen.

Toen veranderde een vreemde speling van het licht en de dansende bliksems zijn perspectief. Hij sprong overeind en stootte zijn koffiebeker om. 'Bij god, wat is er mis met me?' schreeuwde hij naar de hemel. 'Ik heb er al die tijd met mijn neus bovenop gezeten. De Lonsonjo is geen obstakel, maar een springplank!!' De ideeën borrelden in hem op als water in een bron.

'Dat open tafelland in het regenwoud dat Eva en ik hebben ontdekt! Ik wist dat het belangrijk was, zodra ik het zag. Het is een natuurlijke landingsbaan op het hoogste punt van de Lonsonjo. Met de hulp van vijftig sterke mannen kan ik het kreupelhout in een paar dagen weghalen, zodat ik daar kan landen en opstijgen. Ik hoef niet achter de Assegaai aan te gaan. Ik hoef alleen maar op de bergtop te wachten tot hij naar me toe komt. Maar het belangrijkste is dat ik aan het spel kan beginnen met het voordeel van de hoogte. Ik zal naar beneden kunnen duiken en niet met veel moeite hoeven te klimmen om hem te onderscheppen.' Hij was zo opgewonden dat hij maar een paar uur sliep en de volgende ochtend was hij lang voor zonsopgang al op het pad naar de top.

Loesima Mama wachtte op hen onder een van haar lievelingsbomen naast het pad. Ze begroette haar zoons en vroeg hun aan weerskanten van haar te gaan zitten. 'Je bloem is niet bij je, M'bogo.' Het was een vaststelling, geen vraag. 'Ze is naar dat land ver in het noorden gegaan.'

'Wanneer komt ze terug, Mama,' voeg Leon.

Ze glimlachte. 'Streef er niet naar te weten wat voor ons niet te weten valt. Ze zal mettertijd komen.'

Leon haalde hulpeloos zijn schouders op. 'Laten we dan over iets praten wat wel voor ons te weten valt. Ik wil u om een gunst vragen, Mama.'

'Ik heb vijftig mannen voor je die bij mijn hut op je wachten. Je boft dat de Mkoeba met zijn bliksem de grond al voor een groot deel voor je heeft vrijgemaakt.' Ze glimlachte verlegen naar hem. 'Maar dat geloof je niet, hè?'

Loesima vergezelde de expeditie naar het open tafelland boven de waterval. Ze ging in de schaduw zitten en keek toe terwijl haar mannen werkten. Leon begreep al snel waarom ze was meegegaan: onder haar toeziend oog werkten de mannen als bezetenen en op het middaguur van de tweede dag kon Leon het stuk grond afpassen dat ze hadden vrijgemaakt. Op deze grote hoogte was de lucht ijl en Leon zou een hoge naderingssnelheid moeten hebben om te voorkomen dat zijn vliegtuig in overtrokken vlucht zou raken. Het zou een dubbeltje op zijn kant worden om de Vlinder op zo'n korte landingsbaan aan de grond te zetten. Eigenlijk zou het onmogelijk zijn als de helling en de ligging ervan niet zo gunstig waren geweest. De landingsbaan lag aan de rand van de klippen. Als hij vanaf de kant van de vallei naderde, zou de baan in een schuine hoek omhooglopen en als hij eenmaal was geland, zou het vliegtuig door de helling snel tot stilstand komen. Als hij daarentegen vanaf de helling zou opstijgen, zou de Vlinder vlugger optrekken en snel zijn vliegsnelheid bereiken. Als hij daarna van de top van de klip schoot, zou hij de neus van het vliegtuig in een ondiepe duik naar beneden kunnen richten waardoor zijn snelheid enorm zou stijgen.

'We hebben allemaal interessante tijden voor de boeg,' zei hij bij zichzelf. Hij had nog niet over de kern van het probleem nagedacht. Als alles zou verlopen zoals hij hoopte, zou de Assegaai vanuit het noorden de Rift Valley in komen. Hij zou niet hoger vliegen dan tienduizend voet boven de zeespiegel: de bemanning zou het gevaar lopen om zuurstofgebrek te krijgen als hij langere tijd hoger vloog.

Het was onmogelijk dat graaf Otto het bakbeest door het midden van de vallei kon vliegen zonder door het netwerk van *choengaji* gezien te worden. Leon zou ruim van tevoren gewaarschuwd worden wanneer de Assegaai er aankwam en hij zou zeker genoeg tijd hebben om op te stijgen en zijn positie om te patrouilleren in te nemen. Maar wat gebeurt er dan? vroeg hij zich af. 'Een gewapend gevecht tussen ons?'

Hij lachte om dat ridicule idee. Uit de illustraties die hij had gezien, wist hij dat de Assegaai bewapend was met minstens drie of vier Maxim-machinegeweren die vanaf een stabiel vuurplatform werden bediend door getraind Duits luchtmachtpersoneel. Het zou een nieuwe manier zijn om zelfmoord te plegen als hij met zijn twee, met dienstgeweren bewapende Masai de strijd met het luchtschip zou aanbinden.

Hij had twee handgranaten van Hugh Delamere los weten te krijgen en hij had het vage idee om boven de Assegaai te gaan vliegen en er een op de grote koepelvormige romp te laten vallen. Er zou ongeveer zevenendertigduizend kubieke meter zeer explosief waterstof in de romp zitten en de resulterende vuurbal zou spectaculair zijn. Maar omdat de granaten slechts zes seconden nadat ze met hun doelwit in contact kwamen, zouden ontploffen, zou de Vlinder midden in de vuurzee zitten.

'Er moet een beter plan zijn dan mezelf te braden,' mompelde hij spijtig. 'Ik moet het alleen bedenken voor het te laat is. Volgens Eva's laatste telegram uit Zwitserland had hij nog maar vijf dagen voordat de Assegaai uit Wieskirche zou vertrekken. 'Ik heb zelfs nog niet de kans gehad om de nieuwe landingsbaan te testen. We moeten morgen naar Percy's Kamp gaan om de Vlinder op te halen en hiernaartoe te brengen.'

Leon besloot die nacht in Loesima's hut te slapen en morgen bij het eerste licht de berg af te dalen. Hij en Loesima gingen naast elkaar bij het vuur zitten en deelden een pot cassavepap voor het avondeten. Ze was in een mededeelzame stemming en Leon werd daardoor aangemoedigd om over Eva te praten. Hij probeerde details of suggesties uit haar los te krijgen die bij de onderneming die voor hem lag van waarde zouden kunnen zijn. Hij zag aan de ondeugende twinkeling in haar donkere ogen dat ze precies wist wat hij in gedachten had, maar hij hield vol en formuleerde zijn vragen zo subtiel mogelijk. Ze praatten over Eva en hij vertelde haar opnieuw hoeveel hij van haar hield.

'De kleine bloem is die liefde waardig,' zei Loesima.

'Toch is ze bij me weggegaan en ik vrees dat ik haar nooit meer zal zien.'

'Je moet nooit wanhopen, M'bogo. Zonder hoop zijn we niets.'

'U hebt me eens verteld over een grote zilverkleurige vis in de lucht die fortuin en liefde zou brengen.'

'Ik word oud, mijn zoon, en tegenwoordig zeg ik vaker heel domme dingen.'

'Dat is de eerste en enige keer dat ik u ooit iets doms heb horen zeggen.' Leon glimlachte naar haar en ze glimlachte terug. 'Ik heb gehoord dat de vis die u zich niet herinnert binnenkort het luchtruim gaat kiezen.'

'Alles is mogelijk, maar wat weet ik van vis?'

'Ik dacht in mijn domheid dat u me, als mijn moeder, zou kunnen vertellen hoe ik deze vis van fortuin en liefde kan vangen.'

Ze zweeg secondelang en schudde toen haar hoofd. 'Ik weet niets van het vangen van vis. Je moet dat aan een visser vragen. Misschien kan een van de vissers van het Natronmeer het je leren.'

Hij staarde haar verbaasd aan en sloeg toen op zijn voorhoofd. 'Idioot!' zei hij. 'O, Mama, uw zoon is zo'n idioot! Het Natronmeer! Natuurlijk! De visnetten! Dat probeert u me te vertellen!'

Leon en Manjoro lieten Loikot en Ishmael op de berg achter en haastten zich naar Percy's Kamp. Hij wilde de lading van het vliegtuig voor de landing op de berg tot een minimum beperken.

Vanuit Percy's Kamp vertrokken ze bijna onmiddellijk naar het Natronmeer. Deze keer nam Leon niet het risico dat hij op zachte grond zou landen en hij zette de Vlinder veilig neer op het stevige oppervlak van de zoutpan. Hij en Manjoro marchandeerden met de hoofdman van het vissersdorp en kochten ten slotte vier oude, beschadigde netten van hem die elk ongeveer tweehonderd passen lang waren. Omdat ze al een tijdje niet meer werden gebruikt, waren ze kurkdroog, maar toch stelde hun gewicht het vermogen van de motoren van de Vlinder op de proef. Leon moest vier aparte vluchten naar de landingsbaan op de top van de berg maken waarbij hij steeds één net meenam. Elke landing vergde het uiterste van zijn vakkundigheid als piloot. Hij moest snel aanvliegen en net boven de snelheid blijven waarin het vliegtuig in overtrokken vlucht zou kunnen raken en daarna landde hij zwaar, wat een aanslag op het landingsgestel was.

Tegen de middag van de tweede dag hadden ze alle vier de netten op de open grond uitgelegd. Ze naaiden ze in paren aan elkaar zodat ze ten slotte twee aparte netten hadden die elk ongeveer vierhonderd passen lang waren.

Er zou geen gelegenheid zijn om met het inladen en het gebruiken van de netten te oefenen of te experimenteren. Ze zouden direct tegen de Assegaai ingezet worden en hij had maar één kans om de netten met succes te ontrollen. Leon hoopte dat hij bij zijn eerste aanval de propeller van de achterste twee motoren van de Assegaai vast zou kunnen laten lopen, zodat het luchtschip zó veel snelheid zou verliezen dat hij tijd zou hebben om naar de Lonsonjo terug te gaan om het andere net in te laden voor een tweede aanval.

Een van de vele kritieke punten van het plan was dat hij het net zodanig zou moeten inladen dat het zich vanuit het bommenruim zou ontrollen en op een ordentelijke manier achter de Vlinder aan gesleept zou worden. Als Leon de propeller van het luchtschip eenmaal vast had laten lopen, moest hij ervoor kunnen zorgen dat het net loskwam van de haken waaraan het bevestigd was om te verhinderen dat de Vlinder erin verstrikt zou raken. Hij moest veilig weg kunnen komen. Als hem dat niet lukte, zou het vliegtuig aan zijn staart achter het getroffen luchtschip aan gesleept worden. De vleugels en de romp zouden breken door de onnatuurlijke krachten die erop uitgeoefend werden. Er waren zo veel onzekere factoren dat het allemaal zou neerkomen op giswerk, goede samenwerking, een snelle reactie op onverwachte ontwikkelingen en een buitensporige hoeveelheid puur, ouderwets geluk.

Tegen de avond van de vierde dag stond de Vlinder aan de kop van de korte strook vrijgemaakte grond met zijn neus naar beneden boven de aflopende helling die abrupt eindigde bij de bijna verticale wand van de klip. Twintig dragers stonden gereed om met hun gezamenlijke gewicht het vliegtuig bij de start aan te duwen.

Loikot had elke dag bij zonsopgang en bij de schemering op de top van de Lonsonjo gestaan om met de *choengaji* in heel Masai-land contact te maken. Het leek of de ogen van iedere *morani* in het gebied gericht waren op de noordelijke hemel: ze hoopten allemaal dat ze het zilverkleurige, visvormige bakbeest als eerste zouden zien.

Leon en zijn bemanning zaten onder een strooien zonnescherm naast de romp van de Vlinder. Als de melding binnenkwam, zouden ze in een paar seconden hun positie in de cockpit kunnen innemen. Ze konden nu alleen nog maar afwachten.

102

Het zag eruit als een massieve ononderbroken muur in de lucht die zich boven de oostelijke horizon uitstrekte en vanaf de woestijn tot aan de melkachtig blauwe hemel reikte. Eva was alleen in de bedieningsgondel van de Assegaai. Het luchtschip stond aan de grond, afgemeerd voor de rest van de dag, en Eva had wacht, net als de officieren. Alle bemanningsleden waren vrij of sliepen na de nachtvlucht. Graaf Otto was in de gondel die de voorste bakboordmotor herbergde. Hoewel ze al vier uur ingespannen bezig waren, konden hij en zijn mannen hem niet opnieuw starten en ze beseften nu hoe groot de schade was. Ze maakten het carter open om het probleem bij de wortel aan te pakken.

Eva wist dat ze de beslissing om alarm te slaan niet lichtvaardig kon nemen. Ze aarzelde nog een paar minuten, maar in de korte tijd dat de oostelijke horizon door de naderende gele muur aan het gezicht was onttrokken, was hij schrikbarend snel dichterbij gekomen. Ze zag dat hij niet langer massief was, maar ronddraaide en tolde als een dichte, gele rookwolk. Opeens wist ze wat het was. Ze had erover gelezen in boeken van woestijnreizigers. Het was een van de gevaarlijkste natuurverschijnselen. Ze fluisterde de naam ervan: '*Chamsin*!' en daarna rende ze over de brug naar de telegraaf van het schip. Ze rukte de hendel naar beneden en het schrille gerinkel van de alarmbellen overstemde elk ander geluid.

In de grote hut stonden bemanningsleden op van hun matrassen en strompelden, nog half slapend, naar buiten en staarden naar de naderende zandstorm. Sommigen waren met stomheid geslagen door de omvang en de hevigheid ervan terwijl anderen in paniek en verwarring tegen elkaar begonnen te ratelen.

Graaf Otto kwam uit de gondel van de beschadigde motor en rende de loopgang op. Hij staarde maar een seconde naar de storm, voordat hij bevelen begon uit te delen. Binnen een paar minuten draaiden twee van de drie werkende motoren en gaf hij een paar bemanningsleden het teken dat de meerkabel aan de boeg losgemaakt moest worden.

De derde motor in de voorste bakboordgondel zweeg nog. De monteur daar had er nog steeds moeite mee om hem aan de praat te krijgen. 'Neem het bevel over, Lutz!' schreeuwde graaf Otto. 'Ik moet naar beneden om die motor te starten.' Hij rende over de open loopgang en klom de ladder af naar de motorgondel.

Lutz rende naar het controlepaneel en zette alle acht de gaskleppen open. De waterstof stroomde de gascontainers van de Assegaai binnen en het schip gooide zijn neus met zo'n schok omhoog dat Eva en de mannen die zich nergens aan vasthielden op het dek geworpen werden toen het met de neus omhoog door een opwaartse druk van 125.000 kubieke meter de lucht in werd geslingerd.

De atmosferische druk daalde zo snel dat de naald van de barometer duizelingwekkend ronddraaide. Lutz, de commandant van het schip die een voorhoofdsholteontsteking had, gilde het uit van pijn en drukte zijn handen tegen zijn oren. Een dun straaltje bloed droop over zijn kin toen een van zijn trommelvliezen barstte. Hij sloeg dubbel en viel op zijn knieën. Er was geen andere officier op de brug die het bevel van hem kon overnemen, dus hees Eva zich overeind en door zich langs de leuning voort te trekken, wist ze Lutz te bereiken voordat hij van pijn het bewustzijn zou verliezen. 'Wat moet ik doen?' schreeuwde ze.

'Ventileer!' kreunde hij. 'Laat het gas uit alle containers wegstromen. Rode hendels!' Ze strekte haar hand naar boven uit, pakte ze vast en trok ze met al haar kracht naar beneden. Ze hoorde dat het gas sissend uit de openingen boven ontsnapte. Het luchtschip beefde en steigerde, maar aan zijn ongecontroleerde klim kwam een einde en de naald van de barometer draaide niet langer wild rond.

Graaf Otto was naar boven gekomen uit de gondel van de voorste bakboordmotor, waar hij naar binnen was gegaan om de motor te starten en hij was nu vastgepind op de open loopgang. Hij klemde zich vast aan de leuning, terwijl hij door de heftige bewegingen van de Assegaai de ruimte in geslingerd dreigde te worden als een kiezelsteen die door een katapult wordt afgeschoten. Hij was ongeveer vijftien meter van Eva vandaan en hij riep dringend naar haar: 'Beide gashendels aan stuurboord, met volle kracht vooruit!'

Ze gehoorzaamde hem instinctief. De motoren begonnen te ronken en de neus van het luchtschip draaide opzij door het verschil in aandrijvingskracht tussen de motoren aan weerskanten van de romp. Een paar seconden was het schip zo stabiel dat graaf Otto de leuning kon loslaten en hij rende lichtvoetig over de loopgang. Hij stormde door de deur naar binnen op het moment dat de Assegaai tegen de klok in begon te draaien. Hij ging naast Eva staan en greep de hendels vast. Zijn bewegingen waren snel en afgestemd op die van de Assegaai. Hij wist het grote luchtschip tot bedaren te brengen alsof het een op hol geslagen paard was, maar voordat hij het stabiel had gekregen was het tot veertienduizend voet gestegen en werd het verschrikkelijk gegeseld door de chamsin. Het krachtigste deel van de storm woedde echter onder de romp en op een hoogte van negenduizend voet draaide de chamsin naar het zuiden, zodat het luchtschip horizontaal verder vloog. Maar het was door de wind toegetakeld: de voorste stuurboordmotor was zo beschadigd dat hij niet meer te repareren viel en een aantal stutten in het frame van de gascontainers was gebroken. De wand puilde op die zwakke plekken uit, maar de Assegaai vloog nog met een snelheid van tachtig knopen en de lading was stevig vastgebonden en in het dek verankerd.

Voor hen uit konden ze net de Nijl zien die zich door de woestijn kronkelde. Plotseling begon de radio te kraken en graaf Otto schrok. Dit was het eerste radiocontact dat ze hadden gehad sinds ze de kustlijn van de Middellandse Zee waren overgestoken.

'Het is de marineradio in Walvisbaai aan de zuidwestkust.' De marconist keek op van zijn radio. 'Ze vragen om een veilig gesprek met graaf von Meerbach. Ze hebben een dringende topgeheime boodschap voor u.'

Graaf Otto droeg het roer over aan Thomas Bueler, de eerste officier, en zette zijn koptelefoon op. Hij haalde de schakelaar over om het geluid te dempen zodat alleen hij de boodschap kon horen. Hij luisterde aandachtig en toen betrok zijn gezicht en het werd rood van woede. Ten slotte beëindigde hij het contact, ging bij het voorste raam staan en keek neer op de rivier onder hen.

Ten slotte leek hij een moeilijke beslissing te hebben genomen en hij snauwde tegen Bueler: 'Zorg dat de hele bemanning zich over tien minuten in de controlekamer verzameld heeft. Ik wil dat ze in twee rijen in het midden gaan zitten met hun gezicht naar voren. Ik heb een belangrijke mededeling te doen.' Hij liep met dreunende pas naar buiten en ging naar de kleine hut die hij met Eva deelde.

Toen hij terugkwam, was Eva vervuld van angst: hij had zijn kunsthand verwisseld. In plaats van de stalen vinger en duim droeg hij nu de dreigende strijdknots met punten. De bemanningsleden staarden ook naar het vreemde wapen dat hij niet probeerde te verbergen toen hij tegenover de rijen zittende mannen ging staan. Hij keek hen dreigend en zonder iets te zeggen aan tot ze zweetten en op hun stoelen heen en weer schoven van angst. Toen zei hij met een koude, harde stem: 'Heren, we hebben een verrader aan boord.' Hij liet hen daar een poosje over nadenken en vervolgde toen: 'De vijand is voor onze missie gewaarschuwd. Ze zijn op de hoogte gebracht van onze koers en onze bewegingen. Berlijn beveelt ons de operatie af te breken.'

Plotseling hief hij zijn gepantserde vuist en liet hem op de kaartentafel neerkomen. Het hout brak en versplinterde. 'Ik ga niet terug,' grauwde hij. 'Ik weet wie deze verrader is.' Hij liep langs de voorste rij zittende figuren en bleef achter Eva staan. Ze kromp inwendig ineen en bereidde zich op het ergste voor. 'Ik ben niet iemand die verraad gemakkelijk vergeeft en daar zal de verrader snel achter komen.' Ze wilde schreeuwen, de loopgang op rennen en zich uit het luchtschip werpen om een snelle, pijnloze dood te sterven in plaats van door die stalen vuist verminkt en platgeslagen te worden. Hij raakte zachtjes de bovenkant van haar hoofd aan. 'Wie is het? vraag je je af,' fluisterde hij.

Ze opende haar mond om minachtend tegen hem te schreeuwen en hem uit te dagen om zijn gang te gaan. Toen voelde ze dat hij zijn hand van haar hoofd haalde en langs de rij verder liep. Ze voelde de warme, bittere gal in haar keel omhoogkomen en slechts met de grootst mogelijke moeite wist ze te voorkomen dat ze van angst zou overgeven.

Aan het einde van de rij mannen draaide graaf Otto zich om en kwam toen naar haar terug. Ze had het gevoel of haar darmen met heet water gevuld waren en dat ze ze moest legen. Zijn voetstappen stopten en ze haalde bevend adem. Het leek alsof hij weer recht achter haar stond.

Ze hoorde de slag en schreeuwde bijna. Het geluid was niet zo luid als dat van de klap waarmee de kaartentafel verbrijzeld was. Het was een gedempte, natte dreun en ze hoorde duidelijk bot breken. Ze draaide zich snel om en zag dat Hennie du Rand voorover op de grond viel. Graaf Otto stond over hem heen gebogen en hief de stalen vuist keer op keer hoog op en zette zijn volle gewicht en al zijn kracht achter de slagen. Toen hij zich oprichtte, hijgde hij zwaar en zijn gezicht was bespat met bloeddruppels.

'Gooi deze smerige hond overboord,' beval hij glimlachend en op een mildere toon. 'Het zijn altijd degenen die je vertrouwt die je verraden. Ik herhaal dat we niet teruggaan, heren. Maar we kunnen niet toestaan dat onze lading in handen van de Britten valt. Als we onze huidige snelheid aanhouden, zullen we morgenmiddag Arusha in Duits gebied hebben bereikt hebben en het ergste veilig hebben doorstaan.'

Hij liep langzaam de cabine uit en Eva bedekte haar ogen met beide handen toen twee bemanningsleden Hennies enkels vastpakten en zijn lijk naar de loopgang sleepten. Samen tilden ze hem over de reling en lieten hem in het Nijldal ver beneden hen vallen. Eva huilde in stilte, maar elke traan leek in haar ogen te branden als de steek van een bij.

103

De maan was bijna vol en toen Eva wakker werd en naar de observatiegondel ging, stond hij laag boven de top van de helling, glinsterend als een gouden munt. Ze zag hem onder de donkere horizon wegzakken, omhuld door guirlandes van wolken die landinwaarts geblazen werden door de moessonwind die vanaf de Indische Oceaan woei. Voordat hij helemaal verdween, glinsterden de eerste stralen van de opgaande zon op de zilverkleurige koepel van het luchtschip en geleidelijk verschenen de details van het landschap opnieuw vanuit het duister. Haar hart begon tegen haar ribben te bonken toen de vertrouwde contouren van de Lonsonjo voor haar ogen verrezen. Elk detail was in haar geheugen gegrift. Ze herkende de rode klippen boven Sheba's Poel en ze zag het schuimende water glinsteren bij de aanraking van de eerste zonnestralen. Het leek alsof Das weer bij haar was. Voor haar geestesoog zag ze elk detail van zijn naakte torso terwijl hij onder de waterval stond en naar haar lachte, haar plaagde en haar uitdaagde om naar hem toe te komen.

O, mijn schat, klaagde ze in stilte. Waar ben je nu? Zal ik je nooit meer zien?

Toen verscheen hij, als door een wonder, voor haar, zo dichtbij dat ze zijn knappe, door de zon gebruinde gezicht zou kunnen aanraken als ze haar hand uitstrekte. Hij keek recht in haar ogen. Het was maar een vluchtig moment, maar ze zag dat hij haar had herkend en toen was hij even plotseling verdwenen als hij gekomen was.

104

Leon sliep nog en was begraven onder zijn dekens. In de verte hoorde hij door de laatste flarden slaap heen de roep van de *choengaji* in de stilte van het ochtendgloren. Iets in hun toon had hem gealarmeerd. Hij dwong zichzelf om wakker te worden toen Loikot met zijn handen op zijn schouders aan hem schudde. 'M'bogo!' Zijn stem klonk schril van opwinding. 'De zilveren vis komt eraan! De *choengaji* hebben hem gezien. Hij zal hier zijn voordat de zon helemaal boven de horizon uit komt.'

Leon sprong overeind en was ogenblikkelijk klaarwakker. 'Start het vliegtuig!' schreeuwde hij naar Manjoro. 'Nummer een aan bakboordzijde.' Hij klauterde op de lagere vleugel van de Vlinder en zwaaide zich toen over het luikhoofd van de cockpit.

'Lucht aanzuigen' schreeuwde hij en hij zette de carburateur aan. Het vliegtuig leek evenveel naar de jacht te verlangen als hij. De motoren sloegen aan bij de volgende draai van de propeller. Terwijl hij wachtte tot ze helemaal warmgedraaid zouden zijn, tuurde hij omhoog naar de lucht. Hij zag aan de wolken dat er een stijve bries vanaf de oceaan woei en recht over de korte, snelle startbaan blies. Het was de perfecte wind om op te stijgen. Het leek alsof de goden van de jacht hem gunstig gezind waren.

Loikot en Ishmael klommen de cockpit in en toen Manjoro achter hem naar binnen was geklauterd, leek het alsof er niet voldoende ruimte voor hen allemaal was. Hij trok de gashendels langzaam open en de Vlinder reed naar voren. De Masai-dragers naast de vleugelpunten draaiden het vliegtuig om zodat het in één lijn met de startbaan kwam en toen hij de gashendels helemaal opentrok, duwden ze met al hun kracht tegen de achterranden van de vleugels. Het vliegtuig accelereerde snel, maar niet snel genoeg, want het zat nog steeds onder zijn vliegsnelheid toen ze aan het eind van de startbaan kwamen waar de wand van de klip steil naar beneden liep. Leons overlevingsinstinct zei hem dat hij hard moest remmen om te voorkomen dat ze in de afgrond zouden storten, maar hij negeerde het en hield de gashendels helemaal opengedrukt. De motoren draaiden loeiend op volle kracht en op dat moment voelde hij een krachtige windvlaag in zijn gezicht. Het was een toevallige, onverwachte windvlaag. Hij voelde dat de wind onder de vleugels kwam en het vliegtuig een zachte lift gaf. Even dacht hij dat zelfs dat niet voldoende was. Hij voelde dat één vleugel zakte toen het vliegtuig bijna in overtrokken vlucht raakte en de neus meedogenloos naar beneden werd gedrukt. Hij voelde dat de Vlinder in de wind beet en plotseling vlogen ze.

Hij hield de neus naar beneden en terwijl zijn snelheid tot honderd knopen steeg, liet hij het stuurwiel weer langzaam opkomen. Het vliegtuig klom bereidwillig omhoog, maar hij hijgde van angst. Een ogenblik hadden ze op het randje van de dood gebalanceerd.

Hij onderdrukte zijn angst en keek voor zich uit. Ze zagen hem allemaal tegelijk: de enorme, zilverkleurige vis die glansde in het vroege zonlicht. Hij had gedacht dat hij op de aanblik ervan voorbereid was, maar hij merkte dat hij dat niet was. De pure omvang van de Assegaai verbaasde Leon. Het luchtschip vloog een paar honderd voet onder de Vlinder en was hun positie bijna gepasseerd. Als ze een paar minuten later op deze plek waren aangekomen, zouden ze het voorgoed kwijt zijn geweest. Maar de Vlinder was nu in een perfecte positie om dichter bij de Assegaai te komen. Hij vloog boven en achter het luchtschip en zat precies in zijn blinde hoek. Hij duwde de neus naar beneden en ging erachteraan. Toen hij er snel dichterbij kwam, leek het steeds groter te worden tot het zijn hele gezichtsveld vulde. Hij zag dat een van de voorste motoren al onklaar was: de propeller stond zo stijf rechtop als een schildwacht. De gondels die de twee achterste motoren herbergden, zaten onder en achter de passagierscabine en het vrachtruim. Hij was zo geïntrigeerd dat hij bijna vergat om zijn bemanning het bevel te geven om het net te laten zakken.

Hij wist dat dit een van de meest kritieke momenten van de hele onderneming was. Zijn eigen staartsteun of landingsgestel zou gemakkelijk in het net verstrikt kunnen raken wanneer het zich achter hem uitspreidde. Maar de oostenwind van de moesson duwde het zware net zachtjes opzij, zodat het met zijn lengte van vierhonderd meter perfect achter de Vlinder aan gesleept werd. Hij liet het vliegtuig langs de zijkant van de gascontainer naar beneden glijden en vloog toen langzaam naar voren tot hij op gelijke hoogte was met de observatiegondel en de commandobrug.

Het was een schok voor hem dat hij levende mensen achter de glazen ramen zag. Op de een of andere manier leek het monsterlijke luchtschip een eigen leven te leiden, volledig los van alles wat met mensen te maken had. Toch zag hij graaf von Meerbach die maar vijftien meter van hem vandaan stond en hem met een woedende uitdrukking op zijn gezicht aankeek. Zijn lippen bewogen zich in stilte terwijl hij obsceniteiten schreeuwde die in het geraas van de motoren verloren gingen. Toen draaide hij zich bliksemsnel om en rende naar het machinegeweer dat in de hoek van de brug was opgesteld.

Leon verstijfde van schrik toen hij Eva achter de Duitser zag staan. Een ogenblik keek hij in haar violette ogen, terwijl ze hem verbijsterd aanstaarde. Graaf Otto haalde de grendel over en zwenkte de omvangrijke, met water gekoelde mantel van het machinegeweer naar hem toe. Leon rukte zijn blik van haar los en liet de vleugel van de Vlinder scherp overhellen op het moment dat graaf Otto het eerste salvo afvuurde. De lichtspoorkogels vormden een boog van licht naar hem toe, maar Leon vloog scherp voor de brug van het luchtschip langs en het salvo lichtspoorkogels miste hem ruim.

De twee achterste motoren van de Assegaai hingen kwetsbaar onder de kiel. Leon keek om naar het lange net dat achter de Vlinder aan slierde. Daarna beoordeelde hij de hoek waarin ze ten opzichte van elkaar vlogen en hun relatieve snelheid zo nauwkeurig mogelijk en sleepte het net over de ronddraaiende propellers van de motoren van het luchtschip. Ze bleven in het net haken en wonden het bijna direct op tot strakke ballen die de propellers verlamden. Het gebeurde allemaal zo snel dat hij er bijna door overrompeld werd.

'Los!' schreeuwde hij naar Manjoro die snel reageerde en met beide handen aan de ontkoppelingshendel trok. De borghaken gingen open en de zware sleeptouwen schoten soepeltjes los, vlak voordat ze de Vlinder uit de lucht konden plukken. Het reusachtige vissenstaartroer van de Assegaai streek langs hun bovenste vleugel toen het over hen heen vloog. De Vlinder was nu veilig uit de buurt van het luchtschip. Leon keerde en klom omhoog tot hij weer de positie boven en achter de Assegaai had bereikt en hij bleef in de blinde hoek van het luchtschip. Het salvo lichtspoorkogels uit het Maxim-machinegeweer was te dichtbij gekomen. Hij zou die fout niet meer maken.

Hij zag rook uit de achterste motoren van het luchtschip walmen. Het net en de sleeptouwen waren zo strak om de propellernaven en andere bewegende delen gedraaid dat ze uitgevallen waren. De Assegaai reageerde niet meer op het roer. De voorste motor die nog werkte, had niet het vermogen om het luchtschip tegen de zijwind van de moesson in recht te houden. Het draaide scherp onder de wind en zweefde recht op de rotsachtige wand van de Lonsonjo af. De roerganger bestuurde het luchtschip met de gashendel helemaal open en de spanning werd te groot. Er kwam nu blauwe rook onder de kap van de laatste motor vandaan doordat hij oververhit was geraakt.

Graaf Otto rende de controlekamer door, greep de roerganger bij de schouders en slingerde hem opzij. De man knalde met zijn hoofd tegen het raam en viel op het dek neer terwijl het bloed uit zijn gebroken neus stroomde. Graaf Otto greep het stuurwiel en keek omhoog naar de klippen. Ze waren er maar achthonderd meter vandaan en driehonderd meter onder de top. Ze konden alleen voorkomen dat ze ertegenaan zouden knallen door de gascontainers maximaal te vullen en het luchtschip zo snel mogelijk te laten stijgen om te proberen over de top van de berg heen te vliegen. Hij pakte de klephefboom vast en trok hem helemaal open. Hij verwachtte dat de waterstof gierend door de inlaatpijpen zou stromen, maar in plaats daarvan hoorde hij alleen een zwak gesis en hoewel het luchtschip beefde, steeg het traag.

'De waterstoftanks zijn leeg!' schreeuwde hij gefrustreerd. 'We hebben al het gas in de woestijn laten ontsnappen toen we tegen de chamsin vochten. We redden het niet. We zullen tegen de klip aan knallen. We moeten springen! Ritter, haal de parachutes. Er zijn er genoeg voor ons allemaal.'

Ritter leidde een stormloop naar het magazijn achter de brug en ze gooiden de rugzakken door de deuropening in een hoop op het dek. Er ontstond paniek en de mannen verdrongen elkaar en worstelden om er een te pakken te krijgen. Graaf Otto duwde hen met zijn schouders uit de weg en pakte er een in elke hand. Hij rende ermee terug naar Eva. 'Doe dit om.'

'Ik weet niet hoe dat moet,' zei ze.

'Nou, dan heb je twee minuten om het te leren,' antwoordde hij grimmig en hij liet het tuig over haar schouders glijden. 'Zodra je uit de buurt van het luchtschip bent, tel je tot zeven en dan trek je aan dit koord.' Hij trok de riemen van het tuig strak over haar borst. 'Zodra je op de grond komt, open je deze gespen en loos je de parachute. Hij gespte zijn eigen parachute om en sleepte haar naar de deur die al versperd was door mannen die elkaar verdrongen om te kunnen springen.

'Ik kan dit niet, Otto,' riep Eva, maar hij ging niet met haar in discussie. Hij pakte haar om haar middel vast en droeg haar naar de deur, terwijl ze hevig tegenstribbelde. Hij schopte de twee mannen voor hem met kracht uit de weg en zodra de deuropening vrij was, gooide hij Eva naar buiten. Toen ze naar beneden viel, schreeuwde hij haar na: 'Tel tot zeven en trek dan aan het koord.'

Hij zag haar naar de boomtoppen van het regenwoud vallen. Net toen het leek alsof ze op de bomen zou storten, barstte haar parachute open en rukte zo hevig aan haar dat haar lichaam als een marionet aan de touwen heen en weer zwaaide. Hij wachtte niet tot hij haar zag landen, maar stapte de ruimte in en dook naar de bomen.

Leon hield de Vlinder in een strakke bocht boven de klippen en keek neer op de lichamen die uit het luikgat in de controlekamer van de Assegaai sprongen. Hij zag dat minstens drie parachutes niet opengingen en dat de mannen met maaiende armen en benen naar beneden vielen tot ze de boomtoppen raakten. Anderen, die meer geluk hadden, werden door de moessonwind meegevoerd als distelpluis en verspreid over de berghelling. Toen zag hij dat Eva, met haar kleinere en slankere lichaam dan de mannen, in vrije val naar beneden kwam. Hij beet hard op zijn lip terwijl hij wachtte tot haar parachute zou opengaan en hij schreeuwde van opluchting toen hij zag dat de witte zijde zich boven haar ontvouwde. Ze was al zo laag dat ze binnen een paar seconden door de dichte, groene massa van het oerwoud opgeslokt zou zijn.

De Assegaai zweefde verder en zwalkte met zijn neus omhoog heen en weer op de wind. Hij steeg langzaam, maar Leon zag met één oogopslag dat hij nooit over de top van de klip heen zou komen. Zijn staart raakte de bomen en hij draaide abrupt rond. Hij rolde als een gestrande kwal op zijn zij en zijn grote gascontainers bleven in de bovenste takken van de bomen haken. Ze zakten in en het luchtschip liep leeg als een lek geprikte ballon. Leon zette zich schrap voor de explosie van waterstof die zeker moest volgen – er was slechts een vonk uit de beschadigde generatoren voor nodig – maar er gebeurde niets. Terwijl het gas naar buiten stroomde en door de wind werd verspreid, daalde de Assegaai in een vormloze massa zeildoek en wrakstukken op de boomtoppen neer waarbij zelfs de grootste takken onder zijn enorme gewicht afbraken.

Leon maakte een strakke bocht en vloog maar een meter boven het wrak terug. Hij probeerde het bos in te kijken in de hoop een glimp van Eva op te vangen, maar er was geen spoor van haar te bekennen. Hij cirkelde terug en vloog nog één keer langs het wrak. Deze keer zag hij een man die levenloos aan de touwen van een parachute hing waarvan de zijde in de takken van een hoge boom verward geraakt was. Hij was nu zo laag dat hij graaf Otto herkende.

'Hij is dood,' concludeerde Leon. 'Hij heeft eindelijk zijn vervloekte nek gebroken.' Toen was de Vlinder recht boven hem en werd Leons zicht door de onderste vleugel belemmerd.

Hij keerde en liet het vliegtuig stijgen om naar de landingsbaan terug te gaan. Hij bleef laag langs de wand van de klip vliegen omdat hij geen moment wilde verliezen.

Hij wilde weer zo snel mogelijk terugkeren om Eva te zoeken. Toen hij langs de witte waterval vloog en in Sheba's Poel aan de voet ervan keek, controleerde hij zijn oriëntatiepunten zorgvuldig. Hij was maar een paar minuten vliegen van het wrak van de Assegaai verwijderd, maar hij wist dat het een zware klus zou worden om dezelfde afstand te voet af te leggen. Zodra hij was geland en de motoren had uitgezet, haalde hij zijn geweerfoedraal onder zijn stoel vandaan. Met drie snelle bewegingen zette hij de lade en de lopen in elkaar en laadde de kamers van de grote Holland. Toen zwaaide hij zijn benen over de zijkant van de cockpit en sprong naar beneden. Zodra zijn voeten de grond raakten, schreeuwde hij al bevelen naar de vele wachtende *morani's* die naar voren renden om hem te begroeten.

'Snel! Haal jullie speren! De memsahib is daar alleen in het bos. We moeten haar snel vinden.' Hij rende de helling af en sprong over lage struiken heen. De krijgers die hem volgden, moesten moeite doen om hem tussen de bomen door in het zicht te houden.

105

Wild heen en weer zwaaiend aan de touwen van haar parachute staarde Eva naar de boomtoppen die haar tegemoet snelden. Ze knalde door de bovenste takken heen, terwijl de twijgen om haar hoofd braken en kraakten. Elke keer dat ze tegen een volgende tak botste, werd haar snelheid weer wat vertraagd tot ze ten slotte op een open plek op de berghelling op de grond viel.

De helling was steil, dus liet ze zich halsoverkop naar beneden rollen tot ze in een stukje moeras tot stilstand kwam. Ze herinnerde zich graaf Otto's instructie en trok verwoed aan de gespen van haar tuig tot ze het van zich af kon schudden. Toen stond ze voorzichtig op en controleerde of ze gewond was. Ze had een paar schrammen op haar armen en benen en ze had een blauwe plek op haar linkerbil, maar daarna herinnerde ze zich haar doodsangst toen ze uit het luchtschip was gegooid en begreep ze hoe ze had geboft.

Ze rechtte haar schouders en stak haar kin vooruit.

'Goed, waar vind ik Das? Had ik maar enig idee waar hij vandaan kwam, maar hij dook vanuit het niets op.' Ze dacht niet langer dan een paar seconden na voordat ze haar eigen vraag beantwoordde. 'Sheba's Poel, natuurlijk! Dat is de eerste plek waar hij naar me zal zoeken.'

Ze kende het gebied zo goed omdat zij en Leon hier rondgezworven hadden tijdens hun uitstapjes op de hellingen in de eerste heerlijke maanden die ze in Loesima's *manjatta* hadden doorgebracht. Nu was een snelle blik door het bos op de wand van de klip genoeg om haar huidige positie ten opzichte van de waterval te kunnen bepalen. 'Het kan niet meer dan een kilometer of vier naar het zuiden zijn.'

Ze ging op weg waarbij ze zich door de richting van de helling liet leiden en de wand van de klip aan haar rechterkant hield. Toen bleef ze abrupt staan. Er was beweging in de struiken voor haar en een afzichtelijke gevlekte hyena rende eruit terwijl er een reep gescheurd, rauw vlees uit zijn bek bungelde. Ze had zijn maaltijd verstoord.

Ze liep behoedzaam naar voren en vond het lijk van Thomas Bueler, de eerste officier, die in een hoopje in het struikgewas lag. Hij was een van degenen wier parachute niet open was gegaan. Ze herkende hem aan zijn uniform: het grootste deel van zijn gezicht ontbrak – de hyena had het eraf gerukt. Ze wilde haastig over het gras doorlopen toen ze zag dat Bueler een kleine rugzak aan de voorkant van zijn tuig bevestigd had – daardoor was de parachute niet opengegaan. De tas was in de touwen blijven haken. Misschien zat er iets in wat haar zou kunnen helpen om te overleven; ze was tenslotte alleen en ongewapend op de berg.

Ze knielde naast het lijk neer en dwong zichzelf om niet naar zijn verminkte gezicht te kijken toen ze de rugzak opende. De inhoud ervan bestond uit een kleine eerstehulpdoos, een paar pakjes gedroogd fruit en gerookt vlees, een blikje lucifers om een vuur aan te leggen en een 9mm-Mauser-pistool in een houten holster en twee magazijnen munitie. Al deze dingen zouden van onschatbare waarde kunnen zijn.

Ze maakte de riem los van het tuig van de parachute, zwaaide de rugzak over haar schouder, sprong op en liep haastig verder over het wildpad. Na achthonderd meter hoorde ze Otto's stem die een stukje hoger op de helling klaaglijk om hulp riep: 'Hoort iemand me? Ritter! Bueler! Kom hier! Ik heb jullie hulp nodig.' Ze verliet het wildpad dat ze volgde en liep voorzichtig in de richting van het geluid. Toen hij weer riep, keek ze op en zag ze hem. Hij hing hoog in het bladerdak. De touwen van zijn parachute waren om een grote tak gewikkeld en hij bungelde twintig meter boven de grond. Hij zwaaide zichzelf heen en weer om de tak waaraan hij hing vast te kunnen pakken, maar hij kon niet genoeg snelheid ontwikkelen om erbij te komen.

Eva keek behoedzaam in het rond. Er was geen enkel bemanningslid van de Assegaai te zien. Ze waren alleen in het bos. Ze wilde net wegsluipen en haar tocht voortzetten toen hij haar zag. 'Eva! Godzijdank dat je gekomen bent.' Ze bleef staan. 'Kom hier, Eva, je moet me helpen om naar beneden te komen. Als ik mijn tuig losmaak, val ik dood. Maar ik heb een licht touw in mijn tas. Hij stak zijn hand onder de flap en haalde er een streng jute twijndraad uit. 'Ik laat het uiteinde hiervan naar beneden zakken. Je moet me naar de tak toe trekken zodat ik hem kan vastpakken.' Ze bleef roerloos staan en staarde naar hem omhoog. Nu hij wist dat ze de crash had overleefd, kon ze hem niet achterlaten. Hij zou haar volgen. Hij zou haar nooit laten ontsnappen.

'Schiet op, mens. Pak het uiteinde van het touw,' schreeuwde hij ongeduldig.

Voor het eerst in hun lange relatie was hij volkomen in haar macht. Dit was de man die haar vader had vermoord, de man die haar had vernederd en lichamelijk en geestelijk had gemarteld. Dit was het moment om wraak te nemen. Als ze hem nu doodde, zou ze al die herinneringen kunnen uitwissen. Ze zou weer helemaal zichzelf kunnen worden. Zo langzaam als een slaapwandelaar liep ze naar hem toe en stak tegelijkertijd haar hand in Buelers rugzak.

'Ja, Eva, goed zo. Ik weet dat ik altijd op je kan rekenen. Pak het touw vast.' Zijn stem had een smekende klank die ze nog nooit had gehoord.

Ze voelde kracht en vastberadenheid door haar lichaam stromen. De kolf van de Mauser paste perfect in haar hand.

'Ik ben de engel der wrake,' fluisterde en ze keek omhoog naar de man die hulpeloos boven haar hing. 'Ik ben de wreekster.' Ze trok het pistool en schoof de slede terug. Er klonk een scherpe metaalachtige klik toen ze hem naar voren liet schieten zodat er een kogel in de kamer zat.

'Wat doe je?' schreeuwde graaf Otto in verwarring. 'Stop dat pistool weg. Straks verwond je nog iemand!' Ze bracht het wapen langzaam omhoog en richtte het op hem.

'Hou op, Eva! Wat doe je in godsnaam?' Ze hoorde nu angst in zijn stem.

'Ik ga je doden,' zei ze zacht.

'Ben je gek geworden? Heb je je verstand verloren?'

'Ik heb meer dan mijn verstand verloren. Je hebt alles van me afgenomen. Nu neem ik het terug.'

Ze vuurde.

Ze had niet verwacht dat de knal zo luid en de terugslag zo hevig zou zijn. Ze had op zijn zwarte hart gericht, maar de kogel had zijn linkerarm boven de elleboog geschampt. Het bloed liep in een dun straaltje over zijn onderarm en druppelde van zijn vingertoppen.

'Doe dit niet, Eva! Alsjeblieft. Ik zal alles doen wat je zegt.' Ze vuurde weer en deze keer miste ze hem helemaal. Ze had niet geweten dat het zo moeilijk was om vanaf die afstand zuiver met een pistool te schieten. Graaf Otto wriggelde in het tuig, zwaaide heen en weer en rukte aan de touwen. Ze vuurde steeds opnieuw. Hij schreeuwde van angst. 'Hou op! Hou op, lieveling! Ik zal het met je goedmaken, dat beloof ik je. Je krijgt alles van me wat je wilt.' Ze haalde diep adem en probeerde het gebonk van haar hart te onderdrukken toen ze het pistool voor de laatste keer op hem richtte, maar voordat ze het schot kon afvuren, werd er vanachteren een sterke arm om haar middel geslagen en een hand pakte haar pols vast en duwde het pistool naar beneden. De kogel boorde zich tussen de neuzen van haar laarzen in de grond.

'Goed gedaan, Ritter!' brulde graaf Otto. 'Hou haar vast! Wacht tot ik die verraderlijke teef te pakken kan nemen.'

Ritter wrong het pistool uit Eva's handen, drukte haar toen op de grond en zette een knie tussen haar schouderbladen. Hij hield haar handen op haar rug terwijl een van de bemanningsleden ze met een stuk of zes vakkundige knopen vastbond. Ritter overhandigde hem de Mauser. 'Schiet haar dood als ze je een excuus geeft,' zei hij en daarna rende hij weg om graaf Otto uit de boom te halen. Hij greep het uiteinde van het bungelende touw vast en trok het schuin opzij. Graaf Otto pakte een tak stevig vast en zwaaide zich omhoog tot hij er overheen lag. Hij gespte zijn tuig los en liet het vallen. Zo lenig als een grote, rode aap klom hij langs de stam naar beneden. Hij bleef maar een minuutje staan om op adem te komen en liep toen langzaam naar Eva toe. 'Zet haar overeind,' beval hij het bemanningslid, 'en hou haar goed vast.'

Hij glimlachte naar haar en liet haar de metalen vuist zien. 'Dit is voor jou, schat!' Hij sloeg haar. Hij lette er zorgvuldig op dat hij niet te hard sloeg: hij wilde niet dat ze te snel stierf.

'Teef!' zei hij. Hij pakte een handvol van haar haar vast en draaide eraan tot ze op haar knieën viel. 'Verraderlijke teef! Nu begrijp ik dat jij het de hele tijd was en niet die meelijwekkende Boer.' Hij duwde haar gezicht in de door de regen doorweekte grond en zette zijn laars op haar achterhoofd. 'Ik weet niet wat de beste manier is om je te laten sterven. Moet ik je in de modder verdrinken? Moet ik je langzaam wurgen? Of moet ik je mooie hoofdje tot moes slaan? Het is een moeilijke beslissing.' Hij tilde haar hoofd op en staarde in haar ogen. Het bloed dat vermengd met modder uit haar neus stroomde, liep over haar gezicht en druppelde van haar kin. 'Je bent niet zo mooi meer. Je lijkt nu meer op de smerige, kleine hoer die je eigenlijk bent.'

Eva gooide haar hoofd in haar nek en spuwde naar hem.

Hij veegde zijn gezicht aan zijn mouw af en lachte haar uit. 'Dit gaat echt leuk worden. Ik zal van elke seconde genieten.'

Ritter stapte naar voren en probeerde tussenbeide te komen. 'Nee, meneer. U kunt haar dit niet aandoen. Ze is een vrouw.'

'Ik zal je laten zien dat ik dat wel kan, Ritter. Let op.' Hij hief de gepantserde vuist weer, maar toen hij zich naar Eva vooroverboog, klonk er een oorverdovende knal. Het was het kenmerkende geluid van een .470-Nitro-geweer. Graaf Otto werd met maaiende armen naar achteren geworpen toen de zware kogel zich midden in zijn borst boorde en in een helderrode fontein van bloed en vermorzeld weefsel tussen zijn schouderbladen naar buiten kwam.

'Mocht er iemand zijn die hier een punt van wil maken, dan heb ik nog een kogel,' zei Leon in het Duits toen hij met Manjoro, Loikot en twintig met assegaaien gewapende *morani's* uit de struiken stapte.

'Manjoro, bind deze mensen vast als kippen die naar de markt gaan. Laat hen door de *morani's* naar het fort bij het Magadimeer brengen en aan de soldaten overdragen,' zei hij en toen rende hij naar Eva toe die nog geknield in de modder lag. Hij rukte zijn jachtmes uit de schede en sneed het touw door. Toen nam hij haar gezicht in zijn handen en hief het naar het zijne op.

'Mijn neus,' fluisterde ze. Hij kuste lichtjes haar bebloede en met modder besmeurde lippen.

'Hij is gebroken en je zult er een paar prachtige blauwe ogen aan overhouden, maar dokter Thompson zal je vast op weten te lappen zodra ik je naar Nairobi heb gebracht.' Hij tilde haar op en hield haar dicht tegen zijn borst gedrukt toen hij de berghelling opliep naar de landingsbaan waar de Vlinder wachtte. Daar legde hij haar voorzichtig op het dek en bedekte haar met een lap zeildoek, want ze bibberde van de shock.

Toen hij zich oprichtte, zag hij dat Loesima naast de romp stond. 'Ik breng haar naar Nairobi,' zei hij, 'maar u kunt me een grote dienst bewijzen.'

'Zeg het maar,' zei ze.

'Het zilverkleurige monster ligt gebroken op de berghelling. Manjoro zal u en de *morani's* erheen brengen. Ik wil dat u het volgende voor me doet.'

'Ik luister, M'bogo.' Hij sprak op dringende toon. Toen hij uitgesproken was, knikte ze. 'Ik zal dat allemaal doen. Breng nu je mooie, geknakte bloem in veiligheid en koester haar tot ze genezen is.'

106

Het was bijna op de dag af vier jaar geleden voordat ze naar Sheba's Poel terugkeerden. Ze lieten Loesima, Manjoro, Ishmael en Loikot bij het oude kamp achter en reden er samen naartoe. Leon tilde haar uit het zadel en kuste haar voordat hij haar op de grond zette. 'Het is heel vreemd,' zei hij, 'maar hoe komt het dat je elke dag jonger en mooier wordt?'

Ze lachte en raakte de zijkant van haar neus aan. 'Als je een knikje en een bultje hier en daar buiten beschouwing laat.' Zelfs met zijn medische toverkunsten was dokter Thompson er niet in geslaagd om haar neus helemaal recht te krijgen.

'Noem je dat een bultje?' vroeg hij en hij legde zijn hand op haar buik. 'Wat vind je hier dan van?'

Ze keek er trots naar. 'Let maar eens op hoe hard het groeit.'

'Ik kan bijna niet wachten, mevrouw Courtney.' Hij pakte haar hand en leidde haar naar haar gebruikelijke zitplaats op de rotsachtige richel. Ze gingen naast elkaar zitten en staarden in het donkere water.

'Ik wed dat je het verhaal over de vermiste Meerbach-miljoenen nooit gehoord hebt,' zei Eva.

'Natuurlijk heb ik dat gehoord,' zei hij ernstig en met een uitgestreken gezicht. 'Het is een van de grote mysteries van Afrika, vergelijkbaar met de mijnen van koning Salomo en de Kruger-miljoenen die de oude Boerenpresident had laten verdwijnen voordat Kitchener met zijn leger Pretoria binnenmarcheerde.'

'Denk je dat iemand het mysterie binnenkort zal oplossen?'

'Misschien vandaag nog,' antwoordde hij. Hij stond op en knoopte zijn overhemd los.

'Ze liggen hier al bijna vier jaar. Veronderstel dat iemand ze al gevonden heeft,' zei ze en haar luchtige stemming verdween.

'Dat kan niet,' verzekerde hij haar. 'Loesima Mama heeft een vloek over de poel uitgesproken. Niemand zou erin durven te gaan.'

'Maar ben jij dan niet bang?' vroeg ze.

Hij glimlachte en raakte het uit ivoor gesneden amulet aan dat aan een riempje om zijn nek hing. 'Loesima heeft me dit gegeven. Het zal me tegen de vloek beschermen.'

'Dat verzin je maar, Das!' zei ze beschuldigend.

'Er is maar één manier om het te bewijzen.' Hij hinkte op één been toen hij zijn broek uittrok. Vervolgens nam hij een aanloop en dook van de richel het water in.

Ze sprong overeind en riep hem na: 'Kom terug! Ik wil het antwoord niet weten. Als alles nu eens weg is, Das?'

Hij grijnsde watertrappelend vanuit het midden van de poel naar haar. 'Je bent een echte pessimiste, schat. Over een paar minuten heb ik slecht of heel goed nieuws voor je.' Hij haalde vier keer diep adem en dook onder water. Een paar seconden trappelden zijn blote voeten boven het oppervlak en toen was hij verdwenen. Ze wist dat het een tijdje zou duren voordat hij boven zou komen en in gedachten keek ze terug over de afgelopen vier jaar. Ze waren vol opwinding en gevaar geweest, maar ook vol liefde en vrolijkheid. Ze was het grootste deel van de tijd bij hem geweest toen hij met Delameres lichte cavalerie op veldtocht was tegen die sluwe schurk Von Lettow Vorbeck. Leon had haar geleerd met de Hommel te vliegen en om als zijn waarnemer en navigator op te treden. Ze hadden met zijn tweeën een beroemd team gevormd. Toen Leon een keer niet bij haar was, was ze onder zwaar vuur van de Duitsers geland om vier gewonde *askari's* te redden. Lord Delamere had hemel en aarde bewogen om haar de Militaire Medaille te laten toekennen.

Maar nu is de oorlog gestreden en gewonnen. Ik zou dankbaar zijn voor een beetje minder opwinding en gevaar en een heleboel meer liefde en vrolijkheid.

Ze sprong op toen Leon met veel gespat uit het water omhoogschoot. 'Vertel me het slechte nieuws!' schreeuwde ze.

Hij antwoordde niet, maar zwom onder haar naar de richel en bracht zijn hand uit het water omhoog. Hij had iets vast en gooide het voor haar voeten. Het was een kleine zeildoeken zak en hij was zwaar, want de sluiting barstte open toen hij op de richel viel. Gouden munten stroomden eruit en glinsterden in het zonlicht. Ze slaakte een gilletje van blijdschap en liet zich op haar knieën zakken. Ze pakte ze in haar tot een kom gevormde handen op en keek ernaar met een onuitgesproken vraag in haar blik.

'Sommige van de kisten zijn opengebarsten, waarschijnlijk toen Loesima's *morani's* ze vanaf de top van de waterval in de poel hebben laten vallen, maar het ziet ernaar uit dat er niets of heel weinig ontbreekt.' Hij gleed het water uit als een otter. Ze liet de gouden soevereinen uit haar handen vallen en omhelsde zijn koude, natte lichaam.

'Moeten we het niet allemaal teruggeven?' fluisterde ze in zijn oor.

'Aan wie dan? Aan keizer Bill? Ik geloof dat hij zich onlangs heeft teruggetrokken.'

'Ik voel me zo schuldig. Het is niet van ons.'

'Je moet het maar zien als een volledige betaling van Otto von Meerbach voor het patent dat hij van je vader heeft gestolen,' opperde hij.

Ze leunde naar achteren, hield hem op een armlengte en staarde hem verbijsterd aan. Ze begon te glimlachen. 'Natuurlijk! Als je het zo bekijkt, is het iets totaal anders.' Ze lachte. 'Ik heb niets op je redenering aan te merken, lieve Das!'

Openbare Bibliotheek
Staatsliedenbuurt
Van Hallstraat 615
1051 HE Amsterdam
Tel.: 020 - 682.39.86